U0103051

圖書館學論叢

王振鵠著

臺灣學生書局印行

蔣　序

圖書館之基礎有四：一曰圖書，二曰人員，三曰經費，四曰建築。建築實為首要，蓋無建築，則一切圖書館工作均無從措手也。是故國立中央圖書館於民國二十二年籌備之初，租得南京市沙塘園七號民房一所為籌備處，繼以不敷所用，卽以八萬元購得成賢街中央研究院總辦事處舊址，公開閱覽；代表政府，與各國交換圖書。管理中英庚款董事會通過補助中央圖書館建築經費一百五十萬元，而困於土地之難覓。後在國府路覓得一地，係天主教會所有，僅允交換，不能出售，又困於交換地之難覓。再三洽商，獲允先可建築，容緩覓地交換。于是於二十六年組織建築委員會，草擬建築計畫，徵集建築圖，擬以競賽方式決定後，卽開始動工，乃蘆溝橋事變發生，因此停頓。二十七年隨同政府，遷駐重慶。因重慶並無公共圖書館，而政府亦正從事長期抗戰，故為永久計，在重慶建築館厦一所，俟抗戰勝利後，留作重慶公共圖書館之用，以十七萬元法幣造一中型公共圖書館；附設有展覽室，抗戰期間一切展覽均在此舉行焉。並建議管理中英庚款董事會，西南各省，每省補助五萬元造省立圖書館，以中央圖書館為中心，發展西南各省圖書館事業，完成者有昆明一所。二十九年，館厦落成，政府公佈國立中央圖書館組織條例，國立中央圖書館於焉產生。規模略具，開放閱覽。其時上海學界人士向管理中英庚款董事會及教育部建議，收集因戰事關係，各地散出善本圖書，否則將流出國外，對國家文化實為巨大損失。中英庚款董事會及教育部均贊同此議，將中英庚款董事會補助中央圖書館建築經費一百五十萬元移作為在滬港採購善本之用。除委託葉譽虎先生在港採購外，派余至滬，設立機構，採集善本圖書；良以法幣跌落，戰爭期間，通貨膨脹，勢所必然，此一百五十萬元建築費如不用去，戰後將不值幾錢。而善本難得，實為機會，況挽救散佚，對於國家文化實有必要。派余至滬，辦理善本圖書之採購，事雖冒險，毅然為之。抗戰勝利，所購善本全部來歸，有為日人取去者，亦皆索回。又接收到大批圖書，藏書總計在百萬册以上，人員亦有一百數十人，經費雖不寬裕，尚能按計畫採購。而抗戰雖已結束，而共匪叛國，到處擾亂，珍籍名鈔，紛紛散出，採購善本工作，決不能停，中英庚款董事會補助之建築費業已用罄，幸蒙教育部察及，撥款照購，例如現藏之唐寫經及宋本江湖名賢小集等，皆教育部撥款所購者也。于是勝利後最所需要之館厦，無法建築，舊址雖已修復，不敷其用，迫不得已，分成數處，在南京市山西路接收之澤存文庫舊址設特藏組，附有善本書庫及閱覽室，藏中文線裝書約百萬册；於成賢街本館內添建閱覽室及書庫樓房一幢，藏中西文書約十餘萬册；於新街口租屋設普通閱覽室，藏普通中西文書約數萬册，以供公衆之需要。然而本館之牆邊屋壁到處是書，工作困難，建築實最所需要，建築工作自當及時恢復，而管理中英庚款董事會及教育部皆無款可撥，供建築之需要，致遲遲未動，而共匪發動攻勢，徐蚌一戰，首都感受威脅，奉教育部令，將善本圖書，隨同故宮博物院、中央博物院、中央研究院歷史語言研究所所藏古物，一併遷運臺灣。抵臺之後，遵敎育部令併入院館聯合辦事處，保管而已。四十三年奉令恢復，初在中山南路敎育部旁辦公。四十四年奉撥南海路日據時代之建功神社，作爲館址，經數年之力，改變修造，成爲現在之中央圖書館，七拼八湊，計費三百萬元，在中央圖書館言，已非易事；在按國立中央圖書館之標準言，相差尚遠。自愧無能，筋疲力盡矣。五十四年奉調兼任國立故宮博物院院長，五十五年奉准辭去中央圖書館館長，心所耿耿者厥爲建築，竊念在光復大陸前中央圖書館恐不能有理想之館厦矣。何意天從人願，國立中央圖書館憑空出現，在中山南路中正紀念堂對面有一所以十億新臺幣建築之中央圖書館新建築，在中國圖書館史上實爲一破天荒之事實，在東南亞亦爲一所可數之巨大圖書館建築。此爲政府大力推行文化建設之一明證，敎育部重視圖書館事業發展之決策，亦是王振鵠先生多年來辛勤擘劃之成果，更爲日夕盼望之我，歡忭莫名！王館長之貢獻，不限於中央圖書館，其領導師大圖書館及社敎系與在各大學敎課，學識淵博，敎澤廣被，成就良多。其及門弟子爲慶祝王館長六十大慶，選印其論著十四篇爲圖書館學論叢，以餉全國圖書館界，凡欲了解王館長之爲人治學與治事，皆可以此中認識。蒙委撰序，特爲簡介，略述中央圖書館之史實，以見王館長工作之非易。自愧不文，不覺言之瑣而冗長也，尚祈讀者諒之是幸。

中華民國七十三年十二月海寧蔣復璁敍序，時年八十有六。

嚴　序

圖書館種類繁多，以國家圖書館與大學圖書館最爲重要。我國國立圖書館以遜清宣統元年（一九〇九）學部奏設之京師圖書館爲濫觴。京師圖書館於民國十八年與北海圖書館合併，改稱國立北平圖書館。民國二十二年國民政府在首都南京籌設國立中央圖書館，以蔣復璁先生爲籌備主任，二十九年在重慶正式成立，勝利復員後不久，於三十七年遷臺，四十三年在臺北復館，仍以慰堂先生爲館長。五十五年蔣先生調職國立故宮博物院院長，十數年之間，更換館長四次，自六十六年王振鵠先生接任館長迄今，館務得以在安定中求進步。

王館長出掌中央圖書館以前，曾主持國立臺灣師範大學圖書館有年，並兼任該校社會教育系系主任之職。社教系分三組，第二組爲圖書館學組，以培植圖書館工作的專門人才爲目標。在師大服務期間，王館長曾赴美國田納西州畢保德師範學院圖書館學研究所進修，得圖書館學碩士學位，歸國後更積極推動館務系務，因之人才輩出，有聲士林。

王館長接任中央圖書館後，百端待舉，其中犖犖大者有三端：㈠遷建計劃，㈡業務自動化，㈢籌設漢學研究資料服務中心。民國六十年後中央圖書館因現有館舍不敷典藏及閱覽的需求，十四餘萬册的善本圖書更缺乏一安全適用的書庫，乃呈報敎育部核定該館遷建計劃，在文化建設項下分年編列預算，積極籌劃中央圖書館遷建事宜。新建築於七十一年十二月開工，地上七層，地下二層，地板面積約一萬二千坪，可容納圖書二百五十萬册，閱覽座二千三百席，同時可供民衆一千六百五十人參加文敎活動，預計七十四年全部完工，將爲東亞規模最大的圖書館之一。

民國七十年中央圖書館開始自動化作業，與中國圖書館學會於七十一年間編訂「中國機讀編目格式」，予線上資料著錄良好之基礎，又依此架構發展出「文獻分析機讀格式」，以達到資訊交換及分享之要求。目前已完成全國中文圖書及期刊聯合目錄建檔，並將中華民國期刊論文索引資料輸入電腦，用電腦印製索引目錄，加速提供資料服務之時效，對於讀者的檢索大爲方便。

政府爲提高我國在世界漢學界之地位，擬籌設漢學研究資料及服務中心，一面積極蒐集有關漢學資料，一面加強漢學界之聯繫服務。民國六十八年六月行政院指示加強協助漢學研究辦法，旋經敎育部轉交中央圖書館研議。六十九年四月行政院修正中央圖書館所擬籌設研究資料及服務中心計劃，並核定該中心成立後業務由中央圖書館兼辦。七十年六月敎育部聘請中央圖書館館長王振鵠先生兼任中心主任，負責籌備工作。同年九月敎育部聘請各研究所系敎授及學者十四人組織中心指導委員會，於是展開業務。三年來所收重要資料有：海外佚籍，敦煌遺書，學術論文，期刊微捲及特殊資料；出版品有「漢學研究通訊」季刊，「外文期刊漢學論評彙目」季刊，「漢學研究」半年刊及其他不定期刊物數種，最受海內外學術界歡迎。

以上三事爲王館長近數年絞盡腦汁，全神貫注之重點工作，成績卓越，有口皆碑。

今年爲王館長六十大慶，友好門生欲爲先生稱觴祝壽，先生謙辭再三，不得已朋儕乃將其論著選出精粹而有學術價值者十四篇爲論文集，以資紀念。文集計：圖書館學通論三篇，圖書館經營與標準三篇，圖書分類與目錄三篇，圖書館教育二篇，圖書館事業三篇。這些佳構，篇篇精采，字字珠璣，讀斯集者對於圖書館的理論與實際，定必獲益良多。

余於民國四十一年由美返國訪問，識振鵠兄於師大圖書館，見其器宇軒昂，儀表動人，且溫文爾雅，謙冲爲懷，更令人易與接近。六十七年來臺任教，振鵠兄聘我爲中央圖書館事業研究委員會委員，漢學中心成立後，復畀予顧問名義。每於開會及座談之際，見其處事冷靜而堅定，發言審愼而坦率，分析問題，簡明切要，實其學養深邃所致，由是景仰之忱，與時俱增。個人對於以上兩機構雖未能有所奉獻，但能與之發生關係，頗有知遇的感覺。

胡主任歐蘭女士索序於余，至感榮幸！認爲編者此次將王館長精心結撰的作品印行，實屬對他在學術貢獻上一個適當的致敬。名山事業，矜式後生。謹誌所懷，用資殷介並表崇敬之誠。

嚴文郁　謹識於臺北輔仁大學
民國七十三年耶誕節

圖書館學論叢

目次

肆、圖書館教育

伍、圖書館事業

附　　錄

壹、圖書館學通論

圖書館與圖書館學

一、圖書館的意義

西洋圖書館一詞，相傳淵源於希臘語的 Biblionthēkē 和拉丁語的 Librarium。前一字中 Biblion 是從 Papyrus 一字轉變而來的，意指尼羅河畔的水草，古埃及人在未發明紙帛以前，用作記事的工具。而 thēkē 含有容器的意思，兩字拼合成爲圖書館的專用語。現德國人稱圖書館爲 Bibliothek，法國人稱之爲 Bibliothèque 卽根源於此。後一字 Liber，是指樹木的內皮，可晒乾用作書寫的材料，具有書物的意思。根據此字，產生了放置圖書的場所 Librarium 一字，並泛指一切與圖書有關的人士，書商和書庫等。自後，承用演變爲目前的 Library 一字，爲英美語系國家所通用。

「圖書」二字，我國初源於古代的河圖洛書，易繫辭傳說：「河出圖，洛出書」圖爲繪畫的表示，書爲文字的記載，兩字合成古今典籍的通名。漢書蕭何傳：「收秦丞相御史律令圖書藏之。」可見在漢代圖書二字已實行合用。收藏圖書的場所，我國的用語甚多，如：石室、觀、閣、院、庫、藏書府、藏書樓等。周之王室文庫；漢之藏書府東觀；隋之觀文殿；唐之弘文館；宋之崇文院、昭文館、集賢館、龍圖閣、太淸樓、玉宸殿；元之藝林庫；明之文淵閣；清之七閣等，都是歷代著名的圖書館，名稱雖異，功用則一。至於以「圖書館」一詞作爲專用語，是在遜清光緒三十一年湖南湖北兩省設立公共圖書館時才開始使用的。

從上可知「圖書館」名稱的由來。圖書館最初的含義僅僅是藏書之所，不過，這一含義僅能適用於疇昔，而不適用於近今。古代的圖書館本以蒐集圖書與保管圖書爲目的，只須多多蒐集而善於保管就已盡其職能，現在則迥然不同，不但要蒐集各種不同形式的資料，深謀整理保管之得法，並且要求其合用。如何使館藏圖書滿足讀者的需要，便於讀者利用，爲其首要任務。玆選錄各種百科全書與辭書中對於圖書館的解釋，當可瞭解其意義：

1.圖書館乃一爲便利用而加以整理的有關書寫、印刷或其他圖形資料（包括：影片、幻燈片、唱片及錄音帶等）之集藏。(Encyclopaedia Britannica. c1972, v. 13, p. 1031.)

2.圖書館爲人類自石器時代進展到太空時代之一現存的記錄。經由圖書館，人類可將其見聞與經驗歷代相傳。圖書館不僅是步入未來的踏腳石，亦是回顧過去的橋樑。(The World Book Encyclopedia. c1972, v. 12, p. 213.)

3.圖書館就是爲使用目的而蒐集的各種文字與圖形資料之集藏。（如：圖書、影片、雜誌、地圖、稿本與唱片等）(Collier's Encyclopedia. c1957, v. 12, p. 336.)

4.一間房屋，一棟建築中的部分房屋，或是整棟建築，其中將圖書、稿本、樂譜、其他文字的或藝術性的資料（如繪畫、音樂唱片等），依適當的次序加以排列，以供利用而非出售者。(Webster's Third New International Dictionary. c1961, p.

1304.)

5.蒐集圖書或類似資料，加以組織管理，以供閱覽、參考及研究之需者。

一間、一組房屋或一棟建築，其中儲集圖書及類似資料，加以組織管理，以供閱覽、參考及研究之需者。(A.L.A. Glossary of Library Terms. c1943, p. 80.)

綜括而論，圖書館就是：「將人類思想言行的各項記錄，加以蒐集、組織、保存，以便於利用的機構。」

所謂「人類思想言行的記錄」即指圖書、期刊、小册、圖片、影片、幻燈片、唱片、錄音帶及縮影複印品等透過視聽的官能作用，能够反復認識並鑑賞其內容的傳意工具而言。圖書館根據其設置目的，以及服務對象的需要，就這些資料作適當的選擇蒐集，組成一部合用的館藏 (Collection)，然後經過分類編目等程序加以組織，備供讀者隨時利用。

這裏所說的「保存」，可以說是爲達到利用目的所從事的準備工作，也就是將館藏資料保持其最完善的使用狀態之意。換句話說，就是將已經記錄下來的思想言行，傳達給後世的一項重要手段。

至於「利用」，是指將適當的資料，在適當的時間，供給適當的利用者 (To provide the right books to the right reader at the right time)。 圖書館的利用者，除了顯現的利用者之外，還包括了潛在的利用者在內。後者指有利用圖書館的可能性，但在目前還沒有出現的利用者而言。

最後談到「機構」，是指職司管理人類各項活動記錄，推動各項工作的專門組織而言，猶如學校之於教育，其意義相似。

二、圖書館與教育文化的關係

圖書館的組織因國而異，大體說來，有的是由國家專設機構統一管理的，有的則任由地方自行發展的。前者如德、法，後者如美、英等是。姑不論其組織方式如何，其對國家的敎育與文化的發展實有密切的關係，而圖書館的經營方式也深受國家制度的影響。

就敎育方面來說，根據憲法規定，人民有接受敎育的基本權利，而國家也應推行社會敎育以提高國民文化水準。圖書館爲一社敎機構，以保存及提高文化爲其使命，其工作雖與學校的單純敎育目的有別，但其性質卻深具敎育作用。美國公共圖書館以敎育民衆，傳播知識爲其致力之目標，深寓「有敎無類」之意，也充分發揮了普及敎育的理想。

再就文化的保存與發揚來說，無論那一類型的圖書館，其先天的任務都具有保存文化與傳播文化 兩大使命 。 在保存 文化方面，文化學術思想寄託於圖書資料，而圖書館是保存圖書資料的唯一機構，所以也可以說是保存文化的機構。尤以現代的圖書館事業,講究合作採訪、分工蒐集制度,各地方圖書館分別蒐集當地的文獻資料，會合起來構成了整個國家的蒐集網，完整的保存了國家的重要文化資源。另在文化的發揚方面，圖書館是發揚文化之一重要工具。傳布圖書，可使一地方的文化普及各處，一時代的文化永留人間。除此之外，圖書館還有各種推廣事業，輔助文化之普及，推展各項文化活動。美國圖書館協會在一九四八年發表的圖書館權利宣言（Library Bill of Rights）中曾指明：「作爲一民主社會敎育機構的公共圖書館，應樂於提供其聚會場所，以應社會或各種文化活動之需……」。因此，現代的公共圖書館乃成爲社區文化活動中心，利用其圖書資源及人員場所，或與其他文敎機構合作經常舉辦講演會、展覽會等活動，充實社區文化生活，提高社區文化水準。

最後論及圖書館的經營與國家制度的關係，如前所述，人民有接受敎育的權利，包括了學習與閱讀的權利在內，圖書館咸認係爲行使這些權利而存在的機關之一。在一些集權主義的國家，多將圖書館作爲執行國策的文化宣傳工具，無形中喪失了圖書館超然獨立的存在意義。美國圖書館協會在圖書館權利宣言中，強調圖書館自由的信念，舉凡圖書之選擇及個人使用圖書館的權利不得因種族、宗敎、國籍及政治觀點而遭否定或排斥。該會於一九五三年並與美國出版商協會發表了「自由閱讀」宣言，舉行文化自由會議，以尊重人民自由閱讀的權利。一般咸認，圖書館爲民主制度下之產物，其經營觀念自應與民主精神相契合。我們可以說，惟有在民主制度之下，才能產生獨立自由的圖書館，而在一獨立自由的圖書館中，更能培育發揚出獨立自由的民主精神。

三、圖書館與社會的關係

今天的圖書館業已成爲社區中的活動中心，其活動可以分爲專有的活動，配合的活動和並行的活動三項。專有的活動係指在社區中惟有圖書館才能達成的活動而言，這包括有關教育性與知識性圖書資料的選擇、蒐集、排列、管理、展覽，以及對讀者所進行的個別或集體指導，以促使讀者對於資料作有效的利用等等一切圖書館的責任而言。配合性的活動是指在社區中，爲了達成一般性和綜合性的文化教育目標，配合其他機關共同進行的活動，包括積極的參與社區活動，如組織讀書會等等文教活動而言。並行的活動則指與學校、社教機構、博物館等機關並行的各項活動而言。這些活動可能是從不同的角度、觀點、水準與各機關同時或是重複進行的。包括舉辦各種講演會、討論會、電影欣賞會、音樂會、美術展覽等活動，用以促進社會民衆增加各種有關問題的了解，引導民衆積極參加文化活動的機會。

在社會環境中，如果將以上所述的三方面活動，單純而機械的同時推行，可能不會產生理想的效果，所以惟有按照實際情形和需要，把握重點、時間、地點作有彈性的實施才能收到預期的效果，而且也只有如此，才能算是社區的文化中心，學習中心及資料中心，與民衆發生密切的關係。

近年來，各國圖書館界爲使圖書館活動能有效的推動，多由圖書館員本身或委託專家對當地社區環境進行各項調查研究工作，俾能深入了解當地情形。這種調查除一館、一地區作爲調查單位外，也有的以全國爲單位而舉辦的。如一九四六年，美國圖書館協會獲得卡內基基金會資助，舉辦公共圖書館調查（Public Library Inquiry），可謂圖書館史上規模最大的一次調查。在調查中，有關公共圖書館對於社會究應推動何項服務？將來的貢獻如何？在十數卷調查報告中有極爲詳盡的分析和說明。此項調查對於圖書館未來的工作發展，影響至鉅。

Lowell Martin 曾列舉圖書館對於所服務社區環境所作的各項調查，計有七項重要的目的：

（一）作為選擇館舍地點及設計之參考。

（二）作為確定圖書選擇方針之參考。

（三）作為甄選工作人員之參考。

（四）作為對於整個地區內的民衆展開圖書館服務之參考。

（五）作為擬訂圖書館與當地機關團體有關活動計劃之參考。

（六）為謀增進新任館員對於社區環境了解之參考。

（七）為增進社會人士對於當地環境了解之參考。

圖書館既與民衆生活有直接的關係，並已成為社區中的文化中心，其經營管理，就要符合以下要求：

（一）選擇合乎當地民衆需要的圖書資料，並妥加組織，以便於社區內團體及個別讀者之使用。

（二）與其他圖書館合作蒐集，互借利用館藏資源，建立合作體系，以謀對社會民衆作更完善之服務。

（三）與當地的學校、社團、社教機構、博物館等等文教設施保持連繫，密切合作，以促進當地文化教育之發展。

四、圖書館與大衆傳播的關係

在十五世紀印刷術發明之後，印刷術與民衆的生活並未立即發生全面的結合。直至數世紀之後，當輪轉印刷機發明，以及使用紙漿製造捲筒紙成功，始被普遍使用。而印刷品，亦被認爲是重要的大衆傳播工具之一。據統計，廿世紀的前半，即自一九〇〇年至一九五〇年的五十年間，世界各國所出版的印刷品，達該時期以前總合的兩倍，其後自一九五〇年至一九六〇年的十年間，以及自一九六〇年至一九六五年的五年間，復各爲其以前時期的兩倍。照此數量計算，全世界中，每一分鐘正以兩千頁的速率印刷出各種文字的知識資料，形成了大衆傳播工具中的一支強大力量，以致人類生活在印刷物的汎濫的巨大洪流之中。

圖書館可以說是對於這項勢如潮湧的印刷品加以統御及傳播的主要機關，然而它是否算是大衆傳播機構之一呢？一般認爲大衆傳播機構，在性能上，必須有力量將傳播的意念加以顯現、傳達而發生傳播作用。圖書館如果從每個利用者利用的時間與地點的「差異性」與利用內容在量、質方面的不同，以及所提供的資料和利用設備的規模來說，圖書館是不能算做一個大衆傳播機構的。但如 R. D. Leigh 所說，如果像語言、聲音、影像之通過圖書、唱片、照片等媒介物，傳送給無數的利用者一樣，在這一意義範圍來說，顯然的，圖書館業已發揮了傳播的功能了。

另外，圖書館不同於一般傳播機構的，主要的是館中搜羅的印刷或視聽資料，都是經過審愼的選擇，有系統的蒐集，具有永久使用價値與效用的。圖書館利用與個別的讀者或團體讀者接觸的方式，將對大衆的傳播活動，轉變而爲個人的傳播活動，這一點是圖書館在傳播機構中之一特色。

再從大衆傳播的功能方面來說，由於圖書館的工作性質與任務和一般的傳播機構不同，所以它的功能亦異於其他。第一，圖書館迄今仍以對自動來館的讀者進行服務，在資料的組織與服務方法上，欠缺開拓「潛在利用階層」的努力；其次在所蒐藏資料的質量上，圖書館的利用性與接近性較諸一般大衆傳播工具的條件爲差，加以圖書館開放利用的時間有限，所能容納的利用者有限，因之，從作爲一傳播機構的觀點而言，其功能就難以與其他機構相互匹敵了。

五、圖書館學的意義

在人類文化的傳播與發展上，具有重要貢獻的圖書館，其歷史至爲悠久，但是以此具有歷史性的文化機構作爲研究對象，稱之爲「圖書館學」者，其問世則爲晚近的事。這一門學問和其他具有悠久傳統與歷史的其他學科比較，無論在社會上或是在學術界中，均尙未能充分了解其意義，既使在歐美各國，亦是從十九世紀後半葉方始着手作有系統的研究。

圖書館學一詞，英文爲 Library science, Librarianship 或 Philosophy of librarianship，德文爲 Bibliothekswissenschaft, 法文爲 Bibliothéconomie。英國圖書館界大多使用 Librarianship 表示圖書館學之意。由於各國所採用的名詞及其包含的概念不同，同時各國圖書館的傳統與成就亦有差別，因之對於圖書館學的意義也有不同的解釋，例如：

美國：圖書館學就是發現、蒐集、組織及運用印刷的與書寫的記錄之知識與技能❶。

英國：圖書館學就是研究有關圖書館及其收藏內容之經營，

管理，及目錄學的知識與技術❷。

德國：圖書館學，廣義說來，是有關圖書館理論與技術的總和，加以有系統的整理。

蘇俄：圖書館學係將圖書館的業務組織與工作內容的全部問題，採用科學方法加以研究的一門學科。

日本：圖書館學係將圖書館的一切知識與技術，作有組織的研究的學問❸。

我國圖書館界人士認為圖書館學即有系統的研究圖書館的經營理論與技術的學問。劉國鈞謂圖書館學即研究圖書館組織法，管理法與使用法的學科❹。

英文的 Library science 與德文的 Bibliothekswissenschaft 都與上述的概念吻合，science 和 wissenschaft 均為「科學」和「學」的意思，至於 Librarianship 一詞的含義就較為廣泛了。

如所週知，librarian 是指圖書館員。將 ship 附於字尾，具有狀態、性質、身份、職位等意義，但也有譯為圖書館學的。英國圖書館界多以 Librarianship 代替 Library science 一詞，Librarianship 表示圖書館員所具有的圖書館知識和所接受的專業訓練。它與 Library science 的區別，後者乃指在圖書館學校所教授的課程，其中包括圖書館管理、選擇與採訪、分類與編目、參考流通、目錄學等學科與技術。易言之，也就是圖書館學校所講授的學科之內容。至於 Librarianship 則指 Library science 加上人為的因素而言。

美國的麥耶（Herman H.B. Meyer）認為 Library science 和 Librarianship 兩字同意，但是巴特洛（Pierce Butler）則特

別強調 Librarianship 具有專業(profession)的意思。日本慶應大學圖書館系認為圖書館學一詞，英文雖有 Librarianship, Library science 或者是 Library study 各詞，但在使用上都具有同樣的意思。這與醫學之被稱為 Medicine, Medical science, 或 Medical study 的情形相同。

至於 Philosophy of librarianship 一詞中的 Philosophy，其所指並不是哲學或形而上學，而是指原理、原則及構成一系統的普通概念（A systematic body of general concept），祇是一種試對圖書館的功用、目標、機能及意義等所做的探討而已。有關圖書館學的主張和見解，在美國風行一時，自1930年起，僅在四年間就有四百篇論文問世，而至今四十餘年來，已出版的專著數逾萬千，論文更不計其數，並有專門性圖書館學文摘索引定期刊行，反映圖書館界對於這一研究具有的高度興趣。

法文 Bibliothéconomie 一語的含義，指圖書館經營而言，以管理一項作為圖書館研究的中心課題，其內容是和其他國家所持的圖書館學的概念大同小異。

根據名詞的含義及概念，可以看出圖書館學的廣泛性與複雜性；因為圖書館學所研究的對象是圖書館，而圖書館的現象就有其複雜的一面，如欲了解這一點，必須對圖書館學之創立，作歷史的探討。

六、圖書館學的起源

圖書館淵源於資料的儲積，追本溯源，當以古埃及圖書館為嚆矢。據傳說最早的圖書館創立於公元前四千年以前，其最初係以保藏官方記錄爲主的檔案館或官府文庫。依常情判斷，資料之保存若無適當的處理方法和技術，自難以保管完善，因此，通達資料管理技術的人員，自然隨圖書館而產生。

一般認爲在公元一千九百年以前的巴比倫尼亞圖書館，就已經有了圖書館專門人員的存在。歐瑞士（Dorothy M. Norris）指出，當時的 Ibnissaru 卽爲其中之一位。公元八百年前，亞述帝國 Ashurbanipal 王的圖書館中，亦已經有了圖書館專門人員，似爲不爭之事實。這些專門人員所採用的方法就是依主題處理資料，並編有目錄。

公元前三百年，亞歷山大圖書館曾由詩人卡里馬祖士（Callimachus）負責管理，將所有資料分作十類，編有古寫本圖書的綜合目錄，按 ABC 字母順序編成著者一覽表。

圖書館在萌芽時期，就以分類作業與編目方法作爲處理資料的技術，被認爲是圖書館工作中重要的一項，到目前爲止，大約有五十種具有代表性的標準分類法創編問世，也有不少種目錄規則刊行。分類和編目後來成爲圖書館界傾力以赴的研究主題，所謂圖書館學形成的基本因素也可以說就是從這方面開始的。一般人士一提起圖書館學多認爲是指分類學與編目法。事實上，分類與編目確實是圖書館學所固有，其他學科所缺少的獨特技術，但是並不是圖書館學的全部內容。

在分類與編目方面的研究涉及到許多相關的知識，爲謀技術的進步，自應連帶的研究這些相關的學問。再有，圖書館事業的發展隨時代而進步，從過去僅注意到保藏而逐漸注意到它的實際效用，因之，有關對讀者的服務方式與技術也不能不加以研究。這些方面的研究雖然缺乏類似其他學科的理論基礎，卻與圖書館業務相關，所以都被歸併在圖書館學名義下進行研究。

圖書館學究竟起源於何時？由於一般對於圖書館學的定義及了解不同，而有不同的看法。有人以確定圖書館的技術程序作爲起始時期者，有人以採用專門術語作爲起始時期者，還有人以設置圖書館學校作爲起始時期者，另有人以綜合研究圖書館經營方法作爲起始時期者，見仁見智，意見不一。大多數人認爲圖書館學正式被承認並作有系統的研究應該說是從一八八七年開始，該年是德國格丁根大學（Göttingen）狄札茲克（Karl Dziatzko, 1842-1903）教授開授圖書館講座的一年，同時也是美國哥倫比亞大學杜威教授（Melvil Dewey, 1851-1931）創設圖書館學校的一年。不過，也有人另有意見。例如桑頓（John L. Thornton）則將圖書館學起源的年代追溯到一六〇一年，因爲一度曾協助包德雷（Sir Thomas Bodley, 1545-1613）整理牛津大學圖書館並擔任實際管理工作而頗有績效的學者傑姆斯（Thomas James），曾於是年編製主題目錄，桑頓認爲這一目錄形式影響後世至鉅，並奠定了以後的目錄基礎。

另一學者普瑞的克（Albert Predeek）卻以爲一八三六年爲圖書館學建立的年代，所持理由是帕尼茲（Antonio Panizzi, 1797-1879）在這一年曾將大英博物院當時的目錄加以改善，並且將目錄的特性與概念加以規定，制訂目錄規則。這一規則爲今天的目錄規則奠定了良好的基礎。

但是，德國學者柯其納（Joachim Kirchner）則將圖書館學創始的時間追溯到一八〇八年。該年，德國圖書館學家斯奇爾丁格（Martin Wilibald Schrettinger, 1772-1851）完成「圖書館教科書論」一書，強調圖書館員之專業化。他主張一位具有相當學識的學者，不一定能成爲圖書館員。圖書館有其獨特的使命，沒有接受過專門技術訓練的人，就難以發揮圖書館的功能的。因之，必須設立專門的訓練機構，授予有關管理方面的知識與技能。圖書館界人士多推崇斯奇爾丁格爲倡導圖書館敎育之先驅。

以上論點，各具理由。分析來說，對於圖書館學加以倡導，並且發生深遠影響的，仍應以格丁根大學及哥倫比亞大學創設圖書館學講座與圖書館學校爲首。原因是圖書館學被納入大學的正規的研究科目之中，公開召收學生，邀聘專任的各科敎師，並規定修業期限，採取學校的正軌敎育方式將各學科作綜合的敎授與研究。自此之後，圖書館員敎育途徑始見暢通，同時圖書館學亦逐漸爲社會人士所承認。所以，我們可以說一八八七年爲圖書館學創始的一年。

不過，在這裏要了解的一點是圖書館的建立並不是一蹴可幾的，它是經過歷史的演變與發展，將有關圖書館的理論與技術會合交流後所呈現出的結果，所以要了解其發展演變過程必須從圖書館發展史中去分析研究。

七、圖書館學的概念

德國格丁根大學當初創辦圖書館學講座時，所開授的課程包括了目錄學，書寫及印刷史，古文書學，圖書館管理法及其他有關科目。所謂目錄學（Bibliography）有譯爲書誌學者。Arundel Esdail 曾在 A Student Manual of Bibliography(London, 1954) 一書中將其分爲三類：

1.分析或批判的（Analytical or Critical）目錄學：就不同的版本分析比較某一著作內容及編輯情形。此項分析研究需要經驗和調查，一如檢驗商品。

2.歷史的（Historical）目錄學：調查與研究圖書生產的歷史，猶如研究生物的進化，屬於自然歷史的方法。Esdail 喻爲圖書研究的達爾文主義（Darwinism）。

3.系統的(Systematic)目錄學：就是圖書館資料的名目表，將著者、書名、出版地、出版者、出版年代等款目，按一定的原理與方法列舉排列。間而附有提要。所謂書目或書目解題者卽指此而言，所以也可以說是一種目錄。以上三類總稱爲目錄學。

哥倫比亞大學圖書館學校最初所開授的課程，計有：圖書館經營法，圖書典藏法，目錄學，圖書分類法，地方圖書館，圖書編目法，參考工作，外國語等。亦卽包括了做爲一個圖書館員所應具備的知識與技能，以上科目總括起來，稱之爲圖書館學。但是爲什麼要將這些科目網羅在內？圖書館學是否能成爲一門科學呢？這就要探討可能成爲一門「學問」的因素何在了。

在德國，首倡培養圖書館專門人員的，是艾伯特（Friedrich Adolf Ebert, 1791-1834)在一八二〇年所撰述的「圖書館員訓練論」。當時，圖書館界人士曾認爲培養圖書館員需要有一種考試制度，可是並沒有人將考試的基本要項規劃出來。一直到一八七四年時，在 Freiburg 大學任敎的堯魯門（F. Rulemann, 1846-

1909）才擬定出一份考試的要目。在此之前，瑞玆克（Friedrich Willhelm Ritschl, 1806-1876），曾於一八六一年在波恩大學召收有志於從事圖書館工作者給予專門的訓練，而德國有名的圖書館學家狄札玆克（Karl Dziatzko）即爲當時參加訓練者之一。狄札玆克氏曾於一八八六年應聘在格丁根大學任語言學敎職，因在波恩大學深受瑞玆克氏之薰陶，對於圖書館員之訓練工作極爲熱心，所以當格丁根大學創辦圖書館講座時便自願擔任講座之職。一八八〇年代，德國圖書館員考試制度已告確立，狄札玆克並任考試委員，格丁根大學最初所開課程，是爲便於參加考試和授予專門知識兼而有之，因此，參加講座者修滿學分後，旣不能取得任何資格，也沒有就職的保障和義務。到了一八九一年，才被列爲大學正式課程，奠定了圖書館學講座的地位。

德國的圖書館員訓練制度，對於美國圖書館員敎育之實施亦深具影響。美國圖書館事業的先驅者，麥維爾杜威（Melvil Dewey）對於堯魯門（F. Rulemann）的見解具有同感，深信圖書館員必須具有經營圖書館的知識與技能，並對圖書館員的專業敎育推動不遺餘力。一八八三年，杜威向美國圖書館協會提出培養圖書館專門人員的建議，並趁應聘哥倫比亞大學圖書館工作的機會，逐步著手實現其願望。當時推薦杜威到哥大圖書館工作者是國際名法學家伯蓋士（John W. Burgess）敎授，氏與杜威爲安赫司脫學院的先後同學，曾留學德國，在格丁根大學深造，親自體驗到格丁根大學圖書館經營與服務之完善。返美任敎後，對於哥大圖書館的各種設施頗感不滿，故自願擔任哥大圖書館管理工作，惟限於本身職務繁重，不能長久留任，乃推薦杜威接代。由於這一關係，所以我們可以說哥大圖書館學校也間接受到了德國的影響。

格丁根大學圖書館學講座所授者，是參加國家考試所必須的課程，換句話說，也就是說講座所安排的課程都是培養圖書館專門人員所必須者，這與哥倫比亞大學圖書館學校傳授圖書館經營方面的知識與技能是完全一致的，兩者均偏重在技術方法等以實踐爲主的學科，並沒有考慮到建立圖書館學的地位，使其一如其他科學一樣的能成爲一門科學。狄札玆克雖在格丁根大學以圖書館學爲名開辦講座，但自一八八七年至一九〇四年間，除在一八九二年前後兩期曾舉辦圖書館學講演外，都是以「圖書館輔助學」(Bibliothekshülfswissenshaften) 名義開課，講授內容大致包括了目錄學，圖書分類法，編目法等課程而已。哥倫比亞大學在開創圖書館學校的初期，名稱爲「圖書館經營學校」(The School of Library Economy)，以後改稱爲「圖書館服務學校」(The School of Library Service) 始終以訓練現職人員，培養從事實際工作者爲目的，並未將其當作一門專門學科的研究爲其目標。繼哥大之後，因美國圖書館事業的發展，圖書館學校亦隨之增加，在各大學中也增授了圖書館學課程，其名稱雖然以 Librarianship 或 Library science爲名，但在內容上並沒有太大的改變。至於在英國方面，國家考試一直使用 Librarianship 一字，在一九一九年所創立的倫敦大學圖書館學校(The University of London, School of Library) 也沒有使用「圖書館學」字樣。在德國方面，在「圖書館」字後附加 wissenshaft。其他國家多稱作「圖書館學校」。

綜上所述，所謂「圖書館學」的概念，也就是包括了圖書館經營上實際需要的知識與技術，而研究範圍隨圖書館的發展和需要，日益廣泛。這和其他科學的發展情形不盡相同，其他科學的發展，隨內容的精深而分化產生出新的學科，圖書館學則隨圖書館的種類及業務的擴展而擴大了研究的範圍，所以有人說，圖書館學就是一門應用的科學。

八、圖書館學的體系

圖書館學的研究，如前所述，一方面隨圖書館業務的發展而增廣其範圍，另一方面亦因個人的瞭解而有不同的看法。玆就各家具有代表性的主張分述如後，俾有助於瞭解圖書館學的體系之演變情形。

一九一一年時，曾任紐約公共圖書館學校校長的普拉莫（Mary W. Plummer, 1856-1916）曾以管理、技術、目錄學及批判（選擇）四大支柱構成圖書館學的體系：

1. 管　理：a.圖書館管理　b.圖書館建築　c.圖書館法規
   d.圖書館會計　e.圖書採購　f.對兒童之活動
   g.對學校之活動　h.特殊圖書館管理法
2. 技　術：a.編目法　b.分類法　c.標題目錄
   d.經營法　e.圖書裝訂法　f.校對及印刷
3. 目錄學：a.參考　b.圖書館史　c.印刷史
   d.目錄服務　e.國家目錄　f.學科目錄
4. 批　判：a.圖書選擇及評價　b.定期出版品
5. 其　他：a.時事論題　b.圖書館調查與訪問

c.打字　　　　d.實習❺

普拉莫將圖書館實務，以及有關知識依其性質加以歸併，屬於實用的圖書館學，由此可見圖書館學初期的研究範圍，主要係自管理的觀點進行各項研究。一九三一年，德國圖書館學家柯其納（Joachim Kirchner）曾將圖書館學區分爲歷史哲學的研究和管理方法與技術的研究兩大體系，其內容如下❻：

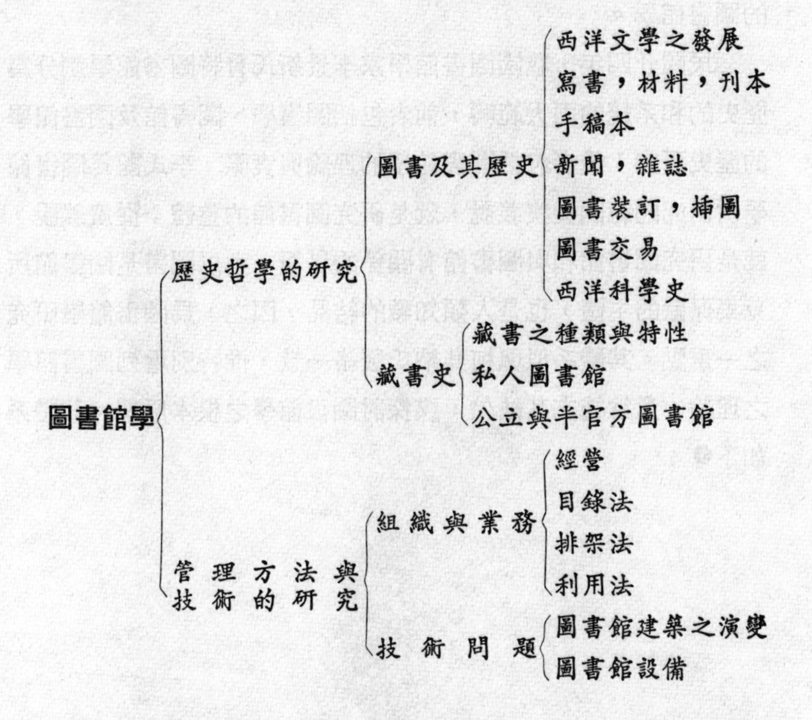

以上體系將有關科目排置一處，概括在一種概念之中，但分析說來，其中固然包括有彼此相關者，但是亦有彼此全屬性質相異而毫無關連者。這些概念然後又被包括在更泛的「歷史哲學的

研究」和「管理方法與技術」兩大項目之中，以此構成他的圖書館學體系。嚴格的說，這一體系仍缺欠足以構成體系的原理，各科目之間也沒有內在的關連性，所以它並未超出以「圖書館經營」所必須的知識技術作爲圖書館學的傳統觀念。柯其納構想的圖書館學，僅僅是指資料的歷史研究，經營及管理上的研究而已，對於圖書館的本質仍未加以探討，所以不能稱之爲一種完善的科學的圖書館學。

民國廿四年，我國圖書館學家李景新氏曾將圖書館學劃分爲歷史的和系統的兩大範疇，前者包括圖書學、圖書館及圖書館學的歷史研究；後者包括圖書館學的理論與實際。李氏認爲圖書館學所研究的範圍從狹義說，就是研究圖書館的整體；從廣義說，就是研究圖書館和與圖書館有關係的科學。尤以圖書是圖書館所蒐集保藏的主體，也是人類知識的結晶，因之，爲圖書館學研究之一重點。其體系似與柯其納氏脈絡一致，惟特別增列圖書館學之理論，意欲補充其缺欠，謀探討圖書館學之根本原理。其體系如下❼：

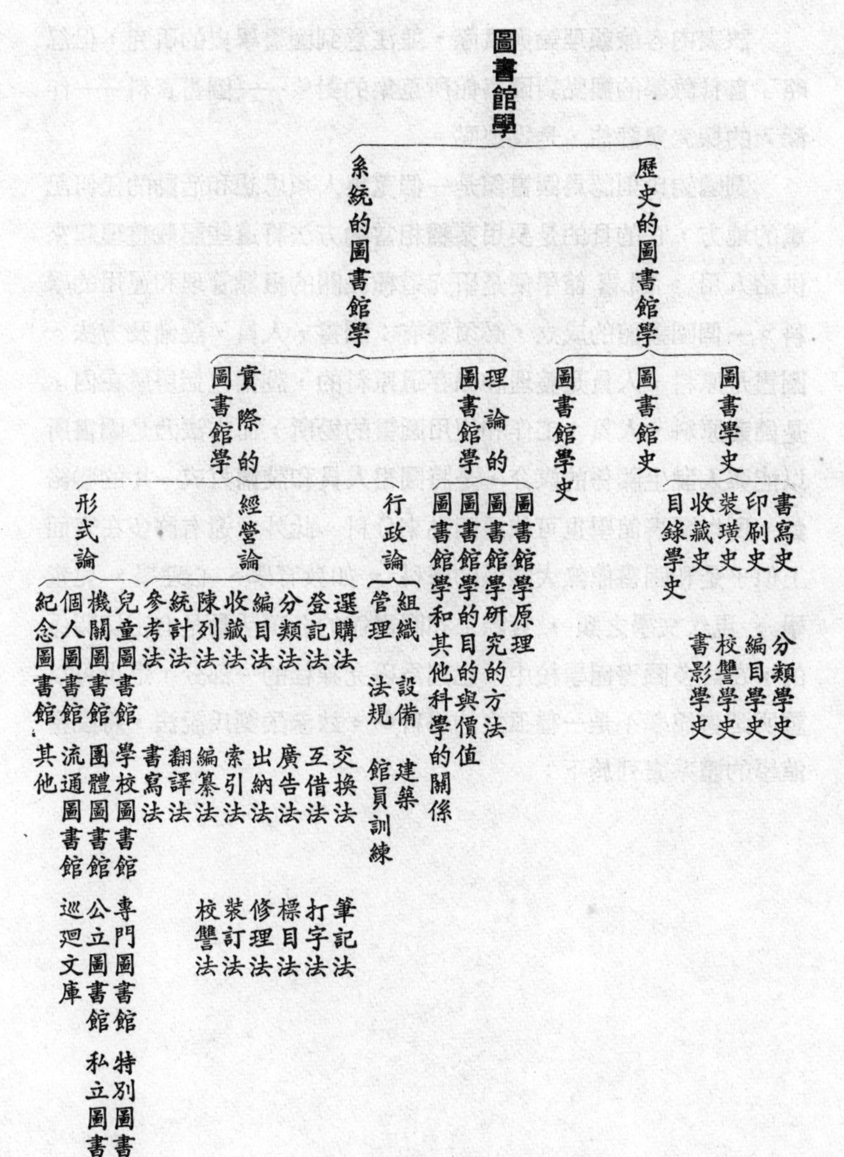
圖書館學
歷史的圖書館學
系統的圖書館學
圖書學史
圖書館史
圖書館學史
書寫史
印刷史
裝璜史
收藏史
目錄學史
分類學史
編目學史
校讎學史
書影學史
理論的圖書館學
實際的圖書館學
圖書館學原理
圖書館學研究的方法
圖書館學的目的與價值
圖書館學和其他科學的關係
行政論
經營論
形式論
組織
管理
設備
法規
建築
館員訓練
選購法
登記法
分類法
編目法
收藏法
陳列法
統計法
参考法
交換法
互借法
廣告法
出納法
索引法
編纂法
翻譯法
書寫法
筆記法
打字法
標目法
修理法
裝訂法
校讎法
兒童圖書館
機關圖書館
個人圖書館
紀念圖書館
學校圖書館
團體圖書館
流通圖書館
其他
專門圖書館
公立圖書館
巡迴文庫
特別圖書館
私立圖書館

該表內容兼顧理論與實際，並注意到圖書學史的研究，但忽略了自目錄學的觀點對圖書館所蒐集的對象——圖書資料——作深入的探究與評估，是爲缺點。

劉國鈞氏則認爲圖書館是一個蒐集人類思想和活動的任何記載的地方，它的目的是要用某種相當的方法將這些記載整理起來供給人用。圖書館學便是研究這種機關的組織管理和運用的學科。一個圖書館的成立，必須要有：圖書，人員，設備及方法。圖書是原料，人員是整理和保存這原料的，設備包括房屋在內，是儲藏原料、人員、工作和使用圖書的場所，而方法乃是圖書所以能與人發生關係的媒介，是將圖書人員和設備打成一片的聯絡針。所以圖書館學也可依這四點來分科。此外，還有許多在表面上似乎是和圖書館無大關係的學科，如教育學、心理學、兒童學、現代文學之類，實際上和圖書館的各項活動是有密切關係的，在許多圖書館學校中，也列爲研究課程的一部分，這也可以證明圖書館學不是一種孤立的學科❽。茲參酌劉氏說法，將圖書館學的體系表列於下：

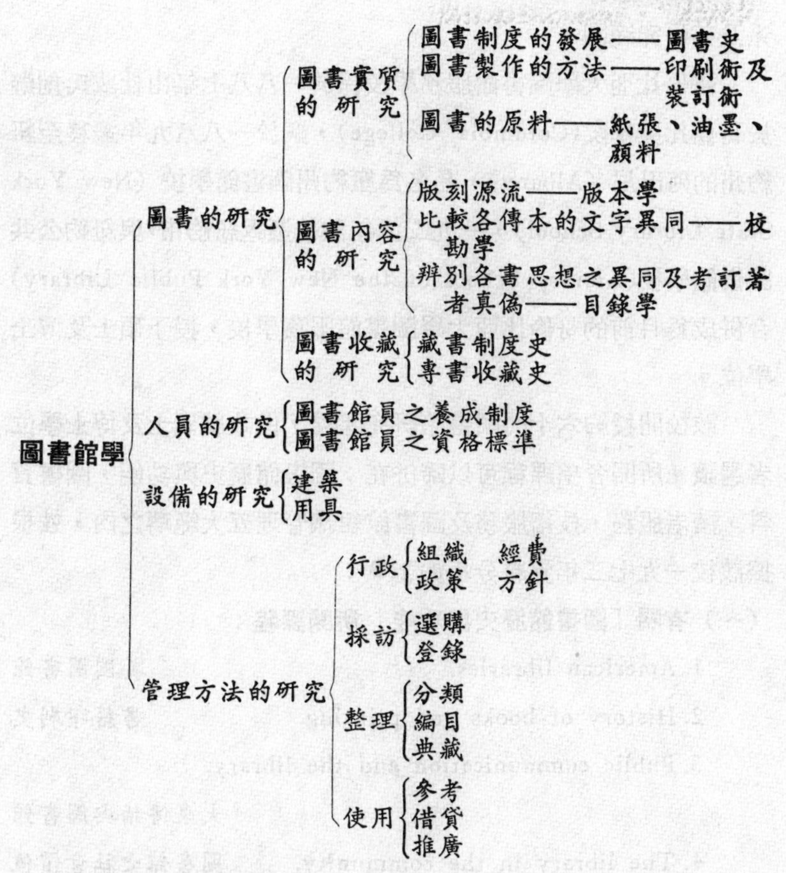

劉氏所列的研究範圍缺乏對於圖書館社會價值與功能的體認，偏重於實際的觀點。

近年來，圖書館學的體系受到圖書館事業的發展，無論在觀念上與內容上都有了改變，茲就歷史最久的美國哥倫比亞大學圖書館服務學校（The School of Library Service at Columbia University）所開的課程分析研究，當可看出現代圖書館學的體系及其研究範圍。

哥倫比亞大學圖書館服務學校係於一八八七年由杜威氏創辦於哥倫比亞學院(Columbia College)，嗣於一八八九年遷移至紐約州的阿巴尼(Albany)，易名爲紐約州圖書館學校(New York State Library School)，一九二六年該校遷返紐約市，與紐約公共圖書館學校(Library School of the New York Public Library)合併成爲目前的哥倫比亞大學圖書館服務學校，授予碩士及博士學位。

該校開授約六十門圖書館研究課程，供攻讀碩士及博士學位者選讀。所開各項課程可以歸併在：圖書館歷史與功能，圖書資料，讀者服務，技術服務及圖書館組織管理五大範疇之內，玆根據該校一九七二年資料分析如下❽：

(一) 有關「圖書館歷史與功能」所開課程：

1. American libraries. 美國圖書館
2. History of books and printing. 書籍印刷史
3. Public communication and the library. 大衆傳播與圖書館
4. The library in the community. 圖書館之社會價值
5. Seminar in the history of libraries 圖書館史專題研究
6. Seminar in the history of books and printing. 書籍印刷史專題研究

(二) 有關「圖書資料」所開課程：

1. Introduction to bibliographic and reference resources. 目錄及參考資料導論

2. Social science literature. 社會科學文獻

3. Humanities literature. 人文科學文獻

4. Science literature. 自然科學文獻

5. Oral narration and techniques. 口述文獻及技術

6. Advanced humanities literature. 高級人文科學文獻

7. Advanced social science literature. 高級社會科學文獻

8. Advanced science literature and librarianship.
高級科學文獻與圖書館事業

9. Government publications. 政府出版品

10. Legal literature and librarianship.
法律文獻與圖書館事業

11. Documents of international organizations.
國際組織文獻

12. Medical literature. 醫學文獻

13. Mathematics for librarianship. 數學文獻與圖書館事業

14. Music literature and librarianship.
音樂文獻與圖書館事業

15. Literature of engineering and the physical sciences.
工程與物理科學文獻

16. Non-print media and social issues in libraries.
圖書館非印刷資料與社會論題

17. Literature of the fine arts. 美術文獻

18. Business and economics literature. 商業與經濟學文獻

19. Theological literature and librarianship.

神學文獻及圖書館事業

20. Medieval manuscripts. 中世紀稿本

21. Critical analysis and evaluation of books for children. 兒童讀物之評價與批評分析

22. Non-print resources for children. 非印刷之兒童資料

23. Critical analysis and evaluation of books fo young adults. 青少年讀物之評價與批評分析

24. Sociology of the reading of children and young adults. 兒童及青少年讀物社會學

25. Map resources and map librarianship. 地圖資料與地圖圖書館

26. Seminar in library resources. 圖書館資源專題研究

27. Seminar in library materials and services for children and young adults. 兒童及青少年圖書資料與服務之專題研究

28. Modern book publishing. 現代出版事業

29. Survey of multi-media materials, facilities, and services in libraries. 圖書館各種媒體資料、設備及服務之調查

（三）有關「讀者服務」所開課程：

1. Information and reference services. 諮詢與參考服務

2. Advisory services. 顧問服務

3. Objectives and services of library work with children and young adults. 兒童及青少年服務之目標

4. Advanced reference service. 高級參考服務
5. Information systems. 資訊系統
6. Reading interests of children and young adult. 兒童及青少年之閱讀興趣
7. School library supervision. 學校圖書館之督導
8. Institutional and hospital library services. 機關與醫院圖書館服務
9. Major issues in the development of school library services. 學校圖書館服務發展之主要論題
10. Seminar in reader services. 讀者服務專題研究

(四)有關「技術服務」所開課程：

1. Technical services in libraries. 圖書館之技術服務
2. Organization of library materials. 圖書館資料之組織
3. Indexing. 索引學
4. Photoreproduction of library materials. 圖書館資料之複印
5. Current problems in technical services. 技術服務之當前問題
6. Computers and librarianship. 電子計算機與圖書館工作
7. Seminar in organization of materials. 資料組織之專題研究
8. Seminar in the theory of information control. 資訊控制原理之專題研究
9. Advanced cataloging and classification.

高級分類編目學

10. Automation in educational media centers.

教育資料中心自動化

（五）有關「圖書館之組織與行政管理」所開課程：

1. Library administration. 圖書館行政管理
2. Human relations in library administration.

   圖書館行政之人際關係
3. Comparative librarianship. 比較圖書館學
4. Seminar in library organization and administration.

   圖書館組織與管理之專題研究
5. Seminar in education for librarianship.

   圖書館教育之專題研究

（六）其他課程：

1. Research methods. 研究方法
2. Special studies in librarianship. 圖書館學專題研究
3. Seminar in research methods. 研究方法專題討論
4. Doctoral research instruction. 博士研究之指導

分析來說，歷史與功能的研究主要在探討圖書、圖書館與圖書館學的發展演變，並發揚圖書館的社會功能與存在價值；圖書館資料的研究在以現代目錄學的方法，分析一般及各科文獻資料的來源、性質，進而辨別評定其優劣；技術方法的研究乃探討如何以最有效的方法組織圖書資料，以便於利用；而讀者服務的研究在研討協助與輔導讀者利用館藏的不同方式；最後有關行政與組織的研究則針對圖書館行政與組織上必備條件加以探討。茲將以上課程歸納如下表：

- 圖書館學
  - 歷史與功能的研究
    - 書籍印刷史
    - 圖書館發展史
    - 圖書館之社會價值
    - 圖書館學史
  - 圖書資料的研究
    - 目錄學導論
    - 人文科學文獻
    - 社會科學文獻
    - 自然科學文獻
    - 政府出版品
    - 古刊本及稿本
    - 非書資料
    - 青少年及兒童讀物
  - 技術方法的研究
    - 圖書資料之選擇與採訪
    - 分類與編目
    - 非書資料組織法
    - 資料機械處理法（Data processing）｝資訊科學
    - 索引法、摘要法、縮影複印法、資訊儲存與檢索（Information storage and retrieval）｝資訊科學
  - 讀者服務的研究
    - 閱覽與參考服務
    - 閱讀指導與顧問服務
    - 推廣服務
    - 兒童及青少年服務
    - 特殊人士服務（盲啞、病殘……）
    - 其他各項服務
  - 圖書館行政與組織的研究
    - 圖書館制度
    - 法規與標準
    - 建築與設備
    - 圖書館員養成制度
    - 各類圖書館之組織與管理

以上五項以圖書資料爲各項研究的出發點，也符合美國圖書館協會所闡釋的「圖書館學爲發現、蒐集、組織與運用印刷的及書寫的記錄之知識與技能」這一定義。所謂印刷的與書寫的記錄，在今天即指不同形式的圖書資料而言。目前各國對於圖書館學的研究多循此途徑發展，僅有課程範圍的廣狹與重點的不同而已。我國圖書館學的研究深受美國的影響，現圖書館系、所所開課程及研究方向亦不脫離這一範圍，形成了現代圖書館學的標準型式。

九、圖書館學簡史

(一) 德　國

十九世紀初，德國人就將圖書館的管理當作一門專門的學問來進行研究，可以說是最早開始研究圖書館學的國家。斯奇爾丁格 (Martin Wilibald Schrettinger) 在一八〇八年即已着手編著「圖書館學教科書論」一書，以圖書館管理法敎導一般圖書館工作人員。一八三四年時，斯氏更著有「圖書館學提要」，闡述圖書館管理上的實際知識。

德國人對於圖書館學的研究雖然開始較早，但是經過多方面的提倡，一般人對於圖書館學及圖書館工作才有了相當的瞭解與認識。一八一一年，艾伯特 (Friedrich Adolph Ebert) 曾爲文指出圖書館聘用兼任人員管理，無異於輕視圖書館本身之職能，對圖書館業務的發展，必將產生不良的後果，鼓吹各館應任用專任人員。一八二〇年在其所著「圖書館員訓練論」一書中更呼籲應提高圖書館員之地位及待遇。很遺憾的，這一建議在當時並沒有受到重視。

在圖書館學著述中，德國人雖然出版有以「圖書館學」爲名的專書，但在十九世紀末，曾一度規避使用「圖書館學」一詞（Bibliothekswissenschaft），而稱之爲 Bibliothekswesen 和 Bibliothekslehre。一八二九年斯奇爾丁格完成了「圖書館學教科書論」一書，可以說是首次使用「圖書館學」的一本書。這種情形一直到狄札玆克（Karl Diatzko）在格丁根大學以輔助圖書館的諸項科學爲主題正式開辦圖書館學講座之後始有轉變。這也可以說是德國開始將圖書館學納入大學教育課程中之嚆矢。

德國人在當時避免使用圖書館學一詞的原因，主要與學術觀念有關。當時德國人對於「科學」，存有一種僅限於純粹科學的強烈觀念，對於圖書館學是否屬於科學範疇頗表懷疑。廿世紀之後，德國人對於學問的分際完全改變，據柯其納（Joachim Kirchner）所述，一九〇五年拜耳國立圖書館已有圖書館學校之設置，一九二八年柏林大學也設有講座，對於圖書及圖書館的各項問題進行有系統的探討研究。

這裏所謂之有系統的研究與根據一種原理所發展的純粹科學稍有不同，而指具有應用科學的體系而言，在大學中，這些應用科學如商業、交通、演劇術等，雖然不似十九世紀的科學具有組織性，但都是將某一方面所體驗的現象加以組織，綜合而成一體系。米爾庫（Fritz Milkau, 1859-1934）著有「圖書館學總論」一書，內容包括「文字與圖書」，「圖書館史」及「圖書館管理法」三部分，可以說集圖書館著作之大成。自此之後，圖書館學在德國始以目錄學與圖書館經營之理論為中心，逐漸步入有組織的研究途徑。

(二) 英　國

在英國方面，由於一八三六年大英博物院調查委員會向國會提出有關圖書館報告書，始促起一般人士對於圖書館事業的注意。當時，該館助理帕尼玆 (Antonio Panizzi, 1797-1879) 曾負責修訂該委員會所提出的中心問題「大英博物院目錄規則」，其功厥偉，被譽為帕尼玆規則。甚至歐美各國的目錄規則亦深受其影響。因此，圖書館界對其在目錄規則上所表現的成就給予極高的評價，並謂之為最早的「圖書館學」。

一八五〇年，英國國會頒布「圖書館法」 (Public Libraries Act)，愛德華滋 (Edward Edwards, 1812-1886) 曾對此法案貢獻良多。其後，愛氏任曼徹斯特公共圖書館館長，著有「圖書館備忘錄」 (Memorier of Library) 一書，闡述愛氏對於公共圖書館的構想，以及圖書館業務典範，洵為圖書館經營之南針。

繼愛德華之後者則為布朗(James Duff Brown, 1862-1914) 布氏年青時曾在麥且爾圖書館 (Mitchell Library) 工作達十年之久，對圖書館學及音樂尤具興趣。一八八八年至一八九八年為英國圖書館運動慘澹經營時期，新設的圖書館雖如雨後春筍盛極一時，但大多似我國舊時藏書樓，曹倉鄴架，一任塵封，民衆難以使用，布朗乃倡導開架制度，並竭力宣傳，促其實現。一八九八年，布氏創編「圖書館界」月刊 (The Library World) 及撰述「圖書分類法與書籍排架法」一書。一九〇三年其「圖書館經營法」(Manual of Library Economy)出版，鴻篇鉅製，洵爲佳構，對於圖書館之經營與管理，討論頗爲詳盡，英國圖書館界深受其影響。在圖書分類方面，布朗鑒於美國杜威分類法過於本位主義，爲適合英國圖書館界之需要，在一八九四年與同事柯因(John Henry Quinn)共同創編「克布分類法」(Quinn-Brown Classification)，但是由於杜威法類目詳盡，助記靈活，難以匹敵，乃於一九〇六年改弦更張重編新法，名之爲「學科分類法」(Subject Classification)在一九〇六年出版，盛行一時。

此外，圖書館學之研究具有成效者，在圖書分類方面，有沙耶(William C. Berwick Sayers, 1882-1960)在一九二二年著述的「圖書分類導論」(An Introduction to Library Classification)及一九二六年出版的「分類典範」(A Manual of Classification)此兩書咸認爲分類編目學之權威著作。在圖書選擇方面，麥考溫(Lionel R. McColvin)在一九二五年著有「公共圖書館選書原理」(Theory of Book Selection for Public Libraries)，威洛(J. H. Wellard)在一九三七年著有「圖書之選擇」，對於圖書選擇之原理及實際頗多發揮。在參考方面，則有閔圖(John Minto)於一九二九年出版的「參考書」(Reference Books)。閔氏爲愛丁堡西格愛圖書館館長，被譽爲「英國的莫姬」(British Mudge)此書對於英國及歐洲出版之參考名著介紹至詳。

總之，英國的圖書館學，熔理論與實際爲一爐，並始終以此爲其致力之目標，這與以學術圖書館爲基礎的德國圖書館學成一顯明的對照。

（三）美　國

美國人對於圖書館學的研究，自始就偏重於實際方面，將其當作一項應用技術加以研究發展。最先致力於圖書館學研究的，當推克特（Charles Ammi Cutter, 1837-1903）。克特出生於波士頓，天資穎悟，勤懇好學，十八歲畢業於哈佛大學，留校在圖書館工作。一八七〇年，克特完成其「展開分類法」（Expansive Classification）初稿（至一八九三年始完成第六式稿），出版後圖書館界莫不折服，與「美國國會圖書館分類法」及「杜威十進分類法」並稱爲美國圖書館的三大分類法。一八七六年，克特被選爲美國圖書館協會主席，並於同年編就「字典式目錄規則」（Rules for a Dictionary Catalog）一書，由美國聯邦教育局年報刊印，爲圖書館字典式目錄制訂了一項規範。

與克特同負盛名的爲麥維爾・杜威（Melvil Dewey, 1851-1931）。杜氏出生於紐約州，於安赫司特大學及西瑞庫斯大學先後獲得碩士及博士學位，曾任哥倫比亞大學圖書館主任及圖書館學教授。杜氏於一八八七年在哥倫比亞大學首創圖書館學校，名爲「哥倫比亞學院圖書館經營學校」(School of Library Economy at Columbia College）專以培養圖書館專業人才爲主，其課程則偏重於圖書館經營之實際，也可以說是美國第一所圖書館學研究的中心。一八九〇年瑞郤遜（E. C. Richardson）在美國圖書館協會大會中，曾對哥大實施的圖書館課程加以檢討，認爲該校課程並未對圖書館學作更進一步的理論方面的探究。此項意見促起圖書館界之普遍注意，自此之後始自覺的進行有系統的研究。當時所謂的「圖書館學」，即指以科學方法探究圖書館經營原理之意。瑞卻遜在一九〇一年撰述的「圖書分類之理論與實際」一書，也就是朝向這一方向邁進。

杜威氏除對圖書館教育的貢獻外，曾於一八七六年發表其舉世聞名的「杜威十進分類法及相關索引」(Decimal Classification and Relative Index)，並參與創立美國圖書館協會及其會刊工作，爲圖書館學之研究開拓了一塊新的園地。因此，該一年度在美國圖書館學發展之里程上，可謂最值得紀念的一年。

美國人對於圖書館學的研究，一般認爲缺乏理論性的發展，原因是當時哥倫比亞大學圖書館學校所實施的教學計劃，純係以實際業務爲本位。德國格丁根大學所採取的路線，始終將圖書館學作爲一項學者的輔助科學，而美國則恰恰相反，而將圖書館學看作是一種職業教育，因此，當然以推行實用主義的教育爲主。

在一八七六至一八二四年間，有關圖書館經營方面之論著書目有堪農斯 (H. G. T. Cannons) 所編的「圖書館經營論著目錄 (Bibliography of Library Economy 1876-1920)，該目名稱採用「圖書館經營」一詞，而非「圖書館學」(Library Science)，由此可徵，一般人士對圖書館學認爲侷限於圖書館經營之實際。

除哥倫比亞大學之外，一九二六年芝加哥大學亦創辦了圖書館學研究所 (Graduate Library School)，該所在一九二八年正式開課。該研究所成立之目的，因鑒於圖書館事業的發展與圖書資料之增加，對於文化及社會發生莫大之影響，其功效卓著，爲順應此一趨勢，並促使圖書館教育之專門化，乃以新的觀念及作法創設該研究所，以期對圖書館學作理論方面的探討與研究。一九三一年該所並發行「圖書館學季刊」（Library Quarterly），純以研究討論圖書館學各方面之問題爲主旨。

芝加哥圖書館學研究所敎授巴特洛（Pierce Butler, 1886-1953）在一九三三年著有「圖書館學導論」（An Introduction to Library Science）一書，率先批評圖書館員墨守成規，滿足於當前之技術方法，缺乏理論性的探討。巴氏認爲圖書館爲近代文明之產物，亦爲一種社會制度，其功能則在將人類之記憶移置於現代人士意識中之「社會工具」，故不論吾人對於社會作何等之理解，均須說明圖書館在社會生活中所具有的機能。據此所建立的一項有機的科學知識，是卽圖書館學。所以，圖書館學無論是在社會科學的任何體系之中，均應在其所討論的社會現象之中佔一席地位。巴氏並根據科學論，對於社會學的、心理學的及歷史的各方面問題加以論述，其見解頗具啓發性。

芝加哥大學的傳統校風，也卽所謂之「芝加哥學派」的一項特徵，就是研究以社會學、社會心理學爲基礎的圖書館的機能，使一般人士瞭解圖書館技術，並不能代表眞正的圖書館學。但是圖書館的機能由於資料的急劇增長與圖書館種類的衆多而日益擴大，以其爲對象的圖書館學亦更趨繁雜，這也是現代圖書館學的一大課題。玆以賽拉（Jesse Hauk Shera, 1903-）爲例，說明繼巴特洛以後的各項發展。

賽拉於芝加哥大學圖書館學研究所畢業後在母校任敎，曾任西方儲備大學圖書館學研究所主任。其著述大別爲五類：第一類屬社會的及文化的研究，第二類屬歷史的研究，第三類屬圖書雜誌問題，第四類對於文獻管理機械化之探索，第五類屬圖書館敎育。關於第一類，巴特洛認爲圖書館爲一社會制度，賽拉則認爲社會機關。前者認爲可決定社會形態，後者則認爲是社會制度的產物，這也是爲求理解圖書館及其社會環境關係的基礎。第二類，賽拉認爲任何社會機構之起源，既然必須從社會環境內在的成因中去探求，對於作爲社會機關的圖書館之性質與機能，無論從那一方面去研究，必須以歷史作爲理論的出發點。第三、圖書館爲一傳播文化記錄的機構，也即對社會全體傳達文字記錄之媒介體，所以也是一社會機構。圖書雜誌固屬傳達知識消息的技術，但傳達的本身並不是一項目的，而是始終不能脫離爲社會行爲加以形式化的一項手段。因此，一般認爲文字記錄的傳達理論係決定於含有動機之行爲的關係上。第四、爲謀迅速傳達新的知識消息，不能不對於傳達的技術方法有所改善，以期能發揮最大的效用。因此，文獻處理（Documentation）技術日益發達。賽拉乃於西方儲備大學成立「文獻處理及傳播研究中心」，對文獻資料處理之機械化加以研究。第五、賽拉親自擔任圖書館敎育工作，他指出由於將科目內容個別處理，故有相互缺乏聯繫之感，並謀以歷史作爲圖書館員敎育之核心，暗示圖書館專門人員之養成亦應循此方向進行。以上五項也可以說是現代圖書館所致力探討的幾項主要問題。

美國圖書館事業自一八八七年迄今八十餘年來，其發展突飛猛進。全國現有三百五十餘機構開授圖書館學課程，其中經美國圖書館協會認可者有五一所，均授予碩士學位；另在這認可的圖書館學研究所中，有十二所開授高級研究課程，授予博士學位。一九六一年，哥倫比亞大學圖書館服務學院爲提高人員素質，更創設介於碩士與博士之間的「六年制專家計劃」（Sixth-year Specialist Program），現已有廿所學校實施這一項計劃。由此可見美國圖書館學研究之一般。

（四）日　本

日本圖書館界對於圖書館學之研究，乃自一九一八年（大正七年）和田萬吉博士在東京帝國大學講授圖書館學及書誌學時起始，也可以說是首先使用「圖書館學」一詞者。一九二一年，日本文部省設置圖書館講習所，培養圖書館工作人員。當時講師之一今澤慈海氏在一九二六年時著有「圖書館經營之理論與實際」一書，成爲日本圖書館界劃時代的著作。

二次大戰後，日本圖書館的經營方法與對圖書館學的研究深受美國的影響，一九五三年（昭和廿八年）日本圖書館學會宣告成立，並創刊「圖書館學會年報」。有關圖書館專門人員之培養，文部省於一九四九年（昭和廿四年）將一九二一年時創立的圖書館講習所改組爲圖書館職員養成所，至一九六四年（昭和卅九年）再將其升格爲圖書館短期大學。在私立學校方面，一九五一慶應義塾大學獲得美國圖書館協會協助，邀請美國圖書館學家吉特洛及錢妮兩氏至日本協助其在文學院內創設圖書館學系。該系與國立圖書館短期大學對於日本圖書館學之發展貢獻良多。除此之外，在東京、京都、天理、同志社、東洋、法政等大學均開授有圖書館學講座，同爲培養專業人員及圖書館學之研究而努力。

一九六〇年，武居權內著有「日本圖書館學史序說」，顯示出日本圖書館學發展之軌跡。武居在該書曾對日本圖書館學之發展作以下的論述：

「二次大戰之後至今，我國的圖書館學，均係在德、美兩國所顯示圖書館學的各種傾向，以混沌的形態而展開者……在圖書館學方法論方面，不僅應求其廣泛，更應求其深遠。關於此點，我國最近有關理論之進展，有受美國巴特洛的理論影響之處，可謂極為可喜的現象。如此看來，我國今後對於圖書館學理論的探討實有加以深度化之必要，吾人至盼強而有力之基礎的理論出現。」

其他重要的著作，有加藤宗厚的「日本件名標目表」，青年圖書館員連盟的「日本目錄規則」，森清創編的「日本十進分類法」，波多野賢一及彌吉光長合編的「參考文獻總目」，矢野敬太郎的「本邦書誌之書誌」等。以上這些著作在二次大戰之後均增訂再版。尤其是加藤宗厚等人所著的有關分類和目錄法的著作更多重印本，而有關參考、閱覽及其他不同的論著亦相繼創刊問世，但甚少有創作性的著作出現。

（五）印　度

在一九二〇年至一九三〇年間，圖書館學的觀念因圖書館事業之發展而逐漸爲社會人士所接受。但圖書館界人士對於圖書館學的批判也隨之而起。對此一問題反應最強烈者爲美國圖書館界人士，而其焦點多在圖書館學的本質與內容方面。

首先引起爭論者，爲圖書館是否應以技術爲本位。有人認爲圖書館員在所接受的敎育及訓練中，「技術」爲其首要，另有人認爲「技術」雖爲圖書館工作者不可或缺，但是最重要的是一般學識基礎及對於圖書方面的知識。因此，在圖書館學中必須注意及此。

其次爲圖書館對於社會的價値與功能爲何？在文化史中所佔的地位如何？在圖書館學中必須加以確定，否則，便失去一門學科的價值。

再有，當時仍沒有一種哲學能統攝圖書館學中的個別學科。這一哲學並不是指觀念論或形而上學的一種理念，而是一種批判的，有體系的和實用的「一般概念的組織體系」。

另有人認爲圖書館學中未能明白的闡釋圖書館「學」的原理與方法。

以上的意見，在圖書館界中曾出現了許多論著，而具有代表性的，當推印度圖書館學家阮加納桑（Shiyali Ramamrita Ranganathan, 1892-1972）及美國芝加哥大學的巴特洛（Pierce Butler）兩氏。阮加納桑曾於一九三一年發表其名著「圖書館學之五項法則」（The Five Laws of Library Science），名重一時。他的主張如下：

1.第一法則：「圖書是爲利用的」(Books are for use)。在這一概念中包括了圖書館經營的技術與實務。圖書館之設置是便於文化資源的傳播利用，而非保藏。其開放係爲一般大衆，因爲大衆就是利用者。

2.第二法則：「圖書是屬於所有人士的」(Books are for all)。圖書資料並不是僅僅屬於少數人所有，而是屬於全體民衆屬於整個人類。在社會中不僅需要專門圖書館和研究圖書館；更需要爲兒童、盲人、農村、婦女、監禁者所設立的圖書館。

3.第三法則：「每一本書都應有其讀者」(Every book its reader)：從圖書選擇、編目、排架、參考、推廣、宣傳等活動來看，各項工作都不是僅僅爲了圖書館本身，而是爲讀者安排的。一切法規政策，管理制度，經營方法都應以讀者爲先。

4.第四法則：「節省讀者的時間」(Save the time of reader)。圖書館的服務應以最迅速的方法提供給讀者所需要的圖書資料。爲了要達到這一目的，必須注意改善目錄方法，排架制度，書庫標示，參考服務及建築的配合等項。

5.第五法則：「一所圖書館是一成長的有機體」(A library is a growing organization)。圖書館既是一個具有發展性的有機組織，其規模自然會日益擴張，所藏資料也會逐漸增加。爲了配合這一發展，其建築設備，工作方法及管理人員自然也隨之改善調整，而來館閱覽的讀者必定日見增多。因此，圖書館是一成長的有機體，具有成長發展的力量。

阮加納桑的理論出現時，印度仍處於英國人的統治時期，所以他的主張反映出獨立自由的願望，企圖以圖書館作爲振興文化的開端。阮氏將圖書館的目的、機能、和功用作了啓蒙式的闡發，並申論圖書館的業務及經營管理技術等問題。該書係由印度馬德拉斯(Madras)圖書館協會所出版，刊行後各方頗多指責，認爲這並不是對圖書館學的一種科學的研究和認識。阮氏爲了答辯這些批評，乃於一九五七年將此書增訂再版，用以證明他的理論是一種科學。曾謂：

「……如果將由科學所證明的法則或原理，表現在『實際的構造』(Actual construction)上，便成為產生技術的法則，據此推演，即可成為圖書館經營的技術與科學。

科學可大別為自然科學與社會科學兩大類，社會科學中包括有教育學、政治學、經濟學、社會學及法學等，而圖書館學亦應置於社會科學範疇之內。」

(六)中　國

我國圖書館事業源流甚古，但是過去僅注意收藏而忽略實用。考諸舊時對於圖書館學的研究，如將目錄學列爲圖書館學範疇之內，可以說從漢代就開始了。隋書經籍志序：「古者史官既司典籍，蓋有目錄以爲綱紀。體制堙滅，不可復知。孔子刪書，別爲之序，各陳作者所由，韓毛二詩，亦皆相類，漢時劉向別錄，劉歆七略，剖析條流，各有其部，推尋事迹，疑則古之制也」。

自劉向父子完成別錄七略之後，就有班固的漢書藝文志。漢而後，魏秘書郎鄭默制中經，晉秘書監荀勗因中經更爲新簿，分爲甲乙丙丁四部，總括羣書。自此之後，我國的目錄學及分類學在學術史上始佔有重要地位。至於其他方面的著作，則爲數不多，重要者僅有孫從添藏書紀要，祁承㸁澹生堂藏書約，鄭樵校讎略，章實齋校讎通義可供參考。

清末甲午戰爭之後，我國始知圖書館異於古代的藏書樓，實爲一啓迪民智的工具，於是次第在各地設置，但事屬創始，率多簡陋。上者不過省立府立的藏書庫，珍籍雖多，大多藏之秘閣，閱覽不易，普通者乃爲閱報所之流。當時，因需要未宏，自乏有系統的圖書館學之創作。雖有一二有心人士注意及此，大多胎息於日本，因當時朝章制度多步武東鄰，圖書館事業自然亦不例外，這也可以說是我國新圖書館運動的萌芽時期。

宣統元年十月廿日，孫毓修氏曾在教育雜誌撰有「圖書館」一文，共分七篇，闡述新式圖書館經營之觀念與方法，可說是國人首次對於圖書館之功能與管理作有系統的介紹。宣統二年，謝蔭昌氏譯有日人戶野周二郎所著的「圖書館教育」一書，民國六年，北京通俗教育研究會譯有日本圖書館協會所編印的「圖書館小識」；朱元善氏撰有「圖書館管理法」。民國七年，顧實著有「圖書館指南」，可以說是這一時期的代表。

日本的圖書館知識，深受美國的影響，推本窮源，我國圖書館界乃逐漸轉變其注意力於美國。同時，民國十年前後，留美研習圖書館人士，返國者日衆，當時以新圖書館運動爲號召，西洋圖書館的經營方法乃漸爲國人所重視，並靡布全國，與民初步武日本的趨勢對立。尤以民國九年，美籍韋棣華女士在武昌文華大學創辦圖書館學科，南京金陵大學設置圖書館學系，經戴志騫、劉國鈞、李小緣、沈祖榮及洪有豐諸氏之倡導，對於圖書館學之研究，始蔚成風氣。

我國對圖書館學的研究，除以上圖書館科系外，另一主要動力，即爲中華圖書館協會。

按我國之有圖書館專業組織，實以民國八年成立的北京圖書館協會爲嚆矢，至民國十一年中華教育改進社設立圖書館教育委員會，始有一全國圖書館的聯絡組織。民十三年，該會並曾發起組織中華圖書館協會。民十四年三月，北京圖書館協會以美國圖書館協會派遣代表鮑士偉來華，並欲對中國圖書館事業有所協助，認有提前組織全國圖書館協會之必要，特邀同南京、上海、江蘇、天津各地圖書館協會發起組織委員會，於該年四月廿五日在上海交通大學召開成立大會，通過組織大綱，至此中華圖書館協會乃正式成立。民十八年元月在南京舉行第一次年會，可謂中國圖書館界之一盛舉。

中華圖書館協會的宗旨在研究圖書館學術，發展圖書館事業，並謀圖書館間之協助。成立後並出版季刊及會報各一種，刊載圖書館學之論著及報導圖書館界消息，對於圖書館學之研究與提倡不遺餘力。據統計，民國以來迄至蘆溝橋事變止，有關圖書館學方面的專著近二百種，而在民十四年至廿七年之間出版者卽達一百七十種之多，可謂一鼎盛時期。

有關圖書館學期刊，據浙江省立圖書館月刊統計，截至廿五年十月止，計出版卅七種，其中重要者有：

中華圖書館協會會報，民十四年六月創刊，雙月刊。內容包括論著、目錄、圖書館界及新書介紹等。

圖書館學季刊，中華圖書館協會於民十五年三月創刊，注重本國圖書館之歷史，現狀及改進方法與圖書館之相關學術。版本、印刷等亦時有評述。民廿六年六月停刊，共出版十卷半。

文華圖書館學季刊，民十八年四月創刊，原名文學圖書科季刊，四卷一期後改爲今名，主要論述圖書館經營技術及服務方法。

國立北平圖書館館刊，民十六年創刊，向係月刊，自四卷一號改爲雙月刊，其專著多爲古籍之考訂、校勘、題跋之類，每期有揷圖一、二幅，彌足珍貴。

抗戰期間，我國文化敎育事業遭受莫大損失，圖書館事業自難以有所發展。政府遷臺後，圖書館界人士於民四十二年在臺北市成立中國圖書館學會，每年出版會報一輯。師範大學於民四十四年，在社會敎育系下創設圖書館學組，臺灣大學於民五十年創設圖書館學系，此外在私立學校中，世界新聞專科學校、輔仁大學及淡江大學亦先後設立圖書館科系及敎育資料科學系，以致各方面對於圖書館事業漸加注意，而圖書館之研究亦日有進展。尤以師範大學得亞洲協會資助，於民國六十四年創編圖書館學與資訊科學，年出二輯，刊載圖書館學及資訊科學論述及譯著，國立中央圖書館館刊於民國五十六年在臺復刊，淡江大學於五十九年編印有敎育資料與圖書館學；臺灣大學圖書館學系編印有圖書館學刊；其他有關圖書館專著，無論在行政、技術、參考與服務等方面均有出版，對於圖書館學之研究，已超越了過去水準。

附　註

❶ A.L.A. *Glossary of Library Terms.* Chicago, American Library Association, 1943. P. 82.

❷ Leonard Montague Harrod. *The Librarian's Glossary of Terms Used in Librarianship and the Book Crafts and Reference Book.* 3rd ed. Andre Deutsch, 1971. P. 387.

❸ 椎名六郎：圖書館學概論，東京學藝圖書株式會社，昭和42年，五版，第4～6頁。

❹ 圖書館學要旨，臺北中華書局，民47年，第2頁。

❺ Mary W. Plumer. *Training for Librarianship.* Chicago, A.L.A., 1923.

❻ Joachim Kirchner. *Bibliothekswissenschaft.* Heidelberg, 1951, S. 2.

❼ 李景新：圖書館學能成一獨立的科學嗎？文華圖書館學季刊，7卷2期，民24年6月，第263—302頁。

❽ 圖書館學要旨，臺北中華書局，民47年，第2—16頁。

❾ Columbia University. *School of Library Service,* 1971～1972. (Columbia University Bulletin) P. 13.

參 考 資 料

1. 中華書局編輯部：圖書館學要旨。臺北該局，民47年。
2. 盧震京：圖書學大辭典，臺北商務印書館，民60年，臺一版。
3. 中華圖書館學會：圖書館學季刊，1—11卷，臺灣學生書局，民58年影印，10冊。
4. 石塚正成：圖書館通論，東京明治書院，昭和43年，三版。
5. 椎名六郎：圖書館學概論，東京學藝圖書株式會會，昭和42年，五版。
6. Butler, Pierce. *An Introduction to Library Science.* Chicago, University of Chicago, 1933.
7. Corbett, Edmund V. *An Introduction to Librarianship.* London, James Clarke & Co., 1963.
8. Gates, Jean Key. *Introduction to Librarianship.* McGraw-Hill, 1968.
9. Lock, R. Northwood. *Manual of Library Economy.* Seventh ed. London, Andre Deutsch, 1961.
10. Stone, Elizabeth W. *Historical Approach to American Library Development: A Chronological Chart.* Occasional Papers. No. 83. University of Illinois, *Graduate School of Library Science.* May 1967.

(原載於中國圖書館學會編「圖書館學」，民國63年，學生書局刊行。)

現代圖書館的功能

根據國際圖書館協會聯盟(International Federation of Library Associations and Institutions）的規定，圖書館可就其設置機構與服務對象區別爲：國家圖書館、公共圖書館、大學圖書館、中小學圖書館和專門圖書館五類。各類圖書館除具有保存文化闡揚學術的基本任務外，另有其不同的功能，玆分別說明如下：

一、國家圖書館

國家圖書館的名稱，始於一七九二年法國皇家圖書館之改稱。乃指由一國政府所設置，並具代表性的圖書館而言。如美國的國會圖書館，英國的英國圖書館（The British Library）等是。

一九五八年，聯合國教科文組織曾於維也納開會討論國家圖書館的功能。其結論認爲國家圖書館的基本功能應包括：蒐藏本國及世界圖書文獻，編製國家書目及聯合目錄，印製新書目片，作爲全國目錄中心，保管珍善本圖書及國家檔案，推動出版品交換工作，協助各項研究，以及辦理館際互借等項。一九六四年，國際圖書館協會聯盟參酌五項決議重行研討，明確規定國家圖書館具有十五項功能，其中除前述各項外，並增加：辦理國內出版品送繳登記，改善圖書館技術方法，實施圖書館教育，與負責對盲人的服務。一九七七年，圖書館界咸認國家圖書館更應承擔：協調全國圖書館業務，促進分類編目制度標準化以及為政府機關服務。由上可見，國家圖書館有其獨特的功能與其他圖書館的性質不同。茲就其重要的功能說明如下：

1.**典藏國家圖書文獻**：典藏國家圖書文獻為國家圖書館設置之一目的。國家圖書館典藏的範圍和採訪政策因國而異，但大多以印本圖書和稿本（Manuscripts）為主，其他形式的資料視情形而定。至於蒐集的方法多賴送繳、採購或交換三種方式取得，尤其一國出版品版權登記工作和送繳制度有關，大多數國家將此制度與版權法配合實施，明確規定出版者每出版一書應送繳國家圖書館若干部，用以充裕國家圖書館之典藏。

2.**廣徵世界名著**：世界各國的出版品浩如煙海，圖書館每因經費和需要限制，難以搜羅完備，惟有選擇重要者加以蒐集。近年來各國國家圖書館多採合作方式，聯合本國其他圖書館訂定分工採訪辦法作有計畫的徵集，期使世界各國新出版的各科重要出版品，至少能有一部收藏國內，以便利研究閱覽。

3.**提供目錄服務**：此項服務包括編印國家出版品目錄，聯合目錄，專題書目，以及設置國家目錄中心，傳布目錄消息等項。有的國家圖書館兼具編製印刷目錄卡片的功能，集中編目，協助國內各圖書館的編目業務。

4.**推展國際交換**：國家圖書館多利用本國出版品進行國際交換活動。尤以各國政府出版品的交換工作更為其重要職責之一，若干國家圖書館並兼具國家交換中心的功能。

5.**輔導全國圖書館事業**：有的國家設有專門機構管理一國圖書館事業，也有的國家將此責任委由國家圖書館承擔。無論採取何種方式，國家圖書館均具有協調、聯繫及輔導全國圖書館的責任。輔導方式各國不同，大多以促進合作發展，推行技術工作標準化，業務指導或協助地方政府創辦新館等。

6.**研究改善圖書館技術**：國家圖書館因人員集中，設備完善，並爲全國示範性圖書館，肩負輔導全國圖書館之責，因此，理應竭盡所能謀圖書館管理技術之改進。如力有未逮，亦應推動聯繫其他圖書館或圖書館協會進行。

7.**訓練專業人員**：專業圖書館員的資格，一般多由大學、學會或其他類似機構負責，但國家圖書館應爲有志於從事圖書館工作人士提供訓練的機會。在沒有其他機構負責圖書館員教育工作時，國家圖書館尤應肩負這一責任。

以上僅就其獨特的功能加以介紹。各國國家圖書館往往因其國家環境及需要，而賦予不同任務。如美、日等國爲國會議員服務，挪威、芬蘭兼爲大學圖書館，新加坡辦理公共圖書館業務等是。

二、公共圖書館

公共圖書館係基於一種教育機會均等之觀念所設置。就當地社區民衆的需要，蒐集組織圖書資料，爲一般民衆提供自由閱覽的機會。美國圖書館協會曾揭櫫現代公共圖書館之功能有四：教育民衆（Education），傳佈知識消息（Information），充實文化（Cultural enrichment）與倡導休閒（Recreation）。

1.**教育民衆**：圖書館的設施不僅在保藏，尤重普遍活用。更注意到爲全民服務，不論男女老幼，不問勞資貧富，不分行業高低，都有閱讀機會。學校教育是有時間地點限制的，而圖書館沒有這項限制，因之其服務普及有效。此外，現代的教育觀念，教育爲一終身過程。個人離開學校之後，無論爲提高個人學識，或是增長工作技能，在在需要吸收新知，繼續受教。這種教育屬於一種自動的、自由的，利用暇晷追求適合個人意志、環境、目的與程度的學問，也可以說是一種自育自長的方法。公共圖書館針對這一目標，爲當地民衆提供不拘形式的自我教育的機會；並利用種種方法鼓勵閱讀，輔助研究，可以說是一所社會教育機構，也可以說是一所民衆大學（People's university）。

2.**傳佈知識**：現代的學術發展一日千里，而圖書資料的出版更勢如潮湧，如何將有用的資料加以蒐集、組織，並傳佈大衆，使其在任何時間，任何地點均能予取予求。此外並利用各種方法協助研究工作者查尋資料，解答疑難，透過館際互借及合作方式，便利當地民衆得以接觸到其他地區，甚至全國的廣大文化資源，這也是公共圖書館責無旁貸的工作。

3.**充實文化**：圖書館爲一保存文化的機構，圖書資料之傳佈，可使一地方文化普及各處，一時代文化永留人間。圖書館還有各項推廣服務，推展文化活動。美國圖書館協會在通過的「圖書館權利宣言」（Library Bill of Rights）指出：「作爲一民主社會教育機構的公共圖書館，應樂於提供其聚會場所，以應社會或各種文化活動之需……」因此，現代公共圖書館乃成爲社區文化中心，利用其人員設備與圖書資料舉辦各項文化活動，如講演、展覽、音樂欣賞等，以充實當地社區文化生活，提高文化水準。

4.**倡導休閒**：正當的休閒活動不僅有益於身心發展，且影響優良社會風氣之養成，現代公共圖書館多以提倡讀書活動，享受正當休閒生活作爲工作要項之一，選擇適合當地民衆興趣及程度的一般性讀物，供備讀者瀏覽閱讀。如此，對於增長知識見聞，陶冶性情，提高鑑賞力，以及增加生活情趣有莫大的幫助。有的圖書館更設置瀏覽室（Browsing room）專供無任何特殊閱覽目的之人士在內瀏覽報章雜誌及輕鬆讀物之需。

總之，現代的公共圖書館爲一社會敎育的實施機構，過去係配合學校敎育而設置，以掃除文盲和普及敎育爲其工作目標；現在則不僅與學校敎育相輔相成，擔當推行成人敎育的任務；並兼具社區文化中心的功能。

三、大專圖書館

大專院校圖書館具有研究圖書館的性質，其設置是根據大學敎育的宗旨，蒐集、組織和運用圖書資料，以達到保存知識文化，配合敎學研究與推廣學術三大使命。大專圖書館所蒐集的資料在內容上應包括適合敎學研究所需要的資料，以及有助於啓發與誘導正當思想言行之古今中外的文化遺產。在蒐集範圍上，除圖書外，其他形式的資料如期刊、稿本、輿圖、縮影、小册及視聽資料等無論爲文字的或圖畫的，視覺的與聽覺的，印刷的與非印刷的均應具備。在圖書資料的組織上，必須利用分類、編目、索引等技術，使入藏圖書資料井然有序，依類排存，便於檢索，以支援上述各項活動。在圖書資料的利用上，不僅要配合敎學活動，最重要的是培養學生獨立研究和終身閱讀的習慣，能自動自發的發掘資料，解決疑難問題，增長其專門知識技能。

四、中小學圖書館

中、小學圖書館又稱之爲敎育資料中心，學習中心（Learning center）或是敎育媒體中心（Instructional media center）。其地位隨敎學方法之革新而益重要。過去的中、小學圖書館在一般人觀念中只是一所閱覽的場所，其功能不過是提供員生閱讀資料，以及負責簡單的參考服務而已。可是由於新式敎學法的倡導，個別化敎學的注重，和適當敎學與學習環境的講求，現代的學校圖書館成爲學校中的一所學習中心。這一中心是由圖書館員和媒體專家或技術人員所經營，蒐集圖書和非書資料；另配合電視、錄影帶、編序敎材及透明膠片等設備，在一充足合用的場所中爲全體師生提供各項服務。現代的學校圖書館具有圖書館和視聽資料中心雙重性質，它不僅蒐集適合敎學的各種資料，並且製作敎材。因此，學校圖書館計畫必須與學校敎學計畫緊密結合，互爲依存，才能發揮其應有功能。

現代學校圖書館的功能是以學校本身的功能爲依歸，具體說來有以下幾項：

1.蒐集敎學及個人閱讀研究所需的圖書資料，以充實學生的知能。

2.指導學生爲適應其個人興趣和課程上的需要選擇圖書資料。

3.提高學生利用圖書和圖書館的能力，並培養其自學習慣。

4.鼓勵學生利用圖書館的資料，從事自我教育。

5.幫助學生利用圖書資料，增廣其多方面的興趣。

6.培養學生良好的公民道德習慣，並增長其社會經驗。

現代的學校教育不僅要求學生學習讀書方法，而且要培養其自我啓發，自我訓練和自我評價的精神，具有運用資料解決問題的能力。因此，圖書館在學校中有其重要的地位。

五、專門圖書館

指隸屬於某一機構團體，或是服務特定對象的圖書館而言。其中包括政府機關，工商企業，以及非營利組織中附設的圖書館；也包括專以蒐集專門性資料的圖書館，如商業、法律、醫學圖書館等是。甚至於在公共圖書館中爲殘障人士或監禁病患所專設的分館，在性質上亦屬於專門圖書館行列。

專門圖書館性質複雜，不似大學圖書館或公共圖書館有其一定的要求。一般說來，專門圖書館的功能主要在針對本機構和服務對象的需要，廣爲蒐集圖書資料，並謀有效利用，以配合業務的研究發展。專門圖書館規模較小，蒐集較精，有固定的服務對象，有特殊的服務方式。

以上僅就各類圖書館的功能略加解說。圖書館爲一社會輔助與推行教育的機構，其存在不僅要適應社會的發展和國家的需要，尤其要符合時代潮流與時代精神。以我國各類圖書館的發展來說，在朝野積極倡導復興中華文化，並致力於國家建設之際，圖書館界如何一方面保存和整理我國固有文化，並謀普遍利用，乃至發揚光大；另一方面積極合作蒐集資料，以配合科技研究支應建設，實爲當務之急，這也是圖書館在當前因應時代要求的另一項重要功能。

(原載於「幼獅月刊」第46卷第5期，民國66年11月印行。)

三十年後的圖書館

由於科學技術的突飛猛晉，二十世紀已成為知識爆發的時代；而知識爆發最明顯的表徵，就是圖書資料的氾濫。據估計，人類知識的成長如果以數量來表示的話，一九五〇年是一九〇〇年時的一倍，而一九六〇年又比一九五〇年時增加一倍，到公元二〇〇〇年時，人類知識的總和，將是一九〇〇年前的兩千倍。因為人類知識的增長，必將影響到紀錄人類知識的圖書資料的增加。所以有人警告說，未來三十年間，圖書資料增長之勢，有如怒潮，如果沒有適當方法控制處理，人類必將淹沒在資料爆發的洪流之中，以致無所適從。面對這一發展趨勢，負責管理及運用圖書資料的圖書館，如何始能有效而迅速的去選擇、蒐集、組織及利用這龐大的資源，以滿足社會各方面的需求，這將成為圖書館界當前及未來所面臨的一大挑戰。

圖書館界面對這一情勢，一直在探求有效的應付方法。尤其在一九五七年蘇聯發射人造衞星成功之後，美國更積極研究改善科技資料的傳佈方式，建立全國性的資訊網（Information network），間亦帶動了圖書館事業的發展。有關圖書館在資料處理方面，較大的改變及可能的發展，可歸納為以下幾項：

一、圖書資料的縮影化（Miniaturization）：由於圖書資料的快速增加，圖書館感到最嚴重的一大問題，就是儲存資料的空間不敷應用，因而顯微攝影形式的資料（Microforms）應運而生。所謂顯微攝影形式的資料，也就是利用精密的攝影技術，將圖書資料縮印在成捲的膠片、卡片或是透明的單片上。現代的縮印技術可以將一部二千頁的聖經縮印在二吋見方的膠片上，閱讀時可利用特製的閱讀機將文字放大在玻幕上觀視。縮印資料不僅節省圖書館儲存資料的空間，同時經濟輕便易於攜帶，提高了資料的流通性。過去需要幾十座書架才能容納的圖書，現只要存放在鞋盒大小的容器中就足以儲藏。美國政府機構及各科技研究單位，現已製成達二千萬件的縮影單片，而其數量仍在日益增加中。預料三十年後，縮印技術較目前更爲精密，各圖書館均能普遍自行製作各種形式的縮印資料。將來讀者到館借書時，經由電腦控制的目錄檢索系統，可以迅速的查獲所需要的縮影片，複製一份帶回家中，利用輕便的手提閱讀機閱讀，經濟簡便，省時省力。

二、圖書館業務的自動化（Automation）：自動化作業系統是今日及未來圖書館所致力發展的目標之一。所謂自動化，就是利用機械設備增進工作效率的一種過程。自動化作業因電腦的普遍使用而步入一新的境界。由於電腦具有大量輸入、存儲、分析及查索的功能，各大圖書館紛紛採用，以加強圖書資料的採訪編目和參考流通服務。如國會圖書館目前實施的編目計劃（MARC project），每星期將該館所編英文及羅馬文字目錄資料製成磁帶，供世界各國圖書館利用，較前書本形式的目錄在使用上快速便捷。麻省理工學院實驗 INTREX 計劃，預計到一九九〇年時，利用電話系統可以直接和當地的圖書館電腦交通，以查索資料消息或解答疑難問題。卅年後由於迷你型電腦在圖書館中的普遍裝置，同時用聲音控制操作的打字機出現，這些工具的配合運用，使圖書館成爲一資訊傳送中心，其服務效能較目前增強了千百倍。過去圖書館員一直追求如何將新知見聞迅速而有效的傳播於大衆的理想，當可成爲事實。

三、圖書館網狀組織（Library network）的普遍化：圖書館網狀組織系統是現代圖書館之一發展趨勢，亦是圖書館業務合作經營之一結果。其構想是某一地區或是某一類型的各圖書館納入一合作組織系統之中，構成一嚴密的資訊網，各館圖書資料成爲整個組織系統中的一部分，彼此利用長程或短程通訊系統相互聯繫，合作支援，互通有無。在這種組織中，各地區的中心圖書館蒐集資料訊息，將其內容予以索引、摘要、編譯，儲存在電腦系統之中，供整個系統中的圖書館利用。其功能有如一目錄中心，亦是一資料站（Data base）。目前，在美國較具成效的圖書館網狀組織，在專門圖書館中，如國家醫學圖書館所推動的醫學資訊服務系統，該一系統不僅供應美國各地區醫學資料訊息，並且推廣服務到部分歐洲國家。而在大學圖書館中，如美國新英格蘭圖書館資訊網（NELINET）；設於美國中西部俄亥俄州哥倫布士的俄亥俄大學圖書館中心（OCLC）等。另在公共圖書館中，如東南區圖書館網（SOLINET），賓州區圖書館網（PALINET）等，其服務及組織型態業已爲未來圖書館網之發展開拓一條新的途徑。相信在未來卅年後，這種網狀組織之設置必更普遍，從地區性和同一類型的圖書館組織發展至全國性，以及世界性的組織型態。各地區圖書館將成爲讀者和資訊中心間的轉繼站，任何一位讀者透過當地的圖書館，都可以利用到整個圖書館網的資料，甚至透過人造衞星系統利用到世界上其他國家的圖書資料。

以上三項事實，可以說是資訊技術（Information technology）發展下的必然結果。其影響有以下三點：就個人來說，不論是學習研究，還是蒐求新知見聞，都可以從圖書館中獲得較前更爲迅速完善的服務。過去經年累月蒐集的資料，將來轉瞬之間卽可透過各地資料中心利用電腦代爲查尋，迅速的找到全部資料線索，甚至進而可透過當地圖書館取得各地圖書館所藏圖書資料的縮影或複印本。其次，就圖書館的功能來說，圖書館已從一社會敎育機構發展成爲一資訊傳播系統，與大衆傳播機構同樣的肩負起傳播知識消息的任務，超越了目前被動性的服務階段。在人類生活中，圖書館的設施勢將成爲不可缺少的一部分。最後，就國家的建設發展來說，圖書館爲一知識技術情報中心，它蒐集學術研究的成果和世界上的新知識，並加以分析、存儲，隨時供備學者專家檢索參考，無形中加速了研究活動，和國家的建設發展。

以上僅就圖書館在卅年後可能的發展中較爲顯著事實作一描繪，與上項發展連帶有關的，如目錄作業的國際統一標準化，國際出版品目錄控制工作及圖書叢刊國際統一編號工作，因屬圖書館技術工作範圍，在此不加介紹。總之，圖書館事業的發展，是和社會民衆的要求與各科學術的進展相適應的，相信在卅年後，圖書館不僅在人類知識記錄的儲集與傳播方面較目前更具效用；進而更成爲知識與學術發展的原動力，切實發揮了創造新知識和產生新理想的目標。

（原載於「中華日報」，民國65年4月13日9版。）

貳、圖書館經營與標準

各國圖書館標準之研究

「圖書館標準」（Library standards）是由各國政府主管教育當局，或圖書館專業組織，或是由政府指定組織的專門委員會負責研訂。其內容多根據圖書館設置的目標及其理想，就圖書館服務所應達到的素質要求；以及就圖書館經營上之具體條件，如藏書、人員、經費及建築設備等項所應達到的最低數量要求，作一明確說明與規定。其作用在提供各館參照實施，使圖書館業務遵循一定軌道發展，謀求全國圖書館事業步入組織化及合作化之途徑；並藉其作為評估圖書館業務的尺度。

標準一詞據字典解釋乃指「據以測定事物品質高低之樣本與規定」。由此可見，圖書館標準中素質方面的要求實為標準的內在精神，而有關數量上具體的規定不過是一手段。易言之，圖書館標準必須首先揭櫫其服務理想，表明其所承當的任務，然後始能參照一個國家的社會情況，經濟水準，與文化背景確定為達到理想目的，在人員、經費及其他物質上所應具備的條件。美國的公共圖書館標準，其內容分為「原則」與「標準」兩項，前者說明其理想，後者指出其做法，亦即質與量並重的意思。

本文係就美國以外國家所制訂的圖書館標準，分為公共圖書館、學校圖書館與大學圖書館三類加以研究。首先就各國標準中的共同事項綜合比較，其次再選出具有代表性者作個別介紹。在綜合比較中所接觸到的共有澳紐等廿個國家，美國圖書館標準種類繁多，已有另文介紹，玆不贅述。至於個別論及的標準有以下各種：

一、公共圖書館：

Australia - A Statement of Public Library Objectives and Standards for Use of Councils, 1960.
Book Provision and Book Selection: Policy and Practice, 1966.

New Zealand - Standards for Public Library Service in New Zealand, 1966.

United Kingdom - Standards of Public Library Service in England and Wales., 1962.

Japan - Report of Sub-committee of Facilities of Social Educational Council, Standards for Establishing and Managing Public Libraries, 1969.

二、學校圖書館：

Australia - Standards and Objectives for School Libraries, 1966.
Standards for Secondary School Libraries, 1969.

Canada - Standards of Library Service for Canadian Schools,. 1967.

United Kingdom - Recommended Standards for Policy & Provision, 1970.

三、大學圖書館：

Canada - Guide to Canadian University Library Standards, 1967.

India - University and College Libraries, 1965.

Federal Republic of Germany - Learned and Scientific Libraries, 1964.

本文最後參照各國圖書館標準所揭櫫的精神，試爲開發國家擬具一各類圖書館標準，備供參考。惟有關數量上的規定，因涉及各國本身條件，難以估計，則不與焉。

壹、公共圖書館標準

一、綜　論

公共圖書館標準可以說是在各類圖書館標準中最早制訂的，同時也最爲圖書館界所重視者。如美國圖書館界早在一九一七年就公佈了公共圖書館標準，而國際性的標準也以一九四九年由聯合國敎科文組織公佈的「聯敎組織公共圖書館宣言」UNESCO Public Library Manifesto 爲濫觴❶。其後，國際圖書館協會聯合會 International Federation of Library Associations 於一九五八年在馬德里通過了公共圖書館服務標準 Standards of Public Library Service. ❷，於一九五九年在華沙通過了公共圖書館建築標準Standards of Public Library Service-Library Premises ❸

以上各標準對於各國圖書館事業之影響至深且鉅。

本文主要乃就澳大利亞、比利時、加拿大、丹麥、法國、西德、匈牙利、意大利、日本、紐西蘭、挪威、波蘭、南非、瑞典、英國等國家所公佈的公共圖書館標準加以比較研究並附列美國標準藉備參考。至於蘇聯及其他東歐國家因資料所限，從略。各國圖書館事業因其制度方法各不相同，故所擬訂的標準在某些方面可以加以比較，而在其他方面則難以按照一般準則進行評定。茲先就各國標準中可資評定之共同事項如藏書、服務、人員、建築等分析比較如下。

㈠藏　書

圖書資料為圖書館必備條件之一，一般評估圖書館藏書的方法有二：質量與數量。一館的蒐藏在質量方面應該達到何種標準應視該館所在地區的居民成份及其需要而定，僅據標準中的文字說明，而不考慮到其客觀條件，是難以相互比較研究的。在數量方面，各國標準多擬訂應備圖書數量與人口數字的比率，作為發展一館藏書的指標。一般說來，其限度自每人平均有書一册至三册不等（人口超過一百萬人者，可能低於一册）。有關每年增加量因資料較少難以比較，但美國標準指出在人口五十萬人以下的都市，每年每人增加六分之一册，超過五十萬人口者每年每人八分之一册；英國的標準為每年每人四分之一册；西德為每年每人六分之一册。

分析研究公共圖書館應有圖書數量與該館經費多寡及一國出版狀況有密切關係，但是難以作為比較的根據。在經費方面，由於各國出版品價格高低不一，時有改變，因此到目前爲止還沒有任何國家規定以最低限度的購書經費數額作爲標準。在出版方面，一國圖書館最低限度應有多少册圖書與該國出版主要語言或相關語言的書籍數量有關。以英國而論，一九六二年大約有二萬種非小說類成人讀物出版，約五千至六千種適合圖書館之一般需要。在國際圖書館協會聯合會哥本哈根會議中，西德代表曾說明每年出版約有二萬五千種新書，其中一萬到一萬五千種可能與公共圖書館有關。在北歐國家每年所出版的本國文字著述較少，而圖書館所蒐集者大部分爲其他國家所出版的外文圖書。因此，僅據各國標準應有圖書册數比較，罔顧該一國家出版情況也是不切合實際的。

表一　最低藏書量標準

國別	全部藏書量	每年增加量
澳大利亞 新南威爾斯 (1959)	十萬人口以內者，最低限度應備6,000册，每人2～3册。其中75%爲成人讀物，25%爲兒童讀物。	
西澳大利亞 (1969)	每人1.5册，40%爲非小說；27%爲小說；33%爲兒童讀物。	
比利時 (1968)	每人3册～4册，依圖書館類型與規模而定。	
丹麥 (1967)	成人用書：最低限度8000册，每人1.5～2.5册。 兒童讀物：約200種丹麥文，另加其他資料；每一兒童（0～13歲）4册計。	成人用書最低限度600册；每人¼～⅕册。 兒童讀物：照公式計算，從略。

法國 (1969)	75,000人以內者，每一居民1～1.7冊。	
西德 (1964)	20,000人以上者，每一居民1冊。1,000～20,000人者，每一居民在1冊與2.5冊之間。成人非小說自10%～15%至25%～30%視服務人口多寡計。兒童25%～40%。	
匈牙利 (1968)	人口在1,000～25,000之間者，每人1.7～3冊。	
紐西蘭 (1966)	應有十萬種非小說與外國語著作7,500種小說及7,500種青少年與兒童讀物。	每年增加5,000種非小說；500種小說。
挪威 (1969)	6,000人以內者，每一居民2冊；超過6,000人者，每一居民1.5冊。	
波蘭 (1968)	每一居民1～2冊。	
南非 (1966)	每一識字居民1～3冊，25%為非小說。	
瑞典 (1960)	每一居民2～3冊。	$\frac{2\times\text{年出版量}}{80}$
英國 (1962)	四萬人以下者，每一居民1.5冊。	每一居民$\frac{1}{4}$冊：$\frac{1}{11}$冊為成人非小說。
美國 (1966)	A.L.A. 標準： 整個圖書館組織 (System) 應有圖書： 每一居民2～4冊。超過一百萬人口者，每一居民2冊。 兒童用書：25%～40%。	50萬人以內者$\frac{1}{6}$冊，超過50萬人者$\frac{1}{8}$冊。

(1962)	暫行標準 Interim Standards: 5,000人以下者，10,000册或每人3册；5,000人～50,000人，每人2册	

表二　最低期刊報紙數量標準

國別	期刊	報紙
澳大利亞 新南威爾斯 (1959)	各類代表性期刊	
比利時 (1968)	館藏1%～10%，人口較多者應提高數量。	
西德 (1964)	小型地方圖書館，開始經費為11,000DM+10%每年維持費。	
(1969)	圖書館體系中心：500種　開始經費75,000DM+10%每年維持費。 國家、各州及大學圖書館：1,000種德文期刊，另加若干外文期刊。	
紐西蘭 (1966)	應有750種期刊，並應提供索引及目錄服務。	
南非 (1966)	應有5種，另每服務200人應加1種。	應備有3種，另每服務1,000人增加一種。
英國 (1962)	50種一般性者，另加若干種專門性期刊。	3種主要的日報。
美國 (1966)	A.L.A 標準：每250人1種 暫行標準 Interim Standards: 2,500～50,000 人之間者，應有25～150種。	包括在期刊之內 包括在期刊之內

㈡服務——圖書館之利用

表三提供有關各國公共圖書館服務方面的資料，其中包括最低限度的讀者登記數量，流通量及一館開放時間三項。讀者數量和流通量可以顯示出圖書館被利用的情形，開放時間的長短表示出服務的程度。在以上三項數字中，西方國家圖書館對於第一、二項則不注重，在標準中無任何規定。原因是圖書館事業發達，一般民衆對於圖書館的利用已相當普遍，另一方面由於讀者的登記數量和借書量不能精確表示出圖書館的實際利用情形。其他國家，如澳、紐、比等則重視讀者登記的人數比例以及每人借書量，甚至於蘇聯和東歐社會主義國家更以此作爲圖書館的短程發展目標。

在開放時間方面，表列各國中，除匈牙利和波蘭兩國外，都對此有明確的規定，惟標準不一。有的以每一專任人員所應負責開放的時間爲準，有的以所服務的人口數字，規定必須開放的時數。英、美及南非並在標準中確定圖書巡廻車巡廻時間，英、美兩國規定至少每兩星期巡廻各站一次，南非規定至少每星期一次。

表三　最低服務標準

國別	(A)讀者登記量 (B)流通數量	開放時間
澳大利亞 新南威爾斯 (1959)	(A)16歲以上：20%～40% 5～15歲：35%～60% (B)每一服務居民3～10	一人負責館務者：每週開放24～27小時；大型圖書館：每週達到40小時。

	册，15歲以下兒童數量提高；至少33%～40%應爲非小說。	
比利時(1968)	(A)15歲以上：20% 15歲以下：40% 平均爲人口之25%	50,000人以下：每週40小時；50,000人以上，60小時或以上。
丹麥(1967)		全日開放者：每週20～50小時以上；部分時間開放者：每週2～14小時。
西德(1964～1969)	(A)15% (B)每一讀者每年借書30册，或每一人口每年 4.5 册。	小型地方圖書館：每週5天，30小時。 地區總館每週6天，總館40～60小時。分館平均20～30小時。
匈牙利(1968)	(A)25%（小型圖書館）至20%（大型圖書館）。	
紐西蘭(1966)	(A)40% (B)每一服務的居民8～10册；自青少年及兒童藏書中借3册。	每週借書6天；大圖書館星期日，至少閱覽或研究場所開放。
波蘭(1968)	(A)40%（小館）至30%（大館）。	
南非(1966)		超過4,000人者：每週開放6天，包括晚間及星期六。小型圖書館每週重要時間開放6天。巡廻車至少每週巡廻一次，每次每站停留時間不得少於30分鐘。
瑞典(1960)		每週55小時。

英　　　　國 (1962～1967)		人口在1000～4,000人者：每週10～30小時。超過4,000人者30小時以上。巡廻車至少每兩週巡廻一次。
美　　　　國 (1966)(1) (1962)(2)		(1)A.L.A.：每週6天，包括上、下午及晚間如有需要星期日亦應開放。最低限度總館66小時，社區圖書館：10,000人～25,000人：45～65小時。25,000人以上：60～72小時。巡廻車服務至少每兩週一次，每週一次尤佳。 (2)暫行標準：50,000人以內者：15～60小時。巡廻車每兩週巡廻一次；並足以提供讀者諮詢服務時間。

㈢人　員

表四舉列各國公共圖書館最低限度應有工作人員數字，其中可分為以下幾種情形：

1.以服務地區的人口數量作為確定人員數額標準者：如比利時、丹麥、紐西蘭、英、美等國，大多規定每服務二千人或二千五百人應有專任人員一人。

2.以每年借出圖書册數作為確定人員數額標準者：如澳大利亞及瑞典，規定每年借出圖書二萬册者應有專任人員一人。

3. 以人口數量或年借書量兩者之一作爲確定人員數額標準者：如南非。規定每服務二千五百人或是每年借書在一萬五千册與二萬五千册之間者應有一位專任人員。

4. 以每年借書册數及新增册數作爲應有人員標準者：如西德規定每年借書三萬册者應有一人，另每年增加七千五百册新書者增一人。

以上標準各有利弊，有些國家依借書量作爲應有人員的依據似欠合理，因圖書流通僅屬圖書館各項服務中的一項，是不足以代表所有的服務項目的。

至於專業人員與非專業人員的比例，各國相差不大。一般爲專業人員佔百分之卅三或四十，其他人員佔百分之六十或六十七。各國對於專業人員的資格也有不同的規定，有些國家對於曾經通過考試的準專業人員（Semi-professionals）承認其爲合格的專業人員，如紐西蘭是。再如曾通過專業考試，但是缺乏最低限度的實際經驗者，如英國，亦被包括在專業人員之內。

表四　最低人員數量標準

國別	標準制訂年度	人員數量（不包括配合人員）
澳大利亞		
新南威爾斯	1959	每年流通二萬册應有1人；人口較衆之單位，需要量增多。
西澳大利亞	1969	約近一萬人口者，至少聘用一位合格館員。

比 利 時	1968	除館長外，每有登記讀者 800 人或 3,200 居民時應有 1 人。
丹 麥	1967	每服務二千人應有 1 人（區中央圖書館除外）。
西 德	1964～1969	依圖書流通量及新增圖書數量而定。每年借書三萬册者需一合格館員另加每年增加圖書 7,500 册者需一合格館員。除此之外，每一位館員配合 2 位助理員。
紐 西 蘭	1966	每服務二千人應有 1 人；33％爲專業或準專業人員。
南 非	1966	每服務二千五百識字人口，應有 1 人。或在一萬到廿五萬人的社區中，每年借書一萬五千～二萬五千册者應有 1 人。 不足四萬人口地區，40％專業或準專業人員。較大鄉鎭33％較爲理想。
瑞 典	1960	每年借書二萬册應有 1 人（包括練習生） 館　員—40％ 事務員—50％ 練習生—8％
	1969	每年借書一萬四千五百册應有 1 人。
英 國	1962	每服務二千五百人者應有 1 人。在十萬人口以內及各鄉村圖書館中，合格人員佔40％ 在人口集中的大都市33％～25％應爲合格人員。
美 國	1966	A.L.A. Standards： 每服務二千人應有 1 人 合格人員佔33％，其他66％，至少在

		各服務部門有一位專業人員。
	1962	暫行標準 Interim Standards: 在五萬人口以下者，每服務二千五百人者應有1人。

㈣建　築

附表五列出各國公共圖書館所需建築面積，多以人口額作爲計算的標準，同時更將國際圖書館協會聯合會（IFLA）於一九五九年制訂的標準列在各國之前，藉資比較。在該標準中，人口在一萬人至二萬人之間者每千人所需面積爲四十二平方公尺，二萬人至三萬五千之間者，每千人所需面積爲卅九平方公尺，所需面積依人口數字遞減。

圖書館各部門所需面積，依照IFLA 規定，在一中等規模的圖書館（如服務三萬五千人至六萬五千人之間者）每千人至少應備有一百平方呎（9.3平方公尺），以應成人流通圖書館之需，同時要有七十五平方呎（7平方公尺），以備參考及閱覽室之需。

在一中等規模的圖書館，兒童部門所需面積以每千人五十平方呎（4.6平方公尺）較爲合理，但最低限度應足以容納一個班級的學生在館閱覽。再者，由於避免兒童長途跋涉到圖書館閱覽。因此，在一範圍較大的郊區，一所兒童圖書館很少對超過三萬人的地區服務，甚至於在一大都市的總館中，有一間一千五百平方呎的房間（140平方公尺）足敷所需。（參見附表六）

此外，在新公共圖書館建築中多備有一文化與教育活動的場所，以供講演、展覽、戲劇表演、音樂會、各種集會，以及成人教育班等活動之需。所需面積在比利時、丹麥及法國圖書館標準中均有規定，茲表列於後備供參考。（見附表七）

表五　最低建築面積標準

（每千人應有之面積照平方公尺計，不包括講演廳、會議室等）

標　準	人口數量（千人為單位）
IFLA （1959）	人口：10-20　20-35　35-60　6-100　超過100 面積：42　39　35　31　28
比利時 （1968）	人口：3　10　20　50 面積：60-70　41　36　28
丹麥 （1967）	該標準中包括會議室等，但不包括書庫及流通區域。故難以與其他標準比較，除總面積外，規定至少另有25%的面積以供流通之需。 人口：5　10　15　20　25 面積：109　76.3　72　67　61 不包括會議室、集會室等： 面積：88　60.7　58　54　49
法國 （1969）	人口：5-6　6-10　10-20　20-30　30-45　45-60　60-75 面積：70-58　77-46　65-33　55-36　51-34　41-38　34-27
西德 （1964—1969）	人口：15　25　40　60　80　100 面積：37　34　42　41　44　42
匈牙利 （1968）	人口：3-5　5-8　8-12　12-16　16-25 面積：50　44　36　36　32
波蘭 （1968）	標準中說明不包括會議室集會室，但通常包括一間教室，以供成人及一般用途。

	人口：2.5以下 2.5-5 5-10 10-15 15-20 20-25 面積： 87 100-74 120-68 80-61 63-53 57-52
南非 (1968)	人口： 4 8 10 10-1,000 面積： 93 72 65 65-28
英國	採取 IFLA 標準。
美國 (1962)	在正式文獻中對於建築面積無數量上的規定。在暫行標準中則提出建議如下： 人口： 2.5以下 2.5-5 5-10 10-25 25-50 面積： 74 65 65 65 56

表六　各部門所需面積標準

標準	每千人所佔面積——平方公尺計						
丹麥	人口：	5,000	10,000	15,000	20,000	25,000	c.f. IFLA
成人及青少年借書區		25	19	17	15	14	9.3
成人集會室及閱覽室（包括地方文獻）		14.4	8.7	8.8	7.9	7.4	7
兒童室（座席：每席3.5sq.m）		24 (14)	16.5 (17)	15.6 (20)	14.5 (23)	14 (26)	46 （足以容納一個班級）

法國	人口：	5-6	6-10	10-20	20-30	30-45	45-60	60-75	c.f. IFLA
成人借書區		26-22	26-16	24-12	16.5-11	11-7.3	7.7-5.8	5.8-	9.3
成人參考及閱覽區域					8-5.3	6-4	6.6-5	5.8-4.7	7
兒童 （座席一全部）		16-13 (30)	20-12 (40)	14-7 (40-45)	7.5-5 (40-45)	5-3.1 (40-50)	3.1-2.5 (40-50)	3.3-2.7 (50-60)	4.6 （足以容納一個班級）

波　蘭　人口：	2,500以下	2.5-5	5-10	10-15	15-20	20-25	c.f. IFLA
成人借書區	20	20-18	19-12	13-10	10-9	9-8	9.3
成人參考及閱覽區域	22	24-21	23-10.5	15-10.5	9-5.4	7.7-6.1	7
（全部座席）	(6-10)	(10-20)	(18-35)	(40)	(40)	(40)	
兒　　童	—	—	13.6-6.8	8.7-5.5	6.1-4.6	5.2-4.1	4.6
（全部座席）	(10)	(12-20)	(20-35)	(38)	(40)	(45)	（足以容納一個班級）

英　國	無明確規定，但有以下意見：
	1.即使不包括各科目部門，整個面積的百分之廿五用充成人借書部門，參考室閱覽室及兒童部門，在大型圖書館中是不足的。除特別大的圖書館外，該一比率應定爲百分之四十以下似較合理。
	2.在有些人口在 35—65,000 的地區，每千人分配 100 sq.ft. 以供成人借書部門之需，是不敷所需的。一所兒童圖書館（1,500sq.ft.）應考慮增加空間以供學校家庭作業及其他不同的學習方式之需。在大都市中，總館內可能不爲兒童作重要的安排。所有各兒童圖書館陳書空間，除最小的圖書館外，應能容納4,000册到6,000册圖書：這將需1,000 到1,500sq. ft. 尙有餘地供兒童閱覽，並足以容納一個班級使用。

表七　建議供文化及教育活動所需空間

（以每千人為單位，平方公尺計）

比利時　人口：	3	10	20	50	附　註	
展覽及會議室	40	80	100	150	每人1m²計	
丹　麥　人口：	5	10	15	20	25	
展覽及會議室	105	156	213*	270*	297*每人1.20～8m²計	
	* 包括視聽／音樂室 30m²					
法　國　人口：	5-6	6-10	10-20	20-30	30-45	45-60	60-75
展覽及會議室		40	50	70	80	120	140

附　註

❶ UNESCO public library manifesto, 1949. Text in English, French and Spanish and *Library association record,* vol. 51(9) September 1949.

❷ Memorandum on "Standards of public library service" approved at 24th session of IFLA/FIAB, Madrid 1958. Text in *Libri*, vol. 2. 1958, p. 189.

❸ Memorandum on "Standards of public library service-library premises" approved at 25th session of IFLA/FIAB, Warsaw 1959. Text in *Libri*, 1959. vol 9. no. 2. pp. 165～168.

二、英國公共圖書館標準

英國公共圖書館標準之擬訂具有相當的歷史。一九四二年時，麥考文（L.R. McColvin）發表英國公共圖書館制度（The Public library system of Great Britain）❶一文，闡釋英國圖書館之組織及服務，頗多啓發之處。一九四三年，英國圖書館協會公布公共圖書館服務戰後發展之建議（Proposals for the post-war development of the public library service）❷，其作用一似美國戰後圖書館標準，對於英國公共圖書館之發展方向，提出具體意見。惜以上兩項文獻因時過境遷已不適合當前需要，故論及圖書館標準應自羅伯滋報告起始。

英國政府爲研究改革英國公共圖書館制度，乃於一九五七年設置一委員會。該會由英國教育部部長指定羅伯滋（Sir Sydney

Roberts) 爲主席，定名爲羅伯滋委員會。一九五九年二月，該會正式提出一份報告書，對於英國公共圖書館經營之制度頗具創見，被認爲是繼美國圖書館協會發表的「公共圖書館工作」(Public Library Service)之後的重要文獻，也可以說是一項圖書館標準❸。

該委員會曾對英國圖書館協會所提出的建議加以研究，依據圖書館協會的意見，英國每年出版圖書約二萬種，其中約有五千五百種爲一般性書籍或成人閱讀的非小說類圖書，大約每一圖書館僅須購置三千種，另應購小說及兒童讀物三千種，如每種照一九五八年的書價十二先令計算，六千種共需三千六百磅。此外再加上一千四百磅用於添購複本書及更換舊版本之用。總計共需購書費五千磅之譜。這是一所完善圖書館所需要的最低經費標準。至於參考書，雜誌和其他資料尙不包括在內。羅伯滋委員會對圖書館協會的建議認爲切實可行，在報告中表示，倘若民衆在任何地區都能享受閱讀的書籍，則各地方機構應能負擔每年五千磅的最低預算額，供備圖書館作爲添購圖書之需。

該委員會並積極倡導圖書館合作發展制度，參加合作的單位包括所有的公共圖書館、大學圖書館、私立圖書館、學術圖書館和專門性圖書館等。其觀念是目前沒有任何公共圖書館的藏書能自給自足，而圖書館的經費有限，故必須仰賴相互支援的方法，使本身有限藏書得以供應各方要求。合作的方法，最重要的是要完成並保持一區域性聯合目錄及一在國立中央圖書館內設置的全國性聯合目錄，這也是圖書館合作的基礎，有此目錄之後才能進一步研究互借的問題。

其次在館員與館舍方面，該會建議在城市圖書館每三千人應聘用一位館員，在大型圖書館中比例可略減低。又全部圖書館員中應有百之之四十爲合格的圖書館員。估計在英格蘭與威爾斯需要一萬五千名圖書館員，依照標準應有六千人爲合格館員。至於合格館員的待遇應與敎師相等。館舍問題，報告中指出大部分館舍係五十年前所建，均不適合今日之需，故建議必須改進現有公共圖書館館舍及修建新舍。

最後，該會建議有關各項標準應制訂法律，以期能付諸實施。

羅伯滋委員會建議各節因多屬原則，尙不足以作爲實施的具體步驟。因之，英國政府第二步乃於一九六一年三月組織一工作小組(The working party)根據該委員會建議確定其實施步驟，尤其針對人口在四萬人以下之鎭與城區圖書館。該一小組係由有經驗之圖書館員及政府行政人員所組成，由一敎育部高級官員任主席。小組於一九六二年十二月提出報告❹，在報告中就各館所應遵行的一般原則說明如下：

(一)一館所應具備之資料必須兼收並蓄，舉凡適合該地區特殊需要之新書及標準舊著均應收藏。圖書館亦應充分準備在館內參考及館外流通的各項資料，並能利用到本館所缺的，更爲廣泛的他館收藏之資料。

(二)所有各館均應充分準備兒童讀物，並鼓勵兒童多加利用圖書館。此外更應與學校合作，適應青少年之特殊需要。

(三)在圖書館中，應提供完善的參考與諮詢服務。

(四)公共圖書館爲社會文化中心，故應配合當地社區之需要，辦理各項文化活動。如建築許可，圖書館本身應安排此項活動。

(五)公共圖書館久已成爲學生所利用之場所，尤其是大專及高中學生，成人班及自修人士。因此，圖書館不僅應爲其準備適當之場所，並應備有適合各種需要的圖書。

在小組報告中曾提出「圖書館基本單位」(Basic library unit)觀念，所謂基本單位被解釋爲：

「所謂基本單位乃指提供充分服務的最小圖書館單位而言，這一單位可能是一獨立機構，也可能是縣圖書館組織中的分館，或許是一大城市的圖書館。」

工作小組根據基本單位的構想設計了最低的標準，有關數量上的規定如下：

圖書館的基本服務

圖書館服務不僅要達到一定數量上的標準，同時更應謀資料之便於利用。舉凡當地無法獲得的資料能借重館際互借的關係供應讀者使用。爲達到當地圖書館最低服務的要求，應作以下之準備：

(一)每年應添購以下的圖書館資料：

(1) 一館不得少於兩千種非小說類成人讀物，其中包括英國出版的新舊著作，美國及其他國外出版的英文書籍，以及樂譜等（小册子除外）。此外尚應備有三百册複本書和替換書。

(2) 不得少於三百册用備補充及更替的參考書。

(3) 不得少於三千册成人閱讀的小說。

(4) 不得少於一千五百册兒童讀物。

(5) 在基本目錄中不得少於五十種一般性期刊，另應備有若干種符合當地工商業需要及地方興趣的期刊。此外，尚應備有至少三種重要的日報。

(6) 備有一百種常用外文的小說與非小說。

(二)在一館參考部中應備有協會所編參考書選目中所列新版的各種參考書。

除期刊外，在(一)項中每年至少增加七千二百册圖書；至於爲各學校、機關團體服務所需要的書籍不計在內，另應準備。

工作小組對於人員方面，建議下列各點：

(一)每二千五百居民至少應有一人。

(二)根據羅伯滋的報告，人口在十萬人以內的城市，在人員中應有百分之四十的合格人員。在人口密度較爲集中的地區，百分之卅三應爲合格人員；在較大的都市中，其合格人員的比例不得低於百分之廿五。

有關建築方面，工作小組曾提示以下各點，亦可視爲標準。

(一)設置分館：在城市中，以不超過一萬五千人爲一服務單位，較合乎經濟原則，不過因客觀環境關係多難以如願。圖書館的位置與民衆居住的距離有密切關係，尤其對老年人及兒童更爲重要。一般說來，圖書館與民衆住所的距離不應超過一哩的路程。

(二)適中之位置：圖館書應選擇市區內適中的地點。如靠近市中心、車站、商業區、停車場等公衆服務場所都適於建築圖書館。

(三)建築標準：工作小組認為應提供圖書館建築原則性的指示，因而建議參照國際圖書館協會聯合會 (IFLA) [5] 及圖書館協會所擬訂的標準辦理[6]。該小組對於建築細節亦提供了一些意見。

(四)參考圖書館標準：工作小組的報告中，對於參考圖書館所應具備的標準語焉不詳。圖書館協會則於一九六九年針對公共圖書館的參考服務通過了一項報告，適於四萬人以下，四萬人至十萬人；十萬人至卅萬人和卅萬人以上之都市[7]。

工作小組並對威爾斯使用兩種語言的地區提供了一項參考標準。該地擁有二百五十萬人口，其中七十萬人使用威爾斯語。在各區域中使用威爾斯語及非威爾斯語者的比例從百分之二到百分之九十不等 。但以威爾斯語著作的書籍較少 ，每年不過百種左右。工作小組認為威爾斯公共圖書館有責任鼓勵民衆閱讀威爾斯語文著作，一似英文著作。並作以下建議：

(一)任一公共圖書館如有一千名說威爾斯語的讀者時，即應購備所有威爾斯語出版品各一部，除非該項圖書不適合公共圖書館之需要。

(二)一館所服務的說威爾斯語的讀者在一千人時，建議每購置二百五十册圖書，應有五十册為威爾斯語者。

(三)每一圖書館管理機構，其服務居民中有一千名以上說威爾斯語的讀者時，均應購備相當比例的威爾斯語期刊。

(四)為保持適當的人員比例，在威爾斯的圖書館一方面應增加能說兩種語言的人員；另一方面也要增加整個的人數，以提供更佳的服務。

一九六七年，另有一工作小組進行研究蘇格蘭地區公共圖書館的服務，提供改善服務的各項建議。該小組於一九六九年提出報告❽，其中所建議的最低標準與英格蘭與威爾斯之標準大同小異，頗多近似之處。

附註

❶ L.R. McColvin. *The public library system of Great Britain* 1942.

❷ Proposals by the Council of the Library Association. *The public library service: its post-war reorganization and development.* Library Association, London 1943.

❸ Ministry of Education. *The structure of the public library service in England and Wales.* Report of the committe appointed by the Minister of Education. Cmnd 660. H.M.S.O. 1959.

❹ Ministry of Education. *Standards of public library service* in England and Wales. Report of the working party appointed by the Minister of Education. H.M.S.O. 1962.

❺ IFLA's memorandum on "Standards of public library service ——library premises" *Libri*, 1959 vol. 9, no. 2 pp. 165-168.

❻ Library Association. *Public library building-the way ahead.* London, 1960.

❼ Library Association. "Standards for reference services in public libraries". *Library Association Record*, 72(2), Feb., 1970.

❽ Scottish Education Department. *Standards for the public library service in Scott and.* Report of a working party appointed by the Secretary of State for Scotland, H.M.S.O. 1969.

三、澳洲公共圖書館標準

澳洲到目前爲止還沒有一種全國性的公共圖書館標準，因此，澳洲圖書館協會（Library Association of Australia）現在正積極致力於此項工作。現有的公共圖書館標準僅爲新南威爾斯（New South Wales）及西澳大利亞（Western Australia）兩州所制訂的標準。新南威爾斯的標準最近曾加以修訂，不久將有新標準出現。玆就現有兩州標準分別介紹如下：

1.新南威爾斯（New South Wales）標準

州立圖書館委員會（The State Library Board），爲協助地方議會評估圖書館之地位及工作，於一九五九年編印一項有關公共圖書館目的及標準之說明❶，其內容如下：

目　的：

公共圖書館服務的目的可分爲下列各點：

(1) 蒐集、保存及組織圖書與有關敎育性的資料，並謀有效的利用。

(2) 公共圖書館應成爲所服務社區內可靠的資料報導中心，得以自由供應公正完備的資料。包括：

(A) 公共出版品。

(B) 有關民衆各行業及日常事務所需資料。

(C) 有關科學、技術等進步和發展資料。

(3) 公共圖書館應鼓勵並提供兒童、靑少年及成年人自我敎育的機會。

(4) 公共圖書館應培養民衆審美觀念與文學創造的能力。

(5) 公共圖書館應提供民衆以讀書作爲娛樂的機會，幫助閱覽者有效的利用閒暇時間。

藏　書：

本標準對於如何建置一部現代化，並具有代表性的圖書提出具體建議，其中包括雜誌在內。藏書數量的多寡應視各地方情形而定，諸如當地是否還有其他的公共圖書館等。本標準對於最低藏書量，建議爲六千册，較大的圖書館則依人口量計算。其標準如下：

六千至一萬人，每人三册或二萬五千册。

一萬至三萬五千人，每人二・五册或七萬册。

三萬五千人至十萬人，每人二册或十七萬五千册。

每人平均應有圖書册數視人口量多寡而定，人口多者比例遞減。

藏書中百分之二十五屬於兒童讀物，但這並非一成不變者，如該地區學校圖書館藏書充足，公共圖書館自可減低數字。

工作人員：

圖書館應有足够人員，在圖書館開放時間內擔任各項服務。工作人員之多寡應視該地區面積及人口數量、圖書館部門及分支機構數量、流通數量、參考服務性質與範圍、開放時間及其它因素等而定。在圖書館開放的任何時間內，應有專業人員負責公共服務，同時需要相當的專業人員有效的推動圖書館各項技術性工作。

美國所應用的標準發現在新南威爾斯也頗為適用，此標準規定每一工作人員在一年內是負責二萬册書籍的流通量，此數目當然受人口及服務觀點的影響，一所服務人口較多的圖書館可能需要不止一人來應付兩萬册書籍的流通的。

經　費：

公共圖書館的最低經費數額，每人為　8/-d，在一普通圖書館，薪俸支出佔總經費的55%－60%，書刊及裝訂費佔20%，行政管理費佔20%。

設　備：

不適當的或位置不當的建築對圖書館的利用會產生不良的效果的，適用的建築為成功的要素之一。圖書館一定要具有吸引性便於使用。其設計應注意實際工作效果，備有充足的工作場所。假如該館為該一地區唯一的一所圖書館或是該一體系中的中央圖書館，其工作場所必須佔總面積的三分之一。

服務範圍：

圖書館服務應求其普遍接觸一般民衆，因此，應考慮到分館，巡廻車，以及郵遞服務，有關以上各項並無標準規定。圖書館的工作應與本社區中的其它社會、敎育及文化機構打成一片。

開放時間：

公共圖書館開放時間應按照圖書館之規模大小及服務對象之多寡而定。一館如只有一位工作人員，每星期應開放 24～27 小時，在一人員較多的圖書館，開放時間可增至每星期四十小時。

借閱者：

地方議會希望在十六歲以上的民衆中，有百分之廿至四十登記爲圖書館讀者，但當人口數字增加時，比例減低。在五歲至十五歲之間者的民衆，其比例數字爲百分之三十五至六十。這將受到學校圖書館是否提供完備服務和是否便於接近的影響，所以最低限度每隔三年須從新辦理讀者登記一次。

書籍的流通：

成人書籍的借閱，例如：十六歲以上者，每年可借書三至十本，兒童到了十五歲的年齡，借書數字會昇高。

在圖書館的成人部，應注意小說與非小說的借閱比率，這大概可以漸漸反映出購書政策和書藏的性質以及民衆的素質。圖書館過份的著重純粹娛樂性讀物將會使小說大量流通。一理想的標準應該是在成人借閱的書籍中最低限度有三分之一至百分之四十爲資料性、敎育性或文化性的書籍（非小說類書籍），這些非小說類圖書應各類兼具，而非集中於一般旅遊及傳記方面的圖書。如果成人借閱非小說的百分率降至百分之二十五以下，圖書館就該注意藏書的品質和選擇的政策了。

在兒童部門，大部分讀物，無論是小說或非小說都應含有教育資料性的價值，故應有一合理的選擇標準。

2.西澳大利亞州（Western Australia）

在西澳大利亞州，圖書館制度不僅與其它各州不同，更與其他國家有別。

西澳大利亞州面積達一千萬平方哩，其中大部份是沙漠或雨量極少之地帶，除伯斯（Perth）一城市有四十六萬人外，人口是非常稀少，各市鎮百分之八十不到六千人，平均爲一千七百人。在此情形下，此區是很難利用其本身資源及州政府的補助給予民衆有效的圖書館服務的。

圖書館委員會：

圖書館委員會是一獨立法定的團體，其主要功能是分配州政府對地方公共圖書館撥款補助事宜，及管理州參考圖書館。州對地方公共圖書館的補助是不給予現金的，而是供應書籍。在圖書館委員會同意下，補助圖書館建築費用及聘僱人員。

與澳洲聯邦不同者，有關圖書館的書籍及圖書之處理（採訪、編目與出納服務等）及參考服務是由州政府所提供的，而建築及工作人員則由地方政府所負責的。

書　籍：

當一新圖書館成立時，圖書館委員會按照所服務地區人口最低限度每人一册的比例供給所需的書籍。這些書籍乃係留作圖書館委員會的財產。藏書隨人口增加而調整。到一九六九年底，圖書館委員會希望所有圖書館能達到每人一·一册的標準，進而更希望將來提高到最低限度每人一·五册的標準。

每一圖書館藏書應包括：三分之一兒童書籍，三分之二成人書籍，百分之六十非小說，百分之四十小說。易言之，總存量比率百分之四十爲非小說，百分之二十七爲小說，百分之三十三爲低年級讀物。

當一圖書館設立四個月之後，應不斷的替補交換以保持藏書的良好使用狀況。更換的比率因圖書館規模大小而異，小圖書館每年爲百分之九十，在十萬册藏書的大圖書館則每年更替比率爲百分之十九❷。

圖書館館際互借工作是由所有公共圖書館來聯合實行（現有一二五所），因此所有圖書館，無論是小型的，或位於偏僻地方的，都可透過互借制度利用到圖書館委員會的所有藏書，包括州立參考圖書館在內，到目前爲止現有藏書總數爲九十五萬册。

館舍建築：

圖書館委員會對地方圖書館的支援與否，全視地方圖書館建築是否合乎以下的最低標準而定。一圖書館建築的設計主要應注意到未來幾年的人口增加量，並合乎未來七年至十年後的發展需要。在設計時先估計到七年至十年以後的人口發展數字，然後再根據這一項數字進行設計。

下表所列爲圖書館委員會通過的最低面積，(A)是代表圖書館服務區域內預計的人口數字，(B)是代表每一千人應有的面積，不包括閱覽室、閱讀場所、工作場所、出入口、樓梯、通路等處。

(A)	(B)
預　定　人　口　數	每 1000 人所佔面積
Up to —10,000人	200 平方呎
10,001—15,000人	195 平方呎
15,001—20,000人	190 平方呎
20,001—25,000人	185 平方呎
25,000人以上	180 平方呎

工作人員

如人口在一萬人以內地方圖書館，似可不考慮聘用專業人員。如某一地區設置有一完善的圖書館系統總部。超過一萬人時，圖書館委員會最低限度應聘用一位合乎資格的專業人員。

附註

❶ *A Statement of Public Library Objectives and Standards for Use of Councils.* The Local Government Association of New South Wales, and the Shires Association of New South Wales, Local Government Information Service Bulletin, No. 1/1960, Sydney.

❷ *Book Provision and Book Selection: Policy and Practice.* The Library Board of Western Australia, Perth 1966.

四、紐西蘭公共圖書館標準

紐西蘭圖書館協會於一九六六年仿照美國公共圖書館標準的

形式與體例擬訂了本國的公共圖書館標準❶。在標準中採用了美國的方法提出了一般原則，然後在各項原則下列出了詳細的標準。該項文獻之內容與美國標準大相逕庭，主要原因是兩國情況不同，環境各異。舉例來說，紐西蘭至今仍將其部分藏書採取收費方式加以流通。這種出租圖書（Rental collection）的存在對於數量標準的規定多少會有些影響的。

紐西蘭圖書館協會仿效美國的標準，以十五萬人為最低有效的服務單位；同樣的，該會鼓勵設置區域性圖書館，取代個別經營方式，謀服務之普遍深遠。它瞭解到小圖書館單位仍應繼續。因之，協會除根據公共圖書館的最低要求擬訂了最低服務標準之外，並提出一套臨時標準（Provisional standards）。這一標準大多係屬統計資料，適應任何不同的人口之需。該標準首先指出公共圖書館之目的為：

成為民主制度與良好公民之一工具；

成為輔助學校教育及滿足學習欲望之一有力工具；

對於社區的經濟生活有所貢獻；

充分的提供藝術與具有想像力之文學著作。

在公共圖書館的管理及服務單位方面，標準中提出：

公共圖書館的服務應謀自由而普遍的展開。

公共圖書館的經費應由中央政府與地方政府共同負擔。

公共圖書館服務為地方政府之一功能。

公共圖書館服務與區域性圖書之建置應以大單位服務制度作為基礎。

區域性合作的發展方式應作為未來發展的主要目標。

在公共圖書館資源方面（Public library resources），標準說明「圖書館服務素質的高低主要依據圖書與期刊的數量多寡、品質、範圍及其均衡性而定」，其詳細規定如下：

圖書部分：

在最低標準（Minimum standard）中規定讀者最低限度應能利用到以下的圖書：

100,000 種非小說類與外國語文類書籍。

7,500 種小說。

7,500 種兒童及青少年讀物，不包括在成人用書之內。

500 種期刊。

以上係指從區域中心可以取得的藏書。在一所圖書館或分館中應備有的圖書，包括可供出借的圖書在內，應該有六千册，其中至少一千五百册應爲青少年及兒童讀物，另加上一千五百册出租圖書（Rental books）。

在臨時標準（Provisional standard）中規定每服務一百人應備免費供應的圖書 140～200 册；青少年及兒童讀物應在40～50册之間。

每年採購量，最低限度應有：

非　小　說——每年應添購 5,000 種新書，用以維持十萬種非小說。

小　　　說——每年應添購 5,000 種新書，用以維持一部 7,500 種小說類圖書。

青少年與兒童讀物——每年應添購 750 種新書，而係成人

用書中並不添購者，用以維持一部
7,500 種藏書。

期　　　刊——至少應訂 750 種，包括複份期刊，以及
索引與書目等。

爲了保持借閱圖書（不包括非小說）的形態完好，新增加的圖書應根據其流通次數擬訂適當的添購比例，其數字如下：

小　　說——每借出 90～100 次一册。

兒童小說——每借出 50 次一册。

兒童非小說——每借出 75 次一册。

青少年讀物——每借出 75 次一册。

就整個成人非小說類圖書而論，每年增加新書應相當於開架圖書 7.5%，有些暢銷類圖書可視需要提高購書率。

免費小說，青少年及兒童讀物，不應低於每年每類流通量的 8～10%，這一比例也適用於更爲暢銷的非小說類圖書。

臨時標準規定，免費供備使用的圖書，每一百人口至少應添購十五册，其中三分之一供青少年及兒童之需。服務一萬人左右的圖書館，每年至少應備二千種新的成人讀物；服務四萬人的圖書館，每年應增加四千種讀物。這些讀物可利用借用或購買方式獲得。總之，圖書館規模愈小，本身擁有的圖書亦愈少。依賴向其他圖書館借用的數字也愈大。

有關素質標準（Qualitative standards），應注意者如下：

在增加資料之內容與形式上應保持高度標準；

藏書中主要各類應保持其均衡性；

對於爭辯性主題之論著應備有正反雙方面之資料；

一館之採訪政策受到在紐西蘭內其他圖書館及其鄰近地區圖書館蒐藏資料內容之影響。

應利用全國的資源以滿足讀者個別之需要。

經常被讀者要求之資料應由圖書館採購。

對於一館應有的參考資料建議有以下標準：

最低標準——至少應有十萬種非小說類圖書，以及至少四千種非流通性的圖書。除書庫存書之外，每年應保持四百種新書（小册子除外）。兒童圖書館必須有適合其程度的參考圖書。

暫時標準——小型圖書館應有一百册基本參考書。服務一萬人口以上的圖書館，應擴大其蒐集範圍，並準備兒童圖書館專用的書籍。

其他標準包括：

資料之選擇不應受形式所限，圖書以外資料如唱片、幻燈、影片亦應注意蒐集。

所有的收藏應包括現刊的雜誌與報紙。

大型圖書館應備有唱片、藝術複製品、原版藝術品、樂譜等資料，供讀者借用。

應有系統的註銷資料，這是非常重要的。

地方歷史文獻應加以蒐集保存。

至於公共圖書館服務之本質，在標準中規定如下：

(A) 對本地區的居民應提供免費的服務，而消遣性的出租圖書除外。

(B) 開放時間，流通圖書館通常每週開放六天，大型圖書館在星期日應行開放。至少在冬日如此，以應一般閱讀及研究之需。

(C) 圖書館的資料應力求迅速處理，謀有效使用。（館外借覽應盡可能放寬限量）如有特別的需要，不應限制借用數量；借書時限應有不同的規定，以符合不同的要求。

(D) 衡量流通服務最簡單的方法是根據一年的借書數量，玆建議一項良好的圖書館服務，每年每一服務的居民免費借覽圖書 8—10 册；至少其中的三册是從青少年及兒童讀物中借出的。

(E) 在借書服務方面：在本地區內的居民至少百分之四十應登記爲圖書館的讀者，每隔三年假定應重行登記一次。較大地區應配合分館及圖書巡廻車服務。分館應設在五千人以上的地區之內。

(F) 在參考服務方面：至少應區分爲四個科目範圍（如：音樂及美術、社會科學及人文科學、商業及技術、紐西蘭文獻）。爲求完善的服務，每一科目範圍應有兩位科目專家。

(G) 在青少年及兒童服務方面：公共圖書館不應對學生入覽有任何限制；但學生們正軌敎育的需要應由本校圖書館負責。圖書館應準備一些過渡書以供兒童進一步閱覽之需。兒童如有利用成人各科圖書之需時，不應加以阻撓。

(H) 圖書館應提供讀者顧問服務 。 各 館 應該瞭解其社區情況，並與社區內各團體密切合作，善爲利用圖書館之資源。

(I) 在出租圖書方面：一書在一年內如不能借閱在廿次以上

時，不得添購作為出租圖書。

在人員的標準中有一項原則，即完善的服務需要有專業化的圖書館員配合中級的與低級的助理人員。專業人員必須在紐西蘭圖書館學校畢業，獲致資格證書，或具有三年以上的服務經驗。在人員聘用的數量上，規定每服務二千人應聘用一位專任人員。至少三分之一的圖書館員應完成紐西蘭學校課程或是獲致紐西蘭圖書館協會文憑課程。

在建築方面，一九四九年和一九五九年紐西蘭協會曾公佈一公共圖書館標準，在一九六六年的文獻中根據以前兩項標準詳予規定各項原則，其要點如下：

一所優良的圖書館建築並不能形成一所優良的圖書館，在設計新建築或擴展改裝舊建築時應先有此認識。

圖書館建築應選擇市中心地帶，或商業中心，或在主要街道處。

舉凡服務在四千人以上的圖書館，其建築應獨立設置，不應附屬於其他建築之內。

內部的設計與佈置，包括書架及傢俱的安排，必須在外部設計之先完成。

圖書館建築應具調節性並便於擴展。在設計之初即應考慮到未來廿年之需要。

圖書館建築以二層較屬理想，隔層（Mezzanine）適於作為工作室及職員休息室之需。內部應採用模距設計（A modular principle）儘可能減少固定的隔間或支柱，以便未來之發展。

在研究到內部的安排時，標準中提出若干數量上的規定。諸如：在服務一萬人以下的圖書館中，至少應留備全部服務區域五分之一的空間作爲兒童閱覽與輕鬆瀏覽場所。圖書館服務人口在一萬人以上者，需要閉架式的書庫，以供貯存圖書及陳放罕用資料之需。規模較大的圖書館應有一單獨的會議室，以備敎育團體使用。所有的圖書館均需設有盥洗室供成人及兒童使用。

附表列出五萬人以下的公共圖書館建築標準，藉供參考。

附　註

❶ New Zealand Library Association. *Standards for Public Library Service in New Zealand.* Wellington, 1966.

五、日本的公共圖書館標準

日本對於公共圖書館的價值與功能始終未給予任何評估，直到第二次大戰結束，一九五〇年通過一項圖書館法令後，才具備了指示圖書館在增進國家敎育與文化兩方面所作貢獻的準則。

根據一九六七年四月調查，日本僅有八百一十五所對公衆開放的圖書館，卽一所國立圖書館，七十七所地方政府設立的圖書館，四百九十七所市立或區立圖書館，十七所町立圖書館與卅七所私立圖書館。這種情況對大約一億人口而言實嫌不足，此種缺乏在鄉鎭（與市區相對而言）中更爲明顯。卽使如此，現有的圖書館經費，以購書費爲例，也相當短缺。日本最大的公共圖書館

紐西蘭圖書館建築標準表

服務人數	藏書册書	書架長度	地面面積	讀者所佔空間	人員工作空間衣帽間等等	估計額外所需的空間	全部面積總數
6,000 ~ 8,000	一萬二千册；超過六千人，每增加一名加二册書。	1,500呎；超過12,000册書每增加八册則加1呎。	1,200平方呎；超過 12,000 册書，每增加10册書加1平方呎。	900平方呎；超過6,000人每1,000人加多5個座位。每一座位佔30平方呎。	900 平方呎	1,200 平方呎	4,200 平方呎
10,000 ~ 15,000	二萬册；超過一萬人，每增加一名加二册書。	2,500呎；超過二萬册書每增加8册則加1呎。	2,000 平方呎；超過二萬册書每10 册加 1 平方呎。	1,500 平方呎；超過1萬人，每一千名多加5座位。每座位佔地30平方呎。	1,500 平方呎	2,000 平方呎	7,000 平方呎
25,000 ~ 50,000	六萬二千册；超過二萬五千人，每增加一名加 2.5 册書。	7,750呎；超過六萬二千册書每增加8册則加1呎。	6,200 平方呎；超過 62,000 册書，每10册加1平方呎。	2,250 平方呎；超過二萬五千人，每一千人加多三座位，每座位 30 平方呎。	3,000 平方呎	3,550 平方呎	15,000 平方呎

——東京都立圖書館，服務數達千萬的居民，其每年購書費僅有一千三百萬日圓（約爲一萬五千英磅或三萬六千美元）。每年購書預算超過百萬日圓的公共圖書館僅有八所。

與此成爲對比的是大學圖書館，目前日本全國各大學設有數逾七百所大學圖書館，有些大學每年花費一億日圓（約 115,700 英磅或 278,000 美元）於圖書資料。

日本圖書館協會已經採取行動以改善公共圖書館的發展，同時文部省社會教育委員會的一個會議小組也已制定一套指示建立與經營公共圖書館的最低標準，此套標準的英文節本已由英國圖書館協會（Library Association）印行出版。

組　織：

(1) 都道府縣行政首長負責轄內公共圖書館之設立。

(2) 市長（包括特別市）負責市內公共圖書館之設立，人口在十萬以上者，其規模應視其人口密度、地形、交通情況或其他因素而擴增。

(3) 町及村應設立圖書館，但如無法單獨成立時，與鄰近之市、町或村合設聯立圖書館。

工　作：

爲提供最佳服務，圖書館應負責辦理下列事項：

提供成人、青少年及兒童適當的服務。

提供參考服務，閱讀指導與複印服務。

適應各地區之要求設立分館或借書站。

與私立圖書館、公共集會所、學校及流動文庫合作建立一網狀服務。

館際間應建立合作關係（無論其設立主體是否相同），以從事有關資料採訪、調查、參考服務與館際互借的合作事宜。

都道府縣圖書館在與市町村及私立圖書館合作時應負責下列事項：

與上述諸圖書館簽訂合約以增進彼此間的合作關係。

使資料之採訪，調節與保管共趨一致，協助各圖書館編製聯合目錄，借與資料以及支援各館之參考服務。

蒐集地方政府文獻與當地出版品，並善加保存備供應用。

以巡廻文庫對市町村立圖書館無法顧及之地區提供服務。

如果同一市內有兩所以上圖書館，其中之一應負責訂定共同的服務準則。

資　料：

館藏册數及每年增加量如下：

(A) 都道府縣立圖書館：

服務對象在十萬人以下者，全部館藏至少應有圖書二十萬册，每年至少增加圖書一萬册。此二數目應視圖書館之推廣服務或對市町村圖書館提供協助而予增加。

對服務對象超過十萬人之圖書館應以下列公式求其最低册數：

全部館藏0.05×(總人口－1,000,000)＋200,000

例如：人口 2,000,000 全部館藏爲 250,000 册

年增加量0.003×(總人口－1,000,000)＋10,000

例如　人口2,000,000每年應增加13,000册

如果人口超過5,000,000，則計算每年增加量最低册數時，超出五百萬部分應以0.0016代替 0.003 ，例如人口七百萬其每年增加量爲23.000册（基本數目）＋0,0016册×2,000,000即26,200册。

(B) 市（區）立圖書館：

服務對象在十萬人以下，全部館藏至少應有五萬册，每年增加量至少爲四千册，此二數目應視圖書館之推廣服務，市（區）內圖書館之數量，各地區之要求予以增加。

服務對象在十萬到卅萬人口，全部館藏爲50,000册＋0.4册×超過×100,000人之人數，

例如人口廿萬，館藏九萬册；人口卅萬，館藏十三萬册。

每年增加量爲4,000册＋0.015册×超過100,000 人之人數。

例如人口廿萬，每年增加五千五百册；人口卅萬每年增加七千册。

如人口更多，計算方法相同，但每年增加量之計算標準不同，例如人口卅萬到五十萬可以 0.2 至0.01計算，人口五十萬到一百萬爲0.02至0.008超過一百萬者爲0.08至0.003。

例如：	人　口	最低館藏量	最低年增量
	500,000	170,000	9,000
	900,000	218,000	12,200
	1,500,000	270,000	14,500

(C) 町、村立圖書館：

在町、村立圖書館或町村聯合圖書館中，全部館藏應在二萬册以上，每年增加量在一千五百册以上；在市町村聯合圖書館中，全部館藏應在五萬册以上，每年增加應在四千册以上。

在視聽資料方面，圖書館不僅應蒐集供敎室用者，也應蒐集攝影、繪圖、唱片、錄音帶，幻燈片及影片，圖書館對此等資料應採錄有關資料加以編目，並保存之。

在報紙與期刊方面，應注意下列事項：

報紙：都道府縣立圖書館與市立圖書館應收藏十種以上的全國性報紙與地方性報紙，特別是與本地有密切之工業交通關係的鄰近地區所發行者。

期刊：蒐集各科代表性期刊與官方刊物，同時技術性及外文期刊也應蒐藏。都道府縣立圖書館及服務百萬以上人口的市立圖書館，應採錄 300 種期刊以上。在市（區）立圖書館中及市町村聯合圖書館中應有 100 種以上。在町或村或町村聯合圖書館中應有 30 種期刊以上。官方刊物不包括在這數目之中。

人　員：

圖書館應有一具備專業知識及行政能力的館長，另應有具備選擇、整理、保管及介紹資料的專業館員與其他非專業人員。館員人數的標準如下：

(1) 專業館員

(A) 都道府縣立圖書館

最低不得少於 25 名專業館員，同時應視全部館藏數量，每年增加量，推廣事業及其它活動情形而增加。服務對象超過百萬人口的圖書館，其專業館員的增加應以下列公式計算之：

$$25+\frac{0.04}{10,000}\times(\text{總人口}-1,000,000)$$

例如人口 2,000,000，最低應有 31 人。

(B) 市（區）立圖書館：

服務對象在十萬人口以下之圖書館，最少應有七名以上的專業館員，此數字應視市（區）內圖書館數目，每年增加量，推廣事業及其它活動情形而增加。服務對象超過十萬人之圖書館，應以下列公式計算之：

人口在 300,000 以下：$7+\frac{0.3}{10,000}\times(\text{總人口}-100,000)$；

例如：人口 300,000，館員 13 人。

人口在 500,000 以下：$13+\frac{0.25}{10,000}\times(\text{總人口}-300,000)$；

例如：人口 500,000，館員 18 人。

人口在 1,000,000 以下：$18+\frac{0.15}{10,000}\times(\text{總人口}-500,000)$；

例如：人口 1,000,000，館員 25.5 人。

人口在1,000,000以上：$25+\frac{0.05}{10,000}\times(\text{總人口}-1,000,000)$；

例如：人口 2,000,000，館員 30 人。

(C) 町及村立圖書館：

在町或村或町村聯合圖書館中應有 3 名以上館員，在市町村聯合圖書館中應有 7 人以上。

(2) 其它人員：

非專業人員之數目應同於或多於專業館員。

館　舍：

(1) 圖書館之館舍應足供下列工作順利進行，其寬敞程度應足以容納必需之設備：閱覽與借閱、圖書館推廣工作、出借與使用視聽資料、修補資料、參考服務、保管資料、複印服務、閱覽及保管顯微影片及館際間有關此項之服務、會議及展覽、行政管理。

(2) 對佔有全樓館舍的圖書館，其標準如下：其大小得視館藏册數及圖書館之活動而增加。

(A) 都道府縣立圖書館：

一百萬人口以下者，至少應有 4,000 平方公尺的空間，一百萬人口以上者，應以下列公式計算其基本

數字：$4{,}000\text{sq.m}+\frac{5\text{sq.m}}{10{,}000}\times(\text{總人口}-1{,}000{,}000)$

例如：人口二百萬，空間應爲4,500平方公尺。

(B) 市（區）立圖書館：

人口在十萬以下者，應至少有 1,200 平方公尺。

人口在十萬以上者應以下列公式計算其基本數字：

300,000以下者：$1{,}200\text{sq.m}\times\frac{50\text{sq.m}}{10{,}000}\times(\text{總人口}-100{,}000)$

例如：人口 300,000 ，空間爲 2,200 sq.m

500,000以下者：$2,200\text{sq.m}+\frac{40\text{sq.m}}{10,000}\times$(總人口－300,000)

例如：人口 500,000 ，空間為 3,000 sq.m

1,000,000以下者：$3,000\text{sq.m}+\frac{20\text{sq.m}}{10,000}\times$(總人口－500,000)

例如：人口 1,000,000 ，空間為 4,000 sq.m

1,000,000以上者：$4,000\text{sq.m}+\frac{10\text{sq.m}}{10,000}$

×(總人口－1,000,000)

例如：人口 2,000,000 ，空間為 5,000 sq.m

(C) 町及村立圖書館

町及村立圖書館或町村聯合圖書館應至少有 330sq.m 以上，市町村聯合圖書館應至少有 1,200sq.m 以上。

設　備：

此項標準指示圖書為實現其特殊的而又不同的各項功能所需要的各項設備。

附　註

❶ *Report of Sub-Committee of Facilities of Social Educational Council, Standards for establishing and managing public libraries,* Ministry of Education, Tokyo, 1969.

貳、學校圖書館標準

一、綜　論

近年來，世界各國對於學校圖書館問題均極注意，尤其是敎育與圖書館事業並不發達的國家爲甚。有關學校圖書館問題通常均與公共圖書館之發展相提並論，原因是兩者都負責兒童閱讀服務，很難明確劃分其職責，甚至有些國家是由公共圖書館來支援當地公立學校圖書館服務的。

在各國標準中，以美國、澳洲及加拿大三國較爲具體。美國的學校圖書館由於收藏範圍和所承當的敎育任務的擴大及改變，其經營觀念已與前不同，這從圖書館名稱中可略窺端倪。美國的學校圖書館多已改稱爲資料中心或媒體中心 Media center，其意指圖書館收藏內容不僅包括圖書期刊，更注意到視聽資料和各種知識媒介而言，因形式繁多，故以媒體 media 一詞汎稱之。圖書館各項服務稱爲媒體計劃 Media program，執行資料中心一切業務的人員統稱爲媒體人員 Media staff，經過圖書或視聽資料專業訓練者則稱爲媒體專家 Media specialist，而納入一組織系統內的資料中心爲媒體中心組織 System media center。詳細情形已另有介紹玆不贅述。美國的標準如與澳加比較，有些方面條件較高。如資料中心的空間，在一閱覽室內每一讀者爲 40sq.ft/3.7 sq. ft 較之加拿大與澳洲的 35 sq. ft/3.25 sq. ft 高出多多。其他如藏書方面，亦有不同規定。澳洲政府所訂標準，每生平均應有圖書十五册至三十册，視學校規模大小而定。加拿大圖書館協會標準爲每生平均二十册至三十册，美國圖書館協會標準較兩者爲高，規定每生平均自廿册至四十册。在期刊方面，美國規定中學應備有一二五～一七五種，加拿大規定七五種，而澳洲無何規定❶❷❸。

另一主要的數字爲人員。美國標準也超出其他兩個國家。以合格的人員爲例，美國每二五〇學生一人；加拿大每五〇〇學生一人；澳洲圖書館協會規定每五〇〇學生一人。此外在技術人員及其他助理人員方面，美國規定每二五〇學生二人，一爲技術員，另一爲助理人員。在加拿大，每五〇〇學生一名助理人員。此項人員均爲整理視聽資料及非書資料所需。

與以上項標準不同的是丹麥與挪威兩國所訂定的學校圖書館標準。丹麥教育部於一九六六年曾公佈一項小學圖書館（七至十四歲）法規❹，視學校規模大小確定藏書量，整個的藏書比例爲每生五册至十册（如二百名學生，每生十册；一千一百名學生，每生五册）。除此之外，學校尚可利用教育當局或當地公共圖書館所準備的資料。挪威的圖書館局於一九六七年出版小學圖書館（七至十六歲）管理指導一書，其中附有標準，規定可供流通之書籍，每生應有八至十册，一館至少備有六百册始敷需要。這一標準較丹麥所訂者爲高。

哈瑞森（K. C. Harrison）曾指出：「由於所有的兒童必須入學，因之挪威人認爲最好的方法莫過於發展學校圖書館。至於公共圖書館，尤其在偏遠地區者，大多缺乏兒童部門的設置。」❺在奧斯陸（Oslo）的公共圖書館較小的分館中，亦僅限於成人閱覽，因學校圖書館負責兒童服務之故。

英國在一九六九年以前並未由政府或圖書館協會訂定任何學校圖書館標準，所有的僅是由教育委員會協會爲英格蘭和蘇格蘭地方當局所訂的學校圖書館指導，提出圖書經費等項問題。直至一九六九年時，圖書館協會才成立一學校圖書館委員會研討制訂標準事宜，於一九七〇年公佈施行❻。

在標準較低的國家中，一九六八年聯教組織曾在瓜地馬拉舉行一中美洲學校圖書館發展會議，建議教育部主管們在一九七二年底應使各國百分之廿五的小學和百分之五十的中學達到一定的藏書標準。卽小學生每人平均有書一册，中學生每人平均有書二册。全部教育預算的百分之一點五應用於創辦與維護學校圖書館之需❼。

另一在開發國家所制訂的標準是由東奈及利亞教育部於一九六六年所頒佈的❽。該標準建議每校每一學生每年至少應以十五個先令用於學校圖書館，其中三分之二應用於圖書、期刊及日常開支（建築設備費不計）。

聯教組織於一九六七年，在錫蘭舉行的亞洲各國圖書館計劃專家會議中，曾指出日本的圖書館事業可能在亞洲是領先其他國家的，在一九六四年全國共有學校圖書館 43,675 所，班級圖書館尙不計在內。各館管理情形良好，並能配合課程需要。昭和廿八年八月日本政府頒佈學校圖書館法，翌年四月一日正式施行。對於學校圖書館之定義，設置義務，經營大綱，敎師兼圖書館員制度之建立，經費之籌措等項規定至詳，足資其他亞洲國家參考❾。

附 註

❶ Library Association of Australia, *Standards and objectives for School libraries,* Melbourne, Cheshire, for LAA 1966.
Department of Education and Science, Canberrs, *Standards for Secondary Schools* —A preliminary statement prepared by Common wealth Secondary Schools Libraries Committee, March, 1969. Mimeo P.39.

❷ Canadian Library Association. *Standards of Service for Canadian Schools,* Toronto, Ryerson Press 196-.

❸ American Library Association and National Education Association. *Standard for school media programs,* 1969.

❹ *Skolebiblioteker i Folkeskolen.* Ministry of Education, Copenhagen, September 1966.

❺ K. C. Harrison. *Libraries in Scandinavia.* Andre Deutsch, London, 1969.

❻ The Library Association. *School library resource centres; recommended. standards for policy and provision,* 1970.

❼ *Final report of meeting of experts on the development of school libraries in Central America,* Antigua Guatemala, 1968. Mimeo. Unesco, Paris.

❽ "Minimum Standards for School Libraries". *Eastern Nigeria School Library Association Bulletin,* Vo1.2, No. 1. 1966.

❾ *Main Working document for expert meeting on national planning of library services in Asia.* Ceylon, December 1967, Mimeo. Unesco, Paris.

二、澳洲學校圖書館標準

澳洲學校圖書館標準的制訂，對於圖書館事業的發展有重大的關係，這也可以說是在近十年間具有意義的一項成就。澳洲學校圖書館過去因受到教育制度的影響，未能獲致充分發展的機會。據 John Balnaves 在一九六六年出版的澳洲圖書館一書中指出，各公立學校由於免收學費，所以一切教材書，學生制服、體育器材等費用均由家長負擔；學校圖書費用則部分由州政府教育部撥款維持，部分由家長繳納。至於私立學校過去多靠收費維持，直至一九六四年以後，始由聯邦政府補助，但圖書館經費全由各校自行負責。各州教育部對於學校圖書館均提供有顧問性服務，有些州並集中辦理圖書採購與編目工作，但是據 Balnaves 所說，各地方學校圖書館大多要靠學校校長，學生家長和當地居民的熱心支持始能充分發展。因之，有計劃有系統的發展學校圖書館事業，在當時可以說是不可能之舉❶。

幸而，這種情形因各方面的注意與呼籲，始獲致戲劇性的轉變。美國哥倫比亞大學教授 Tauber 氏在一九六一年發表的澳洲圖書館資源調查報告中卽曾指出，自一九三五年以來，兒童和學校圖書館的進展極爲遲緩❷。美國芝加哥大學圖書館學研究所教授 Sara Fenwick 氏亦曾於一九六六年在爲澳洲圖書館協會所做的一項有關學校圖書館及兒童圖書館地位的調查中說明了學校圖書館失敗的原因，並促使教育當局加以注意❸。但是當 Fenwick 教授訪問澳洲圖書館組時，該會業已制訂了一套學校圖書館標準，定名為「學校圖書館標準及目標」(Standards and Objectives for School Libraries)於一九六六年發表❹。

一九六五年，澳洲圖書館協會大會通過了一項建議，建議政府當局撥款發展學校圖書館業務，並訂定兩年計劃促其實現。

以上這些事實，再配合其他敎育方面的發展，影響了政府當局的決策。在一九六八年政府預算中增列了二千七百萬元用充發展全澳公私立中學圖書館之需。該項預算以三年為期，自一九六九年元月起，分別資助全澳各中學圖書館，期能達到標準中所要求的各點，提高其經營水準，使其成為學校敎學計劃中心，切實發揮應有之效能。各校所獲致的補助主要用於圖書館建築之修建，購置傢俱設備以及圖書資料。

此外，聯邦政府敎育與科學部部長更指定一聯邦中學圖書館委員會，針對獨立經營的中學圖書館，研究如何謀求進一步的發展問題，其研究重點涉及到圖書館建築，傢俱設備，圖書資料，並研訂各項制度方法等項。

該會的第一項工作就是在一九六九年三月發表了「中學圖書館標準——聯邦中學圖書館委員會初步報告」Standards for Secondary School Libraries-A Preliminary Statement Prepared by Commonwealth Secondary Schools Libraries Committee 該項報告對於建築標準圖書館基本藏書之建立，與圖書館資料之選擇方法提出具體意見❺。

在該項一文件的前言中，敎育科學部部長說明政府撥款改善中學圖書館之目的在於提高敎育的素質並加強其必須的設備。他說：「我們希望圖書館能成為一學習中心，中學計劃的輪轂，在館中擁有豐富充實的各種教學資料，供備學生使用。我們深信這一計劃一似發揮高度功效的科學實驗室計劃一般，必將獲致成效。」自此之後，澳洲教育當局和圖書館界人士始逐漸注意到圖書館的效用，並積極的給予支持，推展中小學圖書館事業。

(一)學校圖書館標準及目標 Standards and Objectives for School Libraries (Library Association of Australia, 1966)

在標準前言中說明，有些人認爲這一標準懸鵠過高，也有人認爲尙有不足，不過標準的目的在制訂各項不可或缺的條件，使各項服務得以均衡發展。本標準宣稱每五年修訂一次。標準所訂各點是否能達成係視各州負責督導學校圖書館工作的人員數量及素質而定。

學校圖書館之目的，照標準中說明主要在充實與支援學校中的教學計劃，作爲圖書與其他資料的一項資源。理想的學校圖書館爲學校之心臟，教育活動中心，而不是一附屬單位或是一項單純的服務。

在人員方面，學校圖書館員 School-librarian 一詞指在教學和圖書館方面具有雙重訓練的人員而言。舉凡超過二百五十人的任何一所學校都需要一位專任的學校圖書館員。在規模較大的中小學校，每五百名學生應有一位館員。如管理員需負責管理視聽資料之選擇與組織時，每三百人卽需一館員。至於學生人數少於二百五十人的學校，應聘用一位兼任的圖書館員。除館員之外，超過二百五十人的學校還應僱用助理人員協助打字及事務性工作。

圖書館工作人員的資格，在標準中強調兩點，一是應接受敎師訓練及對兒童的敎學經驗；另一是應具有最低三百六十小時（一年或二年）的圖書館專業訓練，並在一學校圖書館內，經專人指導下，完成至少八星期的實際工作。在標準中同時更建議，所有的敎員都應該至少接受爲期卅個小時的圖書館訓練，如此敎學與圖書館工作可以打成一片，瞭解圖書館所承擔的敎育任務。

該標準建議，在圖書館經營方面仍以設置一中心機構爲各校服務較爲經濟有效。該項服務包括：集中採購基本藏書，處理分類編目事宜，出版目錄，對各校提供資料查詢服務，借供圖書予規模較小的學校等。不過這需一位在圖書館學與敎育學方面學有專長的人員主持其事，而屬下的專業人員亦應求其具有各科專長者。

學校圖書館的藏書應力謀均衡發展，包括兒童有興趣的各科圖書。其範圍應以增長興趣，拓寬知識領域者爲宜，不應受課程所限。具有吸引性的優良的參考著作，有助於啓發兒童幻想力和非小說類的著作尤應注意蒐羅。

收藏的數量，在二百名學生以內的學校，應以每生廿册爲目標；而二百名以上的學校，應在設館後十年內至少具有六千册至一萬册圖書；一千名以上的學校，應在設館後十年內至少達到每生十册之標準。期刊方面，每年分配全部經費的百分之十訂閱雜誌報紙，如圖書館儲存非印刷資料（如視聽資料），至少百分之二的圖書費應供備新增或補充資料之需。

圖書資料的選擇，就中學圖書館而言，較爲合理的比例是百分之卅爲小說，百分之七十爲非小說；就小學圖書館而言，百分之四十爲小說，百分之六十爲非小說。有關小說、非小說、參考書、小册、雜誌及報紙等選擇工具在標準中亦有建議。

圖書資料的組織，標準中論及學校圖書館的必要程序，包括訂購、分類編目、借閱方法等。建議編目工作最好由一附屬於各州敎育主管單位的圖書館中心集中辦理，較爲有效。

各校圖書館的基本藏書，當學校設立時應由敎育主管當局準備，並盡快的撥款補助添購新書的經費。在五百人以內的學校，每生每年最低補助六元，超過五百人的學校，每生每年最少補助三元。

在建築方面，一所地點適中的圖書館對於中、小學校是必要的。在小學中，應由圖書館供應班級文庫，存放在各敎室中流通使用。圖書館各室的配置情形如下：

1. 閱覽室：中小學校應足以容納該校百分之十的學生，在五百人以下的學校，應容納四十五名至五十名學生同時閱覽。
2. 附屬房間：閱覽室係用充自行研習之需，另應備有至少六五〇平方呎（六〇·四平方公尺）供備全班或部分學生利用圖書館圖書之需。該室應有隔音裝置，並備有儲存唱片及放映空間。
3. 小組研究室：七百五十名學生的學校，應有兩間 12ft. × 12ft （ 1.1×1.1m ）大小的研究室，供學生討論及研習之需。
4. 圖書館員辦公室及工作室。
5. 圖書館入口：應設有陳列橱及隨意瀏覽的座位。

其他如燈光、隔音、通風及濕度等均有明確規定。

(二)中學圖書館標準——聯邦中學圖書館委員會初步報告

(Standards for Secondary School Libraries—A Preliminary Statement of the Commonwealth Secondary School Libraries Committee. March 1969)

本文獻雖未明白表示出參考澳洲圖書館協會所制訂的標準，但是在實質上受到該標準的影響。兩者的區別，在建築方面，每一讀者所需要的閱覽空間規定爲 35 sq. ft. (3.25m.)，較前 30sq. ft (2.78m.) 爲高。其他在藏書方面所訂的小說與非小說所佔的比例也與前稍有不同。玆將該標準要點介紹如下。

1. 中學圖書館觀念的改變

標準中說明，個別研習的價值被認爲是學習過程中一重要部分，因此而改變了圖書館任務的觀念。在這種觀念之下，圖書館成爲學校學習計劃中的中心……聯邦政府發展圖書館的目標卽在協助各校使其任務得以實現。圖書館員與敎員的個別任務，在標準中亦曾論及，如果學校圖書館成爲學校計劃中的重要部分，而非一附屬單位，那麼圖書館和敎員雙方都要重新考慮到他們之間的關係。本標準在素質的標準方面，特別強調了若干要點：

一校應設置一所中央圖書館，將各項敎學資料集中使用。

一校圖書館應在上課時間外開放，保持高素質的服務；在建築上要有特殊的設計，或有一單獨的建築，或在建築中設有直接通往館外的門戶。

圖書館建築應位於校中適中地點，並考慮到未來擴展的可能性，以適應學校人數及課程上的改變。

此外，在標準中更說明圖書館的各項活動，以備設計建築時有所考慮：

休閒與瀏覽性閱讀；

個別及團體讀者利用圖書館資料進行研究；

師生借還圖書館資料；

查檢目錄；

指導個別及團體讀者查檢及利用圖書館資料；

利用圖書館資料進行團體討論；

個別及團體讀者利用視聽教育資料；

教員利用圖書館資料；

選擇與組織圖書館資料。

2.建築標準

該標準中附有建築面積之規定，並建議 Ralph E. Ellsworth and Hobart L. Wagener 合撰之 The school library: facilities for independent study in the secondary school 一書對於圖書館之設計闡述至詳有助參考❻。

3.傢俱設備

標準中規定出最低限度所需要的傢俱設備，如建議各室地面應舖設不易磨損的地氈等。

4.圖書館資料

一所優良的學校圖書館應依照該校學生人數與教育計劃選購圖書資料。中學最低限度應依照以下標準備有參考書，小說與非小說。

學生人數	最低藏書量	每生平均册數	增加册數	每生平均册數
50	1,000	20	1,500	30
100	2,000	20	3,000	30
150	3,000	20	4,500	30
200	3,000	15	5,000	25
300	3,500	11+	6,000	20
400	4,000	20	6,000	15
500	4,500	9	7,500	15
800	5,700	7+	12,000	15
1,200+	6,900	5+	18,000	15

至於小說與非小說的比例，應在25%-75%至40%-60%之間。高年級學生較多的學校應多備非小說類圖書。參考書與期刊之選擇在標準中均附有參考資料。其他資料，如幻燈捲片、影片、幻燈單片、唱片、錄音帶，圖表及樂譜等亦應注意蒐集，但在標準中無數量上的任何規定。❹

附註

❶ Balnaves, John. *Australian Libraries.* London, Chive Binley, 1966.

❷ Tauber,Maurice F. *Resources of Australian Libraries,* prepared for the Australian Advisory Council on bibliographical services……Canberra, AACOBS, 3 Vols, 1962-64.

❸ Fenwick, Sara Innis. *School and Children's Libraries in Australia,* Melbourne, Cheshire, for the Library Association of Australia, 1966.

❹ Library Association of Australia. *Standard and Objectives for School Libraries*. Melbourne, Cheshire, for the Library Association of Australia, 1966.

❺ Department of Education and Science, Canberra *Standards for Secondary School Libraries; A Preliminary Statement Prepared by the Commonwealth Secondary Schools Libraries Committee*, 1969, mimeographed.

❻ Ralph. E. Ellsworth and Hobart D. Wagener. *The School Library: Facilities for Independent Study in the Secondary School*. New York, Educational Facilities Laboratories, 1963.

三、加拿大學校圖書館標準

加拿大的學校圖書館原以美國圖書館協會所制訂的標準爲其經營的主要參考資料，直至一九六二年時始感到有制訂其本國標準的必要，乃開始組織委員會進行研訂標準事宜。

該會所擬訂的初步報告，經過各省圖書館界代表，教育界人士，主管教育部門官員，以及對此有興趣的各協會代表等作進一步的審查，而於一九六五年出版學校圖書館標準草案一書（Preliminary Standards for School Libraries）。此一草案再度提交一研討會作爲期兩日的反覆研究，並經一擴大組織的委員會作最後的整理，始於一九六七年定案，以加拿大學校圖書館服務標準（Standards of Library Service for Canadian Schools）名稱，正式公佈施行❶。

該標準序論中指出：「本標準之目的在作爲學校行政人員，教員及圖書館設立及經營一所良好的學校圖書館之指導。本文列出在地區，各省個別學校推動良好的（並非是優越的）圖書館服務必須具備的條件。在此要特別強調的是加拿大的若干學校早已達到了文中所述的各項設備條件。」

論及圖書館所承當的任務及在學校內的計劃時，該文獻摘要說明如下：

「圖書館爲學校中之一重要單位，由館舍、圖書館資料及人員三大要素所組成，以服務員生爲主。圖書館館藏包括了圖書、唱片、錄音帶、圖片、小册子、期刊、幻燈捲片、幻燈單片、顯微影片、與圖及博物館物品等資料，用備指導、激發、鼓勵及輔助學習計劃。圖書館員有如一位敎學資料負責人，在和本校學生、敎員、行政人員、家長及社會機構共同合作下推動圖書館各項計劃。」

圖書館的各項活動應配合該校的整個敎育計劃，該標準闡釋如下：

「一項有效的圖書館計劃，就是爲每個學生提供學習經驗，需要獲致督學及每一工作人員的合作始能成功。圖書館計劃，就是使每一人都能直接利用圖書館的場所、人員、設備及資料，以適應特定的目標。館員應在校長及敎員支持合作下，研究如何使圖書館預算及設備作最有效的使用。其計劃必須適合課程的要求，滿足該校個別的及特殊的需要。」

該標準在研究一所有效的學校圖書館服務應具備的因素之後，提出了三項原則：

1. 學校圖書館應有責任根據課程綱要提供有助於深度學習的資料。

2.每一學生可在館利用各種不同的資料，而不受全班同學之影響。

3.不論學校規模大小，每校應準備必須的學習資料。因此，需要利用合作採購或是集中服務的方法協助規模較小的學校。

標準中特別建議圖書館應注意購備印刷的和非印刷的資料。尤其小册子 (Pamphlets) 是較爲經濟並易於淘汰補充的資料應注意蒐集；其他如期刊，敎員所需要的專業資格，也不容忽視。在非印刷資料方面，諸如各種地圖、地圖集、地球儀，幻燈捲片及單片、唱片與錄音帶，博物館實物及各種敎學模型等均爲敎學所需自亦不可或缺。

在圖書資料的選擇方面，學校圖書館應保持一部精選的，經常汰舊更新的，各類均衡發展的藏書。當一校圖書館開始公開閱覽時，其核心的圖書就應準備妥當齊全，立卽爲員生使用。而其他最低限度必須具備的圖書資料在一館開放後三年內應達到標準限額，然後逐年擴充補充並更替殘舊版本。

在標準中時常提到館舍與設備問題。由於學校重視獨立研究與利用敎育媒體，以致使用圖書館的人數逐漸增加，爲適應這一方面的需要，標準中建議圖書館中應備有全部學生百分之卅的座位，其中至少半數爲單獨的小桌，供學生個別研究之需，另百分之廿爲小組閱覽之需，其他百分之卅則爲傳統式的長桌。除此之外，圖書館中尙應設有會議室，小者可容四人到六人，大者可容十二人到十五人，該室也可用作視聽資料放映收聽之用。假如在圖書館附近缺乏可資利用的場所，還要有一間圖書敎室，以便實

施圖書館教育 ，教導學生利用圖書館及圖書的技能與知識。 總之，圖書館建築在設計上必須考慮到班級教學，小組討論及個別研究三方面的需要。

圖書館人員之適當與否對於工作的成敗有決定性的影響。一位合格的學校圖書館員應具有行政能力與教員的資格，再加上圖書館的專門技能。其所承擔的任務主要有以下三點：

1. 蒐集及組織各種教學資料。
2. 鼓勵並協助員生多加利用該項資料。
3. 採用現代的公衆宣傳與公共關係的方法，建立並維持一項生動活潑的圖書館計劃。

依據標準建議，學校圖書館合格人員所應具備的資料，首先應有一圖書館專業學位及證書，並兼有合格教員的資格。曾經修習兒童及青少年讀物，非書資料，學校圖書館行政。尤其對專門學科如視聽資料及其製作有進一步的研究。在標準中指出並非所有的學校圖書館員均能適合此一條件，因此，許多圖書館將聘請教員兼圖書館員（Teacher-librarian）兼辦圖書館工作。這類人員至少應曾接受教育學院所開授的有關圖書館課程。

人員的數量，爲求服務之有效，必須有一定的標準。照規定一位館員服務三百名至四百名學生，不論是在一校或多校。圖書館員可以部分時間在一校或他校服務，或是在一校內以部分時間執教，部分時間在圖書館工作。除館員外，每五百名學生尚應聘用一位圖書館助理員。

有關經費方面，每年預算必須足以支應每生一册及補充遺失殘破圖書之需 。技 術 學校和專門學校所需經費應較一般學校高些，因專門性資料耗資較鉅。經費的分配建議組織一圖書館委員會負責其事。

進而，標準論及區域圖書館組織，其基本觀點認爲沒有一所圖書館能單獨存在，惟如發揮整體服務的效果，各區域必須共同合作並在各省政府支援下進行服務。其方法則先成立區域服務中心，負責提供諮詢性服務，準備專門性資料，對員生提供專門服務（如較高深的參考服務等），集中採購及處理圖書館資料等。中心的負責人由各地區的督導人員充任，惟應具備合格的館員與敎員的資格。

學校圖書館所應特別考慮的問題，在標準中亦曾提及：

1.對特殊兒童，如身體有殘障者，展開服務。

2.對於規模較小學校（低於一百五十人者）應辦理的服務：

（1）在較大的地區，經由一中央地區圖書館。

（2）在偏遠地區，直接經由省政府補助，或是各學區合作維持圖書館業務。

在標準附錄中並列出各項數量上的規定。玆就其重要者介紹如下：

1.一百五十名學生以上的學校所應備有的藏書標準：

（1）基本圖書——應在一年至三年內利用補助款購備齊全。

小學校	1—6年級	5,000種
中學校	7—13年級	5,000種
補習學校	1—13年級	7,500種

每年增加量，三百名學生以下的學校，每生應擴增到

卌册，三百名學生以上的學校，應陸續增加到每生廿册以上。

(2) 期　刊

小　　學　　　最少廿五種。

中　　學　　　應有七十五種以上。

補習學校　　　應有七十五種以上。

(3) 小册子、圖片、掛圖、幻燈捲片及單片，錄音帶及博物館實物。

應有足够的複份，以應課程需要。

(4) 專門性資料

至少需要十五種專業性雜誌，並備有若干專業方面書籍。

(5) 影　片

應在各地區集中藏有16米厘影片供各校借用。

2.建築面積——最低需要量。

(1) 閱讀場所：備有學生人數百分之卅座席。百分之五十爲個別閱讀小桌；百分之廿供小組之需；百分之卅爲傳統式長桌。每一學生35平方呎（3.25平方公尺）。每一房間以不超過一百人爲度。

(2) 參考場所：無標準規定。

(3) 會議室：120平方呎（11.1平方公尺）。

(4) 教　室：800平方呎（74.2平方公尺）。

(5) 圖書館員辦公室：120平方呎（11.1平方公尺）。

(6) 工作場所：300平方呎（27.9平方公尺）。

(7) 儲藏室：如存放五年的過期雜誌之場所。

(8) 視聽資料：儲存室～300平方呎（27.9平方公尺）。

準備室～單獨設置者 300 平方呎（27.9平方公尺）。

合用者 120 平方呎（11.1平方公尺）。

管理員辦公室～ 120 平方呎（11.1平方公尺）。

3. 人員標準：

	300 人以內學校	300 人以上學校
館　　員	僅有一間房舍的學校：自中央圖書館服務處派員。 30-150名學生，自中央圖書館派員兼辦。150-300 學生，應有館員服半日。	300 人應有一位館員每另增加 500 人時增加一人。
助　理　員	每 500 名學生應有一位助理員。	

4. 預算：根據學生人數確定最低限度預算額。

150 名學生以下	150—300名學生	500 名學生以上
應備有基本圖書 1,000 冊及其他資料：$5,000	應備有 5,000 種書及其他資料：$15,000—$20,000	應備有 5,000 種及其他資料：$20,000 爲最低經費額。 （需購備複本）

5. 每年經費：

(A) 圖書及其他資料　　　　　每生$5—$8

(B) 視聽資料　　　　　　　　每生$2—$4

根據以上資料，更制訂了供備 300 名學生及 1000 名學生學校圖書館最低服務標準。

附　註

❶ Canadian School Library Association. *Standards of Library Service for Canadian Schools.* Toronto, The Ryerson Press 1967.

四、英國學校圖書館標準

英國圖書館學會鑒於英國學校圖書館缺乏一項全國性的統一標準，各地區自定的標準差異很大，有礙於學校圖書館的進步，因此於一九六九年設立一學校圖書館小組委員會商討有關問題並製訂其標準，於一九七〇年公佈之❶。茲分爲：功能、經費、人員、館藏建築五部分摘述如下。

(一)學校圖書館的一般功能

1. 供應全校師生所需的書籍與資料。

2. 滿足學校及其各部門確定與預知的種種需求。

3. 滿足個別需要。

4. 鼓勵學生利用圖書館，並教他們如何去利用圖書館。

5. 提供課程所需要的書籍與有關的參考資料。

6. 提供課外讀物及與文化發展有關的資料。

學校圖書館可以分爲小學圖書館與中學圖書館，其功能分述如下：

(A) 小學圖書館的功能。

(1) 鼓勵並幫助兒童，使他們喜歡閱讀。

(2) 輔導兒童從事觀察與探討工作。

(3) 敎導兒童利用圖書館及圖書館內的書籍。

(B) 中學圖書館的功能

除了具備小學圖書館的功能之外，中學圖書館尙須準備適合學生發展能力及激發思考的各項資料。盡可能的培養學生的閱讀習慣，使學生的課餘生活獲致滿足。

(二)經費：

1.圖書館費用分兩部分：

(1) 主要費用——用於館內各室的陳設與設備。

(2) 書籍費，維持費，文具雜支及人員薪資。

由於圖書館將很自然的演進爲資料中心，因此除了書本以外還要有視聽資料及設備費用的預算。

2.補助費

要維持一有效率的圖書館，每年必須有充足的補助費 (Annual grants)。

地方敎育當局 (Local Education Authority) 所撥給的補助費有兩種，一種是直接對學校的補助，一種是對中心學校圖書館 Central school library service 的補助，所有的圖書館開支應由各學校及中心學校圖書館共同分擔。

3.人　員：

(1) 行政人員

(A) 資格：

a 具有合格的圖書館員的資格。

b 具有與年輕人在圖書館工作的經驗。

c 具有在學校或大學圖書館工作的經驗。

d 對圖書館學科的知識有一概念。

e 具有管理、組織及訓練館員的能力。

f 具專業興趣。

g 具良好的公共關係。

(B) 職掌：

決定圖書館的工作方針，預算經費，參與會議，與外界保持密切連繫……等。

(2) 專門圖書館員

(A) 資格：

a 以成熟的態度和成人一起工作，以濃厚的興趣與兒童打成一片。

b 除了本身的專業技能之外，還要對教育的發展產生濃厚的興趣，並參與各種課程、會議及集會，使自已能跟得上潮流。

(B) 職掌：

a 與圖書館人員密切連繫共同選擇圖書及其他資料。

b 管理圖書資料及圖書館經費。

c 提供資料，舉行圖書展覽。

d 編製書籍與資料的目錄。

e 與館員密切合作，敎導圖書館技能。

f 使學校及所有館外的資料來源保持密切連繫。

g 與地方當局及資料中心的同業人員保持密切連繫。

(C) 專門圖書館員的聘用：

a 直接受聘於校長。

b 受命於學校圖書館服務部而指派到各校服務。

(D) 聘用人數：

a 800人以上的學校至少應有一位專任圖書館員。

b 主管 100 所學校以內的敎育當局至少應聘用 3 位專任的圖書館員並配合若干助理員。

主管100所學校以上，則至少每 75 所學校聘用一名專任的圖書館員，另聘合格人員負責藏書借覽工作。

玆將專門人員，助理員，與事務員，所需人數表列如下：

學生人數	專門人員	助理人員	事務員
800—1000	1		1
1000—1500	1	1	1
1500 以上	1	2	2

(3) 敎師兼圖書館員 (Teacher-librarian)

(A) 由圖書館學會及學校圖書館學會聯合發給敎師兼

圖書館員證書。

(B) 由學校圖書館服務部舉辦定期討論會，使學校中所有圖書館人員參加討論有關圖書館管理問題。

(C) 地方教育當局在教師中心 Teachers' centres 辦圖書館員訓練課程。這種課程應包括圖書展覽Book exhibition 使館員能够瞭解圖書及其他課程的關聯；還要有圖書館實際操作的課程 Lib. practice 使教師有與同業及圖書館員討論圖書館事宜的機會並使他們對圖書及圖書館應有的服務有所瞭解。

(D) 在教育學院及教育研究所並不教授有關圖書館的技術，而只是對於書籍的知識、書籍的利用、圖書館資料來源，及可從公共圖書館得到的服務……等加以研究，並希望能利用圖書館資料於將來的教學工作上。

(E) 給予教師及圖書館充分的機會互相合作，並討論彼此有關的事宜，如相關課程的進展，圖書資料的選擇與採訪，地方資料的利用等。

(4) 事務人員

館內必須有充足的事務人員以減輕專門圖書館員的工作負擔，這種人員可利用學生充任之。

(5) 助理館員 Assistant librarians

受過圖書館訓練，但不是專門人員。

(6) 視聽資料技術輔導員 Technical assistance

由於學校圖書館漸漸演變為資料中心，增加了視聽資料與設備，因此需要視聽資料技術人員的輔助。

4.館　藏

學校圖書館如期其發揮應用的功能，必須有一各類均衡且經愼重選擇的藏書，同時，要考慮學生各級能力的需要。

(1) 藏書類別：

(A) 小學：

包括故事書、圖畫書、詩歌、百科全書、字典、地方資料及其他參考書等。

還可以搜集紙面書 Paperback format，紙面書的優點是不容忽視的，有時一本精裝書的價值，不一定比得上一本有用的紙面書。

(B) 中學：

適合需要的書籍，以紙面書佔主要部分。

除了娛樂性（趣味性）讀物及有關課程的參考書之外，還須備有專為青年人所寫的書籍，包括一些臨時性的參考書，如曆書、百科全書、字典、政府出版品、小册、地方研究資料、書目、及評論性摘要……等。並選擇幾種報紙、雜誌，尤其是附有索引者。

(2) 藏書量：

(A) 小學：每個兒童不得少於 8 本。

藏書總量各校不一，約在 2000～4000 册之間。

(B) 中學：

中學六年級以下，每人不得少於10本。

六年級的學生，每人不得少於15本。

(3) 基本藏書

(A) 小學：新成立者，不得少於 1000 册。

(B) 中學：新成立者，不得少於 3500 册。

(4) 淘 汰

(A) 小學：每年有 1/3 的藏書應加以更換，有1/20的書重新裝訂。

(B) 中學：每年有 1/6 的藏書應更換，有1/10的書重新裝訂。

爲了使圖書館發揮效用，學校必須有藏書校正政策，以撤銷過時、破舊、損毀的書籍，並隨時加以補充。

(5) 關於視聽資料，各校多寡比率不同，很難下一個標準。

(A) 應備視聽資料如下：

幻燈單片、幻燈捲片、環狀影片、錄音帶、唱片、投影膠片、顯微書影、教學機、語言實驗室的練習材料、掛圖等。

(B) 放映設備所需者如下：

8mm 電影放映機、幻燈單片放映機、(膠帶) 錄音機、幻燈捲片放映機、電視銀幕、投影機、電唱機、錄影機。

5.建　築

學校圖書館的空間必須以能够使圖書館有效的執行其業務而設計。這些業務很複雜而且常隨著教育觀點與學校組織而改變。因此負責計劃的人應考慮到目前的需要，並從現在的各種跡象找出將來進展的路線，以適應未來的變動，準備具有調節性的空間，且預留將來的擴展用地。根據一般的經驗，設計圖書館，最好是聯合建築師及學校人員與圖書館員共同設計，並將此種合作推展到傢具與設備的研討方面。

一個圖書館的成功並非只靠圖書館空間的大小，還要看所處的位置如何，通常在每一個學校有一個中心圖書館較爲便利且經濟，這種中心圖書館應設在學校的中心位置，並毗連最常利用圖書館的各部門。中心圖書館應視爲圖書館本部，另設若干分部。所謂分部是指班級圖書館及中學的閱覽室而言。在小學，可以把中心圖書館擬想爲某種程度的聯合中心，教師爲各分區及班級圖書館選擇書籍時，可以從此中心取得，這種方法可以消除中心圖書館與班級圖書館之間的界限。在中學，常把自習的場所和圖書館分開，這種自習場所可視爲圖書館本部的擴展而不是圖書館資料的分散。

很多小學的新設計中，班級圖書館已經不存在；代之而起的是很多以功能來劃分的區域，如安靜區域 Quiet area，數學及科學區域 Maths/science area，在這種學校，除了需要一個中心圖書地區 Central book area 之外，並輔以幾個收藏及利用書籍與其他資料的安靜區。

(1) 所需空間：

(A) 小學

設全校學生數1/10的坐位，每人分配20平方呎，全部空間至少不得少於 250 平方呎。

例如：

3 個班級	120 名學生	250 平方呎
7 個班級	280 名學生	560 平方呎
10 個班級	400 名學生	800 平方呎

(B) 中學

設全校學生數1/10的坐位，每人分配25平方呎，再加上 300 平方呎的管理空間。

例如：

6 個班級	990 名學生	2775 平方呎
8 個班級	1320 名學生	3600 平方呎
10 個班級	1650 名學生	4425 平方呎

(2) 空間的分配

(A) 小學應具備的空間列舉如下：

閱覽室：

非正式閱讀區 Area for informal reading.

圖書出納區 Area for issue and discharge.

書庫 Area for book storage.

書以外之資料的貯藏與利用地區 Area for storage and use of resource materials other than books.

展覽及陳列地區 Area for exhibition and

display.

工作室 Area for workrocm.

(B) 中學應具備的地區如下：

閱覽室

非正式閱覽區（參考室）

班級與小組使用場所

個人的非書資料利用場所、如錄音帶、幻燈、唱片等

書籍出納區

工作室

讀者諮詢臺 Readers' advisory desk.

供教師及技術人員使用視覺工具的工作室

圖書雜誌陳列及貯藏區

視聽工具貯藏區

展覽及陳列場所

以上所推介的各種場地應分配的空間大小很難作一嚴格規定，因爲圖書館場地的大小必須視整個學校的各種關聯而定。通常空間的分配如下：

(A) 小學：七個班級 280 名學生需 560 平方呎。

(B) 中學（八個班級）需：

本館 Main library	2500 平方呎
圖書館員工作室	150 平方呎
視覺資料貯藏及工作室	200 平方呎
團體工作室 Group room	

具光線隔絕設備	500 平方呎
團體及研究小組討論室	250 平方呎
合　　計	3600 平方呎

(3) 設　備

小學：盡量製造家庭氣氛，使兒童在安祥的氣氛中學習求知。

中學：佈置上應保持最大的伸縮性，例如利用可以移動的分隔物及玻璃板間隔各區域。

館中的隔音設備很重要：鋪地毯、裝雙層玻璃及設置輕的椅子，使閱覽室遠離樓梯及走廊。

(A) 書　架：

a. 深度：通常是 8 吋，置大型圖書者12吋。

b. 長度：一般為 3 呎長。

c. 高度：靠牆書架，高中最高 6 呎，初中最高 5 呎，小學 4 呎，獨立書架通常 4 呎高。

d. 容量：每架每呎可排書 10 冊。

(B) 閱覽桌：

a. 高度：中學最高27½吋，25½吋。

b. 空間：一般使用：每人 3 平方呎。

研究工作用：每人 6 平方呎。

c. 椅子：中學最高17½吋，小學15½吋。

d. 目錄櫃：

每屜可容 1000 張目錄卡片。

附　註

❶ The Library Association. *School Library Resource Centres; Recommended Standards for Policy & Provision.* London, 1970.

叁、大學圖書館標準

一、綜　論

大學圖書館一詞，據聯敎組織闡釋，包括附設在大學內的圖書館，以及不屬於大學的敎育機構圖書館而言。其範圍廣泛，性質各異，本文僅就前者所制訂之標準加以探討。

大學因規模大小、院系多寡、研究計劃，以及所授學位的區別，而有不同情形，頗難訂定一致的標準。美國圖書館協會於一九五九年通過學院圖書館標準(Standards for College Libraries)，內容亦僅限於不授予博士學位的各校，由此可見一斑。本文先就各國大學圖書館標準中共同事項，如藏書、技術程序、人員、經費及服務等項綜合分析，然後選擇主要國家標準作個別介紹，俾作深入瞭解。

1.藏　書

大學圖書館應藏圖書數量，標準各異，相差懸殊。玆以美國圖書館爲例，根據美國研究圖書館協會，大學及研究圖書館聯合會就美加兩國五十所大學圖書館之資料研究後所提出的大學圖書館標準初步報告指出，一所大學圖書館的藏書必須有兩百萬册，每年新書增加量應爲十萬册。平均來說，每一學生應有一百册圖書與一種雜誌。一館現收期刊應爲一萬五千種。

加拿大學院與大學圖書館協會大學圖書館標準委員會建議，大學圖書館的藏書量可以顯示出該館對於員生的重要性，但這不是惟一的一項標準❶。一館應有圖書總量係根據每生平均應有圖書册數而定。標準中有兩點建議，一是一館至少希望能有圖書十萬册，第二是每一正式生平均應有圖書七十五册。而期刊數量則與學生人數有關係，其建議標準如下：

學 生 人 數	應有期刊種數
1,000人	1,000種
5,000人	3,100種
8,000人	4,600種
10,000人	5,600種
13,000人	7,250種

以上數字乃係依據在 College and Research Libraries, 1961-62 年統計資料所編擬者，有其可行的根據。其數量雖較美國爲低，但也明白表示出期刊對於大學敎學的重要性。

德國研究圖書館曾對新成立的大學圖書館與技術大學圖書館的藏書有所建議❷，一所新成立的圖書館必須備有五千種期刊。及六十萬册圖書始能應付一般之需要，估計卅萬册基本的圖書需要二千萬馬克。技術大學所需基本圖書十萬册，估計需八百萬馬克。在德國 Wissenschaftsrat 之模範圖書館共有學生四千人，圖書館現有期刊三八五〇種，其中德文一千二百種，一千一百五十種基本的外國期刊，以及一千五百種專門性外國期刊。

英國圖書館界並沒有制訂大學圖書館標準，但是國家與大學圖書館常設委員會曾討論到這一問題，並提供資料供大學圖書館委員會經費委員會參考 。該會名爲派瑞委員會（Parry Committee） 係以該會主席姓名命名❸ 。所提供建議多與經費方面有關，以便於確定撥助經費的數字。其中如一校有三千名大學部學生，一千名研究生與五百名敎員時，其圖書館必須備有五十萬册圖書，每年增添新書率爲一萬六千册圖書和三千種雜誌。

日本文部省所制訂的標準❹，對於大學圖書館藏書，提出依照科別蒐集資料之建議：

文理科——自然、社會及人文科學中每類不得少於 1,000 册

外國語——每一種語言不得少於 1,000 册。

健康與體育——300 册以上。

文部省更公佈了詳細資料，作爲以上數字之補充，但分析研究，似與上項規定有矛盾之處。

2.技術程序

在圖書館標準中似乎很少提到技術程序，雖然曾有人研究各項程序所耗時間問題。加拿大圖書館界曾就編目工作平均量作以下的規定：(1)每一專業人員每月平均可編書二百五十種，其中包括所有新編的圖書在內。(2)非專業人員每小時應排片一百張；校正卡片三百張。(3)每小時應完成編製副片等一百張。(4)每小時應打妥廿五張主片；校正一百八十張打妥的卡片。最後建議整個編目部的工作過程應以每人每小時一册計算，包括專業與非專業人員在內。

其他國家有關編目方面的標準尙多。瑞典圖書館界報告，有

學　　科	冊　　數	如一學科包括二科目以上，每一科目應有：	專門性期刊（種）
文　　學	Over 8,000	Over 2,000	Over 30
法　　律	— 10,000	— 5,000	— 50
經 濟 學	— 10,000	— 5,000	— 50
商　　業	— 10,000	— 5,000	— 50
科　　學	— 8,000	— 2,000	— 50
工　　程	— 8,000	— 2,000	— 50
農　　業	— 8,000	— 2,000	— 50
藥　　學	— 4,000	— 2,000	— 30
家　　事	— 5,000	— 1,500	— 20
美　　術	— 5,000	— 1,500	— 20
音　　樂	— 5,000	— 1,500	— 20
體　　育	— 5,000	— 2,000	— 20

關拉丁語、德語的圖書，每種所需編目時間平均爲八十三分鐘，其他語言著作需時一百一十分鐘。英國圖書館界的估計，一位編目員平均年編圖書三千種，其最低最高數字爲一千種至七千種❺。

3.人　員

在人員方面，美國建議一所規模完善的大學圖書館應有九十位專業人員和一百六十位非專業人員，而專業人員在比例上佔全部人員的百分之卅五。工作人員與學生的比例爲一比八十，而專業人員與學生的比例爲一比二二五人。

加拿大的標準是一位專業人員服務三百名學生，而專業人員至少應佔百分之卅一。

德國的示範圖書館（Model library）有四千名學生，聘用有一百一十九人，其中十四名高級人員，卅六名專業助理員，另卅六名非專業助理及事務員，廿四名服務員，五名裝訂人員及四名攝影員。在一技術大學中聘有七十五人，其中八名高級人員，廿二名專業人員，廿一名非專業助理人員，十六名服務員，四名裝訂人員及四名攝影員。

印度大學及學院圖書館建議如下：

(1) 圖書部門：在一年內每增加六千册應有一人。

(2) 期刊部門：每五百種新期刊應有一人。

(3) 文獻管理部門（Documentation）：在一年內準備一千條款目者一人。

(4) 技術部門：在一年內每增加二千册者應有一人。

(5) 參考部門：在一天內每五十個讀者應有一人。

(6) 流通部門：在一年內每一開放門戶出入一千五百人者應有一人。

(7) 維護部門：在一年內每增加六千册應有一人；在一天內每替換五百册者應有一人；一館每有十萬册圖書應有一人。英國國家與大學圖書館常設會議對大學管理委員會提出資料，指出一所示範性的大學圖書館應有五十萬册圖書，可服務三千名本科生，一千名研究生及五百名教員。這樣的一所圖書館建議需五十三位工作人員，其中十五名曾獲得研究所學位者，廿四名未獲得研究所學位者，八名事務員，二名攝影員及四名服務員。

4.經　費

在經費方面，玆將各國所訂標準中所提數字折合爲美元，以便於相互比較。

美國一所理想的大學圖書館應有預算三百萬元，佔全部行政費用的百分之五。預算分配分爲三部分：薪金佔百分之六十；圖書期刊及裝訂費佔百分之卅四；一般性支出佔百分之六。如以每一學生一百五十元計算，其中五十元應供圖書及期刊之需。

加拿大大學圖書館界對於大學圖書館應有預算額近似美國標準，圖書館全部經費額應爲該校經常費的百分之六，其中薪金佔百分之五十六，書刊佔百分之卅四，裝訂費佔百分之三，其他支出佔百分之七。每一學生每年一百五十四元，其中五十元作爲購置書刊之需。

德國圖書館的標準並不以學生人數作爲圖書館經費核計的根據，其建議：

(一)所需圖書費計算方式係依據現有期刊種數核計；即圖書費約當全部期刊費的百分之七十五。

(二)期刊，連續性出版品及叢刊三種資料與圖書的經費比例，在大學圖書館中應爲 7:4，在技術大學圖書館爲 8:4。

(三)裝訂費爲全部書刊費用的百分之廿五（與瑞典相同）。

(四)建議每生每年應有四馬克用之於敎科書。

(五)僅就一所有四千名學生的大學所需經費計算如下：

除此之外，尙須增加學生敎科書所需經費，每年應有 405,000 馬克（$101,250）。

英國的派瑞委員會對於大學圖書館經費有一研究報告，建議大學全部預算的百分之六應分配圖書館。日本圖書館仍採取廿年

(圖　書　費)	(馬　克)	(美　金)
(1)期刊(3850種)		
1,200 德文	64,800	16,200
1,150 基本外文雜誌	74,700	18,675
1,500 專門性外文雜誌	70,500	17,625
	共 210,000	52,500
(2)連續性出版品及叢刊	105,000	26,250
(3)專　論	180,000	45,000
(4)二手舊書及期刊	25,000	6,250
	共 520,000	130,000
(5)裝　訂	130,000	32,000
	共 650,000	162,500

前的標準，全部經常費的百分之三用充圖書館之需。

5.服　務

大學圖書館服務之是否有效能，在各國標準中也曾擬訂評定標準，惟見仁見智，看法不一。在英國的派瑞報告中附有 Dr. Urquhart 的建議：

(一)就大學部學生而言，大學圖書館應有能力立即供應學生所需正當資料的百分之八十；而全校整個圖書館系統最後應能供應所需的百分之九十五。至於本校圖書館所缺者，圖書館應能設法在一週內供應其中的百分之八十。

(二)就教員及研究生而言，整個大學圖書館系統至少應有能力立即供應所需要的正常資料的百分之八十五，或是稍隔時日供應其中的百分之九十。至於其他所缺資料，至少應在一週內供應其中的百分之八十，一月內供應百分之九十。

以上標準，英國伯明翰大學圖書館長韓福瑞氏曾加以批評，認爲純屬理想，所定數字似乏確切根據❻，僅是一種評定服務效能的方法而已。

附　註

❶ Canadian Association of College and University Libraries. *Cuide to Canadian University Library Standards.* 1965.

❷ Empfehlungen des Wissenschaftsrates zum Ausbau der Wissenschaftliche Einrichtungen. Teil II: Wissenschaftliche Bibliotheken. 1964.

❸ University Grants Committee. *Report of the Committe on Libraries.* London, H.M.S.O. 1967. PP. 150ff., 264-281.

❹ Japan, Ministry of Education. *Ordinance M. 28, October 22nd 1956,* amended by Ordinance No. 7, April 1st, 1968.

❺ Joan Friedman and A.E. Jeffreys. *Cataloguing and Classification in British University libraries:* A Preliminary Survey. Sheffield University Postgraduate Library School. 1967.

❻ K.W. Humphreys. "*Standards in university libraries.*" *Libri* 1970: Vol. 20, No. 1-2. PP. 144-155.

二、加拿大大學圖書館標準

一九六一年加拿大圖書館協會組織一委員會進行研訂大學圖書館標準事宜，一九六三年此項工作改由新成立的加拿大學院及大學圖書館協會（Canadian Association of College and University Libraries）職司其事。該會為愼重其事並瞭解各校實際狀況，乃指定一調查小組分訪各大專院校，並於一九六四年發表了一篇調查報告，定名為「加拿大大學圖書館標準指南」❶。

該委員會根據加拿大大學基金會對於「大學」所下的定義來決定其調查的對象。該定義為：「一所超過中等敎育的機構，負責訓練與研究工作，在兩個或兩個以上的學院內授予第一個及高級學位。」此外，規定該大學的人數應超過一千人。至於大學的標準則依該機構規模的大小而定，採用以下的區分方式：

第一組（G1）：註册人數超過 5,000 人。

第二組（G2）：註册人數在 1,500 人與 5,000 人之間。

第三組（G3）：註册人數低於 1,500 人（但不少於 1,000 人）。

在標準中，舉凡大學圖書館的目標，圖書館員所佔地位及其特殊任務，以及館際交流，公共服務等項與美國的標準均極接近，但規定更為詳細。標準曾討論到不同型式的分館組織，並制訂一些準則。在評價圖書館的工作上，着重於圖書館統計資料收集的重要性，並對新的圖書館建築提出具體建議。

玆將該項標準中有關數量上的規定介紹於下：

(一)人　員

1.委員會以為專業圖書館員的人數應符合實際情況的需要。而輔助性的非專業職員則應按圖書館各部門(Department)的多寡而有不同的比例。

2.專業圖書館員與註册人數的關係：最低的比例是每 300 名

學生有一專業人員。至於 1963-1964 年的實際情形：

第一組：每 325 名學生，一名專業人員。

第二組：每 225 名學生，一名專業人員。

第三組：每 315 名學生，一名專業人員。

3.專業圖書館員與非專業職員的關係：

(1) 專業圖書館員應至少佔全部職員的 31%。1963-1964 的實際情況：

第一組 29%　第二組 29%　第三組 35%

(2) 專業圖書館員與非專業人員在各部門的比例如下：

行政部門 1:1　流通部的工作可不需專業人員

參考部門 2:1　編目部門 1:2

參考兼流通部 1:2　訂購部門 1:3

4.專業人員的最低限度人數：屬於第三組中的最小圖書館（即註册人數在 1000～1500 人之間），其專業圖書館員不得少於 5 人，其分配如下：

館長 1 人，公共服務（即參考與流通）2人，技術服務(處理部門）2人。

(二)管理的範圍（Span of management）

1.若一個館中多於 3-6 個直接附屬部門，則館長無法有效的督導管理。因此，在較大的圖書館系統裏，可委派助理館長負責管理之。

2.在圖書館各部門中，至少每 10 人應有一督導人員，也可由非專業人員充任，每一組服務單位應有一主管。

如某部門人員衆多（超過 20-30 人）時，應分成兩個部門方能有效管理。

(三)經費標準

在估定經費時，應考慮到的就是藏書的多寡及性質，註册人數研究學科的範圍，學校成長率，敎員研究的（數量）範圍，新課程的範圍等項，尤以其中學生註册人數對每年預算影響很大。

1.用來說明和比較經費的兩個要素是：每名學生應有圖書費和圖書館預算在大學經費裏所佔的百分比。

委員會所建議的經費標準，是根據每一組大學中四分之三的學校在過去一會計年度裏的經費額。

(1) 根據 1963-1964 的數字，第一組的最高平均額：每一學生分配的圖書費是 $154.32，在學校全部經費中圖書館佔的百分率是 5.63。

(2) 1967 年的報告中增一附表，至 1965-1966 年官方統計資料，其中有所有機構的較高平均數與平均數，每一學生的圖書費和圖書館所佔全校經費百分比如下：

	每一學生（$）較高平均數	平均數	佔學校經費較高平均數	百分比平均數
第一組	177	152	6.5	5.9
第二組	212	163	10.5	8.7

2.在各組大學中，圖書館預算的平均分配數如下：

	薪水 %	圖書及期刊%	裝訂 %	其他 %
第一組	56	34	3	7
第二組	50	42	3	5
第三組	46	43	4	7

3.圖書費的分配比率，建議如下：

大約50%的固定經費，由圖書館長分配爲特殊及普通之用（如館藏的補缺、參考書、昂貴的叢書、主題相關的一系列書、遞補的書、複本書）

4.期刊應有獨立經費，因學校大小而異，最低不少於$6,500

(四)館藏：

1.圖　書

(1) 最少十萬册，每一研究生 200 册，直至達到以下的標準。

(2) 每生 75 册 (Full-time student) 。

事實上每一學生所有的册數，三年以上的平均數爲：第一組61册；第二組67册；第三組 83 册；總數平均爲 70 册。在 1963 年，三組大學平均的標準是每個學生 75 册。

2.期　刊

根據美加大學混合數字統計表顯示（除去學生數超過二萬人及研究生超過50%者）大學圖書館應有期刊數量，一千人者應備有一千種；七千人者四千一百種；一萬三千人者七千二百五十種。

(五)建　築

1.一名大學部學生　25 sq. ft/2.3 sq.m.（設置閱覽桌）
一名研究生 35 sq. ft/3.3 sq.m.（個別閱覽桌或研究室）
一位敎職員 75 sq. ft/7.0 sq.m.（同上　　　　）

2.圖書館供給學生的座位要佔全部學生的 25%-40%，一所新成立的學校通常採用較高的數量。在校區其他場所如設有自習室（Study halls）時，此一比例可考慮降低。

3. 開架式書架每一平方呎陳放十册，書架中心與中心間隔距離五呎。書庫書架每一平方呎陳放 12.5 册，書架中心與中心間隔距 4.2 呎。

4. 辦公室的大小

普通辦公室每一職員 100 sq. ft/9.3 sq.m. 圖書處理部門則爲 125 sq. ft/11.6 sq.m. 高級職員的私人辦公室爲 150 sq. ft/14 sq.m. 以上是最低限度的標準，如有特殊機器與設備需要額外空間。

(六)經　費

在 1964 年提出的 *Brief to the Bladen Commission on the Financing of High Education* ❷中，加拿大大學圖書館協會建議如下：

1. 最少以學校預算的百分之十，作爲圖書館工作與發展之用，新學校的圖書館需要更多。
2. 新學校的圖書館，在其第一個四年裏，應以五十萬元購書，以相當的數目作爲薪水。
3. 當有新的學術研究計劃時，應準備專門的圖書經費，充實館藏。
4. 在未來十年，平均每年以五千萬元作爲經營加拿大學校圖書館之用。
5. 爲研究生所提供的圖書館服務費用應八倍於大學部學生所需要的費用。

附　註

❶ Canadian Library Association. Report of University Library Standards Committee of Canadian Association of College and University Libraries, *Guide to Canadian University library standards*, 1961-1964, Mineo. Ottawa, 1967.

❷ Canadian Library Association. Canadian Association of College and University Libraries. *Forecast of the Cost of Academic Library Service in Canada, 1965-1975. A brief to the Bladen Committee*, Ottwa, 1964.

三、印度大專圖書館標準❶

印度的圖書館委員會於一九五七年，在會長阮加納桑（Dr. S. R. Ranganathan）的領導下成立。其目的在對大學管理委員會提供有關圖書館發展及其組織方面之建議。圖書館委員會在一九五八年舉辦了一項研討會，以「從出版家到讀者」爲題，蒐集各大學有關資料，供備研究參考，並提出了印度大學圖書館的若干問題。

在報告中指出，印度的大學圖書館受到歷史傳統和當地環境的影響，侷限了發展的程度。舉例來說，在論及人員方面，許多大學至今仍未達到教學與研究功能，大學本身雖蒐集圖書，但從未加以適當的整理，更談不到對員生的服務。所有藏書多委由事務人員管理，僅僅做到排架與淸潔而已。新的大學，習慣上設置一位名譽館長——通常是由一位敎授擔任——館長之下則爲事務員，在這種情形下，自然難以發揮圖書館應有的功能。直到四十年前，在大學中才開始正式聘請一位受過訓練的專任的館長，這只是在三所歷史較久的大學中和四所較後成立的大學中如此，其他學校依然如故，照例行事。有些大學仍認爲圖書館不過是一行政單位，應由校內教務人員管理。

在討論到當前印度大學圖書館的各項問題時，涉及到素質的標準。報告中說明了理想圖書館所應具備的條件，玆介紹如下：

㈠經費　大學圖書館應有經費數額應視一校教職員人數，各學系及研究計劃之數量與性質而定。較上項更爲可靠的是採取按人計算的方法，依照學生人數來決定經費數額。報告中指出在戰前時期，每年圖書費爲每一學生十五盧比，每一教員或研究員爲二百盧比。其他所需經費，包括行政人員及參考人員薪俸等，大約與圖書，期刊及其他閱讀資料所用經費相等。

該委員會建議大學管理委員會在目前應照每生十五盧比，每一教員二百盧比的比例撥款資助各大學購備圖書及其他資料，但這一標準應隨書價的改變而經常修正。至於成立不滿五年的大學，應撥助卅萬盧比供開始建置館藏之需，這一款項應在三年內用畢。

經費的分配應顧及到各方面的需要，各校並應制訂選擇政策以避免選擇不必要的重複書刊。爲使研究工作者能利用到所需要的書刊，各館必須視所在地區情況充分合作，共謀發展。

㈡館際互借　爲各校經費充分利用，大學管理委員會應推動以下服務：

1.聯合全國，各地區的大學圖書館共同選擇圖書，訂閱期刊，蒐集過期雜誌。

2.利用館際互借方法合作利用各館藏書。

3.編製各圖書館之書刊聯合目錄。

㈢人員　大學圖書館長之地位與報酬應與教授，講師等相等，館內工作人員應具學科專長並曾接受專門訓練。標準中建議人員數量如下：

1.圖書選擇：每年增加六千册時一人。

2.期刊部門：在一年內每訂五百種期刊時一人。

3.文獻管理部門：在一年內每準備一千條時一人。

4.技術部門：一年內每增加兩千册時一人。

5.參考部門：每日有五十名讀者一人（使用教科書的讀者除外）。

6.流通部門：在一年內圖書館每一門戶開放每達一千五百小時者應該有一人。

7.維護部門：一年內每增加六千册圖書一人，在一天內每移動五百册書時一人；一館每有十萬册書時一人。

8.行政部門：至少一館應有一位統計員，一位打字員，一位速記員及一位事務員。

9.督導部門：一位館長、一位助理或副館長。

10.其他人員：在圖書館內每三萬册書應有一清潔工，每年增加六千册圖書或訂閱五百種雜誌應有一工役。

印度標準所（Indian Standards Institution）亦係由阮加納桑所主持，曾對圖書館建築設備擬訂一項標準，該項標準至爲詳細，下表就不同規模的圖書館應備書刊數量，應有座位容量及服務人員數量提供參考資料。

圖書館種類	冊數	陳列現刊雜誌	應備讀者座席	各單位應有人員
1.大學總館	100,000—300,000	500—2,000	學生每五人應有一座位，教師每十人一座位。	20—100
2.大學系圖書館	1,000—5,000	50—100	10—50	—
3.院圖書館	5,000—50,000	20—100	學生每五人應有一座位，教師每十人一座位。	3—10
4.宿舍圖書館	100,000加50,000 N	—	—	1—4工役
(N指自他處移轉宿舍圖書館之圖書)				

在圖書館建築方面，標準指出必須預留未來發展餘地，而新館的建築計劃必須經由委員會所指定的圖書館專家審查通過後始能建築之。

附註

❶ University Grants Commission, Report of the Library Committee. *University and College libraries,* New Dehi, 1965.

四、德意志聯邦共和國大學圖書館標準❶

有關西德大學圖書館標準的第一次報告，係由聯邦政府與圖書館協會在一九五七年合作完成，其內容在制訂發展西德學術研究的全面計劃，並將圖書館一項列爲優先。此一報告於一九六〇年刊行。第二次報告一似英國派瑞報告，主旨在對未來的大學圖書館組織作推薦性的建議，而非提出標準化的規定。報告內容針對大學圖書館總館及獨立設置的各系參考圖書館如何協調合作，建立更爲合理的關係提出建議。

負責研擬這一報告的委員會認爲如使現存的圖書館能適合大學生和研究生之需要，在管理方面應作合理化的調整。其中提到應在圖書館公共閱覽部門設置足够的服務臺，簡化處理新書的程序，延長開放閱覽時間，加速取書工作等（德國的大學圖書館多採閉架制，一天提取書籍兩次，僅在法蘭克福的大學圖書館採開架制）。

該報告更強調圖書館應與文獻處理中心（Documentation Center）充分合作，使現有圖書館發展成爲專門性的圖書館。並確定館際互借系統的各項原則。

㈠館際互借的目的在對研究工作及專業科學工作服務。

㈡互借之要求應以最迅速方式處理，甚至超逾一般正常途徑。

㈢凡書價十馬克以下，在市面上能够購到的書籍，不應列爲館際互借範圍之內。

㈣可利用攝影複印及 Xerox 方法，借閱期刊論文，不須出借原件。

有關數量上的規定如下：

㈠教科書：學生們依賴圖書館借閱教科書，因此在大學的總館及系圖書館中應備有教科書，並準備相當的複本。甚至在參考書藏中也應準備一些教科書。開始建立館藏時，每一學生應有廿馬克的經費，另每年每生應有維持費四馬克。

(二)新成立的大學圖書館發展之範圍及經費：新成立的大學應蒐集廣泛的圖書資料。在大學成立之始卽應先行考慮到大學圖書館之設置問題，在教學與研究工作開始時，圖書館就應一切準備妥當爲員生服務。

期刊應有系統的並且迅速的蒐集，一所新成立的圖書館應備有五千種雜誌，以及成套的過期合訂本。此外，並應有重要的參考工具書，各種資料及基本的教科書。

在Mainz, Berlin 和 Scarbrucken新成立的大學中，由經驗顯示圖書館應有三十萬册藏書，在沒有達到這一指標之前，不超過百分之廿五以下的要求應能自館外獲得解決。一所大學圖書館直至其藏書達到六十萬册的數量時始足以應付一切需要。估計三十萬册圖書需二千萬馬克之譜。

技術大學圖書館必須參照適合大學圖書館的不同標準來估計。在藏書方面，由於科學與技術性的文獻很快變爲陳舊，不需要大量添購成套的舊雜誌。就一所技術大學圖書館來說，其基本藏書需十萬册，約需八百萬馬克之譜。

(三)購書費：德國圖書館依照一館現有期刊數量來估計購書經費數額。根據經驗顯示，圖書費約佔期刊費的百分之七十五，至於連續出版品及叢刊所需經費應佔期刊費的百分之五十。

(四)期刊：自一九五七年以來，圖書的出版量，每年增加百分之五至百分之六。大學圖書館所需期刊總數每年約增加百分之五。在八年內，所需德文及外文期刊的增加數字在技術大學中將達到百分之四十，在普通大學中達到百分之卅五。在價格上，每年提高了大約百分之四至百分之五。因此，在圖書費方面，每年必須增加百分之十，用以支應增加的開支。

㈤裝訂費：約爲圖書費的百分之廿五。

㈥教科書：每一學生每年應有四馬克作爲添購教科書之需。

附　註

● Empfehlungen des Wissenschaftsrates zum ausbau der wissenschaftlichen enrichungen, Teil II. Wissenschaftliche bibliotheken, 1964. (Recommendations of the Council for Arts and Science: Part II, Learned Scientitic Libraries)

肆、開發中國家圖書館標準之擬議

以上各章僅就所能蒐集的資料，對各主要國家擬訂的圖書館標準加以分析介紹。據聯教組織所發表的報告中指出，至今尙有若干國家並無圖書館標準之擬訂，尤以開發中的國家爲甚。按圖書館標準乃係根據一個國家圖書館事業發展之軌跡，及其未來的理想研擬出一套具體可行的方案，供全國圖書館參考施行。如一個國家缺乏圖書服務，更無圖書館之管理及專業組織機構，當然談不到圖書館標準之擬訂的。因此，圖書館標準不僅反映出一國圖書館事業是否進步，也可以從中看出一國文化教育之盛衰。

聯合國文教組織及國際圖書館協會聯合會有鑒於圖書館標準對於各國圖書館事業之重要性，近年來曾委託專家對各國現行之圖書館標準進行研究，以期能擬訂出一套適合開發國家需要的圖書館標準。該項研究困難之處在各國情況不一，尤其數量條件乃視一國的經濟能力而定，實難以劃一規定，不顧現實。因此這項研究亦僅能作原則性的建議而已。玆據聯教組織於一九七〇年所發表之報告❶，並參考各國標準中的原則，試爲開發國家擬訂各型圖書館標準如下：

開發中國家圖書館服務標準

	公共圖書館	學校圖書館	大學圖書館
1.任務及功能	與其他圖書館合作共同準備圖書館資料，俾能：		
	爲整個社區服務，充實個人及羣體之生活。	爲學校所有員生服務，作爲教學與學習之助力。增長個人學識並享受正當休閒生活。	爲全校師生服務，作爲大學研究及學習之中心，並促進社區文化活動之發展。
2.組織與管理	公共圖書館應爲政府之一機關。其組織應足以推動各項有效的服務。至於政策之制訂應採民主方式決定，而日常工作應由合格的	學校圖書館應爲學校之一單位，並應與其他學校組織或當地公共圖書館充分合作，謀求人力與資源上之支援。	大學圖書館應直屬校長，並設置圖書館委員會，遴聘教員學生擔任委員，制訂經營政策。校內各院系圖書館均應納入圖書館組織內，由總館管理。

	圖書館負責辦理之。		更應與國家圖書館及其他圖書館合作，獲得利用更廣泛的文化資源。
3.服　　務	應對社區民衆普遍展開服務，不問其種族、行業、年齡、信仰。服務項目包括出借資料，參考諮詢。所有資料均妥加整理便於利用。並作爲社區文化及教育活動中心。	蒐集及整個圖書資料供員生使用，並提供參考服務。教導學生利用圖書館之知識與技能。	準備有關教學研究資料供備員生之需。所有資料均應集中編目處理，開架供自由取閱；教導學生利用圖書及圖書館之知識與技能。
4.資　　料	準備圖書及其他形式資料，如影片、唱片、錄音帶、幻燈片等。蒐集資料之範圍應加以確定。並對資料應有數量依當地情形加以規定。	圖書館應針對課程需要，研究計劃及個別與趣蒐集圖書資料（非書資料尤不能忽視）。圖書資料之選擇應由館員及教員共同辦理，有關其素質與數量，在標準中應有明確說明與規定。	

5.人　　員（一般原則）

在標準中應行規定事項如下：

人員之資格條件，擧凡教育程度，專業訓練及特殊能力。

各型圖書館對人員之要求。

專業人員應負責事項，準專業人員及事務員之職掌，兩者之人數比例。根據當地人口數字或學生人數所確定之圖書館人員數量。

在標準中應予規定，某些工作必須具有特別能力之人員。如：兒童及青少年服務，讀者顧問，音樂部門等。	規定教員所秉負之圖書館責任。合格館員及資料專家之專責。	應規定館員對於教學配合上之責任。教導學生利用圖書及圖書館之知識。

6.建　築（一般原則）

在標準中應行規定事項如下：

1.圖書館建築應適合圖書館各項工作及服務之需要。

2.新館建築應注意到設計之實用性(外表美觀尚在其次)，適應未來發展之需要，備有充分擴張的餘地，內部具有調解性。

3.適中的位置對於圖書館使用之是否便利至為重要。

4.應力求建築設備美觀舒適，有關燈光、溫度、通風、隔音尤應注意。

5.所需面積可依以下項目計算之：

(1)圖書數量：包括開架圖書，書庫藏書及儲存其他資料之場所。

(2)讀者數量：參考部、閱覽室、其他讀者閱覽場所（按照所需座席計算，大小閱覽桌，單人研究小間及單人研究小桌等）。

(3)工作人員所需之場所。

(4)各項活動場所：陳列、展覽、講演、會議、班級活動、在職訓練、善本圖書等。

(5)其他配合場所：儲藏室、休息室、接待室、厠所、電氣設備間、衣帽間等。

各型圖書館均應就其需要計算出各室所需面積。詳細情形可參考國際圖書館聯合會（IFLA）建築標準或小型公共圖書館建築（The small public library building）或開

<table>
<tr><td></td><td>發國家大學圖書館（University libraries for developing countries）所提出之資料[2]。</td></tr>
<tr><td></td><td>在小型公共圖書館建築中列出若干數量上的標準，各國可參照實施。如：
每一平方公尺可容書（書庫面積）　160 册
每一立方公尺可容書（書庫面積）　70 册
每一公尺牆壁空間可容書　164 册
雙面連架每一公尺可容書　328 册
每一讀者座席　2.33 平方公尺
每一工作人員所佔面積：　9.33 平方公尺
（可參照前章所述各國準標）</td></tr>
<tr><td>7.統　　計</td><td>各館爲便業務之檢查，應參照 Unesco/IFLA 建議事項定期編製各項統計。如藏書統計，流通統計等。</td></tr>
</table>

以上係參照各國標準，就其中較爲重要而不容忽視者，分項舉列。有關數量上之規定可由各國就本身需要及經濟情況參酌擬訂。我國圖書館標準早失時效，無論在觀念上及做法上有待斟酌之處頗多，上表當亦有助參考。

附　註

[1] F. N. Withers. *Standards for Library Service.* Unesco, 1970

[2] Lester Asheim. *Librarianship in the Developing Countries.* University of Illinois Press, Urbana, 1966. Unesco Manual for librarianship No. 10. *The small public library building.*

（原載於「教育資料科學月刊」第4卷第5期～第5卷第2期，民國61年12月至62年4月。）

美國圖書館的服務標準

圖書館標準係指圖書館在組織、人員、藏書、經費、設備與服務等方面所應具備的條件與達成之目標。一般多由各國政府主管敎育機關或專業組織依其實際狀況及未來的理想研擬訂定，以期各圖書館參照實施，作爲圖書館經營的規範及圖書館評估工作成效的尺度，並藉之達成全國圖書館事業合作發展之目的。

美國圖書館事業現居於世界領導地位，有關「圖書館標準」之擬訂，也較其他國家爲先。追本溯源，最早公佈的標準，當推一九二〇年由美國敎育協會與圖書館協會公佈的「中學標準圖書館之組織與設備」，以及一九二五年公佈的「小學圖書館標準」。截至一九七〇年止，美國推行的標準，數逾廿種，包括圖書館服務，人員養成及技術工作等項。有關各類圖書館服務方面的標準計有以下各種：

一、公共圖書館服務標準：

1.公共圖書館系統最低標準(Minimum Standards for Public Library Systems, 1966)

2.小型公共圖書館暫行標準 (Interim Standards for Small Public Libraries, 1962)

3.公共圖書館兒童服務標準 (Standards for Children's Services in Public Libraries, 1964)

4.公共圖書館青少年服務標準(Young Adult Services in the Public Library, 1960)

5.圖書館成人服務指南 (Guidelines for Library Service to Adults, 1966)

6.圖書館盲人及視覺殘障者服務標準(Standards for Library Services for the Blind and Visually Handicapped, 1967)

7.圖書館巡廻車服務質量標準 (Standards of Quality for Bookmobile Service, 1963)

8.州級圖書館功能之標準(Standards for Library Functions at the State Level, 1963)

二、學校圖書館服務標準：

1.學校圖書館計劃標準(Standards for School Library Programs, 1960)

2.學校媒體計劃標準(Standards for School Media Programs, 1969)

三、大專院校圖書館服務標準：

1.美國圖書館協會大學圖書館標準 (A. L. A. Standards for College Libraries, 1959)

2.專科學校圖書館標準(Standards for Junior College Libraries, 1960)

四、專門圖書館服務標準：

1.專門圖書館之目的及標準（Objectives and Standards for Special Libraries, 1964）

2.醫院圖書館之目的及標準（Hospital Libraries Objectives and Standards, 1963）

以上標準，均係集合美國圖書館界與教育界之精英，集思廣益共同研訂，對於圖書館事業之發展，關係至鉅。尤其既定的標準在時間上及空間上有其適用的限度，必須時加修訂，始能適合現況，順應趨勢。因此，新舊比較，也可顯示出美國圖書館事業進步之情形。

本文僅就各類圖書館現行服務標準中較具代表性者加以探討，俾有助於了解美國圖書館界發展之近況及其方向。

壹、美國公共圖書館服務標準

一、沿　革

早在一九一七年時，美國圖書館協會就有了類似標準性的規定供備圖書館界參考。不過，當時的規定偏重在人員的資格與職級方面，目的在提高圖書館專業人員的素質。繼之於一九二一年，協會更研訂了一項全國最低限度的經費標準，規定公共圖書館的經費應依人口數量計算，每人不得少於一元，這可以說是正式標準之濫觴。

一九三三年，美國圖書館協會開始正式使用「公共圖書館標準」(Standards for Public Libraries) 一詞，有系統的訂定了有關圖書館經營的各項準則。該項標準除首先說明公共圖書館的目標外，並對人員、經費及藏書等項，根據當時的發展情況及實際需要，提出了數量上的建議，這一標準對於各州圖書館事業之推展頗多貢獻，甚至於各州的公共圖書館標準也多以此爲圭臬。一九三八年公共圖書館標準經重行修訂，有許多新的觀念，諸如館際之間的合作，區域制度等見諸條文，特別推薦給各級公共圖書館參照實施。

二次大戰爆發後，美國的全國資源計劃委員會 (National Resources Planning Board) 曾撥款資助美國圖書館協會重新研擬公共圖書館服務標準，作爲戰後發展圖書館事業之指針。美國圖書館協會乃於一九四三年完成了非常詳盡的一項文獻，定名爲「公共圖書館戰後標準」(Post-war Standards for Public Libraries)，計劃作爲評估及設計公共圖書館工作之準則。

美國圖書館協會戰後計劃委員會曾就此標準的擬訂，加以闡釋：「所謂『標準』一詞係以一般的或統計的術語，表示出一項在質量與數量上的尺度，用以測定、評估公共圖書館服務之是否完備而有效能。概括說來，圖書館標準必須提供行政組織、人員、藏書、經費及館舍設備等各方面的量度。不論在那一方面，都應該著重『完備』與『效能』兩大概念。圖書館服務必須完備，其意指服務的程度應充分而適合社區的需要；而其服務有效能，其意指應運用其所能利用的資源獲致最大的效果。」

這一標準針對經營上的問題，提出了各項質量與數量上的規定，以期適合不同規模圖書館的需要。此外，並對一館所應實施的最低限度的服務及公共圖書館特殊的服務項目有所說明。

一九四八年，該會公佈了一項「全國公共圖書館服務計劃」(National Plan for Public Library Service)，其中包括了若干在戰後標準中所規定的評估現有圖書館服務的資料，並對未來的發展提供一張藍圖。在該標準中建議：

「………圖書館大單位制度之發展，包括了郡、區、州及聯邦政府各單位等不同形態的組織，每一單位每年最低限度的經費不得少於三萬七千五百元（舊標準爲二萬五千元）。

加强州立圖書館之領導地位，使各項資源納入『一有效的與整體的公共圖書館系統』」。

一九五〇年，美國圖書館協會出版了一份研究報告，名爲「美國的公共圖書館」(The Public Library in the United States)，這是「公共圖書館調查」(Public Library Inquiry) 的摘要，也是該調查報告的最後一卷。此項調查是由美國圖書館協會在卡內基基金會的支持下，對社會科學研究委員會的一項建議，也可以說是美國公共圖書館對於美國社會一項眞正的與潛在的貢獻之評價。

一九五六年，美國圖書館協會發表了一項新的標準，名稱是「公共圖書館服務」(Public Library Service; A Guide to Evaluation with Minimum Standards, 1956) ❶，同年，美國國會又通過了一項「圖書館服務法案」(Library Service Act)，這也是美國聯邦政府第一次對公共圖書館的發展所提出的撥款補助計劃。這兩件事同時發生，對於美國公共圖書館界產生了莫大的鼓舞作用。

在一九五六年的標準中，有許多新的建議，也包括有許多舊的原則，更參考了加里福尼亞州的圖書館標準。但是分析說來，這一標準是和十二年前的標準迥然不同。舉例來說，在經費方面就沒有列出每人應有的經費比例，原因是多年來行政人員發現以人口數字作爲確定最低經費標準的方法並不是很理想的途徑，尤其是小城鎮的公共圖書館所服務的民衆較少，如依照人口比例估計經費數額，實不敷所需。

在經營觀念上，新標準特別強調服務水準的提高，主張：整個圖書館的資源均可經由當地的圖書館中借得，公共圖書館應注意到所承擔的教育任務，圖書館系統發展上之變通性，以及合作使用地方性與全國性的資源等項。

「公共圖書館標準」內容包括有七十條指導原則及一百九十一條具體辦法。此項標準有一基本觀念，稱之爲「圖書館系統」(Library systems)。所謂圖書館系統乃指若干所圖書館正式的或是非正式的合作，納入一組織體系 (System) 之內，如此，可集中人力物力相互支援，合作採訪資料，擴大可以利用的資源與服務。在各項標準中，圖書館系統成爲一新的服務單位，爲美國圖書館協會大力支持與鼓勵。此一標準在美實施達十年之久，可以說是深具影響力的一項圖書館文獻。

二、公共圖書館系統最低標準

美國圖書館協會鑒於社會情況與圖書館任務的改變，乃將實施達十年之久的公共圖書館標準重行擬訂，更名爲：「公共圖書館系統最低標準」(Minimum Standards for Public Library Systems, 1966）於一九六七年公佈實施❷。此項標準的擬訂工作，是由美國圖書館協會公共圖書館支會所組成的標準委員會負責其事的。該會在十八位委員努力之下，完成了三份草案，分送給美國圖書館協會各部負責人員審閱，經數度研討補充，最後始由公共圖書館協會在一九六六年年會中通過實施。

此一標準在完成法定過程中除由專業人員提出意見外，其草案並曾分送熱心公共圖書館服務的美國各學術團體代表們審閱，希其提供意見以收集思廣益之效。一九六七年六月廿九日，公共圖書館協會更通過了一項「統計標準」（Statistical Standards）對原標準條文作一數量的規定，作爲該標準的附錄。

標準全文共分七章。第一章與一九五六年的標準序論文字相同，主要在說明公共圖書館之任務：

「公共圖書館是從我們個人生活的狹窄圈子中逃避到所有人類智慧與經驗領域中之一途徑………林能博士（Dr. Robert Lindner）曾比喻一般人都被關閉在一堵三角形的牆壁內，一邊是死亡，人生富貴壽考終不免一死；另一邊是與生俱來的本能，無人能衝破其身心的極限；第三邊則為無知與愚昧。只有第三邊有可以打開的門戶。………所以，進入廣大的世界的鑰匙就是擁有圖書。但是，假如門戶洞開的話，將不需要這一把鑰匙。公共圖書館的任務就是使這門戶大開，暢通無阻。………」❸

第二章「服務與標準」(Services and standards)，說明公共圖書館的功能，組織觀念和標準的應用等方面。有關公共圖書館的功能，在標準中說明：

「……現代公共圖書館蒐集其服務對象在個人與團體生活中所需要的各項印刷的與視聽的資料，並加以組織，期其便於使用。

資料：輔助本社區民衆從事不拘形式的自我教育；並滿足民衆對各項知識消息之要求。

服務：組織資料以便於可能的利用者之使用；圖書借出程序應確定公衆能夠在所希望的時間和地點使用該項資料；指導協助讀者查尋他所希望得到的資料，不僅是館內可立即供應者，也包括了其他圖書館可能擁有者；一項公衆資料的傳播計劃，要使各項資料不僅供應所需，而且要被其服務的社區熱心蒐求。」

在圖書館的服務組織方面，本標準特別強調整體組織的觀念：「系統（System）並不是一項新的觀念，在一九五六年公佈的公共圖書館標準中就曾指出；各圖書館共同合作，彼此分享其服務和資料，更能適合讀者的全部需要。」在一九五六年時，有二千五百萬美國人迄未享受到圖書館的服務，甚至於有許多圖書館的服務並不令人滿意。因此，圖書館系統利用分館、合作圖書館、圖書巡廻車，加上更為廣博而深入的集中的資源與服務使各項工作益臻完善。這種圖書館系統的觀念並不以在一起合作的同一區域的公共圖書館為限，甚至於中小學圖書館，大專圖書館及工業機構的專門圖書館在一系統中都各有其不同的職責，就所藏資料供備民衆使用。圖書館系統可以依照下列方式實施：

1. 社區圖書館可與本地的學校圖書館，大學圖書館及專門圖書館展開合作服務。

2.圖書館系統總部應供應深入的和專門性的資料。

3.州立圖書館機構不僅可使用其本身資源，更能使用各大學，目錄中心和聯邦圖書館的資源。

本章最後論及標準的使用，如何以此標準作爲評估圖書館服務之指針。全文共列出六十六條原則性的指引，每一指引之下以羅馬數字舉列出若干項具體的辦法。有人懷疑爲什麼要先列出原則性的指引，然後列出具體的辦法呢？據原文闡釋，如僅憑辦法，難免有以偏概全之感，容易發生偏差，所以指引與辦法同時並列，有助於一館把握住原則而免步入歧途。

第三章爲圖書館服務之結構與管理 (Structure and government of library service)，全章包括十四條，其要點爲：

1.公共圖書館服務必須普遍展開。

2.一所社區圖書館應便於每一讀者使用，使讀者間而接觸到該地區，甚至該州及全國的資源。

3.圖書館系統的各中心單位應對所在地區的每一居民開放，供應重要資源並提供現代圖書館服務。

4.在同一地區的各中心單位與社區圖書館應合作展開服務。

5.公共圖書館系統在設置，管理組織及經費支援方面應有一明確的法律基礎。

6.公共圖書館應爲地方政府之一重要單位。

7.有關地方行政主管及圖書館主任之職掌應作明確的分劃。

8.公共、學校及大學圖書館應密切協調對學生展開服務。

9.一項全州性的服務計劃應合作設計以支援各圖書館系統。

10.聯邦政府應支援一項全國性的計劃，以輔助及促進全國圖書館之服務。

本章多屬質量上的規定，缺乏數量上的標準，因此，在附錄中曾加以補充：「社區圖書館應易於為讀者所接近………讀者到圖書館的路程，郊區以不超過十五分鐘，而農村不超過卅分鐘為限。」

第四章為服務（Service）。全章共包括十六條指導性原則。首先，在說明中指出公共圖書館之目的在對全民服務，其對象包括個人及團體。就個人來說，不論其年齡、教育、信仰、職業、經濟狀況及種族，更不論其居處遠近。圖書館員利用服務關係與個人接觸，協助其查尋資料，供應資料，並指導其利用資料。總之，服務的目的在打開知識的大門。

所有圖書館的各項活動均係針對輔助資料之利用為目標，移除各種障礙，誘導讀者多加利用圖書館的資源，針對讀者個別的需求實施閱讀指導。

現代圖書館的服務為：

1. 以排架，分類及編目等方式，合理的整理資料以便於利用。
2. 出借各項資料，以便利讀者在其方便的地點及適當的時間使用該項資料。
3. 提供資料服務，以便查尋所需要的事實。
4. 輔導讀者利用教育性及娛樂性的資料。
5. 協助民衆團體，文化與教育組織為安排各項活動計劃，實施其會員教育而查尋與使用各項資料。
6. 在館內或社區組織內，利用公衆宣傳、展覽、閱覽目錄、講故事、新書介紹、圖書影片討論及其他適當方法，介紹資料並鼓勵民衆多加利用資料。

在本章中特別注意到整體發展觀念，其中如：圖書館系統的專家們應爲其系統內的各圖書館和巡廻車服務；而圖書館系統也應提供全日的參考服務，以處理答覆本社區內各單位的詢問事項等。此外更明確的規定出：

1. 凡參加組織系統的地方圖書館，其讀者均應接受有經驗的服務。
2. 每一圖書館系統及其會員圖書館的計劃應有明確的目標。
3. 圖書館系統應與其他資源中心協同服務。
4. 圖書館系統內的各機構應維持適當的服務時間。（在這一條中曾詳細規定，總館（Central resource library）每星期至少應開放六十六小時，並應在所轄各分館開放時間提供支援性服務，供應資料及目錄消息。地方圖書館，人口在一萬至二萬五千人之間者，每星期至少應開放四十五至六十六小時；而人口在二萬五千人以上者，每星期至少應開放六十六至七十二小時。）
5. 每一圖書館系統內的各單位應實施互借辦法，以達到全區協調一致的服務。
6. 公共圖書館的服務需要利用使用所有的知識資源及各型資料。
7. 圖書館系統必須實施供應資料及協助研究等服務。
8. 圖書館系統應爲機關團體準備資料。
9. 圖書館系統應對個人及團體之特殊需要提供服務。

10.良好的公共圖書館服務需要有效的公共關係計劃。

第五章為資料：選擇、組織及控制（Materials: selection, organization and control）。首先在說明中指出公共圖書館之存在，在於準備資料，傳達人類彼此間的意念與經驗。其功能在蒐集、組織、保存資料，並使民衆易於接近和免費的、自由使用這項印刷的和非印刷的資料，以協助其：

繼續教育自己；

保持其知識與各學科同時並進；

成為家庭與社會之優秀成員；

克盡其政治上與社會上之職責；

增加其職業技能；

發展其創造與心智之能力；

養成其欣賞美術及文學作品之興趣；

有效利用閑暇，增進個人與社會之福祉；

貢獻其智慧，促使學術進步。

所蒐集的資料形式，包括有：圖書、期刊、小册、報紙、圖片、影片、幻燈、幻燈捲片、樂譜、地圖、唱片及各種微影印攝品。全章列舉十八條原則，其要點為：

1.每一圖書館系統應根據其既定目標，選擇、保存與淘汰資料。

2.資料之蒐集應符合其內容、文字與形式上之高度質量標準。

3.藏書之蒐集應適合讀者的需要與興趣。

4.藏書中應兼收有關爭辯性主題正反雙方面觀點的資料。

5.有系統的移除不再有用的資料，用以保持資料之品質。

（在此項原則中建議：社區圖書館每年註銷量至少應為百分之五。）

在藏書數量方面，標準中規定：整個系統的藏書，每人至少應有二至四册；在一百萬人口的地區，至少每人應有書兩册。每年每人增加量，在五十萬人口以內的圖書館不得少於六分之一册，在五十萬人口以上的圖書館，不得少於八分之一册。在每年增加的新書中，應有三分之一爲兒童讀物，至少應有百分之五專供青少年所需。

期刊方面，在服務的地區內，每二五〇人應備有新出版的期刊一種。在選擇上，特別要注意專門性期刊索引內所引用的各種刊物。至於在總館的期刊應備有被列入在 Readers' Guide to Periodical Literature 內所包括的各種刊物，以及被列入其他索引內的讀者經常閱覽的刊物。

視聽資料是有助於繼續敎育的一種有用的工具，在許多學科範圍及各項活動中成爲一種獨立的資源，並不是像一般人所認爲的只是一種輔助性的資料而已。目前，圖書館最常用的是十六米厘的影片和卅三轉的唱片。在一圖書館系統中，影片的蒐集，在所服務的地區中，應以每一千人備有一種影片爲準，但不得少於一千種，每年增加及更替量應以總數的百分之十至十五爲準。唱片或成捲錄音帶，每五十人應有一張或一捲，但至少應有五千張或五千捲，每年增加及更替量應以百分之十至十五爲準。

其他應備者尙應包括教學機、閉路電視，投影片等。

在本章中對於圖書資料的選擇與編目方法，也有多項規定，重要者有以下數端：

1.資料之選擇應由本系統內各圖書館代表合作辦理。

2.有關資料之蒐集，編目及整理應集中辦理。

3.整個系統內資料之控制應力求統一。

4.所有資料應排列有序並便於使用。

第六章爲人員（Personnel）。首先說明圖書館系統必須有足够的及幹練的人員有效的推動圖書館的各項服務，圖書館的獨特的功能在供應給全民無偏見與無派系的資料服務，這項服務需要具備高度的才能與正直無私的品格的人員來擔任。圖書館應利用各種方法技術，以吸收合格的人員參加圖書館專業。本章包括十一條，其要項如下：

1.圖書館的各項職位必須當作一種專業性工作來設置與組織。

2.圖書館的職位應針對工作的需要與職責予以明確的規定及區分。（在本條中規定，每一圖書館應有其職位分類計劃，該職位分類計劃應區分爲：專業、準專業（Subprofessional）及事務員三類。專業職位需要以下四項條件：

①了解圖書館的目標、功能、程序及技術。

②熟悉圖書館的組織與管理原則。

③熟知資料的內容與用途，以及書目工具。

④了解各項資料與其利用者，以及有效的將其聯繫一處的方法。

專業人員應具有在一所已獲認可的圖書館學校中所教授的基本的圖書館學識。

準專業人員需要一項廣泛的普通教育，另外曾修習圖書館學校介紹性的課程，或曾參加在職訓練，或具有相當的經驗，在專業人員督導下任簡易的專業工作。

事務人員需受過特殊的訓練，具有某項技能。

一般說來，專業與準專業人員大約佔全部工作人員的三分之一，另外的三分之二，為支援人員，包括事務員及其他非專業圖書館員等。在數量上，一館在開放時間內必須有專業人員值勤。一位專業人員以服務二千人為準。在一有十萬人口的城市，至少需要專業與準專業人員十六至十七人。但在一九六七年發表的附錄中規定，每服務六千人應有一位專業人員及兩位事務員。

第七章為建築設備 (Physical facilities) 。在說明中指出公共圖書館建築應表現出一種服務精神。全章共七條，其要項為：

1. 圖書館建築應適合工作需要便於調整，並備有擴展的餘地。
2. 在建築內應裝設足够的與標準的燈光，以及其他設備等。
3. 用具與設備應配合建築的構造，有助於工作的推展，並富有舒適感與吸引力。
4. 圖書館系統中心的建築位置與設計，應便於各方接近，並備有服務地區所需的一切圖書館服務之空間。

三、小型公共圖書館暫行標準

一九六二年，美國圖書館協會公共圖書館協會曾專為小型的公共圖書館擬具了一項標準，定名為「小型公共圖書館暫行標準」(Interim Standards for Small Public Libraries)，這一標準曾引起許多爭辯，有人認爲不需要專爲小型圖書館單獨制訂標準，因這種圖書館遲早必將併入圖書館系統之中；另有人認爲，由於三分之二的美國圖書館服務在一萬人以下人口的地區，而這些圖書館需要一項標準，用以評估其服務。因此該會乃在標準前添加『暫行』二字。所謂『暫行』一詞，係經該會斟酌決定，含有過渡性質，希望這類圖書館將來能達到公共圖書館現行標準的終極理想❹。

『小型』圖書館一般指服務人口在五萬人以內的圖書館而言，這類圖書館有其個別的管理機構，並非是一個大地區圖書館的分館。在美國有百分之四十的圖書館係服務二千五百人以內的小城鎮，這也是公共圖書館協會擬訂這一標準的動機。

本標準擬訂之前，曾參考了二十個州訂定的標準，各項原則與上述標準相近，惟在數量上特別規定出所需建築面積表（A table of space requirements），這也是美國圖書館標準中第一次有關建築上的具體規定。

本標準中有關數量上的規定如下：

1. 開放時間：最低限度的開放時間，人口在二千五百人以內者爲十五小時，二萬五千人至五萬人以內者爲六十小時。圖書巡廻車服務，每星期至少應巡廻一次。
2. 圖書及非書資料：圖書館服務地區人口在五千人以上，五萬人以內者，每人至少應有兩册，五千人以內者，至少應備有一萬册圖書，或是每人三册圖書，以此作爲基本館藏。
3. 人員：一館應有若干人員決定於人口數字，服務地區及圖書館計劃。照標準規定在其服務地區內，每二千五百人應有一位工作人員。有關人員資格與數量建議如下表。

人口數	專業人員	大學畢業生	助理員	事務員	取書僮	小計
2,500人以內	—	1	—	—	½	1—1½
2,500—4,999	—	1	—	½—1	½—1	2—3
5,000—9,999	1	1	1—2	½—1	½—1	4—6
10,000—24,999	1—2	1	2—3	1—2	1—2	6—10
25,000—49,000	2—6	1—2	3—6	2—4	2—3	10—21

4.建築：在本標準中，列出有關閱覽、書架、工作人員及其他區域所需要的面積標準：(如後表)

四、公共圖書館兒童服務標準

公共圖書館兒童服務標準(Standards for Children's Services in Public Libraries)係於一九六四年由公共圖書館協會兒童服務標準委員會所公佈。此一標準係根據一九五六年「公共圖書館服務」(Public Library Service)確定的各項原則所擬訂，其目的在謀進一步的改善及擴展上項標準，使其適用於公共圖書館的兒童服務，並供兒童圖書館員，公共圖書館行政人員，教授公共圖書館兒童服務課程教師等人士之參考❺。

首先在標準中揭櫫兒童圖書館服務之目標：

1.廣泛的蒐集圖書，以便兒童利用。

2.指導兒童選擇圖書資料。

人口數	圖書數量	架長（呎）linear feet	室內面積	閱覽面積	工作人員所佔面積	其他所需面積	全部地面面積	(1)轉換爲公尺 (2)與IFLA(國際圖書館協會聯盟）標準比較
5,000—9,000人	15,000冊（人口在5,000人以上者，每人另加二冊。）	1,875呎（15,000冊以上者，每8冊增加一呎。）	1,500平方呎（15,000冊以上者，每十冊增加一平方呎。）	每廿三座位需700平方呎，五千人口以上者，每千人增加四席，每一讀者空間以卅平方呎計算。	500平方呎，三位專業人員以上者，每位增加150平方呎。	1,000平方呎。	3,500平方呎，或每人0.7平方呎計。	(1)每人照.065平方公尺計。 (2)每人.042平方公尺計。
25,000—49,999人	50,000冊（人口在25,000以上者，每人另加二冊。）	6,300呎，（50,000冊以上者，每8冊增加一呎。）	5,000平方呎（50,000冊以上者，每十冊增加一平方呎。）	七十五座位，最低需要2,250平方呎。（25,000人口以上者，每千人增加二席，每一讀者空間以卅平方呎計算。）	5,250平方呎。	5,250平方呎。	15,000平方呎或每人0.6平方呎計。	(1)每人.065平方公尺。 (2)每人.039平方公尺（20—35,000） 每人.035平方公尺（35—65,000）。

3.使兒童能自動自發的分享、擴展及培養其閱讀的樂趣。

4.鼓勵兒童使用公共圖書館的資源，獲致終身教育機會。

5.幫助兒童充實其個人的能力，增長其對社會的了解。

6.與其他兒童福利機構共同作爲社區中的一種社會力量。

公共圖書館所實施的兒童服務，其對象是指從幼年到十三歲的兒童而言。在人員方面，一圖書館系統爲便於推展兒童服務，必須設置協調員（Coordinator）的職位，其主要職責是統一協調圖書館系統的各項服務，協助制訂政策，有計劃的並明智的選擇圖書資料，參與公共圖書館和學校圖書館的聯合計劃等。而在各單位中實際執行兒童服務的人員爲兒童圖書館員，此項人員應具備專業人員資格，並曾修習兒童特殊服務課程。

在服務方面，主要使每一兒童都有接觸到圖書與享受到服務的機會，並舉辦各種活動，如講故事，朗讀，陳列展覽，視聽活動，編製書目等，以鼓勵兒童多多利用書籍。

在資料方面，應準備圖書、期刊、小册、圖畫、唱片、影片及幻燈等不同形式的資料，用以滿足兒童在求知娛樂上的需要；同時，資料的蒐集應該配合其他社區共同發展。

在房舍方面，在館中應爲兒童單獨準備服務所需要的空間，而家具設備方面，要適合兒童服務的需要。

在本標準中並未舉列數量上的條件，在廿一項標準中均屬質量上的規定，爲公共圖書館的兒童服務作一概括說明。

五、圖書巡廻車服務標準

圖書巡廻車（Bookmobile）爲公共圖書館推廣其服務至偏遠

地區之一措施。一九六〇年，美國公共圖書館協會曾以「公共圖書館標準」爲根據，並參酌實際情況，責成專人研擬圖書巡廻車服務標準，作爲計劃與評估公共圖書館巡廻車服務之準則。經過多方面的研究修訂，此一標準於一九六三年元月經公共圖書館協會理事會通過施行，定名爲「圖書館巡廻車服務之質量標準」(Standards of Quality for Bookmobile Service) ❻。

本標準介紹了十一項實施原則，每項之下更列出卅八條具體標準，舉出在數量及質量上所應達成的最低要求。此外，更在各項原則下附有說明，作爲達到各項原則與標準的具體建議。

在各項原則之前，特別說明巡廻車所肩負的任務。一個公共圖書館系統本身具有對當地社區每一民衆提供免費的圖書館服務之義務。一部圖書巡廻車可能對於無法達成服務要求的社區，以及不能設立一所永久性的圖書館建築的社區，提供繼續不斷的服務。但這項服務，並不能代替一所分館或是一所學校圖書館，僅能說是一種實施有限度服務的工具。它不能協助研究，安排較長時間的瀏覽活動，也無法在一定地區停留過久。

在另一方面，圖書巡廻車的服務能在個別的和不拘形式的氣氛中供應圖書資料，它能將整個系統的可供流通使用的圖書，經由專業人員之手，帶給散佈在廣大地區的讀者閱覽，它能引導讀者利用固定的圖書館中的資源，以滿足其專門性的需要和興趣，進而透過圖書館巡廻中心，接觸到全州，甚至全國的圖書資源。

在標準中規定的重要原則如下：

1. 巡廻車之職責爲對該一地區中的相當距離內未設置公共圖書館機構的居民，輸送圖書及其他教育資料，提供資料服務，實施閱讀輔導工作。

2.巡廻車服務應視爲圖書館系統中一項主要的活動。

3.巡廻車應安排一相當數量的，有適當停留時間的巡廻站，以期在一缺乏圖書館服務的區域內均能同等的展開服務。

4.每一巡廻站的間隔距離，應根據服務人數的多寡，以及應有充分時間提供專業的諮詢服務作爲決定標準。（本條明確規定出每一站停留時間不得少於卅分鐘，爲了有充分的時間從事諮詢服務，在攜帶二千五百册圖書，有兩位管理員的巡廻車，每小時平均流通量不應超過一百册。攜帶有三千册以上的，有兩位管理員和兩位事務員的巡廻車，每小時可能流通一百五、六十册圖書，並且有充裕的時間提供一最低限度的專業指導工作。）

5.圖書巡廻車之圖書資料應視爲圖書館系統之一部份，客觀的加以選擇、保存與淘汰。圖書資料的內容、文字與形式應保持高度的品質，並適合讀者之興趣與需要。

6.圖書巡廻服務部門應有足够的人手，並曾接受充分的專業性與事務性訓練，辦理蒐集、組織、介紹圖書資料工作，提供一貫的服務。

7.巡廻車的形式與容量，應根據服務計劃，地理情況，人口分佈及密度爲準。一部設計精良，結構堅固的巡廻車，其使用年限應爲十年至十二年。

8.圖書巡廻車總部應有足够的空間，充分的設備及專門的場所，用以停放巡廻車，存置圖書和必須的記錄，以及容納工作人員。

附　註

❶ American Library Association, *Public library service: a guide to evaluation with minimum standards,* Chicago, 1956.

❷ American Library Association. *Minimum standards for public library systems.* Chicago, 1967.

❸ Ibid. P. 3.

❹ American Library Association. *Interim standard for small public libraries.* Chicago, 1962.

❺ American Library Association. *Standards for children's services in public libraries.* Chicago, 1964.

❻ American Library Association, *Standards of quality for bookmobile service.* Chicago, 1963.

貳、美國中小學校圖書館服務標準

一、沿　革

「學校圖書館」在圖書館術語中係指中、小學圖書館而言。大學圖書館因兼具學術圖書館性質，其目的與管理方法不同，所以並不包括在內。美國學校圖書館標準之擬訂，肇始於一九一五年美國教育協會倡擬之「中學標準圖書館的組織及設備」(Standard Library Organization and Equipment for Secondary Schools)。此一標準於一九二〇年經美國圖書館協會通過實施。其後，一九二五年，美國教育協會及美國圖書館協會聯合委員會訂定了「小學圖書館標準」(Elementary School Library Standards)。以上標準明確規定出學校圖書館圖書資料之組成，人事經費，建築設備及經營方法。其功用不僅有助於各校圖書館工作之實施，並奠定了學校圖書館統一發展之基礎。

一九四五年，美國圖書館協會戰後計劃委員會邀約專家編印一新的文獻，名爲「學校圖書館的現在與未來」(School Libraries for Today and Tomorrow) 說明學校圖書館之經營重點，言簡意賅，被推薦爲美國全國學校圖書館之標準[1]。其內容包括：

1. 學校圖書館與教育的關係。
2. 學校圖書館對教員學生之服務。
3. 人事標準。
4. 圖書資料。
5. 館舍設備。
6. 行政、監督與推廣。

有關數量上的規定，曾就人員，館舍及圖書三方面擬訂標準如下表。

學校規模	學生人數	200	500	1,000	2,000	3,000	5,000
圖書館人員	專業館員	1	1	2	4	6	10
	助理員	兼任	1	1	2	3	5
閱覽室	每一讀者平均面積	25平方呎	25平方呎	25平方呎	25平方呎	25平方呎	25平方呎
	最低座席數	最大班級加二十席	75	100	200	300	500
	閱覽室間數	1	1	1	2	3	5
圖書	最低種數	1,700	3,500	5,000	6,000	7,000	8,000
	最低冊數	2,000	5,000	7,000	10,000	12,000	15,000
	每一學生應繳圖書費	結金1.50	美金1.50	美金1.50	美金1.50	美金1.50	美金1.50

一九六〇年，美國圖書館協會繼上項標準之後，公佈了「學校圖書館計劃標準」(Standards for School Library Programs)。其中有關人員資料等項，較前改善甚多，惟有關學校圖書館的目的與一九四五年的標準所揭櫫者則無二致：

1. 有效的參加為適應教員、學生家長以及其他社會人士之需要所擬訂的計劃。
2. 適當的供應男女學生有關其成長與發育的有價值的圖書資料，並作有益於他們的服務。
3. 激發並誘導學生的閱讀興趣，使其發現讀書的樂趣，並增進其判斷與欣賞讀物的能力。
4. 藉利用圖書館的經驗，使學生有機會發展有益的興趣，養成適應環境的能力，友善與合羣的態度。
5. 培養青年兒童熟練的使用圖書館，以及圖書館所藏印刷和視聽資料的能力與鑑別力。
6. 儘早介紹學生使用公共圖書館，並與公共圖書館合作，共同提倡社會教育，發展文化。
7. 與教員合作，選擇利用各種圖書資料，俾對教學有所貢獻。
8. 參加學校當局為敎職員進修及增進教學能力所訂之計劃。
9. 與其他圖書館工作人員及社會人士合作，共同計劃推進地方性的圖書館業務活動❷。

美國衞生福利部教育局於一九六〇年出版了一篇有關各州教育部對學校圖書館之職責與服務之研究報告❸，這一報告主要建議各州政府應參照 ALA 標準擬訂各州本身的標準，以謀發展學校圖書館事業。一九六四年，教育局更發表了一項詳盡的報告「學校圖書館標準之調查」(Survey of School Library Standards)分析各州及各區的標準，並說明各地方性的標準與全國性標準之關係。一般說來，全國性的標準較諸各州及各地區的標準爲高❹。

一九六五年，衞生教育福利部發表了一篇「中小學圖書館設備」(Library Facilities for Elementary and Secondary Schools)，依據 ALA 的標準及各州教育部標準確定了學校圖書館設備數量的指導原則❺。

同年，美國國會通過了一項中小學教育法案 (Elementary and Secondary Education Act, 1965.)，對於中小學圖書館事業之發展獲致了莫大的鼓舞。該法案內容係授權美國教育局在五年撥款計劃下，擴充學校圖書館的各項資料，此一法案無形中也加強了學校圖書館的人員和設備。

二、學校媒體計劃標準

一九六九年，美國圖書館協會與美國全國教育協會共同擬訂了一項新的學校圖書館標準，定名爲「學校媒體計劃標準」(Standards for School Media Programs)❻。此一標準係由美國學校圖書館協會聯合委員會及美國全國教育協會視聽教育指導部共同研訂，公佈實施後，代替了一九六〇年的學校圖書館計劃標準，以及全國教育協會視敎部在一九六〇年所公佈的有關視聽教育資料的兩項文件。不過，在新標準中並未包括專門性的和殘疾兒童的服務。有關後者，美國圖書館協會曾於一九六六年公佈了一項「盲人及視覺障礙者圖書館服務標準」(Standard for Library Services for the Blind and Visually Handicapped)可供參考❼。

新標準的一大特色就是強調圖書及視聽資料同等的重要性，media 一詞卽指印刷的和視聽形式的資料而言。在說明中指出：「今天，敎育家及其他人士均瞭解到活潑生動的敎育計劃有賴於完善的資料服務，以及校內的資源。」因此，建議一校圖書館和視聽部應盡可能的合而爲一，新成立的學校應設置統一的媒體中心，安排各項服務計劃。

本標準不再採用條列式的表達方法，改以敍述式的說明，介紹學校圖書館各項措施。全文共分六章，分別介紹：媒體計劃在學校中的重要性；人員與服務；資料的選擇、組織與利用；資料的數量與費用；設備、輔助性服務等。玆就其重點分析如下：

第一章爲媒體計劃 (Media program)，說明媒體計劃爲一種學習的資源，也爲一敎學資源。由於敎育主要是一種創造的過程，學生在學校中不僅要學習讀書的方法，而且要能細心觀察，培養其自我啓發，自我訓練及自我評價的精神，具有運用知識及發展各項技能的本領。因之，媒體計劃在這一過程中乃成爲一不可或缺的部分。

在一項完善的媒體計劃中必須提供以下的服務：

1. 對於改善學習，敎學及使用資料與設備方面提供顧問服務。
2. 指導利用印刷與視聽資料改善學習效果。
3. 提供新的敎育發展方面的資料。
4. 創造並編製新的資料，以適應員生專門性的需要。

5. 準備班級教學與個別研究及發現所需要的資料。

6. 準備員生及資料人員所需要的工作場所。

7. 備有傳送給員生資料之各項設備。

爲實施以上的服務，必須聘有專業人員負責其事。在第二章中說明專業人員主要的工作包括以下各項：

1. 以教學媒體顧問和資料專家的身份，對員生服務。
2. 爲媒體中心及其各項計劃選擇資料。
3. 整理資料，以便於師生使用。
4. 教導全體教員有效的使用資料。
5. 與教員共同設計課程。
6. 協助學生發展良好的讀書習慣，獲得獨立學習的經驗，增長其詢問和評估的技巧。
7. 協助兒童與青少年發展其靜聽、觀察與閱讀三方面的能力。
8. 將教學方面所需要的各科最新消息及一般專業資料供給教員使用。
9. 將有關專業會議，研究會及社區教育資源的各項消息供應給教員。
10. 就在媒體中心觀察所得，將學生各項問題，進步情形及成就提供教員參考。

媒體中心如有兩位或兩位以上的人員時，其中一位應爲負責人，假如在專業人員中一位是圖書館專家，另一位應熟悉視聽資料的管理和使用方法。每二百五十名學生應有一位專任人員。所有負責教學指導工作的資料專家不僅應修習若干基本教育科目，更應通達圖書或視聽資料的專門學識及技能。在教育學科方面包括了課程原理，有關學生成長發展，教學法和心理學方面科目；在專門技能方面包括了分析、評價、選擇和設計印刷的與視聽的資料；資料使用的程序；媒體中心的目標、功能與計劃；行政管理及資料之組織；資料科學，傳播理論等。

媒體中心的支援人員，可分爲技術人員與助理員兩種，前者負責各項技術工作，後者則担任打字及其他事務性工作，統在專業人員督導下進行各項活動，使資料專家可以集中時間精力於各項專業活動。一校學生人數在二千人以內者，至少每一資料專家需要配合一位技術員和一位助理員。二千人以上的學校，技術員及助理員的人數可酌予調整。

在第三章資料之選擇，利用及組織方面，首先指出媒體中心必須做到：蒐集合用的圖書資料，使學校員生便於使用這項資料及有效的組織資料三大目的。全章並就這三大目的，分別爲：資料之選擇，利用與組織三節作個別的探討。

圖書資料的基本選擇方針有以下五點：

1. 學校當局和整個學校系統對於選擇方針應有一既定政策，此項政策必須經過學校行政首腦，資料專家及敎員們的同意，並獲致學校董事會的採納。在政策中應指出選擇之目標及程序，並以「圖書館權利宣言」，「學校圖書館權利宣言」及「學生閱讀權利」中所揭櫫的原則爲依歸❽。
2. 藏書應配合各科需要，並對各種能力與程度的讀者，提供不同的學習技能。各項資料要能啓發學生個別的興趣，配合其研究的需要。因之，各科及各種資料之收藏應力求豐富而有深度。

3. 資料之選擇、分配及使用應反映出現代教育及思想傳播的新趨勢。諸如各種資料的綜合運用，紙面本的廣泛使用，媒體系統的出現，教學指導的設計，以及教學上的電腦應用等，對於媒體中心的蒐集範圍與資料的利用，都有極顯著的影響。

4. 資料選擇在過程上該由地方、州、地區或全國有資格的專家們負責評定的，如果有可參考的書評、推薦書目、標準的書目和專門的參考資料當更理想。

5. 應備有足夠的複本以應員生之需。

在媒體中心中各項資料之供應使用，應謀各方面之便利：

1. 當教師學生需要時，應隨時獲得媒體中心供應的資料及專業人員的服務。媒體中心所實施的正式的或非正式的指導計劃——不論是對個人、班級、小組、教學組織或其他員生組織——需要足够而合格的人員達成其任務。假如人員的數量和資格不合標準，中心的資源無論是如何豐富，均難以發揮其潛能。

2. 媒體中心不但要在開學上課期間全日開放，而且要在上課前與下課之後開放。為了擴展對師生的服務，為了使學校的資料和設備發揮最大的效用，開放時間應延長到夜晚，星期六和假日。當然，這種擴大服務的計劃是要看學校的條件而定的。

3. 最近發明的各項設備，如視聽遙控裝置，電視教材，提供了媒體中心，整個學校及在家庭中使用資料的新途徑。

4. 爲謀館藏充分利用，不僅蒐集的資料應在廣度和深度上符合標準，同時還要準備相當的複本，以應學生課程的以及課外閱讀的需要。
5. 應充分準備各項資料設備用具，以保證個別讀者和團體讀者盡量使用。設若一中心蒐集的微影圖書、影片、幻燈及錄音帶相當完備，但是放映設備不足，仍無法發揮其效用的。
6. 媒體中心的設備與佈置是爲了使用者的方便與舒適而設計的。
7. 書籍的流通與借用規則應便於員生在校內及家中使用資料。參考書的複本一似印刷的和非印刷的各種資料亦可以借出使用。
8. 資料的使用包括了利用本地媒體中心系統的各項資源及其服務。這包括各單位間的互借，在本地區中心內的電視與錄音計劃，以及在敎室中和媒體中心使用影片及其他資料等。這項服務，不僅增加員生對於資料的使用，並使校內的資料計劃更爲豐富充實。
9. 小學生可以個別的或是集體的在學校開學後的任何時間內利用媒體中心，至於過去嚴格規定每班應在固定時間內利用媒體中心的辦法，在本標準中則不予推薦。

至於在敎室中或其他敎學場所中，使用資料要點如下：

1. 爲便敎學之需，媒體中心應允許將所藏資料長期的或短期的借供在敎室中或其他敎學場所中使用，中心的工作人員應協助員生選擇使用適當的資料，視聽資料亦應準備相當的複份，有關幻燈捲片及八米厘的影片至爲重要。

2. 基本的參考工具如百科全書、字典、地球儀等，可以供敎室中不定期的借用，但中心仍應負有選擇及更替之責。

3. 應準備紙面書（Paperback）供應員生使用，如敎員希望在敎室中存備一套紙面書隨時取用，中心亦應負責供應。

4. 有關資料之組織，原則上所有的資料必須加以整理排列，使利用者得以迅速而方便的使用。媒體中心內所藏的資料，應照一通用的分類法處理，假如有其他更爲適當的整理資料的方法，則不必堅持使用依照數序排列的方法。在許多學校從經驗中證明將普通資料和視聽資料混合排列是一項成功的措施。

5. 由校外一專業機構編目及整理資料，在人力物力上較爲節省，在技術上也較爲精確。這樣，媒體中心的專業人員可利用大部分的時間直接爲員生服務，而且，所有資料一送到學校媒體中心，可立即使用。

6. 各校的資料集中處理深具實效，曾被推薦到各學校系統或合作經營的學校中實施。這種方法提供了最經濟有效的服務，在美國已有兩個州實施全州性的集中處理制度。

7. 委由商業性的資料處理機構來整理各項資料也頗有幫助，特別是對於沒有系統處理中心的單位。這種商業性的處理機構業務範圍包括供應目錄卡片及全部編目程序等。

8. 不久的將來，資料處理方式的變化與實驗，可能會改變了工作的程序。由於電子計算機大量應用在採購、記帳、開發票及資料採訪工作上，所以很有可能改變了媒體中心的資料編目工作。

第四章爲媒體中心之資源：數量與經費。全章包括：基本圖書、專業圖書及經費等三項，明確的規定出數量上的標準。

所謂基本圖書（Basic collection）乃指敎員敎學用書，敎室中應備之百科全書、字典、報紙與雜誌，以及敎科書以外的資料而言。在一所有二百五十名以上學生的學校中，其應備圖書至少爲六千至一萬種，或每一學生平均廿册。如就本標準中規定數字與一九六〇年「學校圖書館計劃標準」以及一九六五年「視聽指南」（Audiovisual Guidelines）作一綜合比較，當可看出數量上的改變❾：

資料名稱	1969 標準	1960標準及 1965 A/V 標準
圖書	至少 6,000—10,000 種，相當於10,000 册，或每生20册。	200—999人的學校應有6,000—10,000册，1,000 人以上的學校，每生 10 册。
雜誌:		
小學(K—6)	40—50種	25種
小學(K—8)	50—75種	50種
初級中學	100—125種	70種
高級中學	125—175種	120種
所有學校	除以上外，應備有必須的期刊索引。	另備有至少5種圖書館學及教育性雜誌。

報紙: 小　　學 初級中學 高級中學 所有學校	 3—6種 6—10種 6—10種 應備一種地方性，一種本州的，一種全國性的報紙。	 至小3—6種報紙（不分年級）
小册、剪輯及其他資料	應備有小册、政府出版品、各學院及職校目錄、各行業資料、剪輯及其他適合課程與學生興趣之資料。	應備有各科目的小册。
8mm影片	每生 1½ 捲，至少 500 種及若干複本。	
16mm影片	可供利用者，應爲 3,000種。	可供利用者應爲5,000 種，另每一教學站添加一種。
錄音帶及唱片	1,000—2,000 種，相當於3,000張唱片或同數錄音帶（或每生6種）。	100 張，每教學站另加二張或二捲。
幻燈單片	2,000 張（各種大小）。	無規定
圖　片	1,000 張，就所需準備複件。	無規定
地球儀 小　　學 中　　學 各　　校	 每一教室一具，資料中心兩具。 每五間教室一具，資料中心兩具。 資料中心應備特製地球儀。	無規定
地　圖	每一地區應備有一份，另應有每一地區之政治經濟氣候及歷史地圖。	無規定
微影資料(Microfilm)	就課程中各主題所有者選購，如有所需，應將列入 Reader's Guide 各刊備齊。	無規定

投影膠片	2,000張及各科代表性膠片	無規定
其他資料	循序教學資料等	無規定

敎員所需要的專業性資料應備有：課程綱要、指南、敎師手册、官書、影片及幻燈捲片、錄音帶、小册子、紙面書及影片目錄、博物館展覽品目錄、電視廣播節目指南等項。

專業用書，在二五〇學生的學校應有圖書二百種至一千種，期刊四十種至五十種，另應訂 Education Index 一份。

在經費方面，標準中規定，每一學生每年資料費不得少於每生每年平均費用的百分之六（1968—1969年估計每生費用平均爲680 元，百分之六約計四十一元）。在正常情形下，此項經費半數用於印刷資料，半數用之於視聽資料。

第五章爲媒體中心之設備。媒體中心的標準建築與設備要能配合其服務。在環境方面，媒體中心應注意到實際效用，適當的照明設備、隔音裝置及溫度調節，使讀者有舒適的閱讀環境並便於資料的保存 。此外 ，地面要舖設地毯或其他材料，以減少雜音。

媒體中心應位於安靜地點，並便於員生接近之處。在上課前後、晚間、星期假日時，不影響學校管理而便於民衆閱覽。

在設備方面，媒體中心必須備有以下各項設備：

16mm放映機，8mm 放映機，遙控2×2幻燈機，投影機，幻燈捲片檢視機，電視機（最低限度23吋），微影閱讀機，電唱機，錄音機，銀幕，收音機，複印機，閉路電視，微影閱讀複印機及其他設備等。

最後一章爲學校媒體計劃之輔助服務。在本標準中說明爲謀服務更爲有效則需位於較大行政單位媒體中心的支援。在美國目前實施的支援性的輔助服務計劃係由三種不同型態的組織所辦理的：爲一所學校系統或是爲若干個學校系統所設置的中心，在一州內的各區域中心，以及各州所直接設立的中心等是。各系統媒體中心提供督導、諮詢、協調及其他各種服務。未來的計劃，包括全國性的及各州聯合設置的區域中心，利用電子計算機及其他電子查索資料裝備提供更深入的評選各類資料之目錄服務。

本章重點卽在說明一系統媒體中心各項經營原則，其中涉及到人員、經費、服務及設備等項，惟並未提出數量上的標準。其次，則簡介區域媒體中心及州立的媒體中心。所謂系統媒體中心（System media centers）乃指爲某一或若干學校系統服務的中心而言。規模較大的學校系統通常設有一個中心，特別龐大的學校系統則設有分支機構。不論在一系統中有多少所學校，有關編目，技術程序及較複雜的視聽資料之製作等統應由一單位集中處理，學校系統負責人員的職責之一就是督導這項工程依照計劃進行。

系統媒體中心所提供的服務有以下重要項目：

1.計劃與發展本學校系統的資料計劃。

2.提供各校的資料專家們諮詢服務。

3.與課程專家及其他學校人員共同設計學校系統的敎學工作。

4.爲敎員、督導人員及媒體中心人員安排有關使用資料和設備的在職訓練計劃。

5.參加本學區專業人員會議。

6.評定各校及整個系統的資料計劃。

7.編製資料預算且監督經費之運用。

8.監督集中處理資料工作。

9.負責分配、修護及維護各項設備與資料。

10.為新成立的學校媒體中心作必須的準備。

11.與其他系統督導人員及本州、國家的資料人員保持聯繫。

系統媒體中心所蒐集的資料，包括有：

1.搜集教師、資料專家、行政人員、課程專家等所需的各項資料。其中包括圖書、期刊、小册、視聽教材和當地、本州學校所編製的教學資料之複份等。

2.蒐集本區媒體中心工作人員為從事各項活動所需要的資料（如採訪編目等技術工作所需要的各項工具等）。

3.如系統媒體中心對各校提供補助性的參考服務，即須蒐集更為廣泛而深入的參考工具。

4.除各校蒐集的期刊之外，系統中心亦應蒐集若干各校所未訂的學術性、技術性或外國的期刊。此外尚應訂購各校現訂報刊及其他的過期雜誌報紙的顯微攝影版。其服務應包括電話等方式的查詢與複印。

5.中心應保存廣播電視的錄音錄影帶，投影片，模型，科學儀器，藝術品等。

6.媒體中心所蒐藏的影片，應力求豐富，便於使用且多備複份，可經由各校中心借供各校使用。

7. 系統媒體中心所儲集的檔案文獻包括：年度報告，記錄及類似的文獻，各校出版品以及有關本系統與各校的歷史性資料。

8. 價值昂貴，較少使用或過於專門性的資料應由系統中心購備供各校中學與員生使用。

9. 系統中心可作爲館際互借的聯絡所，以促進各校媒體中心資料之流通使用。

10. 如經費許可，系統中心應蒐集備供各校評鑒所需的一般書，敎科書，視聽資料及其他適合青少年和兒童所需的資料。這些資料大多屬經過選擇委員會所通過，專供資料專家，敎員及其他人員在爲各校中心添購或爲敎學使用之前審閱評鑒之需者。

爲配合以上的蒐集工作必須籌措相當的經費，同時尙應準備用之於輔助性服務所需要的費用。

至於區域媒體中心，在美國是由某些州所倡設，逐漸推廣到其他各州的，其組織有不同的形式，有的是各州資料機構的分支單位，還有的由若干合作的學區組成，由一郡的敎育機構居間領導。其服務大致與系統中心相若，通常包括了參考諮詢，技術服務等。

各州的媒體中心則爲各州敎育部門或公衆指導部門之一重要設施，必須肩負州立圖書館，各博物館及電視廣播單位合作協調之責，並針對本州中小學敎育提供資料服務。

附 註

❶ *School libraries for today and tomorrow.* Chicago, American Library Association, 1945.

❷ *Standards for school library programs.* Chicago, American Library Association, 1960, P.8—9.

❸ Mary Helen Mahar, *State Dept. of Education responsibilities for school libraries,* Washington D. C., U. S. Dept. of Health, Education and Welfare, Office of Education, 1960.

❹ *Survey of school library standards.* Washington D. C., U. S. Dept. of Health, Education and Welfare, Office of Education, 1964.

❺ *Library facilities for elementary and secondary schools,* Washington, D. C., U.S. Dept. of Health, Education and Welfare, Office of Education, 1965.

❻ *Standards for school media programs.* Chicago, American Library Association and Washington, D. C., National Education Association, 1969.

❼ *Standards for library services for the blind and visually handicapped.* Chicago, American Library Association, 1967.

❽ *The Library Bill of Rights* was adopted by the Council of the American Library Association in 1948 and revised in 1967.

The School Library Bill of Rights was approved by the American Association of School Librarians and endorsed by the Council of the ALA in 1955. National Council of Teachers of English. *The Students' Right to Read.* Champaign, III., The Council, 1962.

❾ *Library Journal.* Oct. 15, 1969. P. 3792-3793.

叁、美國大專院校圖書館服務標準

美國大學圖書館標準（Standards for College Libraries）是由美國學院與研究圖書館協會理事會（Association of College and Research Libraries）於一九五九年通過施行的，現已成為美國圖書館協會的一項正式的文獻，取代了在一九三二年由卡內基基金會所擬訂的學院圖書館標準（College Library Standards）❶。

這一標準的主要目的，是作為評估美國學院和大學圖書館業務之一指針。這些學校是以實施大學部階段的教育為主，或許亦開授碩士階段的研究課程；至於專科學校或是從事更為高級研究的教育機構則不與焉。因此，為行文方便，在標準中使用「大學圖書館」一詞，代替了「授予學士學位或兼授學士與碩士學位的大學或學院的圖書館」冗長的語句。

本標準共包括：功能、組織、經費、人員、館藏、建築、服務及館際合作等八章，茲就各章要點分析如下：

1. 大學圖書館之功能

大學圖書館應該是一學術機構中的最重要的知識資源。其服務，在一批合格而數量相當的人員努力之下，不僅應達成大學一般計劃，更應適合該機構特定的教育目標。它的館藏應充分代表東西方思想的文化遺產，同時，注意到該機構集中於課程中的某些專門科目範疇。在圖書館與教室之間，或是在圖書館員與教員之間不應以人爲的障礙加以阻隔。圖書館除盡力支援教學計劃之外，尙應適應所有讀者的合法的要求，從剛剛進入大學的新生到資深的從事高深研究的教授。此外，並應激發和鼓勵學生增長其終身善於閱讀的習慣，以及在校內及校外廣大的知識領域中，擔當起適當的任務。

2. 組織與管理

假如大學董事會設有圖書館委員會的組織，必須明確釐訂其權責，並說明圖書館長與委員會的關係。該委員會僅應負責制訂圖書館的一般政策，而不涉及圖書館的行政及實際事務。

圖書館長秉承校長之命綜理館務。由於圖書館是一服務全校的重要部門，館長的地位應與其他校中重要行政主管相等。尤因圖書館主要關係到大學的學術計劃。所以，館長應與各學術單位負責人密切合作。此外，圖書館長亦應爲校內課程計劃小組，以及與圖書館服務之發展具有重大影響的其他委員會之一份子。

照一般常規，在校中應有一由教員組成的圖書館委員會的組織，該會應賦予顧問諮詢之職能，其成員應愼重就資深的及新進的教員中，對於圖書館各項問題有充分了解，並對本系及本系以外的藏書具有濃厚興趣者遴選擔任。委員會一方面固應向教員們說明圖書館的政策及問題，另一方面亦對圖書館服務的改善提出建議。它亦可能代表教員提供圖書經費分配使用的意見。圖書館長應爲委員會的當然委員，或兼任該會主席。

如情況許可，應組織一學生委員會，作爲圖書館與學生之間的橋樑，這樣的委員會要愼重考慮其人選，並明確規定其職能，與館長密切合作。

圖書館長被付託有籌劃與運用圖書館經費的責任，因此，校方行政人員在未與館長協商之前，不得採取任何影響圖書館經費之措施。

在圖書館預算內添購的書刊資料或是該校所蒐集的其他資料都應視爲圖書館收藏的一部分，而應置於館長的管轄之下。

圖書館的組織必須適合該校情況，職權分明而不混淆。館長肩負綜理館務之全責，有關政策與程序之重大決定應徵詢館內同仁意見。館中應明白規定溝通館員意見的方式。

館長應保有各項統計紀錄，俾便瞭解圖書館的各項活動，以及圖書資料採訪和圖書館的利用情形。他更應備有美國敎育局，地區認可機關及美國學院與研究圖書館協會所需要的定期統計報告資料。

3. 經　費

圖書館的經費，大多決定於圖書館資源與服務的性質。其他如：圖書館的收藏，該校的敎學方法，員生人數，該校的個別研究的範圍，研究課程的種類等亦爲影響一館所需預算之因素。

圖書館預算也與該校敎育及行政經費之多寡有密切關係。在本標準中規定，圖書館預算通常需要一校經常費的百分之五，假如圖書館的藏書非常貧乏，學生人數或所開課程擴增，再如該校在碩士階段或其他研究計劃至爲廣泛，圖書館預算的百分比尙應提高。至於圖書預算如何分配使用，應視各校情形而定。據過去經驗顯示，一所完善的大學圖書館在人員薪金方面的支出通常是購書費的兩倍，甚至於還要多些。如根據最近的各大學圖書館統計資料比較，一館的預算低於各校的中常比例之下，其情況的嚴重就深值學校當局重視的了。

4.人 員

圖書館業務在館長督導之下，是由具有豐富的學識和高素質的專業人員所辦理的，所謂專業人員是指具有圖書館學碩士以上的學位的人員而言。

人員的數量視該機構規模的大小而定，但是爲達成有效的服務，一館最低限度應有三位專業人員：一位館長，一位負責讀者服務，一位負責技術服務。除學生人數之外，其他影響到人員數量的重要因素包括館內的組織，藏書的數量與性質，該校採取的教學方法，圖書館開放時間，以及建築的安排等項。在圖書館開放服務的任何時間內，至少應有一位專業人員值勤。

在專業館員之外，圖書館尚應聘用相當數量的非專業性人員，專業人員和非專業人員的比例應視一校之特殊需要而定。特別要注意的是專業人員不應耗費他們的時間在事務性質的工作上。圖書館的各項工作有的可以僱用學生助理員充任，但是，就一般情形而論，不能期望他們擔任資深的事務員所負責的同一類的重要工作。

一館藏書增加，非專業人員和專業人員的比例也應調整增加。因此，人員的多寡不可能有一統一標準。不過，在這裏要注意的是在某些州中訂定了人員數量的比例，大多數的學校採用這一合理的方式都能展開其各項服務計劃。

專業人員應具有敎員的地位，享有敎員的權益，諸如：任期、病假、休假、退休等。其薪金待遇亦應與敎員相等。根據一校的升遷政策，圖書館員應許可參加有益其職務發展的研究工作。照過去成例，這項研究計劃甚至可能獲得第二個或第三個碩士學位，而非博士學位。總之，對於工作有特殊表現的人員，應該給予加薪或晉陞的機會，以酬庸其貢獻。

圖書館人員必須積極的參與在該校中所實施的各項敎學活動。在敎導利用圖書館方面應安排在正式的課程之內實施，如屬可能應與各系合作辦理。此項參加工作的人員也包括在利用圖書館方面非正式的個別指導，對敎員作目錄方面的建議，協助各委員會的工作，編排書目，準備有關圖書館設備與服務的專門報告。這些活動都屬於大學圖書館正常活動的一部分。具有專門學科背景的館員也可以憑藉授課的機會，加強圖書館與敎室之間的聯繫。

圖書館人員的遴選必須愼重從事，因爲他們承擔有重要的敎育任務。身爲一館之長，尤需具備指導一高度複雜組織的技術，但他的想法與做法應如一位敎師及學者。他必須了解什麼是學術，以及敎學的需要；他必須以行動贏得像一位敎育家一般的受同事的尊敬。

5. 圖書館之藏書

(1)圖書與期刊

館藏圖書、期刊、小册、官書、報紙、地圖、顯微書影、顯微書卡、顯微印製品以及其他資料等均應妥加整理組織，有效的充實與支援該校的教育活動。圖書館的收藏必須適合大學生的全部課程需要並應便於使用。在授予碩士學位的學校，圖書館應備有各科研究生所需的資料。同時，尤應選擇各類豐富的著作，以使教員了解現代學術的新發展，並有助於專業知識之增長。設若各項個別研究專門計劃需用大量的圖書，亦應在圖書館館藏中有所準備。

除直接或間接關係到課程的資料外，館藏中尚應備有代表人類文化遺產的各種標準著作，這類的著作要不斷的補充具有長久價值的新著，以激發學生求知慾和滿足其休閒之需。

在圖書館中應備一部豐富而新穎的參考書藏，其中包括各知識範疇最具權威性的參考工具與書目。這些書籍不應以學科範圍和英文著作為限。

期刊的訂閱要各方面兼顧，慎重的加以選擇，以適應學生輔助課程閱讀的需要，兼供教員及研究生研究方面之參考，更可使教員了解本行學科之發展情形，供應有助於激發思想的普通性與消遣性閱讀之需。報紙應訂閱報導全國性、地區性及地方性之新聞，另包括一種或多種國外的主要報紙。其立場應能代表各種不同政治觀點。所訂閱的主要報紙均應保存並有系統的加以裝訂，或是保存顯微攝影版。

有關圖書館隸屬機構的印刷資料 、 手 稿 及檔案亦應蒐集保存。

圖書館選擇代表各方面觀點具有爭辯性的圖書資料之權利必須獲得該隸屬機構充分的保障，而且拒絕以任何理由和任何單位所意圖實施的檢查方式。

圖書館館藏的素質不應被不必要的複本書所影響而降低。但是，具有永久價值或是當代名著則應備有足用的册數，使學生有一普遍的閱讀的機會。

無用的資料，諸如過時的圖書，陳舊的版本，殘缺的作品，零散的未編入索引內的雜誌，多餘的複本和已破損塗汚的書籍，均應徵詢有關敎授們的意見經常加以剔除。至於贈送的圖書只有在能充實館藏並不附帶有任何不合理的限制條件下始被接受。

如果圖書經費分配給各系，應在訂閱期刊和連續性出版品的固定經費之外，保留一筆相當數量的經費，由館長支配使用。這筆經費應足以購置參考書，一般著作，昂貴的圖書，休閒用書，各系相關的圖書，以及作爲矯正館藏的缺失所應增補的圖書之需。

圖書館的藏書應該時常和專門性的與一般性的書目加以核對，以作爲評定藏書素質的尺度，在書目中所列出的與各研究計劃有關的圖書，均應加以蒐集。

圖書館館藏的數量主要係依以下因素而定：

①課程的範圍與性質；

②研究計劃的數量和性質；

③敎學方法；

④本科生與研究生人數，包括正式生與推廣部學生在內；

⑤敎員從事高深研究所需資料，這些資料在本地區的研究圖書館不便使用者。

根據小型大學圖書館統計，一館至少應有五萬册精選的圖書，否則將無法有效的支應一校的教學計劃。圖書的數量，對任何一所完善的圖書館而言，都需要穩定的增加，但是到約計三十萬册時，其增加率就可以漸緩。由於學生人數的增加和藏書的增加有顯著的關係，所以有一種很方便的據以觀察大學圖書館發展的方法，可以作爲一項指南：卽六百名學生以內的學校應有書五萬册：每增加二百名學生，增加圖書一萬册。選讀生和推廣部學生應該同樣的併入正式生內計算。在這裏要了解的是這一數字爲最低限度的標準，一所規模完備的學校將需要更爲豐富，更爲充實的藏書的。

圖書館的藏書應充分的加以整理，以便使用。館內的主要目錄應該是包括館內或各院系藏書的一種聯合目錄，其編製應以國會圖書館及美國圖書館協會編目規則爲準。各種資料要根據一種適用的及經常修訂的分類法來分類，俾使此一目錄得與現代技術發展同時並進。

(2)視聽資料

視聽資料包括影片、幻燈、錄音及地圖，爲現代教育不可或缺，而每一大學圖書館必須注意蒐集者，假如校內並無其他單位負責此項資料，圖書館更責無旁貸。

如若圖書館負責處理此項資料，校方應籌措專門的經費用以支援這項活動，包括人員費用在內。這項計劃，在經費與活動上，應視爲整個圖書館之一重要功能，一項視聽計劃如果在設備和資料的使用上缺乏充分的支援時，是不會成功的。

圖書館長在選擇影片及唱片時，亦應遵守一似圖書選擇的高度的標準的。

6.建　築

成功的圖書館服務必先有一合用的圖書館建築。大學圖書館的建築應地點適中，設計具實用性。建築的型式應根據該機構之特性與目標而言，但要適合有效管理的一般要求。供學生住宿的學校和不供住宿的學校所需要的建築要求不同，每一新建築的設計必須備有未來擴展之餘地。

圖書館建築的大小，將視該機構的型式及規模，採用的教學方法，藏書的性質和册數等條件而定。一般說來，一所新圖書館建築的座位容量，應預計到廿年間學生增長量，一館至少應具備足以容納全校學生人數的三分之一的座位，在學術機構中的圖書館，由於其任務的改變可能會提高這一數字，圖書館建築往往也會被校內的其他學習設備所影響的。

一館的閱讀場所應有擴展的餘地，使學生易於使用圖書和其他資料。藏書的場所亦應注意及此，不僅要顧及目前，更應考慮到將來的發展。在原則上，在設計一館的書架容量時，至少要較目前館藏數量增加一倍。另外，還要考慮到存放特殊資料的場所，如現期雜誌，地圖、圖片、藝術書、影片、唱片和顯微製品等。

設計完善的圖書館建築，必須備有可供該館所實施的各項服務的場所，諸如：有妥善安排的一般流通及參考區域，展覽室，收聽唱片室，教員研究室等。

圖書館爲謀有效的推展各項活動，也需要備有辦理訂購、整理、編目、裝訂修補、排片及類似活動之空間。以工作場所而論，每一工作人員至少應有一二五平方呎的面積。各單位行政主管應設有相當的私人辦公的空間。在館中設置一附有簡單廚房設備的職員休息室，對於工作人員及參觀人士是非常之方便的。

一館建築的效能主要將視溫度、光線和空氣三者而定。隔音裝置，空氣調節，照明設備及室內裝飾應愼重設計，使教員學生樂於在一愉快舒適的氣氛中研究學習。圖書資料的保管也需要適當的溫度和濕度的調節控制，尤其是對珍善本書，更要特別注意。

大學圖書館應配合有精美設計和高等品質的傢具用品。各種不同式樣的座位設備，包括閱覽桌，單人閱覽桌，書庫小閱覽桌，單人椅和沙發椅等。在本標準中推介，一般圖書館使用的閱覽桌面積，每一讀者爲 3×2 呎。

7.服務之特質及其評價

在圖書館事業中，大概沒有比評估一所大學圖書館的素質更爲困難，因爲其中涉及到如此繁多的難以捉摸的因素。但是也沒有比瞭解一館的服務效能更爲重要的了。

有一種測量圖書館活動是否成功的方法，就是繼續不斷的謹愼的評估流通部的統計記錄。在採取開架制的圖書館，這項記錄僅能提供部分情況。不過，假如每人的正常借書量，在一相當的時間內（二星期或更長的時間）統計顯示有增加的趨勢，那麼，這一圖書館對學生的服務可能是有進步的。此外，可以作爲評定一館藏書和服務的，還有：調查有那些學生在一指定時間內眞正的閱讀？研究有那些不能供應的圖書？不能答覆的參考問題？以及館際互借的特徵等項。不過，這種統計調查必須審愼從事，同時要考慮到所涉及到的各項因素，主要的還要視敎員所採用的敎學方法而定。因此，非常重要的是要使敎員們經常獲知新的出版品和新蒐集的書刊。在敎員們安排新的課程計劃或有新的敎育概念時，圖書館長應與其密切合作，協助其估量圖書館的資源在其敎學上所產生的實際的和潛在的價值。圖書館員在敎導圖書館利用上所產生的效果將從學生們是否能善於利用圖書館的資源方面反映出來。

另一種方法是在敎員和圖書館員愼重的計劃之下，共同承擔評估圖書館資源及服務的工作。這種自我評價當可加強敎室與圖書館之間的聯繫，故本標準建議應經常辦理。如有必須，也應徵詢校外專家的意見。

8.館際合作

就工作性質而論，大學圖書館長首先要考慮的就是爲該校的師生服務。他不應忽視與同一社區、地區、州以及全國的其他有興趣的圖書館合作使用資源的重大利益。這有兩種好處：第一，這將大大的幫助了合作的圖書館，爲其讀者提供了利用更廣博豐富的知識的機會；第二，這種有計劃的合作將使合作圖書館的有限經費發生更大的效用，遠超過個別圖書館的收穫。

大學圖書館特別要和同一社區及鄰近地區的其他學院、大學、中學及公共圖書館共同合作爲校外的讀者提供參考服務。

此外，圖書館尤應研究本館與當地其他圖書館合作採購的可能性，用以避免彼此不必要的重複，並增加合作各館可用的資源。但是，在另一方面，一館不應該向其他的圖書館借閱有關該校基本敎學資料，以免影響該校敎學計劃之進行。

最後，該標準特別指出，美國的高等敎育已進入一瞬息萬變的時代中，而標準的精神即在使美國全國的大學圖書館在面臨這一新的挑戰之下，不僅要維護傳統，更要加強其地位，這一點是各館負責人員及其上層主管們所應了解的。

二、專科學校圖書館標準

專科學校（Junior college）乃指提供二年制課程的學校而言，這類學校大多開授文理學科並以專業訓練為主。專科學校圖書館標準（Standards for Junior College Libraries）係於一九六〇年由美國學院與研究圖書館協會所公佈❷。由於美國的專科學校數達一千零二十四所，所以這項文獻可以說是重要標準之一❸。

在標準中首先說明一所專科學校圖書館之功能並論及其組織管理情形，其次討論到預算、人員、藏書、建築及服務等項。在預算方面一似大學圖書館標準，規定一館經費在正常情形下，不得少於一校經常費的百分之五，假如學生人數急速增加，同時圖書館負責視聽資料，則其比例尚應提高。

在人員方面，人數在五百名以內者，至少需要兩位專業人員。其資格需要和教員同樣的具有研究所畢業的學歷，專修圖書管理。圖書館員之身份應和教員相等，並負責辦理本校學生利用圖書館之指導和教育工作。

圖書館館藏之素質和決定館藏數量的因素與大學圖書館標準

規定者相似。在一所二年制的專科學校中，人數在一千人以內者，至少應有一部兩萬册精選的圖書，複本書及教科書尙不計在內。一千人以上的學校，每五百名正式生應增加圖書五千册。圖書館如經管視聽資料，應有另外的人員和經費支援其活動。

有關建築的標準，建議圖書館座位至少應容納全校學生人數的百分之廿五。館員的工作室，每人所佔面積至少爲一二五平方呎。除此之外，還要有爲圖書、讀者及館員準備未來擴展的空間。

最後，在標準中提到評估服務的方法，以及合作蒐集及互借資料的觀念，和大學圖書館標準中規定者並無二致。

附　註

❶ American Library Association, *Standards for college libraries.* College and Research Libraries, XX, 1959.
The Advisory Group on College Libraries Corporation, *College Library Standards,* 1932.

❷ American Library Association, *Standards for junior college libraries,* Chicago, 1960.

❸ *The Bowker annual of library and book trade information 1970.* New York, R.R. Bowker, 1970, P. 23.

肆、專門圖書館服務標準

在圖書館分類中，專門圖書館乃指蒐集專門資料或服務特定對象的圖書館而言，其中包括了隸屬於機關團體的圖書館在內。

美國的專門圖書館標準（Standards for Special Libraries）之擬訂起始於一九五九年當專門圖書館協會創立五十週年之際，但經過數年來的研究，一直到一九六四年始正式公佈實施❶。

專門圖書館性質龐雜，不似大學與公共圖書館有其一定的要求。因而，在標準中難以在數量上作硬性的規定。標準全文共分六章。包括：目標、人員、藏書、服務、建築設備及預算，每章除先作說明外，並舉出標準性的條文及解說。據專門委員會主席William S. Budington 氏在標準的序言中指出，此項標準無意作爲一項作業典範，而希作爲各機關設置一所專門圖書館，或重新規劃現有專門圖書館設備之指南；此外，並供專業圖書館顧問人員及專修圖書館學及資料科學（Information science）學生之參考。本標準主要在指出一所成功的專門圖書館所應具備之因素，以及如何運用各項因素達到高素質的服務。

專門圖書館的目標，據標準闡釋，有以下三項：

1. 專門圖書館爲其服務機關之一主要資料來源。
2. 專門圖書館蒐集、組織、保存、利用與傳播適合於該機關活動的各項資料。
3. 專門圖書館對所有在其業務上有適當需要的人士服務。

專門圖書館人員的素質是該館有效實施其服務的重要因素，因此，在標準的預算項目中規定大部分的經費應作爲支援專業與非專業人員薪津之需，通常佔整個經費的百分之六十至七十九之譜。

一所專門圖書館的行政人員應負責該館所有行政方面的和專業方面的職能，其中包括：制訂政策，遴選人員，確定工作程序，評估本館服務，籌劃經費及督導業務等項。行政人員必須具有專業資格，並且曾有三年從事專門圖書館專業工作的經驗；或者是某一學科專家，具有三年在專門圖書館工作的經驗，證明有專業工作的能力。當然，最理想的曾受圖書館專業訓練，兼爲某一學科專家。

除專業人員之外，專門圖書館還需要各種專家，如：文獻資料查索員，翻譯人員，摘要編輯員、索引員、資料系統專家等。

專業人員應謀繼續進修，以了解新的學術發展情形，此外並應參加專業及專長的各項活動。非專業人員擔任事務性的職務以配合專業人員的工作。非專業人員與專業人員的比例應視專業人員的人數，藏書量，服務性質，以及所保持的記錄的數量等因素而定。一館至少應有一位合格的專業人員和一位事務員，非專業人員與專業人員的比例建議爲三與二之比。

在藏書方面，專門圖書館可包括各式各類的資料，但這些資料並不一定適合每一圖書館之需。它必須蒐集基本的，經常使用的並且有潛在利用價值的資料。資料的範圍依該機關的目標而定，各科資料之深度依該機關的工作性質而定，資料的數量則視與該機關特殊需要有關的可供使用的資料總量而定。

在資料的蒐集上，必須針對該館既定的目標制訂方針，其中包括贈書和交換圖書的處理原則在內。各項資料應適當的加以組織，並利用目錄、索引及指南等工具便於資料之查索。

專門圖書館之服務應發揮主動的與積極的精神。當讀者有所要求時應及時查尋供應各項資料。所承擔的參考工作包括查檢文獻、編排書目、索引與摘要。如果讀者有文字上的困難，應設法指定館內工作人員或委由商業翻譯機構代爲翻譯。讀者所需要的資料在本館中無法供應時，應利用館際互借方式設法向其他機關或圖書館借用 。 由於期刊供應最新的學術發展與動態消息 。因此，專門圖書館應採取各種方法，如在館內陳列展出期刊，將新到期刊定期傳送給有關人士輪流閱覽 ， 或將該刊目次表複印傳閱，編製期刊文章選目分送參考，或者訂閱若干複份供個人及團體閱覽。此外，有關新收資料也可利用展覽、傳閱、編製書目等方式使讀者了解本館收藏內容。

在建築設備方面，專門圖書館應選擇一處適中地點，備有安全儲存資料及便於利用者與工作人員閱覽與服務的空間。在本標準附錄中詳細開列其建築規格如下：

1.書庫及其他陳列書籍之區域：每平方呎負重一五〇磅。

2.書架尺寸：高度七・五呎（七層）

三・五呎（櫃檯高度，三層）

寬度三呎

深度八、十、十二吋

3.書庫區域：每段七層（三呎寬）

每區不超過五座雙面連架，或不超過十五呎。

每兩排書架的間隔距離最低限度爲三呎。

4.所需書架數量：

每呎陳列圖書册數：根據 Randall 氏引述，每呎書架平均排陳圖書或期刊册數，依照三家書架製造商之建議如下：

參考書	六～七册
經濟類圖書	七～八册

工藝及科學圖書	六册
法律圖書	四～五册
合訂成册期刊	五册❷

每一標準型書架（七・五呎高，七層，三呎寬）容書册數：應以不超過三分之二容量統計，以下數字代表每架平均容量：

參考書	八四～九八册
經濟類圖書	九八～一一二册
工藝及科學圖書	八四册
法律圖書	五六～六四册
期刊册數	六〇册（六層）

5.一般所需面積：

通路：在閱覽桌或自習桌之間，僅有一張坐椅時應間隔四呎，如背靠背各有一椅，應間隔五～六呎。

桌與牆之間的間隔距離應為五呎，閱覽桌端的通路應保留三・五～四呎。

借書檯前為四呎，目錄櫃前為五呎，資料櫃前為三呎，資料櫃之間為四呎，工作人員辦公桌前為四呎，平行排列的辦公桌之間為二～三呎。

技術工作區：每人面積，包括辦公桌，工作檯，書架等及通路，需一二五平方呎。

6.照明設備光度：

地點	燭呎
閱覽室	七〇

儲藏室（書庫、資料室） 三〇

工作人員區域 七〇

照以上所示，一所具有功能化的建築必須準備三種主要的區域：(1)爲讀者服務的空間，如參考、閱覽圖書的場所；(2)儲存資料的空間，如書庫、書架及排列藏書的所在；(3)技術工作的空間，如採訪、編目等室。

最後在經費方面，標準中規定，專門圖書館之預算應尊重該館負責人員的決定，在人員的薪酬方面應佔較高比例。

附 註

❶ "*Standards for special libraries.*" *Special Libraries.* Dec. 1964. P. 671-680.

❷ Randall, G. E. "*Library space and steel shelving.*" in Lowis, C. M., ed. *Special libraries and how to plan and equip them.* New York, Special Library Association, 1963, p. 18.

伍、結 語

美國圖書館協會自一九二〇年公佈「中學標準圖書館之組織與設備」起，至一九六九年公佈「學校媒體計劃標準」止，五十年間，先後擬訂了各項圖書館標準近二十種，對於圖書館事業之普遍發展，以及各館本身業務水準之提高，貢獻至鉅。玆就各項標準綜合研究，並比較同一性質各項標準之先後修訂情形，當可發現以下幾點明顯的事實：

一、表現民主自由精神，倡導服務至上觀念：

圖書館標準之擬訂，旨在揭櫫圖書館工作之目標與理想。美國圖書館係民主社會之一產物，經費來源悉賴社會民衆納稅支持。因此，在圖書館標準中無不以維護及尊重個人自由閱覽的權益爲其主要目標。美國圖書館協會在一九二六年出版的「圖書館與成人教育」一書中曾明白的指出現代公共圖書館的任務說：「現代公共圖書館的基礎，漸加穩固地建築在全國一致的信仰上。這種信仰，就是人類思想權力（Power of thoughts）。因爲深信人類思想的偉大，所以全國民衆，自願納稅，以維持和推廣圖書館事業，使民衆對於這種思想的記載物（Records of thoughts）卽圖書印件，無論何人，無論何時，都可以予取予攜（Freely available to all comers at all times）」。五十餘年來，這一任務不僅從未改變，而且益加穩固❶。

美國圖書館協會理事會曾在一九四八年六月通過「圖書館權利宣言」（Library Bill of Rights），向各圖書館及社會大衆宣示其基本的政策與信念，可以說是凌駕所有各類圖書館標準之標準。該一宣言於一九六一年二月重行修訂，其條文如下：

1. 圖書館服務之一職責是，圖書館資料的選擇應基於社會人士的興趣，以及資料內容與思想啓廸之價值而定。任何圖書絕不能因爲著者種族、國籍、政治上或宗教上的觀點而加以排斥。

2. 圖書館應備有豐富合用的資料，該項資料應能表示出有關當代國際的，國內的及國外的問題與觀點的各種不同的看法。同時，任何含有眞知灼見的著作，不可因派系或教義之非難而被禁止或自架上剔除。

3.圖書之檢查，無論基於個人或團體的促使，都可能建立一種強制的美國主義的思想。因之，圖書館爲維護其利用印刷資料供應大衆知識消息及啓廸心智之職責，必須起而與之對抗。

4.圖書館應與科學界、教育界、出版界等有關聯性的團體合作，以對抗一切削弱美國傳統的自由交流思想和充分自由表達意圖。

5.個人利用圖書館的權利，不得因種族、宗教、原屬的國籍或政治觀點而遭否定或剝奪。

6.作爲一民主生活的教育機構，圖書館應樂於利用其會議室作爲有益於社會或文化的活動及現代公衆問題的討論場所。這種會議場所應一視同仁的供備社會上一切團體利用，不問其成員之信仰與派系關係如何❷。

從以上條文可以看出美國圖書館地位實已擺脫了一切政治、宗教等影響因素。美國政府雖在聯邦教育署之下設有圖書館與教育技術局(Bureau of Libraries and Educational Technology)，但其職責僅屬聯繫與統計，並無行政上的控制權。因此，圖書館屬於全民的事業，其組織採地區自主制，由當地市民代表組成董事會，自行決定及處理圖書館事務，所以能充分發揮其自由民主的精神。

其次，從標準中也顯示出服務至上的觀念，圖書館爲方便對全民服務，除增設分館外並辦理巡廻業務，使圖書館工作在橫的方面伸展到每一角落；而在縱的方面，不僅爲成人工作，更辦理青少年，兒童及病殘者的服務，訂定有完備的標準推動實踐，依一定的方式發展，這也是其他國家所難以比擬的。

二、擺脫獨自經營方式，步入合作發展途徑：

美國公共圖書館的組織，一似其他企業機構，漸漸合併各小圖書館成立大單位圖書館系統（Large-unit library system）以求減少人力物力，增加可用資源與加強服務效能。此所謂合併，係統籌辦理行政、人事、圖書採購與編目等業務，至於小圖書館本身業務仍維持不變，但成爲大單位中的一份子，以期達成「集中管理，分區服務」(Centralized administration and decentralized service）之目的，這一方式在一九五六年和一九六六年的標準中明白顯示出來。另在學校圖書館一九六九年標準中也倡導建立全州，全區或本系統媒體中心的組織形態，這與一九四五年標準所介紹個別經營的方式是迥然不同的。

三、擴大收藏範圍，提高服務層次：

在近年來新公佈的標準中特別強調視聽資料的重要性，如公共圖書館一九六六年標準中特別註明：「所蒐集的資料形式，包括有：圖書、期刊、小册、報紙、圖片、幻燈、幻燈捲片、樂譜、唱片、地圖及各種微影攝印品」；另在學校圖書館一九六九年標準，以 Media一詞代表印刷的和視聽形式的兩種資料媒體，並以 Media center 代替圖書館一詞，足以證明對這兩種資料相提並重之意。此外，在歷年標準中，最顯著的改變就是數量上的提高，這也充分顯示出圖書館事業的發展促使舊標準的落伍，原有的數量規定已不能作爲各館在數量上的發展標的。以學校圖書館標準爲例，一九六〇年規定每一學生應有圖書十册，而一九六九年規定爲二十册，在九年間提高一倍之多，也證明了各館已具有達到這新標準的潛力。

以上係就一般情形加以論述。除以上各類圖書館服務標準外，美國圖書館協會各單位因其工作需要尚訂定有若干其他標準，如一九三八年通過的「美國圖書館員行爲信條」(Code of Ethics for Librarians)，一九五一年的「圖書館學校認可標準」(Standards for Accreditation)，一九五八年的「圖書館大學部教育計劃標準與指南」(Standards and Guide for Undergraduate Library Science Programs)等。再如美國學院及研究圖書館協會最近更公佈一「大專圖書館員之教員地位標準」(Standards for Faculty Status for College and University Librarians)，其目的在提高人員之地位，使能享受教員之同等待遇。此外，Signe Ottersen 氏於一九七一年三月發表「圖書館評估標準專目」(A Bibliography on Standards for Evaluating Libraries)一文，列舉一百卅八種足資作爲評定圖書館各項工作之標準，其中除美國圖書館協會制訂的部分標準外，大多係私人著述，未經圖書館專業組織所認可。不過，此項標準也可補充正式標準之不足，有助參考❸。

我國圖書館事業仍未脫艱困時期，有關圖書館標準的擬訂，中國圖書館學會曾在民國五十年至五十三年之間先後公佈了四種基本標準，包括公共圖書館，大學圖書館，中學圖書館及圖書館建築設備。其內容係根據我國圖書館實際情況，並參酌先進國家的經營觀念所擬訂❹，如與美國今日實施的標準相互比較，無論在質量與數量上相差甚遠。最重要者，該項標準公佈迄今爲時已久，在觀念及做法上有待修訂，同時也有待於教育主管當局與圖書館界共同努力促其實施。

附 註

❶ American Library Association, Board on the Library and Adult Education. *Libraries and adult education.* Chicago, 1926.

❷ American Library Association."*Library Bill of Rights.*" *American Library & Book Trade Annual* 1960. New York, R. R. Bowker, 1960. P. 84.

❸ Signe Ottersen, "A bibliography on standards for evaluating libraries." *College and Research Libraries* 32; no. 2:127-144, March 1971.

❹ 圖書館標準。中國圖書館學會，民國五十四年印行。

參 考 資 料

1. A. L. A. Minimum standards for public library systems 1966.
2. A. L. A. Interim standards for small public libraries, 1962.
3. A. L. A. Standards for children's services in public libraries, 1964.
4. A. L. A. Young adult services in the public library, 1960.
5. A. L. A. Guidelines for library service to adults, 1966.
6. A. L. A. Standards for library services for the blind and visually handicapped, 1967.

7. A. L. A. Standards of quality for book-mobile service, 1963.
8. A. L. A. Standards for library functions at the state level, 1963.
9. A. L. A. Standards for school library programs, 1960.
10. A. L. A. Standards for school media programs, 1969.
11. A. L. A. Standards for college libraries, 1959.
12. A. L. A. Standards for junior college libraries. 1960.
13. A. L. A. Standards and guide for undergraduate programs in librarianship, 1959.
14. A. L. A. Standards for accreditation, 1951.
15. A. L. A. Code of ethics for librarians, 1938.
16. A. L. A. Objectives and standards for special libraries, 1964.
17. A. L. A. Hospital libraries objectives and standards, 1963.

（原載於「人文學報」第二期，民國61年輔仁大學印行。）

美國公共圖書館制度

公共圖書館是一由當地政府所維持，收藏各項資料，備供民衆使用的機構。在圖書館的類型中，其他圖書館都有其一定限度的讀者，如大學圖書館是以大學的員生爲服務對象；惟有公共圖書館，所服務的對象是全體社會民衆，其中包括稚齡的兒童、在校的青少年、各行各業的成年人，以及享受晚年生活的老年人。據美國圖書館協會闡釋，公共圖書館的服務特質具有：教育性、資料性（Information），文化性及娛樂性四點，其基本目的就是發揮有敎無類的理想，以圖書資料作爲工具，以解說（Interpretation）與指導（Guidance）作爲手段，推展對讀者繼續教育的工作，藉以達到民衆大學的理想（People's University）。

公共圖書館現在美國業已成爲國家教育的主要輔助機構，形成一龐大的教育力量。根據美國圖書館指南一九八三年的統計，現美國全國共有公共圖書館八八二二所，市、郡及區域組織分館有六一四六所，其他藏書在一萬册以下之小館尚不計在內。登記來館閱覽的讀者達八千萬人，估計一年內流通近九億册圖書。美國圖書館事業之有今天的成就，與美國的政治制度、文化背景，教育方式及經濟發展有密切關係，如今圖書館事業已經形成了一種社會制度，民衆生活中一不可缺少的部分。本文就美國公共圖書館事業發展的歷史，目標與信念，圖書館標準的影響，公共圖書館組織型態，以及公共圖書館的各項服務分別探討如後，藉此可以對美國公共圖書館制度有一明確觀念。

一、美國公共圖書館發展史

美國教育當局在一八七六年曾編印了一部有關美國公共圖書館的特別報告，其中曾強調公共圖書館應作爲公共教育的輔助單位，其職能不僅是供應民衆各項資料，而最主要的應該認識到本身的職責有如一位教師，肩負有重大的教育責任。

在美國的圖書館發展史中，公共圖書館是自十九世紀中葉起始，才體認到其本身的職責所在的。也可以說，公共圖書館是從當時起才眞正存在的。在十九世紀以前，雖有圖書館的設置，但是多屬應付一時的需要，不能說是一永久性的教育設施。

在十八世紀時，美國的圖書館卽已創始。究其名稱，有社會圖書館，學區圖書館之分。所謂社會圖書館（Social libraries），係教區圖書館（Parish libraries），會員圖書館（Subscription libraries），機械圖書館（Mechanic's libraries），及商業圖書館（Mercantile libraries）的總稱；繼此之後，才有正式公共圖書館的出現，玆就其性質分別說明如下：

1. 教區圖書館

教區圖書館原爲當地的牧師及士紳所設置，屬於通俗圖書館的一類。其發源於英格蘭及蘇格蘭，而後由 Thomas Bray 推展到殖民地的美國。 Bray 原係福音傳佈會的創立者並兼任秘書。

所設立的圖書館主要在 Maryland，而後發展到南方各州。這類的圖書館大多以儲集宗教和哲學類圖書爲主。

2. 會員圖書館

係由贊助者繳納一定的會費所維持設置。歷史最久並頗有盛名的，是由富蘭克林於一七三一年在費城所創設的會員圖書館，被富氏稱之爲「北美會員圖書館之母」確實如此。以後該館更名爲「費城圖書館公司」（Library Company of Philadelphia），與富蘭克林所創辦的美國哲學學會合作。這也是 Junto 辯論學會自然發展的結果。由於 Junto 的會衆討論哲學文學，因而需要圖書。一如富蘭克林在他的自傳中所述，當時在波士頓南部的任何殖民地並無一所理想的書店，而在紐約和費城的書店只不過出售一些文具紙張和表簿之類。因此，喜歡閱讀者不得不遠至英格蘭訂閱所需要的書籍，這是一項非常之不經濟的過程，富氏爲了解決這一困難問題乃創辦費城圖書公司。這一方式後來傳佈到新世界的其他地區，成爲以後公共圖書館的先鋒。

3. 機械圖書館與商業圖書館

其情形一似會員圖書館，並且有同一目的。所不同的是，這種圖書館是爲應藝術家、技工及商人而設，並非爲一般人士及學者而設。其所藏多屬專門性書籍，以善於運用其休閒時間，充實其本身技能，發展其經營的行業爲主。

4. 學區圖書館

學區圖書館是一介乎社會圖書館與眞正的公共圖書館之間的橋樑。學區圖書館原是由私人支持，會員繳費設置的，而後轉變爲由公家支持的圖書館。早在一八三五年紐約州就通過了一項法案，各學區徵收稅金以支應公共圖書館之需。這一法案最初的反應不佳，因此，在一八三八年又通過了第二項法案，卽由州撥款補助地方稅收以爲購書之用，這次比較成功，在三年之內，購置了卅萬册圖書存放在紐約州的學校之中，而到一八五〇年時，增加到一百五十萬册圖書。由於紐約州的倡導，其他各州相繼成立學區圖書館，如麻州在一八三七年設置學區圖書館系統，康奈廸卡州繼之於一八三九年設置，羅德島於一八四〇年設置。而中西部各州（包括密西根、印地安那、俄亥俄州等）在一八五〇年前也通過了學區圖書館法。但一般說來，都不是很成功的。

學區圖書館的失敗，是由於管理方法的不當。這類圖書館主要是蒐集教科書，一般圖書，以及淺薄的文學作品。不講求圖書選擇的方法與技術，而所收藏的書籍大多不合讀者的閱讀水準，未能引起讀者的興趣。尤其一些印刷商也利用學區圖書館的方便，編印出整套的沒有經過良好選擇的書籍，透過地方代理機構銷售。學區圖書館原意是要爲學區內的一切人士服務，而結果，不論是對一般民衆或是對在學學生都失敗了；不過惟一的收穫是因此而爲以後的學校圖書館和公共圖書館奠定了基礎。

5. 公共圖書館

由於紐約州正式立法，由民衆納稅支持當地的公共圖書館事業，促使了公共圖書館事業的發展，而波士頓公共圖書館的產生，更爲新圖書館運動開拓了一條新的途徑。一八四七年波士頓市長昆西（Josiah Quincy）捐贈了五千元購買書籍，供公衆閱覽，但附帶有一條件就是市議會必須先行通過圖書館稅的徵收，一八四八年完成立法程序，一八五二年公共圖書館計劃實施，一八五四年正式爲讀者服務，一八五八年波士頓公共圖書館新厦落成，並遷入工作，一八七〇年在東波士頓設立了一所分館，這也可以說是美國第一所公共圖書館分館。

與波士頓可以相互比美的是紐約市的免費公共圖書館。該館係在阿斯特（Astor）家族的慷慨捐助下，於一八五四年開始對紐約市市民服務的。該館開始時僅有圖書八萬册，大部由其首任館長寇克威爾（Joseph C. Cogswell）所選購，到一八七五年擴充到十五萬册，均屬研究性著作。另外在紐約市的重要書藏尚有雷諾斯圖書館（Lenox Library），是由（James Lenox）所捐建的，其收藏重點在美國歷史和伊麗莎白時代的文學作品，於一八七〇年開放，供民衆使用。其他再如紐約會社圖書館、歷史會社圖書館、商業圖書館、學徒圖書館等尚多，有的屬於私人所辦，有的是屬於半公開性質。這些圖書館會合成爲一美國圖書中心。一八八〇年，有一所屬於私人慈善事業的紐約免費流通圖書館（New York City Free Circulating Library）正式開放。到一八九五年該館擴充到十一所分館，對紐約市民提供了部分的公共圖書館服務。但嚴格說來，不管這些分館的設備如何完善，紐約市當時還沒有一所合乎現代要求的公共圖書館。

一八八六年，紐約市的前任市長狄爾登（Samuel Tilden）將其大部財產及私人所藏的二萬册圖書，辦理了一所免費的公共圖書館。一八九〇年市政府運用了狄爾登基金，決定合併紐約市的各圖書館，使其納入中心管制系統。一八九五年此項計劃完成，乃創立了紐約市公共圖書館，邀請曾任陸軍醫學圖書館館長的畢林斯（John Shaw Billings）博士任第一任館長。紐約市公共圖書館開始成立時，因無一所適當的建築，於是藏書分散在阿斯特和雷諾斯圖書館，直至一九一一年，總館建築落成，各處藏書乃集中一處，發展至今，業已成爲世界上最具規模的參考圖書館之一。紐約市除此館外，圖書流通工作是由另一流通圖書館負責辦理的，到一九六〇年止，全市共有八十五處分館，構成一嚴密的服務網。到一九六〇年底，紐約市圖書館系統共擁有八十五處分館，藏書八百萬册，每年經費達二千萬元，成爲美國公共圖書館中的領導者。一八九七年，布魯克林公共圖書館（Brooklyn's Public Library）開始合併了許多規模較小的書藏，成爲紐約的第二個公共圖書館系統。一八九六年皇后區公共圖書館（Queens Borough Public Library）由長島市立圖書館擴展組織，成爲紐約第三個圖書館系統。

美國其他各地的公共圖書館中，較具規模者甚多。如聖路易市早在一八二四年就有圖書館會社之組織，以後該會藏書移轉商業圖書館協會，擁有會員千餘人，可以說是一所最爲成功的贊助圖書館，直至廿世紀仍然存在。一八六五年，聖路易應市民需要，創設了一所公共學校圖書館，讀者以學校師生爲對象，但是仍然要繳納會費，所以嚴格說來，並不是公開服務的公共圖書館，也不是學校圖書館。一八六八年該館遷入市政府的建築，有四萬册圖書，會員六千人。自此以後該館館名將取消了「學校」

一詞，並免收費用，成爲一所名實相符的公共圖書館。

一九一二年該館獲卡內基基金會的資助，完成了第一座公共圖書館建築，一九二九年，聖路易公共圖書館收有七十五萬册圖書，十七所分館；而到一九六〇年底擁有一百五十萬册圖書和廿二所分館，成爲美國具有規模的市立圖書館之一。

在美國西海岸，洛杉磯（Los Angles）公共圖書館可以說明了快速成長的城市及其公共圖書館的發展情形。洛杉磯圖書館會社在一八七二年成立，終身會員每人繳納會費五十元，年費五元。開始時該會社租用四間房屋存置圖書。之後，於一八八九年遷入市政廳爲市民服務；一九二六年，該館設有四十四所分館和七十六個儲存站，藏書亦達一百萬册，總館新厦亦這時完成。一九五七年，市政府籌款六百四十萬美金，增建了廿八所分館。一九六〇年末，洛杉磯公共圖書館已成爲世界上最具規模的公共圖書館之一，藏書三百廿五萬册，每年經費八百萬元，爲全市三百萬人服務。

在洛杉磯區域，除市立圖書館外 還有洛杉磯郡圖書館（Los Angeles County Library），爲卅九個自治區服務，連同尚未合併及鄉間地區，共有讀者二百四十萬人。郡圖書館將其劃分爲九個區域，有九十一處圖書館和九輛圖書巡廻車，和將近二百五十萬册圖書。以上這兩個洛杉磯圖書館系統合併而論，形成了龐大的圖書館服務網，其服務範圍凌駕世界各城市之上。

到十九世紀末，美國各地的各種不同型式的會員圖書館漸漸沒落，大部分合併到當地的公共圖書館系統之內，小部分關閉並出售其藏書。當時公共圖書館的業務仍多在開創階段，人員不足，且多乏經驗。在經營觀念上，開架制與閉架制成一爭辯性的問題，對兒童的服務，卡片目錄成為一新的發展重點。多數的小型公共圖書館僅有一間房間和一個館員。

廿世紀初，卡內基慈善事業的捐助對於圖書館的發展發生了莫大的鼓舞力量。卡內基（Andrew Carnegie）為蘇格蘭移民，經營鋼鐵工業，獲利頗豐。晚年設置基金會與建圖書館建築。此項捐贈始於一八八一年，他鼓勵各地興建免費的公共圖書館，並且在匹茲堡區建築了一所圖書館贈送給當地的鋼鐵工人。以後，他確定了一項政策，即任何一個城市，如果保證設置一所公共圖書館者，該基金會便捐贈若干經費作為圖書館建築之需。到一九二〇年，他捐建的圖書館不下於二千五百所。

雖然卡內基慷慨捐贈，但是有些城市卻反對接受。如底得律市拒絕了一筆七十五萬元的巨款，後來又追加五十萬元，仍遭強烈反對。一直到一九一〇年才勉強接納。亦有的圖書館接受了捐助，但完成館舍後卻不能實踐其諾言，藏書和人員均嫌不足。由於卡內基的倡導，其他慈善家紛紛答應，以致美國各地到處可見以捐助人命名的各種圖書館建築物。

一九一三年，美國教育界對全國圖書館事業作一綜合調查，宣稱藏書在一千册以上的免費公共流通圖書館共有三千〇六十二所，多集中在美國的東北部及中西部。不久，第一次世界大戰爆發，圖書館事業的發展深受影響，但卻建立了海外，營地，艦船等服役人員所需要的圖書館。在美國國內民衆捐贈了一百六十餘萬資金用以完成這項計劃，另外，美國圖書館協會及美國紅十字會亦提供指導。在這兩個單位的協助下，圖書館及個人捐贈了大批的圖書，於是四十七個營地圖書館在訓練基地和海外司令部成立，並由受過訓練的人員擔任管理人員。此外，有二百六十一個小型圖書館和二千五百多個供應站就安置在較小的軍事郵局內，或是紅十字會福利部等。這些圖書都被充分使用，尤其服役的軍人退役之後，對圖書館的利用仍保有興趣，也促使了各地公共圖書館的發展。

一九二六年，美國圖書館協會在「美國圖書館調查」一報告中，發表了有關國家圖書館的重大研究。該項報告係一項針對藏書在五千册以上的三千所圖書館所舉行的調查，探詢其有關經營、人員、服務及設備等方面。調查結果顯示，十年來，圖書館業務已有顯著的發展，即在一九二〇年成立了更多的具有規模的圖書館，但是有些大的地區仍未提供服務，甚至許多小鎮還沒有大衆化的免費圖書館。此一調查對於圖書館事業的未來發展有所介紹，如果不是因爲美國不景氣年代的來臨，它將爲圖書館事業未來發展奠定了穩固的基礎，可能成爲開拓圖書館事業的藍圖。

美國經濟不景氣時代開始於一九二九年，起初對公共圖書館增加了許多困難，如預算減少，分館關閉，巡廻車停開，開放服務時間縮短等等，但是經濟不景氣卻對讀者產生了新的要求，許多市民爲了獲得一技之長而到圖書館中蒐集資料。到一九三三年情形逐漸好轉，聯邦政府多方面的協助地方圖書館，聯邦基金也有效的運用在新館舍的建造上，促使圖書館普遍發展。尤以田納西流域主管當局聯合了沿岸七州作地區性圖書館試驗，爲鄉村帶來了空前未有的公共圖書館服務。

一九三八到三九年，美國教育界對公共圖書館作了一項調查統計工作，從中看出該年度全國共有六千八百八十所公共圖書館提出報告，共藏書一億四百萬册，有二千四百萬登記的讀者，每年借出圖書四億餘册，僅在該一年度中卽增加了七百萬册圖書。在地區分佈上，東北部和中西部各州仍擁有最多的公共圖書館，西部則急起直追，其他地區則以一穩定的速度提高服務效能。在這方面南方各州顯然落後，但是在較大的城市中仍發展了幾所頗具規模的圖書館，而鄉村的圖書館服務也逐漸擴展開來。此外，全國郡圖書館的數目不斷的增加，同時郡與郡之間，或城市與郡之間也聯合起來，計劃以最經濟有效的方式爲更多的民衆展開最好的服務。

參考資料

1. Johnson, Emener D. *History of Libraries in the Western World.* N. Y., The Scarecrow Press, 1970. P. 351-381.
2. Boswick, A. E. *The American Public Library.* New York, 1910, 394p.
3. Harris, Michael H. *Reader in American Library History.* Washington, D. C., Microcard Editions, 1971. 242p.
4. Leigh, Robert D. *The Public Library in the U. S.* New York, Columbia Press, 1950. 272p.
5. Marshall, John David. *An American Library History Reader.* Hamden, Conn., The Shoe String Press, 1961. 464p.

二、公共圖書館的信念及其目標

無論是那一種類型的圖書館，自其存在以來，其本身就被賦予一項共同的目標，那就是將記錄人類思想言行的各種資料加以保存（Conservation），整理（Organization），以便於今天的，以及未來的讀者利用。這一目標也就是人類文化的延續和發揚的重要過程。圖書館是職司資料的蒐集、保存、組織和運用的主要機構，因之，其存在與設置不僅成爲一個國家文化盛衰的象徵，也被認爲是人類文化傳播工具之一。

近年來，圖書館員們曾將這一信念付諸行動，美國在政治上和經濟上具有影響力量的人士出錢出力倡導圖書館事業。我們發現美國圖書館事業的發展實與美國的時代精神相互呼應。在殖民地時期，新教徒叛亂，提高了個人生存的價值，也喚起了個人的自覺，激發了個人求知的慾望，從書本中吸取知識，決定所扮演的角色。以後，自治聯邦政府和中央政府成立，更強調了讀書是提高公民認識和對公衆事物瞭解的一項重要手段，所以特別鼓勵一般民衆多多讀書。美國向西部拓展時期，經濟發展因大陸資源的開發而增加，免費的藏書所提供民衆尋求知識的機會。但是在這一階段中，社會風氣隨都市生活的發展而日益低落，從事宗教活動的傳教士們有鑒及此，乃建立了圖書館，提供合宜的讀物和娛樂活動。後來，一些急進主義者在勞工和農民階層中抬頭，他們認爲閱讀有關經濟現況的書籍有助於提高社會的穩定性和持久性。當南方和東歐移民充塞各城鎮，公共圖書館轉而利用其藏書教育新的移民，使其溶匯在現代的文化型態之中。

以上說明了美國社會在傳統觀念上，一直推崇書本的價值，圖書館員們亦深信圖書的力量可以增加個人知識，提高社會文化，促進社會發展，以及轉移社會風氣。由此而建立了公共圖書館員們利用圖書大衆服務的堅定信念。

論及美國公共圖書館當前的目標，過去曾由美國圖書館協會印行了幾種資料，可歸納其意見作爲參考。第一篇資料是「公共圖書館戰後標準」，原文是由協會戰後計劃委員會於一九四三年所公佈的。第二篇是「全國公共圖書館服務計劃」是協會於一九四八年所刊行的，原稿由八位顧問所組成的小組所通過，然後分送各有關人士審議，最後經會議通過實施。第三篇名之爲「四年目標」，於一九四八年經廣泛的討論研究，確定爲當時公共圖書館發展的目標。以後協會陸續出版了若干有關文獻，但是仍不離以上所述的範圍。茲就以上三篇文獻中，對於公共圖書館目標所揭櫫的要點說明如下：

1. 一般目標

(1) 公共圖書館應有組織的去蒐集、保存、整理書籍和相關的教育性資料；並藉輔導和激勵的方法，以啓廸民智，調適個人的精神生活。

(2) 公共圖書館應作爲社區中的文化中心。

(3) 公共圖書館應提供各項機會，並鼓勵兒童、青少年、成年人從事繼續性的自我教育。

2. 公共圖書館資源應致力發展之知識範疇與興趣

(1) 公共事務，公民責任：

①有助於激發民衆閱讀與討論重要的問題之興趣。

②增進民衆的能力，使其能參與各項活動，作爲一個本

社區的，美國的及世界的良好公民。

③協助民衆養成對公衆問題提供建設性的意見，同時消除對於公衆問題的無知。

④提高民主的態度與價值。

(2) 職業方面：使民衆獲有職業方面的及實際事務方面的專業知識與技能，如行業知識、家庭教育、兒童看護、營養衞生等。

(3) 美的鑑賞：提高民衆在文化領域中鑑賞和創作的機會。

(4) 娛樂：協助民衆善能利用空閒時間，增進個人及社會的福祉。

(5) 知識：供應新的知識資料，使民衆知識能與現代學術保持併進。

(6) 研究：能爲從事研究工作者而服務。

3. 達成圖書館目標之手段

(1) 資料之蒐集——除備有印刷資料外，也應備有影片、錄音帶、視聽等設備，其他如講演、討論等所需資料。

(2) 資料之供應——圖書館必須將混亂的資料妥加選擇、整理，使能成爲一教育工具；利用合作採訪，館際互借等方式，保證讀者能獲有世界上最具價值的知識。圖書館的資料應免費對當地民衆開放；而圖書館的服務亦應建立在那些尚未有效的利用圖書之處。

(3) 資料利用之輔導——圖書館員應作爲讀者與資料間的介紹者，其主要目的在能消除讀者與圖書資料間的隔閡。

(4) 鼓勵民衆利用資料——圖書館應訂定明確的計劃，鼓勵讀者利用資料，選擇讀者最具興趣的主題，並能逐漸影響引導讀者閱讀對其有益的書籍。

圖書館應與其他教育及資料機構合作增進民衆對於重要事務了解與判斷的能力，並進而能够表達出他們的意見。

圖書館也應協助社區團體擬具社區組織活動計劃，同時圖書館也應供應有關各方面爭辯性問題的可信資料。

在以上說明中包含了三部分，第一部分是公共圖書館的一般目標，第二部分爲公共圖書館資源所應致力發展之知識範疇與興趣，第三部分爲達成圖書館目標之方法。其中只有第一部分可以稱之爲公共圖書館的目標，其餘兩部分只能說是達成目標的方法。我們研究這一目標之後，可以得到一結論，就是這些公共圖書館的目標是被用來作爲蒐集適當館藏資料的依據，也是推動各項業務的準則，以上目標雖然於一九四八年所研訂，但是廿餘年來，其基本精神與所揭櫫的各項方法迄未改變，現仍奉爲最高的工作綱領。

參考資料

1. Joeckel, Carletoro and Winslow, *Amy. A National Plan for Public Library Service.* Chicago. A. L. A., 1948.
2. Leigh, Robert D. *The Public Library in the U. S.* N. Y., Columbia Univ. Press. 1950. P.12-24.
3. Carceau, Oliver. *The Public Library in the Political Process.* N. Y., Columbia Univ. Press, 1949. 255p.

4. Nelson Associates. *Public Library Systems in the U. S.* Chicago. A. L. A., 1969. 368p.

三、美國公共圖書館的服務標準

美國公共圖書館標準在過去四十年間，曾由圖書館協會先後公佈了四次——一九三三年、一九四三年、一九五六年和一九六六年。其中除一九六六年標準之外，每次的標準都反映出公共圖書館服務及其組織的新觀念，對於圖書館界發生了莫大的衝擊力量。其影響不但遍及全國一般圖書館之服務，尤有甚者，更促使若干州的圖書館標準之產生。玆就全國性公共圖書館標準各州圖書館標準產生背景及標準內容分別探討如後：

1. 全國性公共圖書館標準

美國公共圖書館標準始於一九三三年，當時適値全國經濟不景氣時期，圖書館一似其他敎育機構深受其影響。一般民衆爲獲得新的知識與技能湧入圖書館找尋資料，以便能獲得新的工作；也有些人意志消沉，藉閱讀而逃現實。以致公共圖書館在一九三三年的流通量超過往年，成一巓峯狀態。

一九三三年，美國圖書館協會制訂了一項標準，定名爲：公共圖書館標準 Standards for Public Libraries，這一標準對於圖書館服務上的基本要求作了一些規定，每一讀者至少應有圖書費一元的口號也在這一標準中提出。分析研究，這一標準僅不過簡扼的規定出一所公共圖書館所應具有的資源和基金而已。

第二個標準的產生是在二次大戰後期，當時德軍節節敗退，勝利在望，圖書館界考慮到戰後的服務計劃，乃於一九四三年由A. L. A. 提出了一項戰後服務標準，長達九十二頁，定名為：公共圖書館戰後標準 Post-War Standards for Public Libraries。其內容包括：目標、管理、組織、服務，以及藏書、人員、經費等項。這一標準確實發生了相當的作用。許多圖書館的行政人員不僅將其當作一項權威資料，同時也作為詳細的計劃和行政的指針。

一九四三年公共圖書館標準委員會的主席 Carleton Joeckel 曾擬定了該年標準的基本方案，嗣後又於一九四八年擬定了全國公共圖書館計劃(A National Plan for Public Library Service)，這一計劃對於圖書館界貢獻至鉅，它不僅倡導了公共圖書館為一成人教育機構的觀念，同時更提出了圖書館質與量的均衡發展目標，在以後的標準中也被採納沿用。

在一九四三年的標準中討論到有效服務的最低藏書量和區域合作計劃，也就是「 大單位觀念 」，這一觀念在一九四八年，Joeckel 所撰述的全國計劃中形成了一主要的圖書館結構，同時在以後的公共圖書館調查 (Public Library Inquiry) 中也被採納。尤其在調查報告中特別在「發展之方向」一章中，對大單位制度加以推薦，並成為該書一大特色。但遺憾的是，對於戰後標準及全國公共圖書館計劃兩項主要資料來源，迄未直接提及並表示謝意。

一九五六年的標準與前稍有不同的是在標準中並不強調數量上的規定和個別的標準項目，而特別注重如何發展有效的服務原則。該一標準定名爲「公共圖書館服務；一項評量的指南，附最低的標準」(Public Library Service; A Guide to Evaluation, With Minimum Standards) 由名稱上可以看出「標準」一詞的終極目的。在此一文獻中，首先提出原則性的介紹，繼之爲各項標準條文。各條文完全是在一從屬的地位。因之，一九五六年標準的公佈只是一項計劃性的文獻，而非一項量度，其目的主要在據此審查各館目標，組織與服務；其次爲參照各條具體的規定，評定各館過去的工作成果。

有一項新的觀念被一九五六年的標準所接受，卽圖書館系統化。這一觀念雖非該標準所創始，但是第一次被介紹運用在圖書館的整個服務範圍之內。這一系統化的觀念，主要目的在聯合各小圖書館，納入一較大的組織之內，謀求更有效的服務。

在這一基礎上，一九五六年的標準剔除了不合理的數量上規定，如在過去一九四三年的標準中規定，在較大的地區中，每一居民應有書一册，而在較小的地區則要求每一居民應有書三册。易言之，較小地區的圖書館要達到上項規定標準，必須花費更大的力量，爭取更多的經費，這是非常之不切合實際的。另一例是一九四三年的標準提出了若干規定，並建議作爲一九三三年標準的補充，諸如：人口在一萬人以下的地區，每年的圖書館流通數量應爲每一位助理人員二萬五千册，而超過廿五萬人口的地區，每一助理人員每年爲一萬五千册。在這種情形之下，在圖書館工作的人員，其工作負荷量顯然較大圖書館爲重。以上這些不合理的規定都是新標準中所沒有的。

爲了適應物價上昇的情況，一九五六年的標準採用了一種新的方式，即將經費列入補編。有關經費開支及需要等規定單獨編列，俾隨時可定期修訂。在一九四三年的條文中曾將原來每人一元的經費數字，改爲三個等級，即最低限度的，尙可的及優越的，但在這三個名詞間並沒有任何明確的解釋。一九五六年的補編中採用了依各館的特殊情況來編擬管理預算的方式，以免標準成爲徒託空談的具文。例如一九五六年的預算總數，每一市民自二點六元，上升到三點四一元；而到一九七一年的補編中（十五年來第四次修訂），已根據當時的物價指數，調整到每一市民七點六元到八點二三元。

在一九五六年的標準中，由於圖書館的組織從個別經營方式，乃發生了一項新的問題。目前許多規模較小的個別圖書館並無一項特定的標準據以評量本身業務，或作爲擬具本身經費之參考根據。

有關經費負擔比例方面，許多圖書館並不是圖書館組織中的一員，甚至納入組織系統中的圖書館也希望在分擔整個經費方面能確定一數字比例。這一問題討論多年，直到一九六二年 A. L. A. 公布了暫行標準（Interim Standards）始有結果。該標準的編輯者，兼顧個別圖書館和業已納入組織系統中的各圖書館雙方面的興趣，並希在一般上保持一項良好的比例。

一九五六年的文獻也產生了其他的標準條文。最密切有關的是一九六〇年訂定的青少年服務標準；一九六四年的兒童服務標準，各州都以此爲準設計其圖書館業務。此外，巡廻車服務標準也在同一時期產生；一九六三年州立圖書館標準產生，但影響似不大。

從一九五六年到一九六〇年初期，公共圖書館的標準非常之完備而合用。這些標準經常被重新修訂，以求適用，爲許多州際的發展計劃奠定了基礎。到一九六六年爲止，這些基本的文獻必須再加以修訂補充，當時考慮的修訂方式有二：一種是就一九五六年的原條文加以修訂補充以符合現況；另一是重起爐灶，擬具新的標準。結果決定就原來的文獻加以修訂，據此原則乃產生了一項「公共圖書館系統最低標準」（Minimum Standards for Public Library Systems, 1966）於一九六七年公佈實施。

2. 各州圖書館標準

美國各州有其自訂的標準，用以適應其個別的情況，而這些標準都是以國家標準作爲依據而擬訂的。在美國的制度中，各州對於公共圖書館之設置，在州法中有明文規定，將公共圖書館作爲各州所承當的一項教育責任。甚至有些州還將圖書館標準的擬訂及實施，也在州法中列明。不僅如此，各州通常多期望全國性專業組織爲公共圖書館發展的目標制訂各項標準，作爲各州擬具其本身標準或作爲發展各州計劃的依據。這種情形恰與學校的教育制度相反，各州係自行訂定教育標準，而非採納聯邦機構或是全國性專業組織所訂定的標準。

不過，也有的州是例外的，如紐約州就已制訂了本州標準，而且比 A. L. A. 所公佈的更爲詳備。紐約州的標準不僅提出了有關圖書館發展方面的建議，更規定出州政府補助款的數額。尤有甚者，在州法中規定如各地方圖書館不能保持最低的經費數額，將在州經費中扣除該圖書館的補助款。

近年來，由於若干州政府對圖書館補助的經費增加，因而以州爲基礎的標準亦出現了，作爲圖書館接受州款的條件。這些標準的目的是要使落後的圖書館能達到某一水準。如新澤西州按照每人一元的比例補助各圖書館，這足以使標準更具有意義了。

從美國目前的情況看來，大部分州政府訂定的標準都是比較保守的，多注意到州補助金的申請問題，不過也有標準是比較進步的，如加州的圖書館標準，早在一九五〇年代就擬訂了圖書館系統化的制度，而不是針對個別圖書館所設計的，在觀念上，遠較一九五六年 A. L. A. 的標準還要進步。

參 考 資 料

1. Martin, Lowell A. "Standards for Public Libraries". *Library Trends*. Oct. 1972. P. 164–177.
2. A. L. A. *Minimum Stanadrds for Public Library Systems. 1966.*
3. A. L. A. *Interim Standards for Small Public Libraries 1962.*

四、美國公共圖書館的組織 (Large-Area Systems)

美國公共圖書館事業最重要的發展目標，就是謀求圖書館服務之普遍深遠，能爲全國民衆提供當地公共圖書館的服務。美國公共圖書館法案雖早在一百年前已經制定，但是據統計顯示，目前仍有百分之十五至廿的人從未享有當地公共圖書館爲其安排的各項服務；有半數以上的人民未能充份的獲得當地圖書館的服務，這種情形促使美國圖書館界的密切注意，並根據過去的經驗與未來的理想積極改善，以期達到爲全民服務的目標。

美國圖書館界目前所採取的方式，是步入區域合作之途，由於早期的美國圖書館，多係散佈在鄉鎮中的小型圖書館，近數十來，交通事業突飛猛晉，人口向都市集中，都市面積逐漸加大，從前兩地相距數十里者，現已連成一起。便有人提倡合併這些小圖書館，成立大區域系統，或是大單位制度(Large-Unit System)以求集中人力物力，以及圖書資源，增加服務效能。但是這一計劃每因各地區的人口數、經濟狀況，甚至各州圖書館法令不同，以及各州各地區的歷史傳統有別，以致形成錯綜複雜狀態。某一種合作發展的模式，適用於此地，而不能適用彼處。以郡圖書館 (County Libraries) 爲例，在加州辦得有聲有色，在新英格蘭區則難以開展。原因是前者地大物博，人口衆多；後者則郡政府機構力量薄弱，經費拮据。再如東南部諸州盛行的郡聯合圖書館 (Multi-County Library) 制度，主要由於當地缺乏獨立的地方圖書館之故。由此看來，沒有一種適合於美國全國的方式，使圖書館事業能夠順利發展而爲更大地區的民衆服務。

本章主要係就現已實施的大區域系統加以探討，首先分析全國圖書館系統，其次介紹州立、郡立及郡聯合圖書館制度，最後綜述聯盟計劃，合約服務及合作經營等方式。

1. 全國性圖書館系統

論及全國性圖書館系統，首先要瞭解公共圖書館事業發展上的問題，以及當前的需要。然後始能觸及全國性圖書館系統之產生與計劃。美國公共圖書館事業發展上的問題，一般說來，有兩項主要影響的因素，一是人口稀少地區所產生的問題；一是圖書館設置及服務的費用。這兩項問題息息相關，相互影響。由於美國若干地區地廣人稀，稅收有限，而公共圖書館是靠民衆的稅收來維持的，缺乏足够的經費來源，圖書館事業自然難以開展。

公共圖書館最早是從城市中成長的，目前它仍然在城市中佔有主要的力量。在十九世紀末、廿世紀初期，州立的圖書館推廣機構在都市中設立並有計劃的發展本州的圖書館事業，但有許多實例指出，當時的圖書館規模較小，經費不足，難以符合社區的需要。法律上雖有明文規定，每一社區內應儘可能設置一所圖書館，但仍屬具文。美國全國共有三千〇五十個郡，統計當時有一千個以上的郡立或郡轄市圖書館，其中大部分都是規模較小，藏書不足的。此外尚有二百個農業郡（Rural Counties），更缺乏地方圖書館之設置。

一九三五年以後，重要的發展就是聯合郡圖書館的設立，約有百所這類的圖書館爲五百個郡服務，就理論上來說這未嘗不是一種可行的辦法，但是一所郡聯合圖書館仰賴更多的經費來維持，所以惟有先行動用該州的補助金或其他基金，讓郡及郡聯合圖書館先作爲期一年或更久的示範性的服務，以期得到當地的支持。

近廿餘年來，美國圖書館協會經過不斷的研究，一項全國性的公共圖書館發展計劃業已展開。這項計劃的內容主要有以下三點：

(1) 建立圖書館系統；

(2) 鼓勵各地方圖書館積極的加入州及聯邦政府機構；

(3) 利用州或聯邦政府的補助來強化圖書館的服務。

在以上三項計劃中，最重要的一項是建立圖書館系統的構想。所謂之圖書館系統可以說是一個單獨的市、郡或地區圖書館；也可以是兩所或兩所以上，包括任何規模、任何形式的，利用聯盟或合約方式自願合作服務的圖書館組織。這種圖書館系統可以避免必須在人口稀少地區設立公共圖書館的困難。圖書館系統的服務對象在二萬五千人到十萬人之間不等，究竟以服務多少人始屬理想迄無定論。不過一個圖書館系統所服務的讀者若少於二萬五千人就難以推展，五萬人左右較爲普遍，如接近十萬人將可獲得理想的效果。

圖書館系統的基本精神在各館共同合作，彼此分享其服務和資料。這一構想對於人口稀少而無力建立圖書館的地區尤爲需要。

聯邦政府對於這項全國性公共圖書館計劃的推展也充任了一項重要的角色，現在這項工作已有了相當的進展，國內一些規模宏大的或專門性的圖書館都提供了相當的支持，並供應藏書到各地圖書館中，或利用攝影複印方法提供資料各地讀者利用。在各項支持公共圖書館的活動中，聯邦政府也資助了一項舉世聞名的目錄卡片印刷計劃，爲全國圖書館服務；此外又建立了爲盲人們準備資料的各項服務。尤以聯邦政府推動的 WPA 公共圖書館計劃，TVA 圖書館合約服務計劃，更爲美國公共圖書館發展史中的里程碑。自一九五六年起聯邦政府又制訂了「圖書館服務法案」(Library Service Act)，每年固定撥出經費數千萬元，補助一萬人以下的社區圖書館，這一計劃無疑的對圖書館服務的開展，圖書館系統的形成，州立圖書館機構的工作給予了最有力的鼓勵。

2.全州性圖書館系統

美國政府對於公共圖書館之管理，主要係將責任畀予各州州政府，而非聯邦政府，所以關於公共圖書館業務的與改進計劃，特別是關於某一地區圖書館系統的組織與作業計劃，州政府當局始終是一重要的管理機構。

州立圖書館管理機構的任務與職責，各州不同，但均依各州法規定實施之。有的州法規定在每一地方政府組織內均應設置一所由稅收支持的公共圖書館，類似這樣的立法對於圖書館業務的推展有很大的幫助。在俄亥俄州，公共圖書館的主要經費來源靠全部對股票和公債劵的稅收，任何一所圖書館只要接受了這一項經費補助，就必須對全體郡民提供免費的服務。州訂的法令同樣的也可以授權給郡或郡聯合圖書館 (Multi-County Libraries)，允許其爲圖書館服務締結合約及從事其他的活動。因爲有這樣的條文規定，所以地方政府機構僅能擔任那些由法規特別授權或明白規定的事務。在美國，這是一項被爭執討論的問題，究竟公共圖書館的工作是屬於地方政府還是屬於州政府？有的州對是地方公共圖書館極有興趣，並制訂業務標準，實施監督，然後交由地方政府依據實施。也有的州直接委由各地方政府負責當地公共圖書館業務，這兩種情形兼而有之。但顯然的，由州政府策劃支援者較爲適宜，表現的亦較爲積極。聯邦政府所制訂的圖書館法案

(The Library Service Act)也規定所有補助費用由州立圖書館處理的。

在公共圖書館的發展上，不可避免的每州至少應有一圖書館組織系統 (Library System) 。爲達到這一理想，切實可行的辦法是革新州內圖書館的組織形態，以獨立的圖書館與較大單位之間的協調爲基礎，產生一全州合一的系統，而使圖書館能爲全民服務，並使服務的水準達到一合理的程度。在紐約州，這樣的計劃已經立法機構核准，並由州資助而付諸實施。這種由州政府組織的圖書館系統，無論是現有的或是在計劃之中，都包含了三個要素：第一是區域系統與州立圖書館聯合作業；第二是由州政府資助地方圖書館事業；第三是擬具一項完整的計劃。玆分別說明如下：

(1) 州圖書館機構設置各地分支單位，或是具有類似功能的地方性圖書館系統，充分合作，對於全州圖書館發展之成功與否具有決定性的作用。這些圖書館一方面可以顯示出郡及郡聯合圖書館的價值，將圖書館的服務擴展到偏遠地區；另一方面也可顯示出在合作計劃下個別的圖書館的價值，如丹佛公共圖書館向鄰近的四郡的圖書館提供支援性的參考服務即是。由於這些圖書館接受了政府的經費補助，所以它的服務並不以某一地方政府的轄區爲限。有一點必須注意的是，州圖書館管理機構分支單位應盡可能的透過旣有的地方圖書館作業，設法加強其服務，而不要相互競爭或取而代之，如此反而得不到預期的效果。

(2) 由州政府資助地方圖書館事業方面，遠在十九世紀就有半數的州實施了這項經費資助計劃，不過補助的經費數字都不會太大。

3. 郡及郡聯合圖書館系統

郡及郡聯合圖書館系統 (Multi-County Library Systems) 是指由一郡單獨經營的圖書館或是聯合若干郡的圖書館共同組成一圖書館系統爲某一地區的民衆進行服務者而言。在聯合的方式上，郡內各館可與郡中大城市的公共圖書館聯合，或者與其訂定契約共同作業。而其經費可完全由一般稅收或專款支持，或是部分經費來自參加聯合的各個團體。

郡及郡聯合圖書館所服務的面積較一般的圖書館爲廣濶，而其工作更直接的接近一般民衆。根據美國公共圖書館的統計，在一九五六年中，有三分之二流通的書籍是由郡及地方圖書館所借出的，由此可見，郡圖書館接觸面的廣泛。

郡館聯合爲一系統，優點在集中資源謀求普遍服務，尤其技術工作統由一單位集中處理，也遠比分散處理經濟而有效果。而郡聯合圖書館系統主要的缺點是，圖書館員多希望能提供高水準的服務，但事實上，在地廣人稀的地區達到這一服務水準花費至鉅。郡及郡聯合圖書館的服務上要求其普遍深遠，像準備大量的參考工具或辦理閱讀輔導之類的工作是難以承擔的。

理想的郡館或郡聯合圖書館系統至少應爲五萬人服務始較理想，而藏書以達到十萬册較宜分配使用，最重要的一點是要有充裕的經費，無論州政府補助或地方稅收支援，若無適當的經費是難以開展其服務的。

4. 聯盟制、契約制及合作服務等組織系統

美國圖書館界尋覓各種方法，使各館不僅彼此互相合作，服務讀者，並能將服務的成效普遍推薦。因此乃產生了聯盟制、契約制及合作服務等組織系統。這三種方式主要的特色是：第一，所有的參與者都出自志願；第二，所有組成份子彼此平等；第三，這種方式可保持各館獨立的活動。

(1) 聯盟制 (Federated System) 聯盟制和郡圖書館或郡聯合圖書館制最大的不同之處在於前者並無意於將任何圖書館併入一更大的組織系統之內。參加聯盟的各地方圖書館仍可自行控制其服務計劃，保留個別的名稱、董事會組織、工作人員及自行選擇所需的圖書。無疑的，這種方式較諸完全合併的圖書館組織系統更令人滿意。以紐約州而言，該州圖書館計劃之成功，一直依賴聯盟與合作制之實施，而不是依靠大量的經費補助。聯盟制的組織，一似郡圖書館制度的在服務地區中，至少要依賴一所規模較大的中心圖書館（不論是舊有的或新制設的）之充分發展。同樣的，聯盟制允許其成員圖書館不分行政疆界，為所有該聯盟地區之居民服務。這種制度對於大都市特別適用。

(2) 契約制（Contract Service）契約制由於公共圖書館目的之不同，而有很大的變化。有的契約可能包括圖書館對於某一納稅區的市民應服務項目的全部規定，也有的不過是兩個獨立圖書館間彼此承認對方讀者使用的借書證而已。契約服務與聯盟制有部分相同，事實上，聯盟制本身亦賴契約來完成，有如郡聯合

系統一樣。然而，契約服務常被視為一種短暫的磋商協定，其內容定期的予以變更與檢討，甚至它只包含一項或一部分服務，因此，在服務程度上不及聯盟制廣泛。

契約式的服務最值得注意的是服務範圍，參與的多寡等。契約常常是由大圖書館與小圖書館共同訂定。根據過去經驗顯示，圖書館付出的代價常常低於其費用。換句話說，大圖書館往往資助較小的圖書館，這在不同大小的圖書館交往關係中被認為是理所當然的。這也就是保持大圖書館的尊嚴，並維護小圖書館的利益。目前，契約制雖不及往年普遍，但在某種情況下，仍有具特殊的使用價值，如：區域資料處理中心及影片巡廻服務，就必須透過契約服務制。

(3) 合作安排制（Cooperative Arrangement）未經正式會議決定的非正式合作制度，近年來一直是美國圖書館界所特有的，諸如：期刊索引、合作目錄、聯合目錄、圖書交換及合作採訪等都是這種制度之下的成果。此外，像專門性圖書館之間的參考服務等。最近幾年，美國有些團體由圖書館行政人員所組成，一年召開會議若干次，討論一般問題，交換彼此經驗，並促進彼此間的瞭解。這些團體能適時領導一些合作事業，例如某一地區館藏期刊聯合目錄之合作編製，或對於某一專門性問題之處理等等。

5. 各項制度之比較

從上述可知，美國公共圖書館制度有四種基本方式，即：全州性，郡圖書館、郡聯合圖書館系統、聯盟制等。以上各種方式

管理中心與地方服務機構之間的業務關係									
型式 Type of Unit	(a) 人事選任	(b) 圖書選擇	(c) 訂購與目錄	(d) 參考服務	(e) 青少年服務	(f) 獨立地方圖書館接受計劃之可能性	(g) 對全體市民提供有效參考服務之能力	(h) 縮減業務單元經費之能力	(i) 改善地方圖書館行政之可能性
全州性制度 State-Wide System	無（已有資格標準）	指導性	希望中心化（標準化）	指導性	指導性	高	難以評定	高	普通
聯盟制 Federated System	指導性	提供技術協助	中心化	提供技術協助	提供技術協助	高	高	高	普通
郡聯合單位 Multi-County Unit	監督性	監督性	中心化	監督性	監督性	低	較高	較高	高
郡圖書館 County Library	監督性	監督性	中心化	監督性	監督性	低	低	較高	高

都有一管理中心機構（Central Headquarters），該機構對於地方分支單位的業務權限如何，可從上表略窺一斑。

該表顯示郡立或郡聯合圖書館對於地方分支機構之監督工作，較之全州制或聯盟制更為澈底，對於圖書館行政之改進亦更為有效。但這也是若干獨立圖書館所不能接受的，因此，有些郡及郡聯合圖書館嘗試接受聯盟制，以消除這種不合作的現象。

參 考 資 料

1. Wheeler, Joseph L. and Herbert, Goldor. *Practical Administration of Public Libraries*. N. Y., Harper & Row, 1962. P.440-456.
2. Nelson Associates. *Public Library Systems in the United States*. Chicago, A. L. A., 1969. P. 11-24.
3. Carceau, Oliver. *The Public Library in the Political Process*. N. Y., Columbia Univ. Press., 1949. 254P.

五、美國公共圖書館的組織

——分科管理觀念（The Subject Department Idea）

分科管理制度是公共圖書館組織的一種新的型態，其設想是：圖書館的讀者數逾萬千，各有不同的需求，一館如能將所收集的資料依照讀者的興趣，或是學科的類別，分別闢室管理，不僅可以便於讀者查檢利用；同時設有精通該一方面資料的人士作專精的指導，更便於讀者的學習與研究。這一構想實施以來，極獲讀者的支持，現不僅公共圖書館紛紛採用，連大學圖書館亦羣起效尤，成爲美國圖書館組織中的一大特色。

(一)分科制觀念之形成

分科部門的成立，始於一九〇〇年。首先是由 William E. Foster 在 Providence 公共圖書館所創設的。當時，該市以經營銀器、珠寶、紡織及機械等行業人士居多，爲了商業競爭關係，業者都希望能儘速從圖書館中得到最新的研究報告，以及藝術設計方面的消息。爲適應這一需要，該館乃在新建築的三樓，增闢一藝術部及一工業部。每一部門配置一服務枱代爲查檢資料及解答問題。這一措施反映出當地的工業藝術和機械工具等行業的重要地位，而圖書館的資料就是以社區特色爲基礎而蒐集管理的。這一設施很快的爲 Minneapolis 和華府特區的公共圖書館所仿效。

一九三九年，Warren 認爲在一個人口少於五十萬人的都市採用分科組織制是不太合宜的，原因是管理經費過鉅，在圖書館中必須增設一個單位，同時分科制需要的建築空間特殊，但這些問題不久就被克服了。據美國圖書館指南顯示，分科制現已盛行在十萬人以下的城市，其方式是設有一地方文獻室，及一藝術或音樂部門。

分科制發展迅速，現至爲普遍。一九六〇年，Vainstein 研究指出，當年有六十七個美國的城市與五個加拿大城市實行了分部制，其方式將各分科部門集中在總館的各層房舍內，也有少數圖書館因房舍所限，將各科目部門分散在總館以外的不同建築之內，而性質有如分館，這是由於總館建築侷促之故。在這七十二個圖書館中，有半數將「工業與商業」合併，或是將「商業、技術與科學」三科合併，也有的將「商業與經濟」二科合併。科目部門的名稱一般都較簡短，往往不能表現出其中的內容。在十萬人到五十萬人的城市中，商業、經濟、貿易、技術、科學等科目資料多合併一處管理，如此可減輕負擔，也免除了將該科目分開個別管理的不良後果。有些大城市，由於商業與經濟的服務範圍廣泛，故這兩方面的資料與科技資料分別管理。一九五四年，擁有 375,000 人的 Vancouver 圖書館的商業部主管即提出，在一九五七年落成的新厦中，不要把「科學與技術」與「商業」合併。

有關分科制的最新統計資料尙未公佈，不過，根據McDiarmid在一九四二年的調查表示，在各圖書館中，最普遍的科目部門是藝術與音樂、其次是技術、商業、歷史。一個有廿五萬人口的城市，現在可以普遍的找到一完整的分科制度。其主要的知識領域大約是六類到十類，各類或多或少的包括了若干相關的科目，由曾受專門訓練的參考員或該科目專家爲讀者服務。

(二)分科制的型態

分科制度究應如何安排，分劃若干部門？這是頗費斟酌的問題。一般情形是視圖書館規模和當地的需要而定。小的圖書館，如前所述，可能僅僅分爲兩三個部門，而大的圖書館可能分爲十幾個部門。但是一般而論，有三種通行的部門是多數的圖書館所具有的。

1. 藝術音樂部：由於大衆興趣的關係，大多數的圖書館設有藝術音樂部。這兩部門，原先受人注意的是藝術，而後是音樂。

這是受到廣播、電視的影響。在管理上，這兩科目分開管理似較理想，但是因爲人員及經費所限，乃合併爲一，稱之爲美術部（Fine arts）。

在藝術音樂部門中，必先考慮是否要將視聽資料列入該部收藏之內。有關藝術資料如幻燈片、圖片、藝術複製品都是有助於供人欣賞瀏覽之用者，而音樂資料如錄音帶、唱片更爲音樂愛好者所必需。以上資料應有專人管理，並備有收聽放映設備以配合使用始可。

2. 工商部：在五十萬人口的圖書館，多設一單獨部門存置，這方面的資料以應工商界人士及一般大衆之需。

在工商部門所容納的資料中，有的包括了商業、工業、技術和科學四類，所以很難以一個概括的名稱表示出這四類的內容。在這一部門中，通常陳列八千到一萬册左右的圖書，備有五十個讀者席位。所有圖書都開架陳列管理，如該部服務枱距離總目錄在七十五呎以外，便需另備一套該部門藏書的目錄。除圖書外，該部門有關的雜誌和資料卷亦一併陳出，備供讀者查用。

3. 地方文獻部門：公共圖書館對於當地文獻非常之注意，因此稍具規模的公共圖書館都設有地方文獻部門，存儲地方性資料，備供地方人士使用。

美國各地均有歷史學會的組織，所以在設置地方文獻部門時多與歷史學會配合，以免同時進行同樣的工作，彼此重複。

一九五二年，Ander 調查顯示，公共圖書館有接受保存該地區印刷、手稿資料的情形，這些資料包括地圖、文件、傳記，稿件、新聞報紙、招貼、廣告、剪輯、社團出版品和照片等。社區內的居民有的將載有重要資料的家庭記錄寄存在圖書館中，如此，不僅便於保管，並且也增加了社會資源。

有關譜系學資料因搜集困難，價格昂貴，所以只有幾個大圖書館準備。一般圖書館遇有這類的問題多送交州立圖書館或是歷史學會等機構代為查覆。

4. 其他科目部門：公共圖書館所設置的部門繁簡不一。如十三萬人口的 South Bend 公共圖書館，在一九五九年時設有：商業與技術，文學和語言，青少年，歷史與旅遊，社會與宗教，藝術與音樂，以及兒童室。 Dayton 公共圖書館於一九六一年建築，服務人口廿六萬人，分設有社會科學、文學與美術、工業與科學及瀏覽室等。又如 Kansas 市立圖書館，服務人口四十七萬五千人，分設有：社會科學、商業與技術、文學、歷史、旅遊與傳記、通俗文庫、藝術與音樂、地方文獻，以及與一般參考合併的教育、哲學與宗教部門。 另 Dallas 公共圖書館，服務人口六十萬，分設：一般參考、視聽資料、科學與工業、地方歷史與譜系學、文學與歷史、社區生活、家庭生活、美術與習俗等八個部門。玆將美國四所公共圖書館分科情形列表如後，藉資比較：

美國四所公共圖書館科目部門對照表

科目部門	克利夫蘭	洛杉磯	巴鐵摩爾	羅撒斯特
文學與語言	✓	✓	✓	✓
美術與音樂	✓	✓	✓	✓
技術與科學	✓	✓	✓	✓
商業與經濟	✓		✓	✓
市政與社會學	✓	✓	✓	✓

參　　　　考	√	√		
傳記、旅行、歷史	√	√	√	
傳　　　　記				√
歷史與旅行				√
地方文獻			√	√
外國語文	√	√		
通俗讀物	√		√	√
小　　　　說				
教育、哲學、宗教	√	√		
哲學與宗教	√	√		
教師用書(教育與兒童)		√		
合　　　　計	11	10	8	9

大學圖書館內所設置的部門與公共圖書館不同，因爲大學圖書館的分科是按照課程和學術的分類，如自然科學，社會科學及人文科學。對於公共圖書館的一般讀者而言，這三種科目缺乏明顯的範圍，是不符合民衆的興趣和需要的。

(三)分科制必須配合的條件

實施分科制度，將藏書依讀者的興趣和需要分別管理，毫無問題對讀者的服務較前便利多多，但是這種制度的實施必須配合以下的條件才能有效發展，達到預期的目的。

1. 人員的條件：分科制的主要因素之一是要有適當的人員管理各科圖書資料；而該管理人員不僅應有圖書管理技術，同時更爲重要的要通達某一學科，最好是學科專家。原因是分科制的特點在配備具有學科專長的指導人員從事閱讀輔導工作及參考工作，若無適當的人員，這項工作是難以推動的。

在一九六〇年圖書館員的待遇調查中顯示，科技部門的館員待遇要比藝術部門高出三分之一，比生物、醫學、商業及財政部門的館員要多出四分之一，由此可見一位科目專家的難求了。

2. 建築的條件：分科制係將各科資料分別管理，所以建築的條件非常之重要。在規模較大的圖書館，多將分科部門各自安排在一間相當大小的房間內，每室大的可容納一萬册圖書，有單獨的通向室外的門戶，也有接連書庫的通路。不過在這種情形之下會發生若干不便之處，最感到成爲問題的是：

（1）藏書分散，各科相關的圖書應分入何部門，頗費斟酌。如各部門均置備一部，則多重複。

（2）各室分別管理，增加管理與使用上的不便。

（3）必須複製多套目片。

（4）內部連繫需裝設內線電話或其他連絡工具。

不過儘管有以上的不便之處，分科制仍然不失爲一種進步的制度，尤以該一科目有關的各種不同形式的資料集中一處，有科目專家指導利用，較過去舊式的依照工作性質及資料形式分別管理的制度確實便利多多。

(四)一般參考服務在分科部門中的功能

公共圖書館依照讀者的需要而將所有的資料分科管理，不論如何區分，其一般參考服務仍不可忽視，而應由專人或專門的單位負責其事的。

所謂一般參考服務是指將非專門性的圖書資源集中一處，以便於解答讀者的一般性問題。這一工作與分科部門的參考服務有別，分科部門所負責的都是涉及某一專類的或專門性的問題。

在一般參考服務部門中，多設有詢問處（Information Desk），備有字典、辭典、年鑑等快速答覆讀者問題的工具。這一工作非常之繁忙，尤其是有關傳記資料及目錄資料的查檢及運用方面最多。

一般參考服務部門除有其個別的服務功能外，還有另一項主要的功能，就是在一所設有科目部門的圖書館中，以一般參考服務部門作爲各科目部門間的聯絡中心，對讀者作指示性的引導，而免其茫然無知，無所適從。也有的圖書館將各科目相關的圖書資料，像歷史、傳記、旅遊、時事問題、經濟發展等都納入一般參考服務部門之中，避免其分散或重複購置，不便使用。

參考資料

1. Wheeler, Joseph L. and Goldhor, Herbert. *Practical of Public Libraries*. P. 338-358.
2. Overington, Michael A. *The Subject Departmentalized Public Library*. London, the Library Association, 1969, 167P.
3. Joeckel, Carleton and Winslow, Amy. *A National Plan for Public Library Service*. Chicago, ALA, 1948. 168P.
4 Leigh, Robert D. *The Public Lbrary in the U. S.* N.Y., Columbia Univ. Press, 1950, 272P.

六、美國公共圖書館的成人服務

美國公共圖書館在對讀者的服務方面，除採取大區域計劃及分科組織制度外，另一特色就是將讀者區分為：成人、青少年及兒童三大類，針對各類讀者作不同服務的規劃。本章僅就成年人的服務作一探討，依次再介紹青少年及兒童的服務情形。

在對成年人的服務中，公共圖書館所實施的工作名目繁多，難以一一介紹，僅就其中特別重要者依次說明如下。

(一)成人教育服務

成人教育之基礎乃建立在「教育是人生的終身過程」(Life-long process) 這一觀念之上。英國成人教育委員會對於成人教育的定義，以為成人要求滿足知識荒，使他們在國家社會，可以成為較完善的公民，或有自我表現的機會，這種努力都是成人教育。丹麥的成人學校最為成功，其課程設計，理論與實際兼籌並顧。據其發起人 Grundtvig 說：我們的目的，是要啓廸和增善全國民衆。所謂啓廸 (Enlivened) 係要民衆自愚妄痲木的環境中解放出來，啓發其求知向上之心。所謂增善 (Enlightened) 是要人民追求眞理，擇善而從。這種教育，在丹麥叫做民衆學校(Folk-school)，全國人民中有百分之廿是自動入學的。

美國成人教育協會(American Association for Adult Education) 主持人 J. E. Russel 曾說：「成人教育是鼓勵人們前進的方法，使各人對於現有的知識與生活更趨完善。這種教育，隨時隨地可以開始。除了志望消滅，不願自學之外，這種自進心理，無時或止。成人教育的成效達到最高點時，就是人們對於自身生活，較為充裕；對於生命的意義，更為欣賞；對於心身的運用，更為滿意；對於人類的責任與權利，更為明瞭。」具體說來，成人教育就是學校終止之後，個人的努力，以求增進學問的一種方法。其特點是：自動的、自由的、利用暇咎，追求學問；這也是一種適合個人的意志、環境、目的、與程度的教育，也是一種自育自長（Individual growth）的方法。

世界各國對於成人教育均極注意，並以各種方式推展之，但是成人教育的實施原則有四點是各國一致遵奉的：

1. 充分的顧及成人的個性，並同時顧及到各人的性情懷抱與學識程度。

2. 避免養成同型（Conformity to type）的傾向。

3. 不可偏重於標準化（Standardization）或組織化（Institutionalism）。

4. 保存自動精神（Voluntary spirit）。

目前公共圖書館實施成人教育的方式甚多，玆舉其重要並普遍實施者說明如下：

1. 對閱者的指導工作（Reader advisory service）：此項工作與圖書的出納參考工作不同，其性質是屬於個別的，非正式的指導，指導的內容必須要適應個人的個性與需要，而不是一般性的服務。

負責指導的人員第一步工作，是和讀者自由談話，非正式的商議或討論，以求明瞭讀者的個性與教育程度，並考察以前讀書的經過，與現在研究的時間及目的等等。其次，指導員根據他個人的學識經驗，並利用各項參考工具，爲讀者計劃讀書綱要，介紹所應閱讀的圖書。

讀書綱要（Reading courses）和閱讀書目（Reading list），

研究大綱（Study outlines）不同。讀書綱要是爲個人自修而用的，也可以說是一種實用的指導方案，使閱者按部就班，繼續的、有計劃的，研究某一種專門學問。其特點爲：

(1) 有完備正確的論題。

(2) 有一定的目的與順序。使讀者遵循一定方向由簡至繁，由淺入深。

(3) 能啓發讀者的興趣，激發其追求深造之心理。

(4) 選擇各科代表性作品，並包括各方面的觀點和論據。

(5) 各書應附有提要或評介。

(6) 切合被指導者之程度與興趣。

(7) 編製綱要者要對該科學術有深入研究並瞭解讀者的學力、目的及能力。主要使讀者讀各書時，有次序、有組織，獲有進步。

2. 舉辦討論會與講習會：現代圖書館不但要鼓勵讀者有目的的讀書（Reading with a purpose），而且要把他們所學的向同組讀者互相討論，發表各人所見，使所讀的書更有意義更易吸收。一般而論，討論會有兩種，一是志趣相同者集合一處，讀同樣的書，以增進全體的知識與興趣。另一是志趣不合者集在一起，互相規諫，各抒己見，以期獲得他山之石，可以攻玉的結果。討論會的進行必先由圖書館擬訂討論題綱，規定範圍；並且利用各種宣傳方法，擴大宣傳，增強效果。至於講習會則由圖書館規定時間聘請各科專家公開講演。講演之前，應將講題及應用參考書預先公佈。演講之時亦可將各書略作評論、介紹，並指示研讀方法。除以上兩種方式外，還有共讀會、讀書會（Read-a-

book-together-club）等組織，集合同志若干人共同讀一本書，或一類書，讀畢互相討論，或由一人朗誦。另有書評會（Book review meeting）專事評論書報、介紹讀者。

3. 辦理團體教育及空中教育：社會上有各種團體的設立，或有組織的，或無組織的。公共圖書館的任務是利用圖書，教育民衆，所以對於各種民衆團體服務的方法實有研究之必要。各地方圖書館在辦理團體教育時，首應將本地方各種有形無形的團體及其參加分子分別調查清楚，編爲目錄，俾有線索可稽；其次要購備各團體有興趣的書籍供應各團體流通閱覽。社會上各種團體，極爲複雜，我們可以根據以下各點略爲分類，例如：宗教、種族、語言、文字、年齡、教育程度、性別、盟社、體育、職業、政治、公益、藝術、俱樂、專門學科、歷史、地域等。

空中教育包括廣播電視教育而言。當地的公共圖書館可以利用廣播電視等傳播工具提高民衆的閱讀興趣，增加其受教機會。一般使用的方法有以下幾項：

(1) 圖書館可供應廣播或電視節目所需要的圖書資料，使其內容更爲豐富充實。

(2) 圖書館可作爲公衆的問訊處，有關時事學術問題，可得圖書館的輔助謀求解決。

(3) 圖書館與電臺合作辦理引起讀書興趣的節目，如：故事講演、時事問題等。每一題目介紹參考書一、二種，以便聽衆更能深造。

(4) 配合節目舉辦各項展覽。

(5) 在館內增設收音機及電視機接收各種教育性節目。

(6) 由圖書館員親自講述介紹各種新出版品。

4. 推動鄉村成人教育運動：鄉村教育爲推廣教育中重要的一項。由於居住都市中的人民，有規模較大的圖書館爲其服務，而鄉村的人民，居處偏僻，多半沒有利用圖書館的機會。而且因爲交通不便、風氣閉塞，所以教育的需要尤爲迫切。美國各州均設有圖書館推廣部，供給圖書經費，推廣各地方圖書館事業，此外還有通信圖書館辦法，將圖書直接由州圖書館或隣近的地區圖書館寄與讀者。最近又有專題文庫（Package libraries）制度，將關於某項問題的零星資料彙集寄與讀者，以供研究。至於圖書巡廻車巡廻服務的方式更爲普遍。

(二)參考服務

公共圖書館的讀者，包括不同的階層及類別，也有其不同的社會、政治、經濟、文化背景。如稚齡的兒童、在學的學生、從事專門研究的研究生、教授、科學家、商人、家庭主婦、工人、藝術家等等，都是爲尋求知識而來，所以我們可以說參考的功能就是協助讀者找尋他們所需要的資料。

近年來，世界各國對於專門性資料的需求，日益增加，不再以科學和工業方面的資料爲限，因此，資料服務亦被世界各國所重視而謀積極發展。參考服務的定義，說法不一。 Barton 在一九六〇年曾謂：「參考服務係圖書館員協助讀者查索資料之一項服務，不論讀者之目的爲知識性的，教育性的或是娛樂性的。易言之，即圖書館員爲讀者之特殊目的，選擇最適用之資料。」

Hutchins 在一九四四年對參考服務的解釋是：「在圖書館

內，對於蒐求知識者，予以直接親身之協助。這種協助，包括旨在獲得知識之各種活動在內。」具體來說，這項協助可以分爲四種：

1. 協助讀者利用書目索引等工具查檢資料。
2. 解答讀者所提出的各項問題。
3. 指導讀者善於利用工具書。
4. 從事索引、目錄、摘要及翻譯工作，以增加資料利用之便利。

甲、參考部的組織

公共服務部門主要的有三方面，卽：資料、人員和讀者服務。而參考服務也屬於公共服務部門之一，其設置可有以下四種不同的方式：

1. 合倂在其他服務部門之內，在規模較小的圖書館通常設一讀者服務枱。
2. 在圖書館的服務枱的一處，標名"Information"字樣，並陳列若干參考工具書。
3. 備有一所參考服務枱，並指定專人擔任此項工作。
4. 設一參考部，有固定場所設備，提供完善的服務。參考員依實際需要而聘用。

在美國的小型鄉村圖書館並無專設的部門或服務枱的設置，所以參考服務多賴附近的區域圖書館或較大的圖書館之協助。在人口少於一萬五千人的城市圖書館，每館平均有 $7\frac{1}{2}$ 位館員，如人員具有相當的訓練時，當有能力提供相當的參考服務的。

在美國圖書館服務的人口在一萬五千人到二萬五千人時，每館平均有館員八人到十二人，則應設置一參考服務中心，在一般的參考中心內必須的設備如下：

1. 參考枱：參考枱係供參考員執行業務所需，服務一萬五千人的圖書館，應有一位專任的人員，全日在館服務；服務二萬人的圖書館，如每週有六十小時的參考服務時，需要一位全日及一位半日的工作人員。
2. 參考工具：在參考枱旁邊的書架上，多準備有三數百册常用的字典、辭典、百科全書、年鑑及索引等工具書，三、四册隣近大都市或本市的電話簿及本地的指南、世界地圖、美國道路圖等。
3. 參考工作室：服務在二萬五千人以內的圖書館多備有一間單獨的參考工作室，作爲準備各項參考活動之需。
4. 公用目錄：供館員及讀者利用，內置參考室所藏圖書資料目片。目錄櫃靠近參考枱，以便查用。
5. 字典架或索引枱：規模較大的圖書館，參考工具繁多，多備有放置字典、索引或百科全書的桌枱，以便利讀者查閱。
6. 未加裝訂的近期雜誌：有助於解答一般問題的雜誌，凡已過期而未加以裝訂者應擬置靠近管理人員處，較理想者以不超過四點五尺爲宜。
7. 資料櫃：儲存小册子資料之用。

大型參考部，是指人口超過三萬人的城市所應設置者，圖書館應有一專闢的房間，並靠近流通部門，如此讀者才能接近出納臺及參考書。

典型的參考室係以牆壁或書架、或為玻璃屏風間隔，卡片目錄設於參考室之旁。室內備有參考書二、三千册。十五萬人的公共圖書館，參考書可視使用的頻度分置在不同的區域。最近的趨勢是將參考室與成人閱覽部門同置於一大區域之內，而以書架或玻璃間隔，以免除雜音。

廿萬人口以上的圖書館必須設一單獨的參考室，不過因參考資料繁多，在半世紀以前所流行的一間式的參考室已不敷使用，因此，可能出現的是一系列的專科參考室，在參考區域並設有小間討論室等。

乙、參考部的服務

圖書館參考服務，在方式上有兩種，一種是以教育為手段，當讀者提出問題時不直接給予答案，而僅僅指導其查尋資料的方法。另一種以解答為目的，對於讀者的問題，立即給予直接的答覆。公共圖書館參考部的服務多採取後者的方式，以節省讀者的時間，所以公共圖書館的參考部也可以稱之為問訊中心(Information center)。

有關參考服務的技術方法，Hutchins 在「參考工作導論」中敘述至詳，在此不擬詳加討論。不過參考服務之成功與否和人員的條件有密切的關係，一般而論，一位成功的參考員必須具有兩項條件，其一是對參考資料的深入瞭解，由於參考工作的工具是參考書，如對參考書的性質和編撰方法不能熟悉，將無法使這項工作有所發展，也難以運用參考工具解答讀者的疑難問題的。其二是參考員要具有良好的服務態度。所謂服務態度也包括了個人的能力在內，如個人的讀寫能力、想像力、機智、熱心、謙和、合作及服務的精神。爲使圖書館參考人員的素質提高，在美國公共圖書館中多採在職訓練方法，交換經驗，增長參考人員對於書本的知識，以擴大其知識領域。

美國公共圖書館所實施的參考服務，其服務對象不僅是一般市民，也包括了在學的學生，所以參考員所應付的問題，範圍至爲廣泛，而讀者利用此項服務之動機，詢問主題之分野，及要求內容之程度也各不相同。就參考服務的具體方法而論，約可歸納爲以下各點。

1. 與查詢人士之應對：公共圖書館可以受到任何人士及任何種類之詢問，而前來詢問的人士包括各階層。其年齡、職業、教養、及詢問之動機亦各有不同。舉例言之，對於共同食用的「米」的問題，每因詢問者的身份——農家、商人、學者、主婦——之不同，其欲所獲得的知識——米的栽培，外國米的進口，米價的變動，米的煮食方法——亦各異，參考部爲切實瞭解詢問的內容，必須在與詢問者談話中，迅速瞭解以下事實：

(1) 詢問出自何種動機。

(2) 希望獲得何種資料與何等程度之答復。

(3) 關於詢問者的程度：

係一初學者；

曾作某種程度之研究；

專家。

2. 查詢事項處理：讀者通常係以口頭、電話或書面查詢問題，在處理上應注意事項如下：

(1) 口頭詢問：因與讀者當面應答，查詢之重點易於掌握。在應對時力求迅速明確，避免形式化。

(2) 電話查詢：與讀者接觸時，僅靠聽覺，故必須多作誘導性之對話，俾能獲得有效之線索。對於問題之出處，查詢之動機及已獲得的資料等，要一一問明。如能在很少時間作答時，可請查詢者等候回答，否則可請其過一段時間之後再撥電話聽取答案。

(3) 書面查詢：對於查詢之讀者所提出的問題，經過二人以上研閱後，針對其要點給予答覆，有關所根據的資料來源也應一併列入。

3. 查詢之種類及調查方法：參考服務之成功與否主要在於必須的參考工具齊全完備，遇有查詢問題可立即提供參考，但參考人員平時亦應熟悉本館的資料，能運用自如。其次要將各種可能性的問題整理分類，預先舉列適合各該項目之基本資料，以備按圖索驥之需。

如館中參考資料不敷所需，應事先瞭解鄰近地區可資利用的參考資源，利用館際互借方法借閱供備使用。美國圖書館界於一九五二年通過館際互借規程，統一館際互借格式，各館之間的聯繫至為方便，無形之中，對於參考資料的交流使用，有莫大裨助。

(三)流通服務

流通服務是指在館外借閱圖書的一項服務。美國公共圖書館的圖書流通服務主要的目的及工作不在如何方便而迅速的供應讀者圖書資料，而在於如何鼓勵讀者多加利用圖書館之資源，達到教育的、知識的、娛樂的及美感的目的。

1. 流通服務的組織與資源：流通部的組織，就美國公共圖書館目前的現況而論，大約有以下的區分：

一萬五千人以下者：流通與參考工作統由一人負責辦理之。

二萬至五萬人之間者：圖書館分爲流通部與參考部兩部分，各由一至二人負責，參考部負責解答各項疑難問題。

五萬至十萬人之間者：一般設置出納臺，辦理一切例行工作；流通部；參考部；視聽資料部；社團服務部等。

十萬人以上者：採用分科制，分爲：出納臺、音樂美術部、商業技術部、地方文獻部、普通資料部、通俗文庫部。出納臺辦理例行的借還圖書工作。

流通部的人員素質必須具有相當的水準，他們不僅知道如何處理流通工作及其例行手續，且要具有教育背景，熟悉各類圖書資料，並具服務熱忱，樂於爲各種不同的讀者服務。

在資源方面，成人所需的圖書可分爲小說與非小說兩類，其比例的輕重常是爭論的問題。有人主張公共圖書館應多蒐集小說，有人主張應以小說以外的各類書籍爲主。一般而論，一館增加的書籍非小說類至少佔百分之六十五，而小說類圖書最多只能佔百分之三十五。

此外，在館藏的維護上，流通部負有排架、修補、裝訂、點查及撤銷等責任。

其次在場所方面，新式的公共圖書館很少使用老式的U字形出納臺，工作人員也不再是坐在出納臺後等候讀者借書，而是儘可能的與讀者接觸，簡化出納手續。專業人員多有一單獨房間以便與讀者討論，並將新書陳列公開展覽，使一般讀者知道有那些新書入館。

2. 鼓勵成人利用圖書的方法：流通工作主要是協助讀者選閱他們所需要的書籍，其方法包括了以下五項：

(1) 直接接近讀者，即推行讀者顧問服務；(2) 間接的接近讀者，鼓勵讀者從書目、書籍的排架和公共宣傳方面增加閱讀的機會；(3) 敎導讀者如何利用圖書和圖書館的方法；(4) 流通部應瞭解社會大衆的興趣與需要；(5) 根據讀者的調查意見作爲工作的評鑑。玆分項說明如下：

(1) 讀者顧問服務：讀者顧問服務在成人敎育一節中已有介紹，其方式就是利用與讀者當面接觸的機會，圖書館員運用個人的知識和對書目的瞭解，輔導讀者閱讀。這一服務盛行於卅年前的美國公共圖書館，但現在已經很少採用了。原因是推行這項服務必須聘用專門的人員，耗費甚鉅。現在一般公共圖書館要求每一位專業的圖書館員都有服務民衆的責任，負責協助讀者取得他們所需要的書籍，期使公共圖書館不僅具有借閱圖書的功能，同時更具有輔導讀者的功能。

(2) 書目，圖書陳列及公共宣傳：發展一般性的成人讀物，首先要能引起民衆的興趣，多加利用圖書館。這種方法比較讀者顧問服務花費少，而收效大，且能使更多的民衆受益。引起民衆興趣的方法有編製新書介紹，採取開架制度及利用報刊、廣播或電視節目介紹圖書館的資料和圖書館的服務。在開架制方面，現已成爲美國圖書館之一特色，許多公共圖書館依照讀者興趣排列其圖書，而不照杜威十進分類法的類號排架，其目的卽在便於圖書之檢借。

(3) 教導民衆如何利用圖書及圖書館：流通部的任務之一是教導民衆如何爲其本身的利益而有效的利用圖書及圖書館。美國公共圖書館編印有介紹各館服務及資源的手册或指南，對於一館的組織，目錄使用提供具體的指導，收效至宏。

(4) 瞭解社區的興趣與要求：流通部應經常注意到社區的興趣和市民的需要，尤其有關當地社團組織活動的資料，本市發展計劃更應注意蒐集。這些資料有助於新書的選購，書籍的排架，以及安排各項成人教育計劃。

(5) 根據讀者的調查意見評鑑圖書館之工作：讀者意見之調查目的在發現民衆使用圖書館的情形，對於圖書館的藏書及服務是否滿意，進而能改善館員的服務態度與服務的方法。調查方式有兩種，一種是由本館人員擬具問卷進行調查，另一種是委託圖書館專家作一客觀的調查，並藉此評鑑圖書館的工作效能。

參 考 資 料

1. A. L. A. *Libraries and Adult Education*. 1926.

2. Wheeler, Joseph L. and Goldhor, Herbert, *Practical Administration of Public Libraries.* New York, Harper & Row. 1962.
3. Harris, Michael H., *Reader in American Library History.* NCR. 1971.
4. While, Carl M., *Bases of Modern Librarianship.* Oxford, Pergamon Press, 1964.
5. 李志鍾、汪引蘭合編：中文參考用書指南。臺北，正中書局，民61年，第 1—50 頁。
6. Jollffe, Harold. *Public Libary Extension Activities,* London, The Library Association. 1968. 343p.

七、美國公共圖書館的青少年服務

圖書館對青少年的服務屬於成人公共服務部門的職掌，換句話說，青少年服務被視爲成人工作的向下延伸，而非兒童服務的向上發展。本章首先論及美國社會中的青少年問題及公共圖書館因應之道；其次談到青少年服務之組織與資源；服務之範圍；最後討論到青少年服務與館內各單位，以及館外機構之關係。

(一)美國社會青少年問題及圖書館因應之道

在美國，一般兒童自六歲起卽就讀小學，十四歲到十八歲升入中學。大部分圖書館都對十四歲的少年發給借書證，並對十四歲以上的青少年視同成熟的成年人看待。就青少年的成長發展階段而論，十三歲到十九歲的青少年業已逐漸模仿成人的活動，同時個性亦開始形成。在這一時期，極易感受到外界難以抗拒的壓力和誘惑。他們在這一過渡時期既不像成人又不像兒童，而且反抗成年人的觀點、意見和管制。他們有其本身的學業上的，成熟階段的要求，有其特殊的問題與困擾。

美國由於教育的普及，現有百分之八十以上的青少年就讀於中學，差不多有百分之六十能順利畢業（五十年前僅有百分之六十可入中學就讀，百分之卅得以畢業），這些被淘汰的學生都與書籍無緣，也難以接受圖書館的協助，造成了社會中的一大問題。尤以在家庭中，父母無法使其子女在心理與情緒上獲得適當的協調，父母親未具有閱讀的能力，以及子女的早婚等因素，增加了少年犯罪事件。再加以長期的國際動盪不安，外界物慾的引誘，痲醉劑的刺激，使越來越多的青少年受到影響。

公共圖書館爲教育機構之一，因之對於青少年問題也有其應負的責任。在公共圖書館中，青少年服務部門的成立，可追溯到第一次世界大戰之前，在一九二五年時克利夫蘭公共圖書館所設立的 Robert Louis Stevenson Room，而眞正迅速的發展則在二次大戰之後。到目前爲止，各大圖書館都已爲青少年提供了有組織的服務。

青少年服務之所以能迅速展開，主要原因乃是圖書館界體認出圖書館已漸漸失去了介於成人與兒童之間的廣大的潛在讀者階層。根據統計，一般公共圖書館很少有服務地區內的三分之一的成年讀者來館借閱圖書，既使連同中學生在內。反之，在小學階段的讀者羣中，卻有百分之九十以上的人具有借書資格，辦妥登記手續。因此，在公共圖書館流通的書籍中，有半數以上是兒童讀物。

青少年服務的範圍，因學校課程，休閒性的需要，成熟階段發展的需要等因素而一直在擴展之中，但在美國的公共圖書館中，很少設法解決被排斥在校門之外的青少年們的閱讀問題。底特律公共圖書館在一九四四年與一九四五年間曾動員了具有經驗的人員，擬具週詳的計畫，並籌措了一萬美金致力於協助離校青少年，但在全市的五千個離校青少年中，僅僅幫助了一百五十位年齡在十六歲到廿一歲的離校青少年。由此可見，在這一問題上，有待努力之處尚多。

(二)青少年服務的組織與資源

如前所述，青少年服務部門與成人部門的工作有關，因為這些年輕人，漸漸脫離孩童時代的觀點與興趣，而趨向於成人化。圖書館員應了解他們的觀點與背景。為適應他們的需要，在圖書館中，應該蒐集具有高水準的青少年讀物，並展開對青少年的輔導工作。青少年的服務人員通常是由成人部門所選任的，在許多大區域的圖書館中，每一分館或區域圖書館都聘有一位青少年服務專家，負責聯繫及管理整個城市青少年工作。

負責青少年工作的人員不僅要對青少年讀物有所研究，同時更應具備青春期心理學，現代中學課程及教材教法等知識。這些知識幫助工作者將讀者與書籍結合一起。青春期是一重要而困擾的時期，工作者應有能力處理一些特殊的問題。

在資源方面，一九四〇年後美國出版了大量的專為青少年閱讀的讀物，完全適合青少年的成熟程度，其價值觀念，其興趣深度。除一般的書籍之外，在青少年部門中還應備有職業指導資料，大專校院介紹、小册子、雜誌與唱片等。

(三)對個別讀者的服務

由於經驗與實驗的累積，現代的人對青少年的興趣比較有深入的了解。所以圖書館對青少年的服務也擴大並加深了。它的服務內容包括閱讀指導，參考服務，與課程有關的服務和適合成熟的需要等項。

1. 閱讀指導：閱讀指導的主要目的是吸引青少年閱讀有用的書籍，藉以充實其生活、發展其人格、增進其知識、供給他有價值的目標和動機。欲達此目的，必須指導青少年徹底瞭解好書的內容和特性，但在鼓勵青少年閱讀書籍的時候，應先鼓勵他自由選擇，再加以指導，而不是盲目的強迫青少年看他所不願意看的書。有很多青少年喜歡去指導他人，但事實上他們更需要的是接受別人的指導來建立他自己的標準和判斷力，使他變得更有信心。

直接的閱讀指導方法有：(1)書目；(2)書籍展覽；(3)書籍的介紹；(4)書評（由青少年自己寫）；(5)廣播與電視節目；(6)舉辦書籍討論會；(7)組織讀者俱樂部；此外尚有(8)放映電影；(9)帶領青少年參觀圖書館；(10)公共圖書館人員訪問中學各班和集會；(11)舉辦作者演講會等。

2. 參考工作：公共圖書館在回答中學生資料性問題（也就是作參考工作）的時候，牽涉到兩項主要政策：第一是公共圖書館對那些已經設有圖書館的學校的學生提供的參考服務究竟到何種程度？第二是如果這項服務是由公共圖書館來作，那麼這是屬於青少年部的工作？還是屬於「成人參考部」的工作？不管理論的根據如何，事實上目前公共圖書館對學校的服務愈來愈多。因爲中學生也是公共圖書館合法的讀者，就如同其他人一樣。

在一個小的圖書館或分館，幾乎全部的空間就是一間大的公共閱覽室，其中只有一個「公共服務臺」(Public service desk)或者頂多還有一個「成人服務臺」(Adult service desk)。他們圖書館的經費少，人員少，受過專業訓練的人更少，而所作的事又太多，再加上參考工作需要特別的智識和技能，所以往往就忽略了參考工作。在數千個小圖書館和分館，目前最急需的就是一位全天工作並受過專業訓練的參考工作人員。

在公共圖書館中，如果另外單獨設立一間青少年室（Young adult room），會產生兩個問題，一是資料必須購置複本，一是需要另設一位受過專業訓練的人員，這二者均涉及經費問題。Wheeler 曾建議設立一間「寧靜成人室」(Quiet adult room)，與中學生遠遠的隔開，使成人不受干擾。另外一個辦法是成人和青少年共同使用一間參考室，但在另一室放置一些常用的參考書給那些可以自己查檢資料的中學生使用，以減輕參考部的工作。另一方面來說，如果圖書館能够有一位受過訓練的青少年部工作員，那麼至少有三個理由可使學生向他提出問題：①這種參考服務可以鼓勵學生閱讀，引起閱讀動機；②他了解學生作業及課程的需要，可以適當的選擇書和安排節目；③「成人參考臺」通常都忙著爲成年人服務而忽略了中學生。但有一點必須注意，公共圖書館員絕對不能幫助學生寫文章或作大綱等，一切必須由學生自己動手。

圖書館基本的青少年參考服務最好由學校圖書館來作，因爲它比較能了解學生課程的需要，而公共圖書館往往忽略了對個人的閱讀作創造性的建議。

3. 與課程有關的服務：現在的中學生對於圖書館資料和圖書館服務的需要增加得非常迅速，所以學校圖書館和公共圖書館必須準備更多更好的資料，更新的設備，以及更多更好的宣傳，也就是在可獲得資料的限度下去擴大服務，去影響學生的生活和閱讀習慣，使學生自動上門。

4. 成熟的興趣（Maturational Interests）：青少年部的館員必須了解青少年成熟後所關心的事。因此他除了研究目前有關青少年心理和社會學方面的著作外，還應該儘量和青少年建立友誼，必須在勸導他們之前先要瞭解他們。青少年通常需要並歡迎成年人對他們所作的冷靜的勸告和間接的協助，而不是父母或老師的嚴厲指責。而圖書館員影響也是很大的，這正是有待加強的。成熟的主題包括：(1)男孩和女孩的關係；(2)如何選擇一個終生的職業；(3)如何準備和如何進入大學；(4)一些嗜好和非學校性的活動等。這些問題在一個設備完善的圖書館中是可以獲得解決的。因爲書籍可以提供一些知識，解決一部分的問題。

首先談到男孩與女孩的關係，進一步來說就是如何與人相處。在某一個特定的年齡程度裏，生活的事實從書本上學習比較容易，特別是對那些比較害羞的學生。例如在一個約會中如何與人相處，這若從無數報紙專欄中去尋找有關資料是相當麻煩的，一個好的圖書館該有這方面的書，而這比報紙專欄更有用。此外，在面對大衆意見時，如何保持個人的行爲準則，和如何發展個性，這些在書中都會介紹，我們可藉著書目、書籍的介紹，讀者討論會、放映電影等不同方式來指導青少年去瞭解。有些青少年在十幾歲就結婚或訂婚了，圖書館也應準備一些婚姻方面的書爲作他們指導。

其次談到選擇職業的問題。在青少年閱覽室中，應對青少年的職業選擇供給最新的資料，這是青少年最愛利用此室的原因。小册子可提供這方面最新的資料，所以要時加整理，可自行取閱並准予借出。小說常可表示出不同職業的精神，對青少年在決定職業時是很用的，所以也不能偏廢。

大約有一半的中學畢業生不入大學。對他們來說，如何謀到一個職業，參加服務考試，服役的規定，如何在一求職會談上給人一好印象，都是他們深爲關心的。十幾歲的青少年需要書籍去幫助他們平安渡過由讀書到就業的鴻溝。

至於那些繼續上大學的青少年，也有很多問題。例如：如何通過大學入學考試；如何選擇好的大學；如何申請獎學金；如何賺取生活費用；如何預備大學生活。爲青少年服務的館員應該知道這些資料在那些書上可以找到，同時他也應該知道地方上有何種訓練機構、技術學校，何處可提供指導服務。如果圖書館能注意到這些問題，就可準備更多的資料，供給受過訓練的館員去幫助數以千計的十五歲到廿五歲青年，使他變得更有智慧，指導他建立工作目標，安排休閒活動並作生活計劃，過有意義的生活。

最後談到嗜好方面，青少年許多的嗜好和體育活動，都可以從書中學習。鼓勵個人建立其私人圖書館並鼓勵他多買書，可以培養起個人的興趣。同時可鼓勵青少年多買平裝的廉價書，或由地方書店提供獎學金，這些都可以培養起閱讀的嗜好。

(四)與其他機關的合作關係

1. 與館內其他單位：公共圖書館內的青少年工作必須依賴並協助館內其他部門。例如它必須與兒童部發生關聯，同時也與一些特殊部門發生關聯（例如參考部和視聽服務部），因為青少年有時會利用到這些部門。所以館員有義務隨時與其他部門保持聯繫與合作。

2. 與館外其他機關：青少年圖書館員須與中學、中學老師和中學圖書館建立關係。學校和公共圖書館在組織上應有聯繫，因為他們有一共同目的，就是發展青少年良好的閱讀習慣。老師們很忙，公共圖書館員應主動的去了解地方學校的課程和教學方法，而自己去承擔合作計劃的大部分。有些中學圖書館對公共圖書館太過份干與其職權範圍而表不滿。我們必須明白公共圖書館只是幫助他們，而非想要代替他們。有些中學圖書館非常自由的提供娛樂性的讀物，這時公共圖書館就必須指導他們轉移重點到學生所需且與課程有關的非小說資料。現在許多城市中都組織了委員會，由有關的行政首長、老師和圖書館員組成，來討論有關青少年成熟的問題，並提供公共圖書館與館外有關機關之聯絡方法，並解決發生的問題。

圖書館員除了與學校，並應與其他青少年服務機關和其他活動節目保持聯絡。例如科學展覽會和論文比賽。所有這些均與中學程度的學生發生可能的關係，所以必須把握機會。例如有些書店很歡迎與地方公共圖書館合作舉辦書展等等活動。

3. 與青年本身：青年有他們的嗜好和時間，那是參與他們自己團體的一種標準。公共圖書館應成立一個學生指導委員會(Student advisory board)或青年會議(Youth council),其工作就是報告青年們的意見,同時作出正確的判斷。它可瞭解青少年興趣的所在並加以配合與指導。它應作「圖書館青少年計畫」的諮詢工作,特別是「青少年室」的服務。它可建議適當的活動,並選擇學生讀書報告由圖書館來出版,製作與書籍有關的電視或廣播節目,或領導來作一項中學生使用書及利用圖書館的調查。中學生喜歡參與有他們自己參與的節目。學生指導委員會應該爲其努力接受讚譽,如每次會議後的獎勵,或在完成一項工作後圖書館長的一封謝函,均非常具有鼓勵作用。

對青少年工作的館員最偉大的工作就是把書籍帶入青年的生活中,這是一項很艱深的工作,未來仍有待努力發展。

參 考 資 料

1. A.L.A. *Young Adult Services in Public Library,* 1960.
2. Wheeler, Joseph L. and Goldhor, Herbert. *Practical Administration of Public Libraries.* N. Y., Harper & Row, 1962. p. 359-372.
3. Enoch Pratt Free Library. *Work with Young Adult.* (Mimeo) 1958. p. 14.
4. Gates, Jean Key. *Introduction to Librarianship* N.Y., McGraw-Hill, 1968, p. 191-209.
5. Rose, Ernestine. *The Public Library in American Life.* New York, Columbia University Press, 1954.

八、美國公共圖書館的兒童服務

兒童服務爲美國公共圖書館之一重要措施，其興起，主要係於十九世紀中葉受到學校缺乏兒童圖書及圖書館服務之影響所致。目前，在美國公共圖書館所實施之兒童服務極受一般重視，並使成人服務爲之黯然失色。本章僅就服務目標，組織與人員，服務重點，發展趨勢分別論述如後。

(一)兒童服務的目標

一九六四年，美國的公共圖書館協會兒童服務標準委員會曾公佈了一項「公共圖書館兒童服務標準」，其目的在謀進一步的改善兒童服務。在標準中揭櫫兒童圖書館服務的目標如下：

1. 廣泛的蒐集圖書，以供兒童利用。
2. 指導兒童選擇圖書資料。
3. 使兒童能自動自發的分享、擴展及培養其閱讀的興趣。
4. 鼓勵兒童利用公共圖書館的資源，俾能獲致終身教育的機會。
5. 幫助兒童充實其個人的能力，以增長其對社會了解。
6. 與本社區內其他兒童福利機構共同合作，共謀兒童服務之發展。

公共圖書館所實施的兒童服務，其對象是指從幼年到十三歲的兒童而言。在以上的目標中，尤以使兒童能依其興趣，程度與速度自由閱讀，培養其自動自發的習慣，這一點至爲重要。

(二)兒童服務的組織與人員

在稍具規模的公共圖書館中，都設置有一兒童服務協調員的職位，其職責係秉承圖書館行政主管的意旨，擔任聯絡及協調全館組織系統和總館與分館之間的兒童服務。其所承擔的工作項目大致有：

1. 協調全館及本系統的兒童服務。
2. 擬具服務政策，作爲主管的參考。
3. 負責策劃圖書選擇事宜。
4. 研究改善對兒童服務的技術方法。
5. 參與公共圖書館與學校圖書館聯合服務計劃。

從上可知兒童圖書館或協調員是一館兒童工作的專家。依照美國圖書館協會所訂的標準，兒童圖書館館員的資格最低限度應接受高中以上五年的正式教育，包括從一所經ALA認可的圖書館學校中畢業。所接受的訓練不僅應有對兒童服務的特殊課程，也應有一般圖書館學課程。在個人的條件上，必須具有喜愛兒童，和樂於爲兒童服務的態度。兒童服務的協調員必須是在一所圖書館學校中畢業，具有六年到八年在專業圖書館工作的經驗。其中至少曾在公共圖書館中擔任四年的兒童工作和兩年從事顧問或督導員的資格。

一所圖書館究應需要幾位兒童圖書館員應視服務區域的兒童數量，兒童圖書資料的現存量，圖書館工作和活動的限度，以及圖書館建築等項而定。

在一所規模較大的公共圖書館中，兒童部至少應有一位專任人員全日在館爲兒童服務，規模較小的圖書館如無法負擔一位專任的人員，亦應由二、三所圖書館共同聘請一位曾受專門訓練的人員分別爲各館工作。根據美國的標準，任何一所一年借出七萬五千册或更多圖書的分館都需要一位專業的人員的。

(三)兒童服務的重點

對兒童的服務有不同的型態，傳統的型態是有一個爲初級學校學生所準備的兒童部，以及爲高級中學學生所準備的青年部，另有一爲成年人準備的成人部。但有少數的圖書館試圖改變一種新的型態，兒童部對六年級以下的兒童服務，青年部爲七至十二年級的學生（即初、高中生）服務，成人部供其他人士利用。有的圖書館宣布兒童及成人部採用同一種借書卡，而且當一兒童小學畢業後也可仍舊使用，這使兒童能有利用成人圖書的權力。並增加了利用的限度，使兒童能找到適合其愛好的書籍。

1.個別指導工作：大部分對於兒童的閱讀指導工作是直接回答兒童在某一主題之下的各種疑問，或是介紹某一本好書；而間接的方法是從書目，展覽到夏令閱讀俱樂部，和對學校班級及其他團體提供圖書討論會。指導的方式，首先要瞭解兒童的閱讀能力與閱讀興趣，製成個別的記錄，然後再就個別情形作進一步的指導。但是負責人員在實施指導工作時，除了要瞭解所輔導的對象外，還要深知所能利用的讀物，知道有那些兒童讀物可供利用，及讀物的深淺難易程度。如此才能將適當的書介紹給適當的讀者。

2.對兒童的參考服務：對兒童的參考服務主要在敎導兒童利

用圖書和圖書館，並指導兒童愛護書籍之道。這項工作在學校中實施，可能較諸在公共圖書館中實施更爲有效。其內容包括：

(1) 對於圖書的理解：

圖書的意義

圖書的歷史

圖書的構造

圖書的印刷與發行

圖書的結構

(2) 對於圖書利用的態度：

圖書的管理方法

讀者衞生

圖書的選擇

(3) 對於圖書利用的技術：

讀書的技術

辭典、百科全書的利用

年鑑、指南、手册的利用

書目、索引的利用

雜誌、報紙的利用

(4) 對於圖書館的理解：

圖書館的功用

圖書館的歷史

圖書館的資料與設施

(5) 對於圖書館的態度：

圖書館的規則

圖書館利用的公德心

(6) 對於圖書館利用的技能：

圖書的分類與編目

學校文庫的利用

校外資源的利用

3.故事時間：故事時間是激發兒童閱讀興趣的一項計劃，通常每週在館舉行一、二次，每次卅分鐘到一小時不等。這一節目幾乎受到大部分兒童的歡迎。有些圖書館在電視、廣播節目中提供故事時間，也頗爲成功。一般說來，爲學齡前的兒童所舉辦的故事時間很受三歲到五歲兒童的喜愛，而高年級學生多參加社團活動，練習創作，參加戲劇與藝術活動，對故事時間就興趣較淡了。

多年以前，索姆奈（Clarence Sumner）曾建議在楊士敦（Youngstown）公共圖書館成立一母親室，專備攜帶兒童來館的母親們使用。內陳有關家庭婦女，育嬰常識，烹飪技術等與家庭生活有關的讀物，這一構想惜未推廣。

故事時間的安排及故事的選擇不是一件簡單的事。在安排上必須注意到時間和地點及對象等問題，在方式上應力求有變化而不單調。在故事的選擇上，必須考慮到聽衆的年齡和興趣，且忌選擇爲兒童所不能瞭解及過於冗長的故事。每次所講的故事應有一主題，最多不要超過三則。第一則大約五到十分鐘，以幽默性或趣聞爲宜，以期能吸引兒童的注意力；第二則故事要長些，富戲劇性，以廿分鐘左右爲宜；最後一則故事較短，以十分鐘左右最佳，以輕鬆愉快的故事，容易使人留下良好印象。

講故事的效果，據美國兒童讀物作家索艾爾(Ruth Sawyer)說：「生動的故事能激發兒童的感情——奇異、歡笑、愉悅、驚愕等。陶冶兒童愛美的情操，維護心靈的完美，以及培養仁慈、同情的美德。從故事中增進兒童豐富的經驗，培育友愛的精神，以及分享理想的快樂。」除此之外，從圖書館的要求來說，主要在激發兒童閱讀的慾望與興趣。

4.兒童服務的發展趨勢：由於兒童服務發揮了相當的效能，所以新成立的圖書館或分館都希望能够建立一項有效的兒童服務計劃。據一九五六年統計，在美國十五歲以上的成年人佔全部人口的百分之七十，而五歲到十五歲的兒童約佔百分之廿。但一般登記為公共圖書館的兒童讀者，佔該服務地區總人口量的百分之五十二；而登記為當地地方公共圖書館的成人讀者僅佔百分之廿二。由此可見，兒童讀者對於公共圖書館的依賴。據美國Wheeler 氏分析，兒童服務之未來發展，與四項主要的問題有密切關係，這就是：圖書館習慣的理論，學校圖書館的挑戰，大衆傳播的影響，以及敎育與心理學的趨勢。玆分項說明如下：

(1) 圖書館習慣的理論：美國圖書館員們長久以來就一直深信：如果圖書館能够盡早吸引兒童到公共圖書館中，並誘導其繼續利用圖書館，那麼，他們會憑著所養成的習慣，一直利用圖書館到長大成人。這一理論在過去五十年來被圖書館界深信不疑。

但另有人認為，如圖書館習慣確實是與兒童服務相互關聯，在過去五十年間必會產生更為輝煌的效果，利用圖書館資源的人數當較前增加至少兩倍以上。但是實際上登記到公共圖書館借書的成年人仍極其有限，一般成年人所閱讀的資料仍多為廉價的紙面書和普通雜誌爲主。尤其是年齡在廿歲左右的青少年很少利用圖書館。這也是一事實。

因此，客觀而論，對兒童服務的技術應有重加檢討改善之必要，一方面使其瞭解運用圖書館及圖書資料的技術方法；另一方面也要使兒童們瞭解到圖書館對其未來生活的重要性。使兒童們在成長之後，無論在學習生活，社會生活及家庭生活中感到有問題時，能利用過去的經驗，自圖書館中得到解決之途。

(2) 學校圖書館的挑戰：在本世紀初，公共圖書館的服務曾擴展到學校的範圍，以培養兒童閱讀的習慣，而其影響至爲良好。但爲時不久，若干學校體認到圖書館在敎學方面的輔助價值，乃紛紛建立了他們自己的圖書館，取代了當地公共圖書館的服務。之後，學校逐漸改進了敎學方法，使用各種不同形式的敎學資料，學校圖書館乃與公共圖書館合作供應各項資料，不過大部分的資料仍靠學校本身準備的。最近廿年，公共圖書館對於學校的服務已逐漸撤退。原因是經過多年來的體驗，公共圖書館僅能提供圖書流通服務，而無法從事參考服務及個別指導等工作，所以不能算是完整的圖書館服務方式。一般敎育專家和圖書館專家咸認，在學校中如預算許可，必須設置一所自己的圖書館，才能充分配合學校的敎學活動。公共圖書館的學校服務只能作爲一過渡時期的臨時措施而已。

(3) 大衆傳播的影響：學校圖書館和公共圖書館對於兒童的服務是按照同一標準和準則來實施的，並以同樣的方法與資料從事服務。但所面對的一種龐大的力量，影響到兒童服務。這一力量就是大衆傳播工具，包括廣播、電視、電影、連環圖畫、通俗雜誌等的泛濫傳佈。

大衆傳播工具多有大量資金支持，利用各種廣告媒體作爲宣傳，以商業經營方式爲手段，以謀求利潤爲其目的，所以大多缺乏眞正的敎育價值。但是它對於兒童的吸引力往往超過了含有敎育價值的兒童讀物，抵消了公共圖書館的努力與貢獻。尤以電視節目和連環圖畫，對於兒童的影響更遠超過圖書館服務的效能。

面對這一形勢，最好的方法是圖書館界運用各種力量設法改善大衆傳播界所製作的節目和印行的出版品。利用傳播技術發展對兒童的服務。使電視節目更富敎育性，使各種出版品更具敎育意義與價值。不過這是一項長期的工作，尚賴社會各界人士的共同努力才能獲致成效的。

(4) 教育及心理學的趨勢：目前社會各界對於兒童敎育的重視，以及加強兒童心理學的研究，對於圖書館的兒童服務而言是一好的現象 。兒 童 圖書館需要注意到兒童敎育的改變及發展趨勢；現代心理學對於天才兒童和遲鈍兒童的研究，也有助於推展各項對兒童的服務。

兒童圖書館員需要知道在學校、課程、敎學方法上之有關發展，以及心理學家對於兒童心理的研究結果。未來的公共圖書館的服務不應以出借與收還圖書爲滿足，而應就兒童的個別差異，順其性向，給予閱讀指導。並利用圖書資料培養兒童多方面的興趣，矯正其心理上的缺失。運用不同的方法及不同的資料，進行對天才的、遲鈍的兒童服務。

以上四點對於公共圖書館的兒童服務關係至鉅，今後爲使此項服務更趨完善，不能不多加研究。有人說「兒童是圖書館最忠實的讀者」，如何使這些忠實的讀者切實獲得兒童服務的成效，這就是圖書館工作人員的責任了。

參考資料

1. 王振鵠：兒童圖書館。臺北，臺灣書店，民58年，214 p.
2. Peterson, Harry, N. "*Administration of Children's Library Services.*" *ALA Bulletin.* 53:293-296, April 1959.
3. Ellsworth, R. E. *The School Library* N. Y., The Center for Applied Research in Education, Inc., 1965.
4. Emerson, Laura S. *Storytell: The Art and the Purpose.* Michigan, Zonder-van Put. House, 1959.
5. Fargo, L. F. *Activity Book for School Libraries.* 1938.

九、美國公共圖書館的推廣工作

美國公共圖書館業務的發展，可以區分爲三個主要的階段。第一個階段是從一八五〇至一八九〇年，著重在圖書組織的技術，如圖書採訪、分類與編目，圖書的出納程序等。第二個階段大約從一八九〇至一九二五年，著重在圖書資料的快速而有效的利用，減除讀者和書本間的障礙，使較多的讀者更爲方便的利用圖書。除此之外，並興建分館，普遍服務。第三個階段是從一九二五年至今，重點在激發及指導讀者使用書本及圖書館。以上三個階段雖然不能說是後一階段取代了前一階段，但可以說後一階段也包括了前一階段所著重的要點。其中興建分館或利用其他方法謀求書籍的迅速而有效的使用，業已實施多年，至今仍在開展，形成推廣工作中的一項主要計劃。

公共圖書館爲開拓其服務範圍，擴大其服務地區，曾進行了多項試驗，如圖書傳遞站（Delivery Station），家庭借書站，工業儲存站（Industrial Deposits），和醫院服務站，監獄服務站等。但比較有效的方法仍舊是分館制度和圖書巡廻車的服務等，玆分別探討如後。

(一)分館制度

公共圖書館設置分館的目的，主要是爲擴大總館的服務範圍，便利距離總館較遠的民衆。分館多有其獨立的建築，一部分永久庋藏，可供當地社區民衆利用的圖書。分館有其專門服務的人員，一定開放的時間，和一定範圍的服務項目。

美國公共圖書館第一所成立的分館是在一八七〇年在波士頓所設立的，但一直到一八九〇年才有其獨立的建築。一九五〇年，美國教育局報告，在六、〇二八所公共圖書館中，設分館及支館五、〇九三所。一九五五年，在六、二六三所公共圖書館中，設分館及支館五、二八五所。一九六〇年的美國圖書館指南顯示，全國共有公共圖書館七、二〇四所，在七二一個圖書館系統中，設有三、六二五處分館。

分館的功能如何？分館與總館之間的關係如何？尙乏定論。不過對於分館的功能目前有兩種不同的說法。一種認爲分館是規模較小的公共圖書館，雖名義上是分支機構，但應提供各方面的服務，一似總館。另一種認爲分館是社區中流通通俗讀物的一個單位，不提供參考之類的服務。這兩種說法均言之成理。

一館所服務的人口在二萬五千人到五萬人時，僅需要一處經辦借書的機構，如圖書巡廻站等是，但不需要分館。在五萬人到七萬五千人的城市需一分館和一部圖書巡廻車。一館應否設置分館應視所服務的人口數量和需要而定，並無絕對的標準。以上所示，不過舉例說明而已。

分館的服務標準從調查中顯示，理想者每年流通量應爲七萬五千册至十萬册，其中百分之四十五至百分之五十屬成人流通部分，每年至少應答復一萬個諮詢問題。分館建築，每年流通數量在十萬册以上的分館，樓層空間約需八千平方呎，底樓空間應有七千平方呎，閱覽座位應備有成人和青少年者七五席，兒童五〇席。每星期開放至少五天，一天約八小時。應有專業人員二、三人，工作人員五至六人。

分館的位置必須設於市區交通中心，爲步行便於接近之處，一如鄰近的購物中心，分館位置適中，每年的流通量會超過七萬五千册，分館位置欠當，不易接近，必將妨礙其發展。這是不能不注意的問題。

(二)分館系統的組織

當一公共圖書館規模大到擁有六個以上的分館時，就要考慮到組成一分館系統，並在總館中應設一分館督導人員或推廣部門的主任。在分館系統中有兩個問題存在，一是有關分館館長和總館館長及督導人員的關係。另一是分館應擔任那些範圍內的工作。

一館所擁有的分館如不超過五所，而每一分館所服務的人數不到卅萬人時，則不需要設分館督導人員，分館館長直接向總館館長提出業務報告，或是向副館長提出報告。而分館負責人則須管理所在地區內的分支單位，如圖書站、學校服務及圖書巡廻車等。

在一大都市，如人口超過七十萬人，分館超過廿所時，較爲經濟而有效的服務方式是在總館與分館之間，增設區域圖書館或區域中心（Regional Library, Regional Center）。直接負責督導及管理各地分館，如此當更有效的達成服務效能。以費城爲例，該城設有總館一所，分館卅八所，巡廻車兩部，全年圖書流通量爲四百萬册。該館爲加強社區服務，增強分館功能，期使每年流通量達到八百萬册的目標，將於廿年前將分館重行規劃組織，增設了五處區域中心，每一中心管轄若干所分館。據該館宣稱區域中心的優點爲：

1.增加圖書流通的機動性：在過去卅八所分館中，各藏書二萬册，不足以應付社區居民的需要，而新立的區域中心收藏豐富，距離各分館較近便，所以在十五分鐘之內卽可將分館所需圖書運送到達。這較之過去依賴總館支援更爲方便迅速。

2.提供參考設備與工具：分館藏書及設備不足擔任參考服務，讀者如有疑難問題必須送請總館解答，往返費時，至爲不便。區域中心設置後，備有必要的參考工具，可就近支應分館參考需要。

3.加强蒐集地方資源：區域中心分設於費城各重要社區，直接爲一小都市服務。其館藏具有大圖書館的規模，而有小區域的地方色彩，更能反映出地方的需要。尤以費城爲美國一大都市，各社區性質各不相同，有的爲文化區、有的爲工業區、有的爲商業區，區域中心之分設，重在爲地方服務，這較之過去的分館服務，更能表現出其特性。

4.增强服務效能：分館因人員及經費所限，開放時間較短，而區域中心當可適時補救這一缺欠。每日開放十二小時（自上午九時到下午九時），星期六開放八小時，使隣近民衆都可就便利用。此外，在中心設有爲青少年及兒童服務的專業人員，服務較單純的分館更爲週到。

5.可作為社區文化中心：區域中心不僅藏書豐富，其場所亦可作爲社區文化中心，經常陳列展覽，辦理音樂及講演會。有助於促進社區文化活動之發展。

從上可知區域中心與分館的關係。總括來說，區域中心可說是分館的直接管理機構，連繫中心與支援單位，對於分館系統之建立和加強有莫大的好處。

至於分館的所應擔任的工作，這與一館的政策有關係。一般說來，如一個組織包括有許多單位時，最重要的一點是將圖書採訪與編目工作集中辦理，而對讀者服務方面的工作盡可能的分散辦理，以應讀者的需要。具體說來，分館的任務是盡可能的給予當地公民以良好的服務，這些服務包括借閱書籍，參考工作和閱讀指導。分館館長最重要的是要瞭解本社區的情況和需要，擬具服務計劃，並發動分館同仁澈底執行這一計劃，適應當地的需要。

(三)圖書巡廻車服務

在公共圖書館的各種推廣服務中，以使用圖書巡廻車爲讀者服務最爲經濟和有效。圖書巡廻車的使用遠在十七世紀之初，當時的交通工具主要是馬車，因此，巡廻圖書車是使用馬車裝載著書籍到各地去流通。二十年後由於科學不斷地進步，汽車工業快速發展，導致圖書館使用汽車作爲服務的工具。圖書巡廻車在第二次世界大戰後，已被大量的使用，我們從下列的統計數字中可以看出其進展過程：一九五〇年圖書巡廻車共有六三〇輛，一九五六年增加至八八〇輛，由於一九五六年圖書館法案的通過，明定聯邦得以經費援助圖書館推廣服務的發展，到現在爲止，至少已有圖書巡廻車一、二〇〇輛。除巡廻車之外，偶而也由輪船、火車、汽車及其他車輛來協助書籍的運輸。

圖書巡廻車有兩種類型，拖車型和由牽引車牽引的小型貨車型。這兩種類型的圖書車各有優點，但單一裝設的圖書車似乎更易於操縱。圖書車的大小有一噸重的或少於一噸重嵌板貨車及車廂在車臺上的兩種，前者售價約二、五〇〇美元，可容九〇〇本書；後者能容四、〇〇〇册，售價是二〇、〇〇〇美元。此外有一種售價七、五〇〇美元，能載書一、六〇〇册的圖書車在一九五九年間最爲流行。

巡廻車的內部裝設包括書架、電熱器和其他設備。車廂內的書架稍爲傾斜，且置放書撑，以防書籍滑落和傾倒；同時書架兩端最好以橡膠帶緊繫，卽車子在顚簸的路上行駛，書籍也不會被抛落。有些圖書車裝有五〇〇至一、〇〇〇瓦特的發電機供給熱力和電力，以應電熱器、冷氣機及複印機、擴音系統和其他方面的使用。有些圖書車則在各停留站轉接電源，較爲經濟的方法是使用桶裝的瓦斯或大號的蓄電池供應能源。總之，巡廻車以車廂體積大，能裝載大量的書籍，又能行駛長途者最爲合用。

圖書巡廻車經營政策與單獨的鄉村圖書館及區域系統或城市的分館一樣，但其設置更爲經濟，更富機動性。圖書車的書是經常替換的，目的在使讀者能獲得更多不同的書籍，圖書車的讀者與分館相比大大不同，他們經常借閱圖書，而分館的書藏則多是放置在書架上，甚少被人利用。

圖書車最理想的經營政策是：(1)應有圖書三、〇〇〇至四、〇〇〇册，不能少於二、五〇〇册；(2)妥善計劃兒童與成人服務，務使借書的成人與兒童一樣多；(3)兒童停留短暫的地方不設立圖書車站；(4)在成年人最常到的地方設有圖書車站，停放的時間最好是一個下午或一個晚上，大約是兩星期一次；(5)所有圖書車都要有一位曾受訓練的人員，工作時間是下午一時至晚上九時；(6)每輛圖書車都應備有能解答讀者所提出的問題的資料，以充分發揮服務讀者的功能，如百科全書、類書、曆書、讀者指南、手册及小册都是最佳的參考工具；(7)服務的基本工作必須加強和大力宣傳。

若能做到以上七點，圖書車的利用價値必將大大的提高。現在圖書車被證明是一個有效和經濟的書籍流通機構。少數圖書車能解答讀者所提出的參考問題，有人主張圖書車不應提供參考服務，因爲這項工作是不合實際的。也有人引證事實說明參考服務是有實際的價值，而且這項服務十分受到讀者的激賞。圖書車通常載有圖書、小册、近期雜誌和唱片，但大多沒有卡片目錄，讀者只需從架上取出書本用圖書證登記後就可借閱。目前圖書車的負責人員包括一位管理員（並不一定是專業人員）和一位駕駛員。有時，駕駛員兼負圖書管理之責。許多大的圖書車有三至五人，包括一或二位專業人員和兩位事務員，每週工作六〇至七五個小時。

圖書車對學校服務的效能曾經不斷地被人討論。他們認爲圖書車是不能代替學校圖書館的，但學校當局卻歡迎巡廻車的服務，因爲可節省了許多圖書經費的開支。

圖書巡廻車與圖書館分館一樣有它最適宜的作業的方式。簡言之，如果巡廻車的流通量不能達到每分鐘借出一册的效率，這個服務站就該撤銷了。假定巡廻車每星期開放使用的時間是卅小時，那每年的流通册數約在九〇、〇〇〇册左右，其中半數以上應是成年人書籍，照這一比率來看，巡廻車的流通作業與分館一年才流通六萬册相較，巡廻車似更有價值。圖書巡廻車最多能使用十二到十五年，它本身的折舊與維護費（如修理汽油等）都比固定的分館消費多。很多巡廻車全年流通總數在十萬册，甚至二十萬册以上，尙不包括對學校的服務在內。

巡廻車的好處是它的流動性，讀者在他們最方便的地方能借到圖書，巡廻車站書籍流通量如不理想，應撤銷或縮短服務次數和時間。一九五六年只有巡廻車站五十處，每站的巡廻次數是每隔一至三星期不等，或平均兩星期提供兩小時的服務。

圖書巡廻車經營的行政問題可分爲保養維護、人員、書藏和宣傳工作四方面：①保養維護：巡廻車需要經常地保養和修理，這不只是一項技術問題，而且是不容遲延的。如許可的話應備有一筆經費以供添購新車之用。因爲有故障的巡廻車必會影響到它的作業。②人員：負責巡廻車的人員必須具有健康的體格，有易於應付讀者的能力，豐富的學識和熱愛書籍，沒有卡片目錄亦能處理工作。至於駕駛員必需熟識交通路線、行駛時間、能應付惡劣的天氣、懂得在每站最適宜的地方停駐，能控制用饍的時間。③書藏：巡廻車的書藏雖不及分館之豐富，但能常從總館中更換得新的書藏，書藏雖然常換新的但亦應同時盡可能的備有基本書藏，這對希望借閱非小說書籍成年讀者來說是特別重要的。因此巡廻車的書藏應有不多於¼的青少年讀物，和不多於¾的成年小說，這個比例再加上經常換新的書藏和讀者所需求的書，圖書巡廻車成爲一個眞能有效地促進書籍傳播的機構。由於車廂面積有限，書藏不多，因此書籍的管理和出納最好迅速處理，使歸還的書能很快的再借出。④宣傳方面：圖書巡廻車本身就是公共圖書館宣傳的工具，亦是使讀者與書籍接觸的媒介，所以若要發揮它的功能必需有良好的宣傳方法，因此公告牌和海報應當在適當的地方展示。又巡廻車因天氣影響而無法及時到達巡廻車站時，亦應設法盡速通知當地市民，以免民衆等待。另一問題是借出圖書可委託當地機構代收，或存放在一商店中，待日後收取。圖書巡廻車的巡廻時間、地點應事先印刷分送各地，或經由廣播電視和報紙供給民衆有關資料和消息。

(四)其他推廣服務

借書站是一種最常見的推廣服務單位。通常借書站的定義是將書籍集中於一處，供給讀者使用。但這些書不列入圖書館的財產，由志願工作人員負責管理。借書站通常設於醫院、監獄、鄰近商店和家庭等處。學校也常設有借書站。對大小圖書館而言，借書站都有設立的必要，因爲借書站是最經濟的推廣服務機構。它之所以經濟是負責的人員工作時間不多。本世紀初期，公共圖書館在各地遍設借書站，尤以工廠最多，可是由於一九三〇年間經濟蕭條，以致借書站不得不撤銷；後來，由圖書巡廻車取而代之。目前美國仍舊有些沒有人管理的圖書站，分別設立在超級市場、餐飲店、加油站、藥房等處，這種無人管理的，完全信賴讀者的借書站是在一九四七年由 Stewart W. Smith 所首倡，尙能獲得民衆的歡迎。

參考資料

1. Wheeler, Joseph L. and Goldhor, Herbert. *Practical Administration of Public Libraries.* N. Y., Harper & Row, 1962. 571p.
2. Strouse, Dorothy "The Administrator Looks at Bookmobile Service." *Bookmobile Service Today.* p. 6-7.
3. Rose, Ernestine. *The Public Library in American Life.* N.Y., Columbia Univ. Press, 1954.
4. Jolliffe, Harold. *Public Library Extension Activities.* London, The Library Association, 1968. 343.p

十、結　論

美國公共圖書館發端於十八世紀，而普遍創設而成一社會機構。則自十九世紀中葉起始。目前，論及組織，遍及全國，無遠弗屆；論及服務，老幼病殘，一視同仁，可以說是一有敎無類的民衆大學，分析美國公共圖書館制度之發展，有以下各點值得注意者：

(一)公共圖書館以作爲一敎育機構，爲其發展之主要目標。美國公共圖書館之發展約可分爲四個時期，第一個時期係初創階段，社會圖書館、敎區圖書館及流通圖書館等以一個半世紀的時間，變化其型態，實驗其服務。直至一八五四年，波士頓公共圖書館成立，始掀起公共圖書館運動，趨向於一致的型態發展。

波士頓公共圖書館是以倡導成人繼續敎育而設置的。據該館宣稱其創辦是根據了以下的三個信念：1成年人有謀求自我敎育與發展的慾望與要求；2圖書是主要的敎育工具；3大部分成人無力自己添購所需要的敎育性圖書。這一信念提供了在一八五五至一八七五年代設立公共圖書館的理論基礎。在圖書館的服務上，公共圖書館認明其本身的職責爲敎育民衆，但是並不負有敎學及指導的責任，僅是提供民衆所需要的書籍而已。第二個時期是試驗階段。十九世紀末，公共圖書館認爲必須擴大對讀者的服務，始能穩固其敎育目標。於是乃開展其參考服務與休閒性活動。圖書館員相信提供通俗小說及一般消遣性讀物，可以誘導民衆從事正式的閱讀。刺激文化活動的發展，能依讀者的興趣及智能因材施敎。一八七〇年後期到一八八〇年，圖書館以敎育、休閒及參考三項服務爲其工作目標，並產生了三者之中究竟應以何者爲主的爭論。一九〇〇年之後，由於公共圖書館的迅速發展，圖書館指導讀者服務，解答讀者問題，大大促進了館藏的流通與利用，以致參考及休閒的目標漸漸抬高，凌駕敎育目標之上。

第三個時期是穩定階段，第一次世界大戰結束後，成人敎育的觀念盛行，若干敎育及社會團體以圖書館應以成人敎育機構爲其職志，加以卡內基基金的鼓勵與資助，乃確定了未來的工作方向。第二次大戰至一九五六年間，公共圖書館在質和量的雙方面都有驚人的發展。 ALA 與成人敎育協會共同發起贊助成人敎育計劃，並發展了成人敎育的敎學型式，圖書館界亦瞭解其承擔的敎育責任，集中人力物力從事這一方面的服務。第四個時期是發展時期，一九五七年到一九六四年間，圖書館對於成人敎育的觀念改變，認爲一切閱讀行爲與資料的利用，都直接與間接的和成人敎育服務有關，而圖書館的服務和活動都包含有敎育的意義在內。同時由於娛樂方式，如電視廣播，團體活動及球類運動的發展，再加上廉價版讀物的大量出版，致使讀者減少了對圖書館借閱消遣性讀物的要求。圖書館也與其他機構合作實施成人敎育，並且提供了較傳統方式更具意義的服務。

從上述的發展趨勢看來，公共圖書館自始即以一敎育機構爲其發展目標，這一信念是永久不變的。其功用在使民衆繼其終身所學，輔助學校敎育之不足，因此，無論男女老幼，資本家或勞動者都可以從圖書館中取得適用的讀物，提高其思想程度與社會生產能力，促使全社會的經濟程度和知識能力，都因圖書館的力量而日有增長。

(二)公共圖書館以維護自由閱讀及服務全體民衆爲其工作的崇高理想。美國的公共圖書館雖由政府稅收支持，但由民衆自組理事會管理。其經營以維護民衆自由閱讀的權利爲其最高理想。

美國前任總統胡佛與杜魯門曾在圖書館週中聯合發表書面談話說：「自由的意義，就在人民有自由思想的權利；而自由的思想則表現在於自由的閱讀」，公共圖書館的存在價值也就是提供民衆自由平等的讀書機會，使任何人都能够對圖書館藏予取予求，隨時利用。

基於這一理想，美國公共圖書館首先加強其組織，擴大其服務。期使全國男女老幼，無論居住在都市或鄉村，都具有平等的閱讀機會和平等的閱讀權利。因之，在組織上乃產生了全國性的，全州性的，以及區域合作的發展計劃，務使人人都可享受到免費的圖書館服務。在內部工作設計上，更針對不同的年齡，分別設計了不同性質的服務，希望能各取所需。其次，公共圖書館更提倡在蒐集圖書時，應打破種族、宗教、政治、職業、學派及地方習俗的偏見，對於爭辯性的書籍要盡力蒐集代表雙方面立場的著述，力求態度公正而不偏私，提供最客觀及最正確的資料消息，俾能使讀者作明智的抉擇與判斷。

美國圖書館協會在一九五三年曾聯合美國圖書館出版委員會共同擬具了一項宣言，定名爲「閱讀的自由」公開揭示了工作的理想。宣言中說明閱讀的自由是民主政治的基本要素，書本爲自由的重要工具之一，而自由的傳播對於維護自由的社會是非常之重要的。因此，該宣言建議：

1. 爲大衆利益，圖書館員及出版界必須提供不同觀點的著作。
2. 出版者及圖書館員不應以著者的政治觀點和個人背景，判斷一書內容的優劣，這是違反大衆利益的。

3.出版者及圖書館員有維護閱讀自由的責任，並應提供有益思想的書籍。

這一宣言曾經美國文化敎育界所推崇，並被圖書館界奉爲工作準則。儘管美國目前仍有違反上述理想事件之發生，但圖書館界均已體認到本身職責的重大，以及圖書館在民主社會中的價值與地位。

(三)公共圖書館以傳播新知消息作爲社區資料中心爲其促進國家社會發展之手段。美國公共圖書館除具有上述的敎育功能之外，尙具有傳播新知消息的具體任務。各館在圖書館網的嚴密組織下，合作經營，分工蒐集。彼此互通聲息，相互支援，成爲社會中的知識情報蒐集和交換中心，對於國家建設，學術發展和個人生活的充實有密切關係。

在實際工作方面，美國圖書館界曾於二次大戰之後積極改進圖書館的工作技術，最具成效的辦法有以下幾點：

1.利用圖書館的組織，分工蒐集資料，合作充實圖書館資源，並謀資料之普遍利用。這種方式，目的在集中人力經費作專精之蒐集，各館蒐集的資料相互補充，避免不必要之重複。諸如全國各類型圖書館參加的法明敦計劃，芝加哥地區性的合作蒐集計劃等比比皆是，都是朝向這一目標發展。各館在合作制度之下所獲得的資料，透過互借制度及在各館裝置的自動通訊設備，相互流通，迅速便捷，成效卓著。據一九七四年三月紐約時報報導，紐約市公共圖書館和哥倫比亞、耶魯、哈佛三所大學圖書館近更成立了聯合經營計劃，利用照相複印技術及電子設備互相流通書籍，其構想是任何一館的資料都可供給其他三館使用。這四所圖書館並投資千萬美金，將四館圖書期刊製成卡片納入電腦，俾能迅速檢索，以節省人力時間。以上這些努力，均以傳播新的知識消息，加速國家社會發展爲目的。

2.研究書目管制（Bibliographical control）技術，務使一切出版品均有線索可尋，不使漏列，而便利用。傳播新知消息的最重要手段之一，就是要有掌握知識消息的工具。無論是書籍、小册或是單篇文章，一經刊行發表，卽被納入管制，可隨時隨地查檢利用。書目管制的方法甚多，諸如編製各種不同型式的圖書目錄、索引、文摘；或是組織地區性的目錄中心等。聯合國教科文組織曾於十五年前建議各國政府編印國家目錄作爲邁入書目管制的第一步工作，其目的在謀國際文化之交流，惜各開發國家大多未注意及此。美國圖書館界近年來以書目管制工作列爲發展之首要，同時公共圖書館亦以此項工具作爲報導知識消息的重要工具，花費大批人力財力致力於這一方面的研究。

3.利用電腦資料處理技術加速資料蒐集與處理工作。近十年來歐美圖書館界利用電腦改進圖書館服務方面已有很大的進步。尤其在圖書資料的採訪技術，目錄編製及資料流通方面最有成效，而在資料的查索方面現亦有很大的進展。但是由於人力物力所限，有些技術問題尚未獲致完全解決，以致還沒有達到全部應用地步。不過我們可以預料在未來的十年之內，美國的各圖書館必將更爲直接的運用這一工具，爲讀者展開傳播知識消息服務。

以上這三項手段，卽合作蒐集，書目管制及電腦處理資料都有一項共同的目的，使所服務的讀者獲得更多更快的資料，用以加速學術研究發展，改善個人生活，謀求人類的福祉。更以此種方式建立起社區內的資料消息中心為民衆服務。

路易·邵爾斯（Louis Shores）在美國的公共圖書館一文中曾就美國公共圖書館發展加以論述。他認為美國公共圖書館的發展現已開拓了一新的領域，並已成為其他國家的模式，而這一模式的要點就是謀求教育的普遍性和獨立性。其意指美國的公共圖書館以教育的普及為其首要任務，更以重視個別差異，獨立學習為其手段。但自二次大戰結束，公共圖書館除盡力達成以上任務外，至少在為讀者服務，專業人員的任用，館藏的流通，圖書館建築及自動化及推廣服務等方面也獲有輝煌成就，足資其他國家的效法。英國圖書館專家麥高文（Lionel R. McColvin）曾說：

「雖然人類的成長是由許多不同的外在與內在因素來決定，但我深信：觀念、知識和夢想的灌溉亦有助於人類的成長。灌溉最好的方法是常常閱讀，因為書籍是最合適和最易為人所接受的方法。閱讀書籍可使我們能夠廣泛與適當的獲得他人的觀念和知識，所以若想使人人都有此機會，最好為他們設一公共圖書館，當然是讓他們自己來建立。」

美國目前正鼓勵國民建立自己的公共圖書館，而這一方式也為世界各國引為借鑑，我們深信公共圖書館事業在整個人類的文化發展上必有其更為光明的前途。

參考資料

1. Lee, Robert "The People's University-the Educational Objective of the Public Library." *Continuing Education for Adults*

Through the American Public Library 1832-1964. Chicago, A.L.A., 1966. p. 3-11

2. Shores, Louis. "Public Library U.S.A." *Libraries for People.* London, The Library Association, 1968, p. p. 239-256.
3. Jackson, Miles M. *Comparative and International Librarianship.* Conn., Greenwood, 1970.
4. White, Carl M. *Bases of Modern Librarianship.* Oxford, Pergamon Press, 1964.
5. Rossell, Beatrice *Pub*lic Libraries *in the Life of the Nation.* ALA, 1943.

(原載於「教育資料科學月刊」第14卷第2-4期，民國67年10-12月。)

叄、圖書分類與目錄

西洋圖書分類之起源

英國圖書館學家愛德華滋 (Edward Edwards) 對於圖書分類有極爲精闢的見解，他認爲圖書分類可以區別爲以哲學爲基礎的分類法和實用主義的分類法兩種。前者根據作者對於事物的觀念，或是旁採他家學說，將知識範疇加以理想的區分排列，然後，將各種圖書資料納入其分類系統之中；後者則不顧學術理論的系統，僅考慮到圖書管理的便利❶。

就以哲學爲基礎的分類法來說，圖書的分類與哲學的分類有其近似和相通之處。事實上，目前被普遍應用的圖書分類法大多以哲學的分類系統爲基礎。其編製乃根據哲學的分類系統別分部類，再析爲綱目，並輔以各種助記表，用以容納各類圖書。此種方法之沿革，可溯自中世紀學院的三學和四藝（Trivium and Quadrivium），以後演進結晶爲蓋斯納分類法（Konrad von Gesner)。蓋氏所著的「大學書目表」(Bibliotheque Universelle) 曾被稱爲最早的一部圖書分類法。繼而，培根 (Francis Bacon) 刊行了「人類求知之進展」(Advancement of Human Learning) 一書，其精萃所在爲第二章「人類學術研究表」(Chart of human learning)，此表對以後各家分類之影響至爲深遠。培根的分類體系，經重行修訂，遂構成杜威十進分類法的基礎。我們也可以說，今日通用的各大分類法，其理論體系也大多是淵源於這一基礎之上的。

愛德華滋所論及的實用主義的分類法，肇始於公元前二六〇——二四〇年卡里馬修士 (Callimachus) 之分類法。十七世紀中葉，法人魯德 (Gabrieſ Naude)著有分類表，頗爲後人所稱頌。其後，勃魯納（Jacques Charles Brunet）修正加尼爾（Jean Garnier) 與波里洛 (Ismael Bouillaud) 所編的分類法，而成爲法蘭西制 (French System) ，又名爲巴黎書賈分類法。此法雖爲一書商目錄，因切合實際需要，在當時採用者甚多，如大英博物院之分類，一八〇五年愛丁堡 Signet 圖書館之分類，一八二五年， Thomas Hartwell Horne 之圖書分類，一七一八年德國 Leibnitz 及 Schutz-Hnfelaud 之分類皆受其影響，可見其勢力之偉大。

一九〇七年，法國阿爾伯特・西姆 (Albert Cem) 在所著的 Le Livre一書中摘錄各家分類達一百五十種之多，均爲傾向於實際應用的排列法及書目，由此可見，各種分類法之繁多。本文爲使讀者對於重要的分類法有所瞭解，在以哲學的分類中，將扼要介紹三學及四藝及蓋斯納分類法；在實用主義的分類法中，將述及勃魯納等之分類。至於近代通用的各家分類，則不在討論之列。

一、早期實用主義之分類法

——自非哲學基礎之分類法至法蘭西制

研究圖書分類的沿革，似應先行介紹以哲學爲基礎的分類法。但是按照編年的次序，非以哲學爲基礎的分類法首先問世。

因此，本文先介紹非以哲學爲基礎的各法，其次論及以哲學爲基礎的分類法。

西洋圖書分類，有謂起自埃及希伯來時代的寺院圖書館，有謂起自亞述及巴比倫，其說不一。不過，從最早的圖書館所遺留下來的史蹟中研究，亞述的阿塞培林波圖書館（Assyrian Library of Assurbanipal）將所庋藏的泥板（Clay tables）分別爲上蒼和人間的知識兩大類，可以說是圖書分類之濫觴。

中世紀以前，希臘和羅馬的圖書館如何分類，尚無資料可稽。不過，我們可以推想到，一個能產生具有分類觀念的亞里士多德的民族，當對圖書的分類有一適當的安排。羅馬人向以縝密的思考能力著稱，自然也有其適用的分類方法。根據斯屈巴氏（Strabo）所說：「亞氏不僅爲圖書蒐藏家，且曾教導亞歷山大王圖書館經營的方法（Suntaxin）」。亞氏所手創的圖書分類以後並爲在亞歷山大之伯都勒梅士（Ptolemies）所採用❷。

最早有記載的圖書分類法，當推公元前二六〇——二四〇年卡里馬修士（Callimachus）爲亞歷山大圖書館所設計的分類法。卡氏爲埃及圖書館學家，曾編有書目一百二十卷。此項書目及分類之論著已經失傳，但是瑞卻遜（Richardson）在所著「圖書分類學」一書中，曾提到卡氏所用之分類大綱❸。

1. Poets 詩人
2. Lawmakers 法律學家
3. Philosophers 哲學家
4. Historians 歷史學家
5. Rhetoricians 修辭學家

6. Miscellaneous writers 其他

此項分類略具現代分類法之形式，各大類之下再別分綱目，並採依時代編年爲序及依作者姓氏的字母順序排列的方法。

十五世紀時，馬紐夏斯（Aldus Manutius）著有新法。馬氏爲希臘書賈，將圖書區分爲五部十四類，其五部名稱爲：

1. Grammar 文法
2. Poetry 詩歌
3. Logic 論理學
4. Philosophy 哲學
5. Holy Scripture 聖書

自此之後，圖書分類有一較長時間的空白，畢里度克斯在「十七世紀末圖書館之經營」（Prideaux: Library Economy at the End of 17 Century）一文中述及中世紀寺院圖書館所採用的方法時說：「通常是把圖書分成若干類，然後依書式的大小，固定排架。……有時每類之下，再依著者姓名字順排置先後。年代及國別也用作區分綱目之基礎。」他更敍述羅馬天主教士所採用的方法「當你步入一所圖書館時，右邊排陳著信徒們的作品，選擇精良，裝訂華麗；左邊則爲令人不愉快的異教徒的作品，以黑皮裝訂，甚至在書口上也塗以黑色，被排置在陳暗之處❹。」上述所謂固定位置的排架方法，對一所日漸擴展的圖書館而言，實爲最不實際的方法，但是在當時卻盛行一時。目前，在歐美各國仍有少數圖書館採用這種方法排列圖書。不過，大多數的圖書館均已採用了其他更爲適用的，而具調節性的制度。

法國自中世紀文藝復興之後，即成爲西方的文化中心，有關目錄學的研究有極爲輝煌的成就，曾被譽爲目錄學家之樂園。十七世紀時，在法國最爲人所推崇的分類法，就是魯德（Gabriel Naude）所編的分類法。

魯德爲法目錄學家，於一六四三年，在其 Advis pour dresser une bibliotheque 中，有一分類大綱表，包羅完備，頗爲人所稱頌。該表大綱如下：

1. Theology 神學
2. Medicine 醫學
3. Bibliography 目錄學
4. Chronology 編年學
5. Geography 地理學
6. History 史學
7. Military Art 軍事學
8. Jurisprudence 法律學
9. Council & Canon Law 政府與法典
10. Philosophy 哲學
11. Politics 政治學
12. Literature 文學

以上爲十七世紀以前分類沿革之大略。十七世紀末葉，有據魯德及其他盛行有名之作，另成一分類法者，現仍沿用於各處，而稍有變更，名爲「法蘭西制」(French System)，或稱「巴黎書賈分類法」。此法源出何人，聚訟不定。有謂係學識淵博之天主教士加尼爾(Jean Garnier)，有謂爲頗負盛名的書商馬丁（Gabriel Martin）。英國圖書館學家愛德華滋（Edward Edwards）則認

爲此法爲波里洛 (Ismael Bouillaud) 所創編，而圖書館界人士亦咸認此說較爲可信。

波里洛之分類，仍不脫西洋傳統分類方式之羈絆，其大綱爲：

1. Theology 神學
2. Jurisprudence 法律學
3. History 史學
4. Philosophy 哲學
5. Literature 文學

此法後經馬健特 (Marchand)，波兒 (de Bure) 諸氏之修正補充，而至勃魯納 (Brunet) 之手始告定稿，成爲當時最具影響力之分類法。其內容，根據塞耶 (Sayers) 之記載爲：

A Theology 神學

1. 聖書
2. 聖書語學
3. 祈禱書
4. 會議
5. 教父
6. 神學家集
7. 單一宗派
8. 猶太教
9. 東方諸教
10. 自然神教

E Jurisprudence 法律學

1. 法律及一般論文
2. 自然法及國際法
3. 行政法
4. 民法與刑法
5. 寺院及教會法

I Sciences and Arts 科學與藝術

1. 字典及百科全書	2. 哲學
3. 理化	4. 自然科學
5. 醫學	6. 數學
7. 記憶術	8. 美術
9. 工藝與商業	10. 運動

O Polite Literature 文學

1. 文學概論	2. 語言學
3. 修辭學	4. 詩歌
5. 散文小說	6. 各國語言
7. 問答與會話	8. 函牘
9. 雜著	10. 總集及其他

U History 歷史學

1. 概論	2. 世界史
3. 宗教史	4. 上古史
5. 現代史	6. 歷代史略❺

莫瑞菲（Gustave Mouravit）曾爲法蘭西制賦予論理與科學的基礎，他曾說：「這種方法不僅具有綜合性質，同時亦具有分析性質。所謂綜合性質是在它的主類綱目中，表達出一種廣大的幅度，對於人類思想的各種活動，作有序列的展開。所謂分析性質是它的細目分劃細微，根據它所釐訂的類目，將人類思想活動

的產品，編列其中。」他並對此法大綱的排列，加以闡釋：

A　神學——位於萬物之首，人類首先瞻仰創世紀的神。

E　法學——然後，神引導世人入於塵寰，與人羣及家屬相處。因而，產生了法律與義務，公正與偏私的觀念。

I　科學與藝術——其次，人又回到自己，他不僅要獨善其身，並從事改善與外界的關係，以及從事改進環境的各項活動。

O　文學——人各有其精神生活，惟有憑藉語文，始能充實及擴充知識的範圍，並有所表達。

U　歷史——以上一旦有了充分的表現，或卓越的成就，人類即欲求掌握自己的命運及控制環境，並願了解無數的進化演變，因而產生了歷史科學。

在歷史科學之後，則爲目錄及非屬以上各科之雜著文集。

這種分類設計，在法國盛行一時，不僅目錄學家用以編排書目，書商用以排列存書，私人用以整理庋藏，同時，法國國家圖書館與巴黎聖琴尼佛公共圖書館（Public Library of Sainte-Genevieve）也據此編排圖書，其類目經過相當的增補，足以容納現代著作，在使用上是非常成功的。此外，法蘭西制對於後世最大的影響，要算是促成了霍恩（Thomas Hartwell Horne）分類法之產生，由於霍恩氏的努力乃創造了大英博物院圖書館的分類法。玆將兩者大綱列後，藉供比較：

霍恩分類法（1825）	大英博物院分類法（1836-38）
1.神學或宗教（1-4）	1.神學（1-117）
2.法律學（1-5）	2.法律學（1-57）
3.哲學（1-5）	3.自然史與醫學（1-36）
4.藝術與工藝（1-4）	4.考古學與藝術（1-17）
5.歷史學（1-5）	5.哲學（1-62）
6.文學	6.歷史學（1-46）
	7.地理學（1-40）
	8.傳記（1-22）
	9.純文學（1-101）
	10.語言學或語原學（1-17）

如以今天的標準來批評法蘭西制，當然不無訾議之處。很明顯的，這種分類設計受到當時的知識範疇所限，以致類目陳舊簡略，不能適用於一所近代的圖書館。尤有甚者，有些類目在現代分類法中應具有獨而立完整的項目，不應依附於其他類目之下，例如澳洲、紐西蘭、與波萊尼西亞被列爲亞洲史的一部分，實爲大謬。

其次關於法蘭西制的標記符號，一般認爲較爲混亂繁雜，缺乏簡明和統一性。此法大類是沒有符號的，而類下的大綱則標以羅馬字，綱下的細目採用阿拉伯字，各節用大寫字母，支節用小寫字體，然後各種著作再標以阿拉伯數字。於是一部土耳其文譯本的聖經便如此標記。

Theology IIAm 82

塞那曾將此法大類標以A E I O U字母，一如 Bibliotheque

National 所採用者，如用這種標記方法，前書標號為：

AIlAm 82

像這樣繁雜的符號自然不會為現代圖書館所樂用的。

至於其他分類法，一八八八年，有德國哈勒大學(University at Halle) 哈特維氏（Otto Hartwig）創編新法，頗合邏輯，然因小類不一律，符號不顯明，故不能方便應用。一八九〇年，意大利人龐奈節（G. Bonazzi）亦有一圖書分類法發行，法制雖頗完美，有助於記憶及地域之辨別，然係抄襲若干美制及哈特維法而成者，有人稱其為混合哈氏及杜威二法之作，亦不無原因。

二、以哲學為基礎的分類法

——三學四藝，蓋斯納及培根之分類

在十六世紀之前，以哲學為基礎的分類法僅能從古代大學所開授的科目中略窺端倪。最早可追溯到早期的牛津大學亨佛萊子爵圖書館（Duke Humfrey's Library）。約當一四三一年時，該館曾有明文規定，凡文科七類及哲學三類的圖書，另行排置在木橱之中，可由任課講師授權取閱。至今在波特利恩公立學院（Bodleian Quadrangle）的庭園中，仍可見到鐫刻在大門上的學科名稱，在這些名稱中即包含了「三學」及「四藝」❻。

所謂「三學」及「四藝」，溯其根源，實肇於希臘，將哲學分別為物理、倫理及邏輯學；同時，更受到亞里士多德將學科區分為邏輯、數學、物理、倫理、政治、經濟和文藝等類之影響。實際說來，這雖是修習學科的次序，並不是科學的分類方法，但

是由於亞里士多德對中古學院的深遠影響，以致這種分類逐漸系統化，形成了文科的七部或七類 (Seven groups or classes of liberal arts) ，也即世人所稱的「三學」與「四藝」。

在當時，以這七類科目爲基礎的學科，被認爲是人類研究最高學術的基本學科，這些學科通達之後，始能進而研究神學、哲學、倫理學或史學。這七類所包括的內容爲：

三學：文法 (Grammar) ，倫理學 (Dialectics) ，修辭學 (Rhetoric) 。

四藝：幾何學 (Geometry) ，數學 (Arithmatic) ，天文學 (Astronomy) ，音樂 (Music) 。

三學和四藝在每種學術的分類上呈現出不同的型式，而最令人驚異的，就是被稱爲「最早的圖書分類法」的蓋斯納分類法。

蓋斯納爲德裔瑞士籍博物學者和作家，幼時家境貧苦，十四歲失怙 ，蓄志以筆墨奉養寡母弟妹 ，乃至斯屈拉斯堡從蓋畢度 (Wulfgaug Fabricius Capito) 工作，並隨之研習希伯萊文，學成回國時，獲得獎學金，以是得以繼續在法國求學。之後在其故鄉任小學教師，繼而在瑞士巴斯爾 (Basle) 攻讀醫學。一五四一年應沮利克大學 (The University of Zurich) 之聘，擔任物理學與自然史教授。一五六一年疫癘橫行，蓋氏不顧自身安危，盡其職責，不幸染疾逝世，享年僅四十八歲。

蓋氏學識淵博，著作等身，曾撰述有文法、植物學、藥學、自然哲學及歷史等方面專著不下七十餘種，其中尤以 Bibliotheca Uneversalis 更著稱於世 。 該書爲一拉丁文、希臘文與希伯萊文的書目 ，這些不同語文的著作均依一定的原則分類 ，其大綱爲

❼：

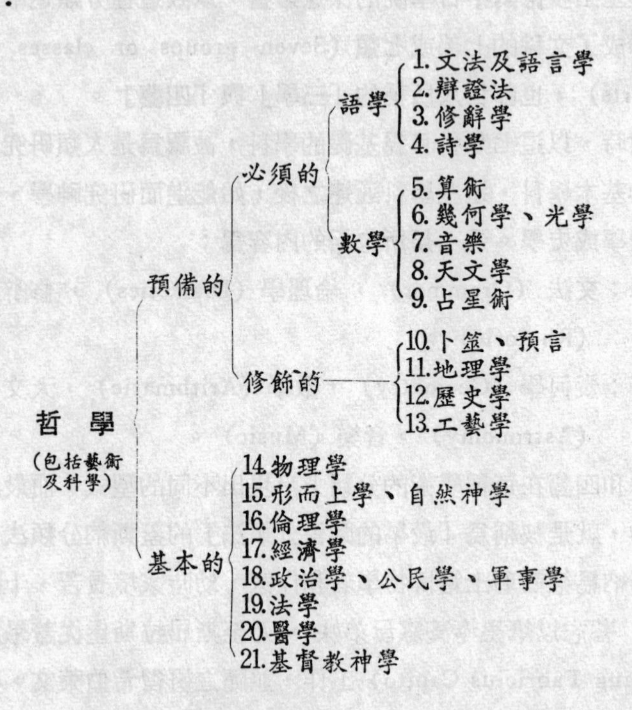

在蓋斯納分類法中，很清楚的反映出學術發展的次序，他認爲哲學應該集各類學術之大成，通過美術與科學的各項研究始能達到。勃魯納也認爲此法頗適合當時圖書排列之需。

蓋斯納分類之後，一六〇五年培根發表了其不朽名著「人類求知之進展」(The Advancement of Human Learning)，書中第二章爲「人類學術研究表」，對十七世紀以後的圖書，影響至深。培根想以人類已有成就的一切學術及其記載爲出發點，作爲安置其自身哲學系統的論據，乃計劃編製此表。「人類求知的進展」文體優美，條理清晰，實應列爲圖書館工作人員必讀書籍之一。他在本書中曾對圖書館加以描述：

「……在這座聖祠裏安息著的是所有先賢聖哲的留芳遺韻，洋溢著純真的美德，沒有令人迷妄和欺世盜名之處❽。」

這句話揭示出圖書館工作的眞精神，並可作爲圖書館員的座右銘。

培根認爲感覺爲智慧之門，只受諸個別事物的影響。個別事物的形象經感覺接受後固定於記憶之中，這些固定在記憶中的形象，在人腦中，如追述重現，就產生了「回憶」；如作幻想的模擬，就產生了「想像」；如分析歸類，就產生了「理性」。因此，人類的學術可根據這三條源流分爲歷史、文學與哲學（或科學）三大部類。歷史卽源自人類的回憶，文學卽源自人類的想像，而哲學或科學卽源自人類的理性。其各類大綱如下：

學術（智力）
- 1. 歷史（記憶）
  - 自然史（進化史）
  - 文化史（宗教史、文化正史、古代史、全史、傳記、記事、世界誌、學術、別史）
- 2. 文學（想像）
  - 敘事的
  - 戲劇的
  - 寓言的
- 3. 哲學（理性）
  - 神學
  - 宇宙論
    - 自然科學
      - 物理
      - 化學
    - 純正哲學
  - 人類論
    - 個人的
      - 生理學
      - 心理學
    - 社會的——政治學

培根將各種科學（不加以區別爲精神與物質兩類，而併列一處。）以及將文學列爲純想像的科學等，雖遭受非議，但是這一種兼容並包，並能分辨比較各種科學特質的分類法，自十七世紀以迄今日，各分類學者，多據此以爲藍本，視爲鴻寶。十八世紀中，狄德羅（Diderot）和阿而姆勃特（D' Alembert）所編的法國百科全書亦以此作爲張本。狄氏曾說：「我們自這廣大的運動中產生，主要的係受培根之賜。」同時，培根的分類亦影響到波特利恩圖書館早期的分類法。甚至，美國國會圖書館最早的分類大綱，亦仿此而作。一八七〇年，美國聖路易城名教育家哈瑞士博士(W. T. Harris)逆置了培根的大類順序，編訂了聖路易公立學校圖書館分類法。一八七六年梅爾威•杜威（Melvil Dewey）更根據哈氏分類創編了十進分類法，由此可見，培根分類影響之大，沒有一種其他分類法曾產生如此豐碩的果實的。

其他以哲學爲基礎的分類法，如一八二六年柯里支（Samuel Taylor Coleridge）在其方法論一書中所述的法則。該法曾經後人編定，其原來形式，爲：

1. Pure Sciences 純粹科學
2. Mixed and Applied Sciences 不純粹及應用科學
3. History 歷史
4. Literature and Philology 文學及語言學

此法僅可作爲參閱之用，於圖書館工作上，不生實際影響。再如一八六四年斯賓塞（Herbert Spencer）之制，若能與其科學分類一書同時閱讀，當有不少便利。其大類爲三，抽象的科學，抽象兼具體的科學，具體的科學。斯氏以爲科學有論及現象之外形者，是爲抽象的科學，而論理學與數學屬之；有推究現象之本身而及其元素者，是爲抽象的與具體的科學，而機械學、物理學、及化學等屬之；有從現象本身之全體狀態性質而論之者，是爲具體的科學，天文學、地質學、心理學及社會學等屬之。此表之優點，在根據凡物自然之進化，非如摩西在創世紀中所著造物的超自然的等第，實開風氣之先，而脫離舊日分類的不進步觀念。

其他如庇亞遜（Karl Pearson）及瑞查遜（E. C. Richardson)之分類，前者爲英人，後者爲美人。庇氏之大類有三，卽：抽象的科學，具體的科學（無機的）及具體的科學（有機的），發表於一八九二年。瑞氏的科學次序，在所著分類之理論與實際(Classification: theoretical and practical）中，分爲四類。卽：物理學、生物學、人類學及神學。以上各表均爲研究分類史所應參考的資料，不過這些資料對圖書分類均未發生直接的影響，僅對學術次序之研究，具有相當的地位而已。

附　註

❶ Margaret M. Herdman. *Classification; an introductory manual.* P. 15.

❷ J. W. Clark. *Care of Books.* P. 5.

❸ Ernest Cushing Richardson. *Classification, theoretical and practical.* P. 89.

❹ W. C. Berwick Sayers. *A manual of classification for librarians and bibliographers.* P. 97.

❺ Ibid., P. 96-97.

❻ Henry Evelyn Bliss. *Organization of knowledge and the system of sciences.* P. 309-11.

❼ Edward Edwards. *Memoirs of libraries*, V. 2. P. 763.

❽ Sayers. Op. cit. P.107.

（原載於「慶祝蔣慰堂先生七十榮慶論文集：國立中央圖書館館刊特刊」，民國57年該館印行。）

西洋圖書分類制度概說

圖書分類乃爲部次圖書的一種制度，其作用在薈萃千百年之著作，門分類別，使學者得以卽類求書，卽書以求其學。西洋圖書分類制度可考者起自紀元前二六〇年埃及亞歷山大之分類，惟至十六世紀瑞士人凱斯納（Konard Gesner）分圖書爲廿一類，在學理上始有系統。十七世紀中葉，法人勃魯納（J. C. Brunet）也有新創，分圖書爲五大類，號稱法蘭西制，盛行一時。甚至大英博物院之分類制度亦受其影響。自此之後，各國研究圖書分類者如雨後春筍，舉如美國之柏肯斯(Perkins)和史密斯(Smith)，英國之桑納新（Sonnenschien），意大利之邦拉幾（Bonnazzi），德國之哈德維（Hartwig）。但爲世人所推崇，並獲得普遍採用者則爲：愛德華斯（Edward Edwards）之市鎭圖書館分類法，勃朗（J. D. Brown）之學科分類法，杜威(Melvil Dewey)之十進分類法，國際十進分類法，克特(Charles A. Cutter)之展開分類法，美國國會圖書館分類法，阮加納桑（S. R. Ranganathan）之冒號分類法，勃里斯（Henry E. Bliss）之書目分類法等。上述各法實集古今之大成，尤以杜威及國會二法，影響更爲深遠，我國現代圖書之分類也不脫其羈絆。玆分別介紹如次，以明其梗概。

壹、愛德華斯及勃朗之分類

一、愛德華斯之市鎮圖書館分類大綱

英國圖書館學家勃朗氏(J. D. Brown, 1862-1914)在「圖書館分類編目手册」(Manual of Library Classification and Cataloging)一書中曾說：

「一八五〇年以後，分類法已隨現代觀念之更新，而愈趨實用與精細。同時，由於科學之日新月異，與工藝文獻出版的顯著增加，逐漸改變了分類表上主類與綱目的排列。自從英國通過公共圖書館法，以及美國的圖書館事業蓬勃發展之後，人們對於分類的研究更為注意，在這時期，陸續出現了許多優良合用的分類法。」

愛德華斯 (Edward Edwards, 1812-1886) 的分類，就是當時最受重視的分類法之一。他不僅是英國公共圖書館運動中，偉大的先驅者之一，而且對於一八五〇年圖書館法案之制訂工作也頗有貢獻。一八五九年，愛氏出版有「圖書館回憶錄」(Memoirs of Libraries) 二册，這部名著對於英國近代圖書館之發展影響至鉅。

愛氏的分類法，定名為：「市鎮圖書館分類大綱」(Outline of Proposed Scheme of Classification for a Town Library)，其大類為❶：

1. Theology　神學
2. Philosophy　哲學

3. History　　歷史學

4. Politics & Commerce　　政治學與商業

5. Science & Arts　　科學與藝術

6. Literature & Polygraphy　　文學與雜著

愛氏自稱該法係徵諸廣泛的原則與各方面的經驗，同時又顧及新制度的特殊性質與要求而擬定的。在愛氏本人所主持的曼徹斯特公共圖書館（Manchester Public Library）開始採用此法之後，其他圖書館繼之競相試用。結果，由於標記符號不便排架，曾經修正。其所採用之標記爲：用字母代表大類，用阿拉伯數字代表綱目，用短橫連接阿拉伯數字代表細目。例如：「英格蘭敎育史」爲：「C7—5」。

「圖書館回憶錄」一書，現已成爲有關歐美圖書分類最古文獻之一，研究分類者必須之參考資料。

二、勃朗之學科分類法❷

勃朗（J. D. Brown）被詡爲英國近代圖書館之父，其一生對圖書館界之貢獻，可與美國之杜威相互媲美。

勃朗爲英國愛丁堡人，生於一八六二年，卒於一九一四年，幼時家境不佳，未多受敎育，十三歲卽棄學從商，爲出版公司學徒，因此得與書籍結不解緣。一八七八年，改任麥且爾圖書館（Mitchell Library）職務，在職十載，潛心研究，於圖書館學及音樂，別饒興趣。一八八二年，編著音樂家傳記辭典，出版之後，風行一時。二十四歲任音樂標準雜誌之特約編輯，著述甚豐。

一八八八年，勃朗改任倫敦克勒堅威公共圖書館（Clerkenwell Public Library）館長職務，該館規模初創，內容簡陋。後經勃朗苦心經營，成爲英國著名圖書館之一。

自一八八八年至一八九八年十年間，正值美國圖書館慘澹經營時期。所設之圖書館雖多，但大都類似我國之藏書樓，曹倉鄴架，讀者難窺其美富，即偶能借閱，亦多受限制。勃朗乃倡導開架制度，書庫公開任人取閱。勃朗除在本館試行其法外，並撰寫論文，竭力宣傳。一八九三年，美國圖書館協會在芝加哥開會，勃朗代表英國與會，會議席上，陳說其計劃。至今美國盛行開架制度，深受勃朗之影響。

勃朗除發明開架制外，對於圖書館界尚有其他貢獻，如發明出納指示牌，改良活葉式書本目錄，編製分類目錄等等。一八九八年編輯「圖書館界」月刊，及出版「圖書分類法與書籍排架法」一書。一九〇三年，出版其名著「圖書館經營手册」（Manual of Library Economy），對於圖書館經營之實務，討論至詳，洵爲佳構。一九一四年創編其學科分類法，更爲長留後人追憶之一大遺作。

論及學科分類法首應研究勃朗與克因（John Henry Quinn）合著之「克布分類法」（Quinn-Brown Classification），此法創編於一八九四年，其大綱如下：

A. Religion and Philosophy	宗敎與哲學
B. History, Travel, and Topography	歷史、遊記與地理
C. Biography	傳記
D. Social Science	社會科學

E. Science	科學
F. Fine and Recreative Arts	美術與遊藝
G. Useful Arts	應用技術
H. Languages and Literature	語言與文學
I. Poetry and the Drama	詩與劇
J. Fiction	小說
K. General Works	總類

各項之下，繫以子目，有依阿拉伯數字順序排列者。亦有按英文字母順序排列者。此表特色，就是將文字形式之詩，戲曲與小說自文學範疇分劃開來，獨立成類。此法對於小型圖書館尚屬勉強可用，對稍大的圖書館，卽覺不敷分配。於是勃朗隨將此分類法重新修改擴充。在一八九九年發表其調節分類法(Adjustable Classification)，類目與前大同小異，僅次序稍加更易而已。但其標記方法，則廢除字母，一律用阿拉伯數字。類目之間，留有空位，以備挿入新增子目。又類表後附有索引。於分類時，堪稱便利。因此，採用此分類法者，頗不乏人。其大綱為：

A. Science	科學
B. Useful Arts	應用技術
C. Fine and Recreative Arts	美術與遊藝
D. Social Science	社會科學
E. Philosophy and Religion	哲學與宗教
F. History and Geography	歷史與地理
G. Biography	傳記
H. Language and Literature	語言與文學

J. Poetry and Drama	詩與劇
K. Prose Fiction	小說
L. Miscellaneous	雜類

各項之下，尙有子目，統用數字標記。今略舉社會科學類的子目，以見一般：

D. Social Science		社會科學
2-8	General	普通方面
10-92	Manners. Customs. etc.	習俗等
94-130	Political Economy	經濟學
152-272	Government & Politics	政府與政治
274-334	Law	法律
356-424	Communications	交通
426-484	Education	教育

勃朗的調節法在英曾盛行一時；但終非杜威十進分類法之敵。當本表問世之際，杜威法已出版至第四版（一八九一年），並由李斯達（Lyster）與詹斯特（Stonley Jast）等人在英試用，特別是詹氏，不僅主張廢棄「昆、布式」與「調節式」，並且積極鼓勵英人採用杜威法❸。勃朗爲謀改善，毅然廢棄此法，改弦更張，重新編製一表，名爲學科分類法(Subject Classification)，於一九一四年行世，與杜威法，展開法，國會法並稱爲四大分類法。其大類如下：

Class	Subject	中文	Group
A.	Generalia	總類	Matter & Force 物質與能力
B-D	Physical Science	物理科學	Matter & Force 物質與能力
E-F	Biological Science	生物科學	Life 生命
G-H	Ethnology. Medicine	人種學、醫學	Life 生命
I	Economic Biology. Domestic Arts.	生物經濟學、家政學	Life 生命
J-K	Philosophy and Religion	哲學與宗教	Mind 心靈
L	Social and Political Science	社會學與政治科學	Mind 心靈
M	Language and Literature	語言與文學	Record 記載
N	Literary Forms	各種文體	Record 記載
O-W	History and Geography	歷史與地理	Record 記載
X	Biography	傳記	Record 記載

各類次序，簡言爲：物質、生命、心靈與記載四項。物質進化，於是發生生命；生物進化，乃有人類。心靈既生，有情感，有理智，有人格，於是發爲盡善盡美之文章，創成經天緯地之事業；爲資垂久，是有記載。

本表之特色，玆歸納以下幾點：

(一)依主題之理論編排：在學科分類法中，不獨大類照世界進化的次序排列，卽其子目亦井然有序，類例不紊。每門子目，大概前冠以學科之理論，而以其應用殿之。換言之，卽先求其原因，而後明其結果。例如 C 300 Acoustics 音樂，其子目順序，先之以音之振動，而波動，而音之分析，而音之測量……而留聲機，而電話機等等。

(二)自然科學列於首位：此與其他三大分類法採用精神科學爲首的排列法比較，顯然爲本表之一大特色。這具有兩方面的意義，一在反映本世紀初葉，學術界醉心於自然科學萬能主義；一在顯示勃氏有意使精神科學、社會科學與文學，藝術的界域相鄰並比之企圖。這一點，我們尙可從阮加納桑之冒號分類法（Ranganathan: Colon Classification），布里斯之書目分類法（Bliss: Bibliographic Classification）中發現到科學至上的排列法。

(三)相關主題配置一處：在其他分類法中，卽使是同一主題的各項類目，亦因功能之互異，而被分散在若干不同處。如杜威法中：

Sugar	糖	
duty on	功用	337.5

Food Values	食物價值	641.13
Manufacture	製造	664.1
Organic Chemistry	有機化學	547.3

但在學科分類法中，有關糖之類目，統統安排在「1885」項下，其支配方法，當依據範疇表所列，各以「.604」食物，「.348」化學等加以細分。

有關主題之研究方法，可分爲：自各角度與特定立場兩種。固不論其價值如何，此爲學科法與其他三大分類法殊異之處。但是決不能據此，斷爲學科分類法較其他類表優異。

(四)範疇表 (Catagorical table)：凡圖書分類法，皆有共通門目或助記表，以其便於使用之故。如杜威法以 5 代表雜誌，凡類碼中附有 5 者，大概均有雜誌之意。如 300 爲社會科學，則 305 爲社會科學雜誌。學科分類法亦有類似之共通門目，名爲範疇表。此表所收範疇，不下九七五種。其編製方法乃先搜集各種適用名詞，按其相關程度，定其位置，各給以號碼，自1—975。分類時，可按書籍性質如何，擇一相當範疇，以其號碼，附於類碼之後，而以小點揷入兩者之間，以區別之。故凡書碼有一小點及號碼者，卽表明該書已用範疇表細分 。例如：E100 普通植物學，可細分爲：

E 100.1	Botany. Bibliography	植物學書目
E 100.2	Botany. Dictionary	植物學字典
E 100.7	Botany. Periodical	植物學雜誌
E 100.10	Botany. History	植物學歷史
E 100.56	Botany. Exhibition	植物展覽會

E 100.89　Botany. Classification　　植物學分類

此範疇表，用於子目，意義亦同。故凡類碼之後有.1者，卽爲書目；有 .2 者卽爲辭典；有 .7 者卽爲雜誌；有 .10 者卽爲歷史；有.56者卽爲展覽會；有.89者卽爲分類，其他類推。範疇表在學科分類法中頗爲重要。因有此表不獨分類便利，並節省分類法的篇幅不少，且可使某種書籍有一定位置，不致前後參差。

(五)標記符號：學科法之標記兼用字母數字兩種，以英文字母代表總目，由A至Z；以阿拉伯數字代表子目。每類皆從 000 至 999，有數字價值，不具十進作用。如：

L　Social and Political Science　社會科學與政治科學
　000　Social Science　社會科學
　100　Political Economy　經濟學
　200　Political Science　政治學
　300　Parliments　議會
　400　International Law　國際公法

再書籍性質兼含兩項者，入總類既不宜，各從其類又不可能，則可用一特別方法標記。如熱學與音樂一書，可標爲：C 200＋300。(按C200爲熱學之號碼，C300爲音樂之號碼)同理，論理學與修辭學一書可標爲 A300＋M107。若書籍性質，兼包三項以上者，則概不照上例。如光熱音樂一書，則入物理學類。

(六)傳記之分類：學科法係照被傳人姓名之字母順序排比，優點在能使某人之所有傳記彙集一處，研究某人言行者，可一覽無遺。

(七)索引：學科分類法之索引採特殊索引法，卽將類表中所用名詞或字改用字母法排列。此種索引不如相關索引之方便易查，是爲缺點。

一九一四年勃朗謝世，由史提瓦(J. D. Stewart)繼其遺志，並參酌衆議重新修訂勃朗法，於一九三九年刊行第三版。總之，勃朗法之優點爲類目編排，條理井然，每一學科有一目。凡討論一學科的理論與應用的書籍，均連貫集中一處，對於找尋某一科目之資料，異常方便。其缺點爲：標記符號過於繁複，不合實際，並缺乏增減之能力。

附　註

❶ Edwards. *Memoirs of libraries.* V. 2. P. 815.

❷ 參閱布朗及其學科分類法，吳立邦撰，文華圖書館專科學校季刊。第三卷第一期，四七～五九頁。

❸ Jast." Library Classification". *British Library Yearbook* 1900-1901.

貳、哈瑞斯及十進分類法

一、哈瑞斯之聖路易公立學校圖書館分類法

在培根與杜威之間，具有承先啓後之聯繫作用者，卽爲一八七〇年美國聖路易公立學校 (St. Louis Public School Library) 圖書館館長威廉哈瑞斯 (William T. Harris) 所編製的分類法。

哈瑞斯法之內容，可從該校之圖書目錄❶，以及哈氏所著的 Essay on the System of Classification 一文中，略窺一斑。該

表共分四部一百類：

部	類	細目	號碼
1 科學		哲學	2——5
		神學	6——16
	17 社會與政治科學	法律學	18——25
		政治學	26——28
		社會學	29——31
		語言學	32——34
	35 自然科學與工藝	數學	36——40
		物理學	41——45
		博物學	46——51
		醫學	52——58
		工藝	59——63
64 藝術		美術	65
		詩	66——68
		散文、小說	69——70
		文集	71——78
79 歷史學		地理學、遊記	80——87
		歷史	88——96
		傳記	97
98 附錄		叢書	98
		百科全書	99
		期刊	100

各細目以文字（a－g）編列，同一類者，依著者及書名字母順序排列之。例如：

2. Philosophy

Academic Questions. Cicero

Against the Atheists. Plato

Apology and Crito. Plato

Philosophic Opora. Senera.

Memorabilia of Socrates. Xenophon

此表值得注意的有下列幾點：

(一)逆培根式：法蘭士、培根之分類原依研究學術所需之精神能力——記憶、想像、理性等因素區分而來。培根將記憶類分爲歷史等科，將想像類歸入詩學，將理性類歸入科學。哈瑞斯所依據的分類主題——科學、藝術、歷史，其實卽爲培根法：歷史、詩、科學之逆置。因此，哈氏分類被稱爲「逆培根式」。關於主題之排列，哈氏曾作以下之說明：

「科學的任務，首在提供方法與原理，故理應列於首位。本表所謂『科學』一詞，卽在統含以意識體系為主的各類圖書；『藝術』一詞，卽在統含以無意識體系為主的各類圖書；而『歷史』一詞，卽包括凡由時空等偶然因素決定的體系下之各類圖書。」❷

(二)分類記號簡便：舉例言之，如衞生一項，並不編作 X. 5.6. 而作 576。凡屬重要之主題均以 1—100 號碼表示，故其分類記號至爲簡便。事實上，哈氏分類卽因具有此項優點，始被利用於排架、目錄，以及出納等方面之編號。

(三)與杜威十進法之關係：杜威法乃集合當時盛行之各種分類表，加以綜合修訂而成者。其大類之安排，可以說是自哈氏之方法移植而來，關於此一事實，詳見杜威十進分類法一節，在此不再贅述。

二、杜威十進分類法

在圖書分類史中，一部流傳後世永垂不朽的著作，卽爲杜威所著的十進分類法（Dewey Decimal Classification）。

杜威原名梅維爾、魯依斯、庫索斯、杜威（Melville Louis Kossuth Dewey），後簡名爲梅維爾、杜威（Melvil Dewey），生於一八五一年十二月十日，卒於一九三一年十二月二十六日，享年八十歲。杜威出生於紐約，一八七四年畢業於安赫司脫學院（Amherst College），任該校圖書館主任。一八七六年在波士頓創設美國圖書館協會，兼而經營圖書館用品社，使圖書館用具有一定之標準，用者稱便。一八八三年任哥倫比亞大學圖書館主任及圖書館學敎授。一八八九年任紐約州立圖書館館長，經由其指導，創辦第一所圖書館學校。杜氏之著述多爲人所稱許，最要者爲一八九一年出版之「圖書館學校規則」（Library School Rules），一九〇四年編輯之「美國圖書館協會目錄」（A. L. A. Catalog）。此外，曾創辦並編輯「圖書館月刊」（Library Journal），該刊創始於一八七六年，爲美國最早之圖書館學刊物。杜氏一生致力於圖書館事業，對於圖書館之組織、方法、制度，均能獨出心裁，造益於今日圖書館者甚多。尤以「十進分類法」名貫宇內，克特氏曾云：「杜威之名，將與十進法並傳於世。」由此可見，杜威法之盛行普遍。

按十進法應用於圖書分類，並非自杜威起始。西姆（Cim）曾謂，在一五八三年時，有杜馬因（Lacorix du Maine）者，爲亨利第三貢獻一書籍排架法，即基於十進原理。該法係將圖書館藏書一萬卷，分置一百座書櫥之中，書櫥依次編號，每櫥容納百册。首類宗敎，自一至十七號；次類文史科學，自十八至四十一號；第三類宇宙之記述，自四十二至六十二號；第四類人類之種族，自六十三至七十二號……❸。一八五六年，許立夫

(Nathaniel B. Shurtleff) 編有「圖書館排架與管理之十進制度」(A Decimal System for the Arrangement and Administration of Libraries, Boston, U.S.A,1856) 一書，應用於圖書之分類，其法與杜馬因法近似，將圖書分為若干間，每間十行，每行十架，架上圖書各有定所，不能移動，可謂與杜威制，毫無淵源。我們可以說，早於杜威的十進分類法，大抵均具有這種特點，即圖書依架編號，而非照科目分類。現代圖書館則已廢棄以書架為中心的排架方法，而是以類編號。如此，各類圖書排置架上，可隨意調整，增減不受拘束。

此外，一八八八年波得里安圖書館分類法(Bodleian Library Classification)，一九〇一年芮嘉森之普林士頓大學圖書館分類法 (Classification of Princeton University Library) 均本十進制。在此以前，歐洲圖書館根據十進原則分類者，亦不乏其處。

十進分類法係杜威任職安赫司脫圖書館時所創編，據杜氏在圖書館月刊中，追述創造十進法的經過說：「在參觀了五十餘所圖書館之後，我發現許多大學圖書館將圖書按室別、架別、層別、固定編號，時需重編。此法不僅浪費人力物力，且缺乏效用，對此深感驚異。我日夜苦思，亟欲獲得一簡單可行之策。一星期日上午，我在教堂中聽牧師說教，忽然腦中想到以十進位數字作為人類知識之標記工具的辦法，不禁喜出望外，雀躍高呼 Eureka！(我得到了)」❹。

杜法初版於一八七六年問世，定名為「圖書館圖書刊物目錄排列分類法及科目索引」(A Classification and Subject Index for Cataloging and Arranging the Books and Pamphlets of a

哈瑞士法 Harris

(Science 科　學)

1. Philosophy 哲　學
2. Religion 宗　教
3. Social & Political Science 社會和政治學
4. Natural Sciences and Useful Arts 自然科學及應用技術

(Art 文　學)

1. Fine Arts 美　術
2. Poetry 詩
3. Pure Fiction 小　說
4. Miscellany 文學雜著

(Hisory 歷　史)

1. Geography & Travel 地理及遊記
2. Civil History 歷　史
3. Biography 傳　記

(Appendix 附　錄)

1. Miscellany 雜　著

杜威法 Dewey

1. General 總　類(000)
2. Philosophy 哲　學(100)
3. Religion 宗　教(200)
4. Sociology 社會學(300)
5. Philology 語文學(400)
6. Science 科　學(500)
7. Useful Arts 應用技術(600)

1. Fine Arts 藝　術(700)
2. Literature 文　學(800)

1. History 歷　史(900)
2. Biography 傳　記
3. Geography & Travel 地理及遊記

培根法 Bacon (Orginal)		逆置之培根法 Bacon (Inverted)	
1. History	歷　史	1. Philosophy	哲　學
2. Poesy	詩　歌	2. Poesy	詩　歌
3. Philosophy	哲　學	3. History	歷　史

Library），綜其門類科目僅爲十二頁之小册，連同索引說明，不過四十二頁。其後，屢經增補擴充，並詳編相關索引，逐版改進，現已出版至第十八版。新版共三巨册，成爲杜威法中之佳構。

本表之基礎，乃爲杜威對於各國圖書館所用的分類表，從事實際調查與研究的心得與成果。據氏自述，受益最深者，爲意大利巴特柴地（Natale Battezzati)的 Nuova Sistema di Catalogo Bibliogiafico Generale. Milan. 1871，紐約工徒圖書館休華滋（Jacob Schwartz）分類法（1879）❺，以及一八七〇年美國聖路易公共學校圖書館館長哈瑞士（W. T. Harris）所編的分類法❻。在這三法中，巴特柴地之分類目錄，因無資料可稽，內容不詳。休華斯分類法則分爲自然，人文與科學三部，細分廿二類，每類複分九綱。至於哈瑞士分類乃逆置培根類序，分爲科學、文學、及歷史三部。茲將培根、哈瑞士、及杜威三法大綱作一比較，當可看出杜法淵源所自❼。

杜威將知識範疇區分爲九部，用阿拉伯數字1—9爲記號，各部之外，凡屬普通書籍，不能歸納於九部中之任何一部者，置入總類，以阿拉伯數字0爲記號，共成十部。每部複分九類，而該部各類普通圖書歸入一總類，則每部俱各成十類。每類仍析分九綱，綱分十目，層層推衍，以至無窮。

就分類體系而言，杜法類目悉依九分，是不切合實際的。所以遇到九分不足以容納該類科目的，大致採取了兩種處理方法：一爲將類似科目歸併一處，仍分做九類、九綱或九目；一爲將主要科目編列 1—8 號，其他次要科目彙集一處，統列9字一類，一綱或目之中。其特點為：

(一)形式複分與總類之助記性：圖書除依內容分類外，尚須參酌其他標準作為輔助。這些標準或依形式，或依地域，或依時代編列成表，名之為助記表。其目的在求分類表之簡化易用。在杜法所採用依形式複分的助記表，有 0001—0009；001—009；01—09 各種，其中以 01—09 用法較廣，其編列情形如下：

01	Philosophy and Theory	哲學與原理
02	Handbooks and Outlines	大綱與手册
03	Dictionaries and Encyclopedias	字典與百科全書
04	Essays and Lectures	論文與演講
05	Periodicals	期刊
06	Organizations and Societies	機關與會社
07	Study and Teaching	教育與研究
08	Collections and Polygraphy	雜集
09	History and Local Treatment	歷史

以上01原理，02大綱，07教學法，與09歷史，係屬支配主題內容的，又稱為內在形式；而其他各號係依著作形式，表現在外的，又稱外在形式。而且以 1 代表哲學，7 代表教育，9 代表歷史，與 100 之哲學，370 之教育，900 之歷史等類類號，相互呼應，彼此之間具有助記性。再有03至08各號與總類也具有助記作用。

03	Dictionaries and Encyclopedias	字典與百科全書
04	Essays and Lectures	論文與演講

05	Periodicals	期　刊
06	Organizations and Societies	機關與會社
08	Collections and Polygraphy	雜　集
030	General Encyclopedias	普通百科全書
040	General Collected Essays	普通叢書、文集
050	General Periodicals	普通期刊
060	General Societies	普通會社
080	Collected Works	特殊文庫

(二)歷史與地理區分之助記性：杜法 910 號爲地理與遊記，930——990號爲歷史學，其940——990各號爲現代國家所採用。杜法在各主題下附有：「依照 940——990 細分之」。其意在提示分類員應注意依此號碼分類。玆列出代表六大洲及主要國家之歷史號碼如后：

937	Rome	羅　馬
938	Greece	希　臘
940	Europe	歐　洲
942	England	英　國
943	Germany	德　國
944	France	法　國
945	Italy	義大利
946	Spain and Portugal	西班牙、葡萄牙
947	U. S. S. R.	蘇　聯
950	Asia	亞　洲
951	China	中　國

952	Japan	日　本
960	Africa	非　洲
970	North America	北美洲
973-9	United States	美　國
980	South America	南美洲
990	Pacific Ocean Islands	大洋洲、南極地帶

如在歷史號第一位數字 9，與第二位數字之間，插入一數字「1」，並在第三位數字（即原第二位數字）與第四位數字之間，加一小數點，即成爲代表地理之號碼。

943	德國歷史	914.3	德國地理
944	法國歷史	914.4	法國地理

(三)語言與文字之助記性：自杜法要目表中，可以看出 400 號語言類與800號文學類的區分方法是一致的。惟410號比較語言學對 810 號美國文學，似不一致，乃著者自美國立場比較英美文學之意。有些國家在採用杜法時，將英美文學併入 820 號，而將 810 號更列爲各該國文學號碼，此一修正實爲適合各國圖書館需要的變通辦法。

在杜法中，文學的分類，因根據「語言」區分，所以 400 號項下有關語言的區分極爲詳盡。其語言分類，實際上以英美爲本位，英語爲首，次則爲條頓，拉丁，希臘及其他等語言次序排列。

400	Philology	語言學
410	Comparative	比較語言學
420	English, Anglo-Saxon	英語

430	German and Other Teutonic	德語及其他條頓語
440	French, Provencal, etc.	法　語
450	Italian, Rumanian, etc.	義大利語、羅馬尼亞語
460	Spanish, Portugnese, etc.	西班牙語、葡萄牙語
470	Latin and Other Italic	拉丁語及其他義大利語
480	Greek and other Hellenic	希臘語及其他古希臘語
490	Other Languages	其他語言
495.1	Chinese	中國語

以上各國語言區分應用於 031—080 各項，220.5 聖經譯本，229非基督敎宗敎，572.8 人種別等各類目之中。其中一部分並具有「歷史區域號碼」的助記性。如：

Philology		語言	History		歷史
420	English	英　語	942	England	英國史
430	German	德　語	943	Germany	德國史
440	French	法　語	944	France	法國史
450	Italian	義　語	945	Italy	義大利史
460	Spanish	西班牙語	946	Spain	西班牙史
470	Latin	拉丁語	947	Roma	羅馬史
480	Greek	希臘語	948	Greek	希臘史

(四)語言類之共同區分：在杜法中，某一國語言的細分，同時也適用於他國語言。如此，在使用上相當簡便，如英語的細分爲：

420	English philology	英國語言
421	Orthography	正字法

422	Etymology	詞源學
423	Lexicology, Dictionaries	辭 學
424	Synonyms, Homonyms	同義詞、同音異義字
425	Grammar	文 法
426	Prosody	韻律學
427	Dialects, Patcis, Slang	方言俚語
428	School Texts	教科書
429	Anglo-Saxon	盎格魯撒克遜語

(五)文學類的形式複分：在文學類中，可依形式共同區分爲以下八目：

820	English Literature	英國文學
821	English Poetry	英國詩歌
822	English Drama	英國戲劇
823	English Fiction	英國小說
824	English Essays	英國散文
825	English Oratory	英國雄辯術
826	English Letters	英國函札
827	English Satire and Humor	英國諷刺與滑稽詩文
828	English Miscellany	英國雜集
829	Anglo-Saxon Literature	盎格魯撒克遜文學

其他國家的文學作品亦可同樣加以區分。表中820—890所代表其他國家的文學，可先從400號語言學中，查出適當的號碼，再以代表文學的號碼8，更改其第一位數字4，最後附加文學類的形式複分號碼。如中國小說，先自語言類中查出代表「中國語

言」的號碼495.1，再以文學號 8 ，代以 4 ，其號爲895.1，成爲中國文學的類號，最後附加代表「小說」的文學形式複分號「 3 」，卽得中國小說的號碼 895.13。

一本文學書籍，依形式複分之後，可再依年代細分，年代之後照主要作者姓名與其他等區分。惟許多圖書館並未依照這一順序編號，僅年代之後，照著者姓氏的字順排列先後。至於文學書籍，依語言分類之後，是否應照形式、年代、著者細分，衆說紛紜，其說不一，各有其認爲更爲妥善的組合方法。

(六)標記符號：杜法爲人讚譽之一特點，卽使用阿拉伯數字作爲各類之代表符號。這種方式較諸使用英文字母，或字母與數字混合編號者較易書寫記憶，在書籍排架上亦更爲簡便。杜法標記，前三位須用整數，故自然科學爲 500 ，而非 50 ；動物學爲590，而非59。第三位數字之後附加小數點，可無限細分下去。

(七)相關索引：索引有兩種，一爲列舉索引，將各類目機械的一一列舉，未將相關類目指出；另一種爲相關索引，卽將各有關類目，互相排列，標以號碼。杜法之創造性，一如杜氏自稱，並不在於主題的十分法，而是在書末附有極完備的相關索引。例如：

Library		圖書館
Administration		行政管理
Building		建　築
Catalog	author	目錄、著者
	dictionary	字典
	subject	標題

Economy	經營法
Administration	**行政管理**
library	圖書館
Building	**建　築**
library	圖書館
Catalogs	**目　錄**
author	著　者
dictionary	字　典
subject	標　題
Economy	**經營法**
library	圖書館

圖書館界對於杜法批評甚多，一般認為其優點是：

(一)簡明易記，富伸縮性：杜法設計簡單，便於理解，其使用記號極易記憶與運用。其法有伸縮性，可依圖書館性質，選用精表或略表，而綱目仍然一致。

(二)助記完備，並便實用：如前所述，杜法助記表編製完備，互相引用，使用極便。

(三)不斷增訂，印行新版：十進法刊行至今，已有九十餘年之歷史，現已出版至第十八版。各版之間，短則二、三年，長者不過十年，即行修訂，以保持其新穎性。在類目變動上，除第十五版標準本外，其他各版一直遵循局部修正之方針，以減少各館大量改編之困難。

(四)相關索引，查用便捷：杜法採用相關索引，編排詳盡精確。以十六版爲例，索引款目達六萬三千餘，單獨輯成一册，索引之後附有區域表、莎士比亞之特別著者表，大學出版品表，以及有機與無機化學舊表，可與正表參照使用。

(五)圖書小册，均可應用：杜法乃根據實際學科而作，舉凡文學作品，即小如殘篇便錄，均可應用。

至於杜法之缺點，最爲人所議論者爲：

(一)類目組織，過於機械：杜法將各科門類，在類表組織上，強使其劃一。杜威對此曾申覆：「圖書分類，欲在現代人類知識之相互關係上，使之成爲一種最完備的哲學一覽表，事實上是不可能的。果如可行，則勢非年年修訂更正不可。……」

(二)門類次序，不合理論：杜法門類次序，似欠合理，頗爲人所訾議。如 400 號語言與 800 號文學，相隔 600 號應用科學，500 號自然科學及 700 號藝術等三大類。150 號心理學與 130 號變態及差別心理，介入 140 號哲學派別一類。又 140 號哲學派別與 180 號古代及東方哲學家，190 號現代哲學家，隔以 150 號心理學，160 號論理學及 170 號倫理學三類。320 號政治學與 350 號行政學，中隔 330 號經濟學，340 號法律學兩類。以上之次序，在連屬關係上，均屬欠當。此外，杜法 300 號社會學與 900 號歷史兩類，中隔以五大類，事實上這兩類性質相近，實較任何科目爲甚，亦頗遭批評。惟據 Sayers 解釋，杜法淵源培根，照培根分類，歷史爲一獨立的大類，社會學置於哲學類下，其間缺乏關連性，因而杜法兩類分離。如以現代學術分類觀點衡量其類目次序，是不能盡如人意的❽。

(三)各科區分，有欠均勻：如一般宗教佔一綱，自然神學一綱，非基督敎亦僅一綱，相對的，聖經及基督敎卻佔七綱。因此，類目分配過於詳盡者有之，不足者亦有之。再如比較宗敎學、礦物學、民俗學、氣象學、細菌學、國際法、衞生學、財政學等門類，在科目百位區分中均不佔重要地位。

(四)以歐美爲分類本位：杜法類目偏重歐美，而不多爲別國留餘地。如語言與文學兩類，歐美語言，自420—480，歐美文學自810—880；而其他國家語言，僅佔490一號，其他國家文學僅佔890一號。中國語言列爲495.1一號，中國文學爲895.1，與歐美各國比較更相形失色。又如美國歷史自973—979，類目繁多，而中國歷史僅佔951一隅，實際說來，美國歷史豈能與中國歷史之悠久性相比。

(五)類目名稱，似嫌陳舊：自學術觀點而言，杜威法過於因循舊制，有些類目仍反映出陳舊的知識觀念，未能徹底修訂。如130號變態及差別心理與150號心理學，至第十三版時始另以150.9號展開新的分類。又582～589號之植物分類係根據邊簷及佛卡二氏(1862—1883)之向下分類法區分。

(六)標記過長，不易排架：杜法以阿拉伯字爲其標記，簡明易記爲其特點，但部分標記符號過長，分至小數以下第十一位，如此不僅不便記憶，在排架上亦不便應用，因書籍排架最多使用到小數點之下第二、三位而已。增訂各版雖極力減少此種情形，然在十六版中，小數點之後六七位者仍多。因此，編者建議在書寫書號時可分行書寫，以便應用。

總之，杜法雖有以上之缺點，但仍受到國際普遍之重視與利用，且其法受國會圖書館之推廣，現已成爲國際間標準之分類法。一般認爲杜法類目尚不够細密，不適學術性圖書館之需，弗里芒・瑞得（Fremont Rider）曾在杜威傳一書中說：「有許多自認是分類專家，不曾理解到類目豐富雖然是一項優點，但是無限止的數量並非最佳的設計。很明顯的，分類愈細密，也愈快的易於陳舊而不適用；並且設計改變得愈複雜，那原有的簡明便捷的性質更不易把握，乃至消失……。」我們深信杜法未來各版，無論如何變化，仍然會保持其概括簡約的風格的。

三、國際十進分類法

一八九五年，第一次國際圖書館會議在比京布魯塞爾召開，會議結束，決定設立兩個機構推行有關計劃與決議事項：一爲國際書誌學會（Institut International de Bibliographie），一爲國際書誌學局（Office International de Bibliographie)。其工作，受到比利時政府的經濟補助，直至第一次世界大戰爆發，乃告中斷。一九二三年始又恢復工作，由國際聯盟承辦其業務，將工作範圍推廣到文獻記錄的蒐集與整理方面。機構名稱更易爲國際文獻協會（Institut International Documentation）。一九三七年，有關國際文獻會議在巴黎召開，該會易名爲國際文獻聯盟(Federation de International de Documentation)。

國際書誌學會最初成立的宗旨，在編製全世界各個時代，各國語文，各種形式的圖書及文獻目錄。因此，亟需採用一非常詳細的分類法。經過該會的討論，從當時各國所使用的分類法中選擇的結果，認爲：

(一)杜威十進分類法國際通用，任何國家均對其有同樣的瞭解。

(二)杜威法所使用之分類符號，係當時惟一通行的國際符號——由普及全球的阿拉伯數字所組合者。

(三)杜威法之組織因採用十進法的原理，得以無限擴展。

由於以上的理由，該會終於採用杜威分類爲國際十進分類法之基礎，簡稱爲 C.D 或 C.D.U.（Classification Decimale Universelle）。

之後，該會一再聘請專家就十進法進行修訂，擷其精華，去其糟粕，並增訂各種記號。於是國際十進分類法第一版（法文版）在一九〇五年出版，第二版在一九二七年～三三年間問世。其中，科學論文的詳細索引以及排列方法，咸認最具實用價值。至一九二九年，共有四十二個國家，約上萬機構使用本表，一百五十萬種以上的文獻、書目及論文引用表上的分類號碼，一九三三年第三版（德文版）刊行，一九三六年起第四版（英文版）自〇部開始，逐類出版，自一九三九年起第五版（法文版），一九五〇年起第六版（日文版），一九五五年起第七版（西班牙文版）亦相繼出版。

本表之編製方法如下：

(一)十大類與杜威法相同，類號仿杜威法採阿拉伯文字，惟打破原三位的形式。其類目如下：

0.0	Généralités, Ouvrages Généraux	總　類
0.1	Philosophie	哲　學
0.2	Theologie, Religion	神學、宗敎
0.3	Sciences Sociales, Droit	社會科學、法律

0.4	Philologie, Linguistigue	文字學、語言學
0.5	Sciences Pures	自然科學
0.6	Sciences Appliquées	應用科學
0.7	Beaux-Arts	美　術
0.8	Littérature	文　學
0.9	Histoire et Geographie	史學、地理、傳記

每類一再遞分，玆以自然科學類為例：

0.5	Sciences Pures	自然科學
0.53	Physique	物理學
0.531	Mécanique Rationnelle	力　學
0.531.5	Pesanteur et Gravitation	重力、攝力
0.535	Optique	光　學
0.535.8	Appllication, Instruments Optiques	光學應用

使用時可將小數點省去，如 0.531.5 可寫為 5315, 0.535.8 可寫為 5358 。但為幫助記憶，亦可用小數點表示某一類目的重要性。欲指明力學或光學係屬於物理學的，即係加重於物理學上，即可寫為 53.15 與 53.58 ，但如着重於力學與光學上，即可寫成 531.5 及 535.83. 。

(二)部分類目與杜法有別。例如歷史類目，杜法 930—999 各號被取消，其類目如下：

杜　威　法

900	History, General	歷史（一般）
910	Geography & Tarvel	地理與遊記

913	Archaeology	考古學
941-919	Local Geography & Travel	區域地理與遊記
920	Biography	傳　記
929	Genealogy & History	譜系學與歷史
940-999	Modern History	近代史

國際十進法

9	History	歷　史
91	Geography & Travel	地理與遊記
913	Archaeology	考古學
92	Biography	傳　記
929	Genealogy & Heraldry	譜系學與歷史

在分類時，凡一切有關歷史書籍均在 9 數字下依序細分，地理及遊記書籍則在 91 數字下細分。其國別號以括弧內標號分別之，如此，有一平行的排列表。

9(42)　英國歷史	91(42)　英國地理
9(73)　美國歷史	91(73)　美國地理

(三)國際法有各種助記符號：

(1)添加號　添加號（+）用以表示與一本書分類上幾方面有關的意義。例如 622+699 爲礦冶及冶金；667.1+667.2 爲漂白與染色。這一類號只是用在目錄上，在排架上這部書可依照第一個號碼排列。

(2)延長號　延長號（／）用以表示數小類的延伸。例如 592/599 代表無脊椎動物及哺乳動物系統學。

(3)關係號　關係號(:)爲助記符號中最重要的一種，當此號被用於分類中聯絡二分類號碼時，卽表示彼此相互的關係。例如 677 爲紡織工業， 331 爲勞工。將此二類碼合併，中間連以相關號，成爲 667:331 或 331:667，卽代表紡織工業的勞工問題。又如656.2爲鐵路事業，331.87爲罷工，二號合併 656.2:331.87 卽成爲代表鐵路罷工的類碼。

(4)語文號　語文號(=)用以區分不同語文之著作。例如「=2」爲英語著作，「=3」爲德語著作。兩種以上之語文著作爲「=00」。例如英文版「圖書分類學」，其號碼應爲 025.4(021)=2，德文之「植物學史」，其號碼爲 58(09)=3，一書原著語文與譯文並列，如亞里斯德之政治學類碼爲321.01=75=3。

(5)形式複分號　形式複分號，以 0 爲起始，寫於括弧之內。計有：

(02)　論文

(03)　字典

(05)　雜誌

(07)　教授法；研究

(072)　測驗或分析：調查

(084)　圖畫、相片

(085)　商品目錄

(09)　歷史

(001)　統計

(002)　商品存單

(003)　說明書

(007)　規程與條例

(008)　執照；特許狀

這些符號與杜威形式複分號碼的意義相同，如53(03)爲物理學字典，53(09)爲物理學史，一般多用此符號附加在大類類號之後，但也可將所有各種同一形式的書籍文獻併列一處，如(05)53爲物理學期刊即是。

(6)地理號　地理號係參照特製的地理助記表，用阿拉伯數字塡於括弧之內組成者。

(42)　英國

(43)　德國

(73)　美國

(8)　南美洲

(73-8) 美國與南美洲

如「英國的鄉村」爲385(42)，「英國塞雷(Surrey Villages)的鄉村」爲385(4221)。

(7)時代號　時代號係利用倒置的分點"　　"包括數字代表之。其作用分爲①指明著作中所述及事件的時間，②著作之時間，例如 942"1066" 爲「諸門征伐時代的英國歷史」(History of England at the Date of the Norman Conquest)，時間號甚至可以包括年月日，但必須以八位數字代表之，如"1905.04.03"爲一九〇五年四月三日。"1906.12.25" 爲一九〇六年十二月二十五日。世紀符號用兩位或三位數字代表，如"03"爲第四世紀，"19"爲廿世紀。年份不以世紀分者可用／號連接，如"1945/64"爲自一九四五年至一九六四年。約略的年代用・間隔，如"　　・

"，紀元前之年代爲" — "，基督教時代爲" + "，中古時代爲"04/14"，近代爲"15/19"，時間的符號除此之外還有其他，如季節、月份、日期、時間，甚至分秒等，都可以用符號來表示。

(8)分析號　分析號用.0及短橫號(—)表示之。.0的目的是將科目範圍限定於某一點，例如 53 爲物理學，53.05 爲物理現象之觀察與記錄。短橫號的作用是某一類目如有連續性區分之必要時，用此號分析之。如 621-1 機械的一般特性，621-2發動機之原理，621-3 用液體推動之發動機等等。

(9)普通觀點號　普通觀點號係自 .00 起始，惟無括弧，其作用在表明該著作內容所代表之觀點。

.001　理論的

.002　行政的

.003　經濟的

.007　人員的

.009　道德的

如自經濟觀點論鐵路，其類碼爲 625.143003，其中 625.143 代表鐵路之類碼，003 乃代表經濟觀點號碼。

這些符號不免使人有迷惑之感，但是，由於總表上之符號已能廣泛的標記各種圖書文獻，所以過於複雜的組合符號並不經常使用。國際法與十進法相比較，其優點在設計精細，對於書籍文獻內在的實質，能充分表露無遺，這是其他分類法所不及的。

國際法尚有一特點，卽有一依照字母排列，而附以類碼的類名索引，對分類手續給予莫大的幫助，至於同義異字諸類名，索引中亦一一列出，在應用上仍無絲毫衝突，因與諸類名所附之類碼無異。例如前稱為名學或論理學者，今改為邏輯，在索引中，此三名詞號並見，但其分類號碼，仍相一致。所以類名變換，在參見使用上，全無分歧。

國際法之應用，日見廣泛。一九三六年英國國際編目學會曾指出世界各國使用此法者日漸增加，其中包括英、德、捷克、波蘭、匈牙利、法、意、蘇、芬蘭、挪威、丹麥、荷蘭、比利時、瑞士、印度、美、阿根廷等國家，尤以英、法、德、比四國圖書館為最。

國際法全版業已印行，共有五種語文版本，其簡編本亦有十餘種版本。德國標準委員會，英國標準局，比利時與法國之文獻協會亦均有簡編本出版。

附　註

❶ St. Louis Public School Library, *Catalogue. Classified. & Alphabetical of the Books of the St. Louis Public School Library*, 1870.

❷ Ibid., Introduction.

❸ Sayers. *A Manual of Classification for Librarians & Bibliographers*, P. 111.

❹ "Decimal Classification Beginnings." *Library Journal*, Feb. 15, 1920. p.152.

❺ *Library Journal*, 1879, v.4.

❻ *Library Association Transactions*.1882,p.181; *Library*, 1900, p.295.

❼ Herdman: *Classification; An Introductory Manual*. p.20.

❽ Sayers. op. cit., p.114.

叁、克特分類法及國會圖書館分類法

一、克特展開分類法

在美國，與杜威同享盛名的圖書館事業先驅者之一，就是查理斯·艾密·克特（Charles Ammi Cutter）。

克特於一八三七年生於波斯頓城，幼時天資穎悟，勤懇好學，年十八畢業於哈佛大學。畢業後，初欲研究神學，入神學研究院，校中以其年幼未許，乃在本校圖書館博覽羣籍，以冀深造，而對圖書館之興趣，亦由此而生。一八六〇年，克氏獲任母校圖書館員，協助 Egra Abbot 編製該館目錄，並潛心於目錄學之研究，學識經驗，均極豐富。一八六八年波斯頓專門圖書館（Boston Athenaeum Library）館長浦爾博士（Dr. William Frederick Poole）辭職，次年由克氏繼任，在職二十五年，館務益臻完美。波斯頓專門圖書館爲美國著名圖書館之一，名文學家如愛默生（Emerson）、霍桑（Howthorne）、朗費羅（Longfellow）與韋伯司脫（Webster）均出身於此。一八七六年，克氏被選爲美國圖書館學會主席，並發表其不朽名著「字典式目錄規則」（Rules for a Dictionary Catalogue）體例完備精詳，後經四次修正，至今仍被奉爲目錄典範。一八九一～九三年，發表其展開分類法的第一部分「最初的六種分類表」（First Six Classification），其時，杜威的十進分類法雖已刊行第四版，但是尚在批判考驗階段，克氏對此亦有所評論，尤其對該表類目及符號，認爲對大小規模不同的圖書館，不甚適用，這也是克氏創編展開分類法的動機❶。

所謂「展開」（Expansive），乃指設計各表能自簡而詳，逐步伸展之意。該法第一部分係由第一表至第六表組成，第二部分即由第七表組成。各表不僅兼容各種學術，並能應用於各種圖書館。克氏在該導論中自述說：「我領導設計一種分類法，意欲適用於各種大小的圖書館，小至鄉村新建的圖書館，大至藏書萬卷的國家圖書館。」各表前後相疊，而依次漸詳，可視圖書館之大小，書籍之多寡，加以採用。克氏所編之第一表，在英國倫敦博物院研究數年，於一八七〇年始草成初稿，第六表於一八九三年完成，惜一九〇三年，全書未竟，克氏遽卒，由其姪W.P.Cutter繼其遺志，完成第二部分的第七表。

展開分類法第一表，乃將知識範疇區分為八類，其大綱為：

A	Works of Reference	參考書及不屬於以下各類的一般圖書。
B	Philosophy & Religion	哲學與宗教
E	Biography	傳記
F	History & Geography, Travels	歷史，地理與遊記
H	Social Sciences	社會科學
L	Natural Sciences & Arts	自然科學與藝術
Y	Language & Literature	語言與文學
YE	Fiction	小說

此表係為小型圖書館所設計，所有書籍納入這八類中，再依作者姓氏字順排列，傳記則照所記述的人物姓氏字順排列。當一館藏書增加時，可視情形使用更為精細的表式。克氏曾指出，在

圖書增加時，有些圖書當然不能沿用原有的標記符號，但是一般內容廣泛的書籍，是不需要改變符號的。如一部關於應用藝術的普通論著，在第二表中被列為R類，將來圖書擴充採用第七表時，此書仍列為R類。甚至一般小類符號也很少變動，只有範圍狹窄，內容精深的專門性圖書，在每次擴充分類時始需更動。克氏指出，在一所擴展甚速的圖書館，應避免選擇一種過於簡單的分類；不過他也一再告誡：「精細、精細、切勿太過於精細！」(Be minute, be minute, be not too minute!) ❷

本表各類，克氏自稱係採「主題演進方法」(Subjective evolutionary scheme) 排列。據勃朗 (Jame Duff Brown) 分析係與逆置培根法有關，不過從六類中看不出任何淵源。一般批評，展開法是美國各大分類法中最富論理性的一種，例如：科學自分子至克分子，自數字至空間，經過物質力量的變動以至生命的本體。又如經濟，依人口、生產、交換、分配、消費的程序；植物學自隱花植物至顯花植物；動物學自原生動物至人類學；圖書學自圖書史、生產、發行、以至公私圖書館的庋藏運用及編目。至於語言學以語族為分類單位，同時並參照地方表編號。

克特法以二十六個英文字母作為標記符號，代表二十六類，每類再加字母，成為二十六目，每目再加字母，分為二十六細目，以至無窮。歷史與地理兩類使用數字複分。克法如與杜法比較，杜法十大類之複分為一百大類，克特法二十六大類複分，可得六百七十六小類。由於大類愈細密，其符號亦愈簡短，所以克法的標記，確較杜法簡短，以音樂類 Vocal music 項為例，克法號碼為 V_2，杜法則為 784。不過，字母與數字何者較易記憶，見仁見智，各有說詞。一般認爲數字標記較爲簡便易記，但據布里斯（Henry Evelyn Bliss）的看法，數字符號並不簡便，而反對使用字母，或字母數字並用者，其論調也過於誇張。

克法標記符號的使用原則是：

(一)一位字母之後再附加一或二位字母：用以表示各類中應疊爲分析的小類。如：

L	Sciences and Arts	科學與藝術
LA	Sciences	自然科學
LB	Mathematics, Number & Space Science	數學
LC	Arithmatic	算術
LCI	Interest Tables	

(二)單一數字：克法第一部表之形式複分悉用字母記號；爲避免其混淆，自第二部分，卽第七表後改用數字表示，如：

1. Theory of the Subject	原理
2. Bibliography of the Subject	書目
3. Biography of the Subject	傳記
4. History	歷史
5. Dictionaries	辭典
6. Handbooks, etc.	手册等
7. Periodicals	期刊
8. Societies	學會
9. Collections	叢書

(三)兩位數字：用以區分國別及地區，關於一國者，用 11——99代表，有較小地名時，則於二位數字之後，加一位或二位

數字，而成爲三位或四位數字，與分類記號聯合，卽成爲混合的符號。如「羅爾曼時代地理」爲 G452 。其國別地區號如下：

11	The World	世界
12	Voyages & Travel (Collection)	旅行（叢書）
13	Voyages Round in World	環遊世界
14	Arctic & Antarctic Regions	北極及南極地區
15	Oceans and Islands	海洋及島嶼
16	Pacific Oceans and Islands	太平洋及各島
....		
21	Australia	澳洲
22	Tasmania	塔斯梅尼亞
23	New Zealand	紐西蘭
24	Asia and Africa	亞洲及非洲
25	Asia and Europe, Eurasia	亞洲及歐洲、歐亞大陸
26	Europe and America	歐洲及美洲
27	Europe and Africa	歐洲及非洲
28	Europe and Africa and Asia	歐洲、非洲及亞洲
29	Turkish Empire	土耳其
30	Europe	歐洲
39	France	法國
45	England	英國
47	Germany	德國
60	Asia	亞洲

66	Chinese Empire, China	中國
67	Japan	日本
70	Africa	非洲
80	America	美洲
81	North America	北美洲
83	United States	美國
……………		
98	South America	南美洲
99	Brazil	巴西

使用此表有兩種方法，一是將此號附加於各類符號之後，卽將各科書籍依地域區分；另一是以地域爲主，將某一地區的各科著作集中一處。如：

66E　中國傳記

66F　中國歷史

66G　中國地理

在展開分類法中，以傳記之分類最爲詳細且具變化，分類應用時，甚爲便利。傳記的類號爲E，可將各種傳記歸納之，並有各種方法分別之，玆舉例說明如下：

(一)個人傳記：依克特著者號碼及該傳記的首字字母加在E之後，使成自然的字母順序。如 Life of Grant 葛倫傳，其分類符號爲 EG76，E爲傳記號，G爲葛倫的首字母，76 爲其號數。

(二)專門傳記：以形式複分表中的 3，用小數點加在分類記號之後，如 Lives of Lawyers 爲 KL.3，亦可將各類類號，用小數點加於E之後。如：E.KL。

(三)傳記辭典：依形式複分表中的5，用小數點加於E之後，如 Biographical Dictionary，其分類為 E.5。

(四)分國傳記：Allen's American Biographical Dictionary，其分類號為 E83.5，E為傳記號，83為美國號碼。5為形式複分表中的傳記辭典號碼。

克特法的優點，一般而論，綱目清晰，較有系統；理論與事實兼顧；所採用的名詞新穎切用，而類次先後有序；類表有伸縮性，得以無限展開；有關同類的各國圖書集於一處而不混亂，符號便於書寫。

其缺點為各類詳略不均，如表中經濟學佔八頁，數學佔四十頁，地質學佔十七頁，植物學佔二十七頁，而動物學竟佔八十八頁。第六表符號複雜難以記憶；再有全表未曾完成，第二部分之第七表正待展開之際，克氏謝世，後雖由其姪繼續，許多專家亦繼其遺志，作不斷之研究，惟迄未見刊行全部表式。此外，索引亦付闕如，查用費時。綜括而論，克特法固已成過去，但因旣成部分係由專家精心研製，故仍為研究圖書分類者重要資料之一。尤以美國國會圖書館分類法多根據克氏，由此觀之，克法對圖書館學術之貢獻，其功實不可沒也。

二、美國國會圖書館分類法

美國國會圖書館（Library of Congress）設於美京華盛頓，係於一八〇〇年由國會議決而創設。起初，國會圖書館附設於國會大厦內，規模甚小，全部藏書不過九六四册及地圖九張，一八一四年英軍佔領華盛頓，羅斯將軍部下縱火，圖書館藏書大部亦遭兵燹。一八一五年，美國國會通過法案，以美金二萬三千九百五十元收購傑弗遜總統私藏七千册，方得恢復舊觀。一八五一年，該館藏書增至五萬五千册，不幸又遭回祿，泰半被焚，次年獲撥巨款建舍購書，乃又呈中興之象。一八六〇年，該館藏書增至七萬五千册，一八六六年得司密士遜院贈送自然科學等書四萬册，一八六七年以巨款購得 Peter Force 私藏有關殖民及革命史書籍六萬册，彌足珍貴。一八九七年，新厦落成，藏書已達七十八萬七千七百餘册。一八七〇年版權處開始設立，美國出版各書每種均須呈繳二部，加以不惜高價大量收購國外文獻，辦理國際交換，館藏激增。根據一九七一年統計，該館館藏計有圖書及小册子一千五百六十六萬册，報紙合訂本十二萬一千三百册，抄本手蹟三千餘件，地圖三百三十七萬張，音樂曲譜三百三十六萬餘件，照片圖片及幻燈三百一十三萬七千件，其他資料尚且不計，該館藏搜羅豐富，已躋於世界最大圖書館之列❸。

該館所採之分類法，在一八一二年以前，全部藏書依書籍大小排列。至一八一二年，圖書擴充至三〇七六册，圖表五十三張，據該年目錄所載，藏書以主題區分爲十八類，同類各書再依書形大小，依次排列。一八一五年購入傑弗遜私藏，其分類悉依傑氏之意，仿培根法，區分爲四十四類，其下再依字母爲序。至一八六四年，國會圖書館始終採用培根法分類。一八六一年之後，該法經先後修訂，一直沿用至十九世紀末葉爲止。

二十世紀之初，杜威法已六版其書，展開法尚在進行其第七表之未完工作，前者既有理論上之缺陷，後者則未竟其功。因此，一八九九年該館爲適應本身需要，擷取各家之長，編製自成體系之分類法，名爲國會圖書館分類法（Library of Congress Classification），簡稱ＬＣ。

該法印行之後，美國圖書館界人士漸爲其獨具之特質所吸引，在短期內，若干州立圖書館，大學圖書館及研究機構圖書館紛紛採用。在國會圖書館一九四一年之館務報告中指出，當時在美國已有二百二十一所圖書館全部或部分採用此法。國外採用者有：中國、英國、奧國、加拿大、紐西蘭、南非洲、南美洲、非律賓等國家。該法於一九一二年並爲英國威爾士國立圖書館所採用，至一九四一年，英國圖書館使用此法者已達二十八所之多。

本表之編製，在一九〇四年出版之圖書館與圖書館目錄一書序言中，該館館長普特南（Putnam）曾云：

「本表之編製，乃根據本館之特殊情況，並比較現存各分類法，亦即依照目前與未來藏書及利用之性質作為基礎所研訂者。同時，並顧及到將來在歷史科學、政治與社會科學，以及其他部門等圖書日益增加之趨勢……。」

另外，在N號美術類表序言中，又云：

「本表在制訂之前，曾參考專門圖書館之分類法及目錄，特別是杜威十進法與克特氏之展開法。有關特殊部分，借重柏林美術工藝目錄之處尤多。此外，自芝加哥美術協會圖書館之分類，亦獲致不少啓示。因此，本表係就本館有關美術圖書集藏之實際分類，發展為現在的形式。」

據塞耶（Sayers）敍述，國會圖書館決定編製分類法之際，杜威之十進分類法及克特之展開分類法業已盛行，兩法體例完備，符號簡明，並皆爲專家所擬訂。國會圖書館在計劃重行分類藏書之際，對此二法曾多方考慮，擬採用其中之一種。但該館考慮到應有一特殊的處理方法來處理其龐大的館藏，乃決定另行設計一獨立的類表，以適應其需要。一位參與計劃的人士曾說：「該表之設計，乃在決定符號之前，先予分類。」其意指分類設計係自該館之藏書入手，首先確定類別，其次再行決定標記符號。

國會法將圖書分爲二十一部，一般認爲受展開法之影響甚鉅。茲錄展開法及國會法之大綱如下，以明相互間之關係：

展開分類法

A	General Work	總類
B	Philosophy	哲學
C	Christianity and Judaism	基督敎及猶太敎
D	Ecclesiastical History	宗敎史
E	Biography	傳記
F	History	歷史
G	Geography and Travels	地理及遊記
H	Social Sciences	社會科學
I	Sociology	社會學
J	Civics Government, Political Science	公民學 政治學
K	Legislation	立法
L	Science and Arts	自然科學
M	Natural History	自然歷史

N	Botany	植物學
O	Zoology	動物學
Q	Medicine	醫學
R	Useful Arts	應用科學
S	Constructive Arts	工程學及建築學
T	Fabricative Arts	製造
U	Art of War	戰術
V	Athletic and Recreative Arts	體育與遊藝
W	Art, Fine Arts	藝術
X	English Language	英語
Y	English and Amer. Literature	英美文學
Z	Book Arts	圖書學

國會圖書館分類法

A	General Works, Polygraphy	總類、叢書
B	Philosophy, Religion	哲學、宗教
C	History-Auxiliary Sciences	歷史一附屬科學
D	History and Topography	歷史與地志（美洲除外）
E F	America	美洲
G	Geography, Anthropology	地理學、人類學
H	Social Science	社會科學
HM	Sociology	社會學

J	Political Science	政治學
K	Law	法律
L	Education	教育
M	Music	音樂
N	Fine Arts	藝術
P	Language and Literature	語言學及文學
Q	Science, General	科學總論
R	Medicine	醫學
S	Agricultural Plant & Mineral Industry	農業與礦業
T	Technology	工藝學
U	Military Science	軍事學
V	Naval Science	海事學
Z	Bibliography & Library Science	目錄學與圖書館學

由上可見，國會法與克特法不同之處，有人曾謂國會法類目之調整破壞了克特的「理想的次序」，但分析來說，其大綱並非如一般批評所謂之有欠合理。諸如音樂、美術與文學互相連接，人類學與運動及消閑活動之併為一類，醫學與農業與生物科學一類及工藝之前後銜接等，自圖書分類的觀點，而非哲學分類的觀點而言，這種設計是頗為合理的。普特南博士曾說：「國會法的編製，並非嚴格的遵照學術分類的次序，而是為了各類圖書較為排列方便的次序。易言之，我們所考慮的是書籍分類的次序，而不是學科分類的次序。」故圖書分類乃以「書籍的觀點」作為基

本的因素。

爲便瞭解該表之組織，玆以 B/BJ 哲學表爲例，作爲一般細分之說明❹。該表自序言開始，次爲大綱與總表，最後殿以索引。

(一)序言 (Prefactory note)：列舉本表編製人之姓名，所參考之分類表，以及增訂者姓名。

(二)大綱 (Synopsis)：列出該部門類大綱，B——Bj 之大綱共達十二頁，其綱要如次：

B	Collections, History, Systems	叢書、歷史、體系
	Collections	叢書
1—8	Periodicals	期刊
11—18	Societies	學會
19—20	Congress	國會
21—28	Collections	叢書
31	Yearbooks	年鑑
41—48	Dictionaries	辭典
49—50	Terminology, Nomenclature	術語、專門名詞
51	Encyclopaedic Works	百科全書
52	Study & Teaching	教學與研究
53—67	Theory, Method, Soope, Relations.	原理、方法、範圍、關係
68	Curiosa, Miscellany, Satire. etc.	雜集、諷刺作品
69—785	History and System	歷史與體系

108—118	Ancient	古代
121—161	Orient	東方
165—491	Greece	希臘
505—626	Greco-Roman Philosophy	希臘羅馬的哲學
630—708	Alexandorian & Early Christian Philosophy	亞歷山大初期基督教的哲學
720—765	Medieval Philosophy	中世紀哲學
775—785	Renaissance Philosophy	文藝復興時代的哲學
790—4651	Modern Philosophy	近代哲學
851—945	United States	美國
981—995	Canada & British Amer.	加拿大、英屬北美洲

（中　略）

	4625—4651	Switzerland	瑞士
BC	1—708	Logic	邏輯
BD	10—708	General Philosophical Treatises,Metaphysics, etc.	普通哲學論著、形而上學等
BF	1—935	Psychology	心理學
BH	1—208	Esthetics	美學
BJ	1—1695	Ethics	倫理學

據此可知，其中包括雜誌、協會、會議、叢書、年鑑、辭典、術語集、百科全書、教學與研究等類，以及一般理論、方

法、範圍及各科學之關係，乃至哲學史、哲學體系等範疇。

(三)總表 (Full table)：卽基於大綱所細分者，如：

B	Philosophy	哲學
	Periodicals	期刊
	1 English and America	英、美
	2 French and America	法、美
	3 German	德
	4 Italian	意
	5 Spanish	西
	6 Other, A-Z	其他
	Societies	會社
	11—18 照以上 1—6 細分	

爲防止重複細分，在表中或在各部門之末，另附有助記表。如：

B 121—161	Orient	亞洲
121	General	一般
	By Country	分國
125—129	China and Japan	中、日
130—134	India	印度
140—144	Egypt	埃及

其助記表如：

0	5	Collections	叢書
1	6	History, etc.	歷史
2	7	Special Topics, by subject A-Z	各科專題以字

母排列

3	8	Individual Philosophers, under each	各家哲學
	(a)	Complete Works	全集
	(b)	Separate Works	別集
	(c)	Biography, Criticism, etc. by author, A-Z	傳記、評論等照著者姓名字母排

自上表所示，如中國及日本，其個位號碼爲 5 — 9 ，則助記表依 5 — 8 細分之；印度之個位號碼爲 0 — 4 ，則助記表依 0 — 3 細分之。至各著名哲學家在本表卷末均列有專號，以便查考。

(四)地區表：國會法之地理區分與杜威之歷史區分及展開法的地區表使用方法不同。其法係照

1.在總表中註明依照地區細分者，如：

HJ		Public Finance, by country	公共財政、依國分。
	1410	China	中國
		Japan	日本
	1420	General	一般
	1421	Before 1871	一八七一年前
	1423	1871—1900	一八七一至一九〇〇年
	1424	1900	一九〇〇年
	1430	Korea	韓國

2.美國或主要國家編列整數號碼、而其他國家地方、依助記表細分。

如：

HD Labor, Employers' and Workingmen's Asson.		勞工及工會
Trade Unions. History		商會、歷史
by country		依國分
6460—62	England	英
6464—66	France	法
6467—69	Germany	德
6470—72	Italy	意
6473	Other Countries, A-X*	其他國家
	* 依助記表細分之。	
•N2—•N25	Netherlands	荷蘭
•N3—•N35	Belgium	比利時

3.依字母順序細分之。

其他如G類地理學、H社會科學、T工藝學。另U—V軍事及海事學，各有其依字母順序排列的地區表。

(五)索引：各卷附有相關索引，另編有一册包括全表類目之索引，名爲：Subject Headings Used in the Dictionary Catalogue of the Library of Congress. 對查閱國會法所有的主題，至爲方便。

國會法的標記符號，係以英文字母爲主幹，以數字爲分枝，兩種記號合用。共二十一部，每部以一個英文字母代表之，如：

A	General Work	總類
B	Philosophy-Religion	哲學宗教
C	History	歷史

每一部中，按照各該部所涉及之範圍分爲若干類，另於部號之後另加一字母代表之，如：

BC	Logic	邏輯
BD	Metaphysics	形而上學
BF	Psychology	心理學

有人批評，國會法的各部字母，其配置並不能表示出科目間的從屬關係，但這是不必要的。因爲各部的標記符號，除了D、E、F之外，其本身都是平行的類目。如J部「政治科學」，它並不是H部「社會科學」的附屬科目，而是同源平行的類目，同樣的，K部「法律」與L類「教育」亦是如此。在大類下的綱目也有同樣的情形，如TH類下的「營造」，乃爲J部「工藝」的從屬類目，但並非該部其他類目之下的從屬類目，所有工藝部用英文字母代表的類目，都是平行的。所以，這兩個英文字母的運用，形成了用以區別知識範疇的指示符號。

國會法的細目，採用阿拉伯數字編號。玆舉列如下：

TA	Engineering	工程
	Periodicals & Societies	期刊及學會
1	American and English	美國及英國的
2	French	法國
3	German	德國
4	Other	其他
5	Congresses	國會

這種符號的運用，大抵以兩個字母與四位數字爲限，上表大部分爲一至三位的數字。數字的排列，在類目之間極少是連續

的，即使在預期中不致有新的科目增加，也預留一至二位數字的空位，以備將來擴展之用。如預計到各項目可能有合理的發展時，每項之間當留有相當的空位，以備未來使用。

國會法的符號在運用上尙不止如此，其另一特色是在某一主題有關的類目之後，經常採用字母順序區分。在Q及T兩部中此種情形特別明顯。如：

QD	Chemistry	化學
	Metal	金屬
171	General Works	一般著作
172	By groups, A-Z	按類細分照字母順序排列

這種方法使全表更富擴展性，檢尋便捷。又當數字用至極限，不宜於再行添加字母時，還可以用「點」後的數字作進一步複分。

QL	Zoology	動物學
	Fishes	魚
638	Teleostei	硬骨魚
•1	Cyclomstomi	圓口魚
•2	Dipnoi	肺魚
•3	Ganoidei	硬鱗魚

另外，還有一種特殊的地區表，亦是照字母順序排列的，此種情形在G、H、T、U、V等部中可以見到，下例爲一簡單的形式：

Abyssinia	A2	阿比西尼亞
Afghunistan	A3	阿富汗

Algeria A4 阿爾及利亞

以上符號係依照表中之指示，附加在「點」後，照地區或照國別細分。這種標記符號並不是一成不變的，在表中有時 A8 可以代表澳洲，有時代表美國的阿坎薩州；A2 可以代表阿比西尼亞，或者代表美國的阿拉巴馬州。因爲它是在必要的情況下才編列的，所以在使用上並無何混淆之處。

一般對國會法的批評，就全表的理論基礎而言，其設計係以實用爲目的，所以無法自理論的要求來衡量其效用，如自學術理論的觀點而論，分類應該是一切知識學問具體而微的表徵，爲一知識範疇的詳圖，其界限是清楚明白的，相互關係是肯定無疑的。殊不知學術理論施之於圖書時，便須考慮到更進一步的兩項現實的條件，一是知識與書本之間的關係；另一是如何使讀者卽類求書。讀者的觀點在圖書分類上應視爲基本的觀點。職是之故，國會法的類目次序是否合乎理論基礎就無足輕重了。尤自國會圖書館的工作表現而言，其周詳而速捷的服務，在目前世界各國圖書館中，尙無一處堪與媲美，所以理論上的批判，均爲其成就所糾正。

此外，一般認爲此法類目時有重複之處，考其原因，實係其分類工作力求其精細所致，這不能視爲缺點，蓋因在日常生活經驗中，無論類表之設計如何精細，均不足應付每一目標之要求。如國會法醫學部，曾被認爲類目精細，足以滿足醫學圖書館之需要，但 Mary Louise Marshall 與 Irene Jones 曾指出有關藥學、精神病學、整形學、生物科學與工業醫學各類，仍須擴充始便實用❺。也有人認爲此法過於精細，如 Thomas Paine 所著之

"The Rights of Man" 一書之各種版本，在表中 JC177 類中，佔有三十一目之多，實無此必要。自小規模的圖書館而言，自然是不必要的，但國會圖書館爲擁有潘氏文獻最豐的一個圖書館，而此法係根據館藏實際情形而擬訂者，所以類目精詳，不無原因。對於一般圖書館僅使用十分之一的類目，即足敷所需了❻。

有關標記符號方面，一被認爲其缺點如符號過長，不便記憶，缺乏附屬性，這是不可否認的。不過，根據經驗而言，尙無何不便之處。總之，此法乃爲大型圖書館所設計者，對小型圖書館似不適用。在美國，國會法之使用現日益普遍，尤以學術性圖書館多用此法分編圖書。據美國圖書館學家 Tauber 之調查，甚多大學圖書館重新改編圖書，廢棄他法，改用國會法，以適應其藏書日增之需要❼。

附註

❶ 參閱：Cutter: *Charles Ammi Cutter*, 1931.

❷ Sayers:*A Manual of Classification for Librarians & Bibliographers*. p. 144.

❸ *Annual Report of the Librarian of Congress for the Fiscal Year Ending June 30, 1971*. P. 99.

❹ 見：加藤宗厚：圖書分類法要說，第128—132頁。

❺ Sayers. op. cit. p. 171.

❻ Loc. cit.

❼ Tauber: "Reclassification and Recataloging" *Technical Services in Libraries*. p. 261.

肆、勃里斯及阮加納桑分類法：

一、勃里斯之書目分類法

目前，在美國圖書分類法中，最引人注目的爲勃里斯(Henry Evelyn Bliss）所著之書目分類法（A Bibliographic Classification)，或稱爲勃里斯分類法（Bliss Classification）。

勃里斯於一八七〇年生於紐約市，於紐約學院接受其大學教育，一八九一年任該院圖書館館長職務，直至一九四〇年始行退休。在職期間孜孜於圖書館學之研究，其著述對圖書館界之影響，至深且鉅。

勃氏知名之作，有一九二九年發表之「知識之組織與科學系統」(The Organization of Knowledge and the System of Sciences) ❶ 與一九三三年發表之「在圖書館中知識之組織與圖書標目法」（The Organization of Knowledge in Libraries and Subject-Approach to Books) ❷二書，對各家分類作精闢之批判。而至一九三五年發表其「書目分類法」，頗爲圖書館界所稱許。

此法乃爲一大學圖書館所設計的分類表，因係著者積多年之經驗與心得所創編者，故不僅切合理論，且適合圖書排架之需要，可供標題目錄，聯合目錄及其他特種目錄之需。書目法節本發表於一九三五年，翌年加以修訂，一九四〇年始印行全書之第一册；一九四七年出版其第二册，一九五三年出版三、四兩册。現今，已漸受各圖書館之重視，可望於不久之將來，成爲一標準

A. Philosophy and General Science 哲學與科學總論
including Logic, Mathematics, Metrology and Statistics 包括邏輯、數學、度量衡學與統計學。

B. Physics 物理學
including Applied Physics and Special Physical Technology 包括應用物理學及特種物理工藝。

C. Chemistry 化學
including Chemical Technology, Industries, Mineralogy 包括化學工藝、工業、礦物學。

D. Astronomy. Geology, Geography and Natural History 天文學、地質學、地理學及自然史。
including Microscopy 包括顯微鏡學。

E. Biology 生物學
including Paleonology and Biogeography 包括古生物學及生物地理學。

F. Botany 植物學

including Bacteriology　包括細菌學。

G　Zoology　動物學

including Zoogeography and Economic Zoology　包括動物地理學及經濟動物學。

H.　Anthropology, General & Physical　人類學通論及體質人類學。

including the Medical Sciences, Hgyiene, Eugenics, Physical Training, Recreation, etc.　包括醫學、衛生學、優生學、體育、娛樂等。

I.　Psychology　心理學

including Comparative Psychology and Racial, and Psychiatry.　包括比較心理學、種族心理學、精神病學。

J.　Education　教育

including Psychology of Education　包括敎育心理。

K.　Social Sciences：Sociology, Ethnology and Anthropgeography　社會科學：社會學、人種學、民族誌

L.　History: Social, Political and Economic　歷史：社會史、政治史、經濟史。

including Geography：Historical, National (Political) and Ethnographic；Numismotics and Other Ancillary Studies. Ancient History, Medieval History and Modern (general) 包括地理學：歷史地理、政治地理、人種地理、古幣學及其他附科的研究。古代史、中古史、近代史（通論）。

M. Europe 歐洲

N. America 美洲

O. Australia, East Indies, Asia, Africa and Islands. 澳洲、東印度羣島、亞洲、非洲及諸島。

Geography, Ethnography and History 地理、民族及歷史。

P. Religion, Theology and Ethics 宗教、神學及倫理學

R. Political Science, Philosophy, and Ethics, and Practical Politics. 政治科學：政治哲學、政治倫理學與實踐政治學。

S. Jurisprudence and Law 法學與法律。

T. Economics 經濟學。

U. Arts : Useful, Industrial Arts and the Less Scientific Technology　技藝：應用技藝、工業技藝、非科學工藝。

V. Fine Arts and Arts of Expression, Recreation and Pastime.　美術、與表現術、娛樂、消遣。

W. Philology : Linguistics and Language Other Than Indo-European.　語言學：除印度歐羅巴語外各種語言。

X. Indo-European Philology, Language and Literature.　印度歐羅巴語：語言及文學。

Y. English or Other Language and Literature ; and Literature in General, Rhetoric, Oratory, Dramatic, etc.　英語及其他：語言與文學；文學通論、修辭學、辯論術、文法等。

Z. Bibliology, Bibliography, and Libraries.　目錄學及圖書館學。

之分類表。

勃法大綱如下：

自上可知，勃法將哲學與科學總論列在首位，其次爲自然科學，下分物理學、化學、天文學、生物學、植物學、動物學、人類學及心理學等。社會科學類則復分爲歷史、地理等，繼之爲技術（包括應用技術及美術），語言、文學等次序。

在勃法中應該注意的是，哲學與自然科學接近，物理學與其應用科學，化學與其應用科學亦相接近，敎育學則介於心理學與社會學之間，經濟學與工業有極密切的自然的聯繫，語言與文學之三分法（分爲：印度歐羅巴語外的各種語言與文學；英語外的印度歐羅巴語及文學；英語及文學等）以及 I 、K 、P 、Z 等類目，各依圖書館之實際情況而有其交換之可能性。

本表計分爲十種被稱爲「體系表」（Systematic Schedules）的區分表，用於復分特殊之主題❸。

(一)一般細目表(以數字標記之)：相當於他表的共通綱目，一部分爲各主題所共通者，一部分按類而有差別。

(二)地方區分表（以文字標記之）：用在科學、社會科學、人類學、工藝技術等方面的地方區分。但不能使用於歷史、人文地理學、人種學、語言學，以及文學等類。

(三)國、州、都市細目表（以數字及文字標記之）：有二種：(1)州、區、國、都市及其他等之地方區分表；(2)歷史的時代區分表——依字母順序排列。從這些表中可以查得某一國，某一地方之地理的，考古學的，特殊文化史的細目，時代區分及地方區分等。

(四)語言區分表（以數字及文字標記之）：屬於W類的語言及文學區分之用。

(五)主要語言區分表：分爲三部分。如德、法、義國語言則分屬 XV 德語，XW 德國文學史，XX 德國文學家三類。然後再依以下 .a .b .c 三表細分之。

.a 語言區分表（以數字及文字標記之）。

.b 文學史及文學評論集（以數字及文字標記之）。

.c 文學形式表（以文字與數字標記之）。

(六)著者作品排列表（以數字及文字標記之）。

(七)語言細目表（以文字標記之）：適用於文學形式類的細分；此表尚可代替第二表，而適用於技術，現代哲學及科學史等。

(八)特殊化學（CI—CR）之細目表(以數字及文字標記之)。

(九)化學工業（CU—CY）之細目表（以文字標記之）。

(十)宗敎、敎會、宗派等之細目表（以文字標記之）。

書目法之優點，一般說來類目安排合乎邏輯次序，適合近代科學之發展。各種助記表齊備，運用便捷。相關類目都用互見或參見方法一一指出，極爲明晰。同時，將分類法之用處擴展至標題目錄及其他特殊目錄，爲一大創新。索引完備，易於檢查。

其缺點爲：過份強調邏輯次序，若干類目被迫分散，實際應用時，反覺煩瑣；採用字母標記，不便記憶。

二、阮加納桑之冒號分類法❹

阮加納桑（S. R. Ranganathan）於一八九二年生於印度，

一九七二年去世，在大學專攻數學，一九二四至二五年間，留學英國，從塞耶氏研究圖書分類，歸國後任孟德拉斯大學（Madras University）圖書館長，並創設圖書館協會，從事圖書館學之研究、教學及著述等工作。因此，被印度人尊爲「圖書館學之父」。

一九三一年，阮氏發表其「圖書館學之五律」（Five Laws of Library Science）說明其對圖書館之觀念，而對其圖書館之經營、分類、目錄學，皆依此觀念而展開。

阮氏於一九三三年出版其冒號分類法（Colon Classification），一九三九年再版，一九五〇年三版，一九五二年四版，一九六〇年六版。此表係將圖書分爲二十六大類，標記方法，大類用英文字母，小類用阿拉伯數字，每一大類下的小類，阮氏根據其不同性質製成單位表（Unit Schedules）使用時用冒號「：」與各學科組合，故名爲冒號分類法。

阮氏法之分類大綱如下：

A	Science (general)	科學（總類）
B	Mathematics	數學
C	Physics	物理學
D	Engineering	工程
E	Chemistry	化學
F	Technology	工藝
G	Natural Science (general) and Biology	自然科學（總論）與生物學
H	Geology	地質學
I	Botany	植物學

J	Agriculture	農業
K	Zoology	動物學
L	Medicine	醫學
M	Useful Arts	應用科學
N	Fine Arts	藝術
O	Literature	文學
P	Philology	語言學
Q	Religion	宗教
R	Philosophy	哲學
S	Psychology	心理學
T	Education	教育學
U	Geography	地理學
V	History	歷史學
W	Politics	政治學
X	Economics	經濟學
Y	Miscellaneous Social Science including Sociology	社會科學雜論(包括社會學)
Z	Law	法律

以上大類，又依下列五項基本範疇(Fundamental Category)細分之。

基本範疇		略號	結合符號
Time	時間	T	・(點)
Space	空間	S	・(點)
Energy	能力	E	:(冒號)

Matter	材料	M	；(半支點)
Personality	性格	P	，(逗　點)

其中性格與能力兩項，依類而異，頗難以解釋清楚，玆舉例以明之。

2 Library Science

2 〔P〕;〔M〕:〔E〕

P 「性格」

1	Trans-Local	超越地方的
2	Local	地方的
3	Academical	大學的
4	Business	商業的
5	Subscription	贊助的
6	Special Classes	專門的
7	Private	私立的
95	Contact	接觸的

M 「材料」

1	By mode of production	依生產方式分
2	By script	依稿本分
3	By language	依語言分
4	By nature of publication	依出版性質分
5	By agency of publication	依出版機構分
6	By age of publication	依出版時代分

7	By edition	依版次分
8	By social group of readers	依讀者之社會組織分
95	Translation	譯本

E 「能力」

1	Book Selection	圖書之選擇
2	Organization	組織
3	Function	功能
4	Co-operation	合作
5	Technical Treatment	技術處理
6	Circulation	流通
7	Reference Service	參考服務
8	Administration	行政管理

易言之，2圖書館學係根據（P）、（M）、（E）三項，加以細分，再作以下之組合。例如：

2V・42	日本圖書館史	(2圖書館，V・歷史，42日本)
2:51N3	冒號分類表	(2圖書館，51分類表，N3＝1933)

該表由下述三部分所組成：

(一) Z類（Generalia）：用以區分某一地區，或有關某人之綜合性著作。例如：

Z41	Sinology	漢學
ZG	Gandhiana	甘地之著作

(二) 1－9預備類（Preliminaries）：相當於其他分類表的總類，其記號為1、2、3……7、8、9。

(三)A－Z類表。

冒號法各類有其通用之助記表，玆分別說明如下：

(一)共通區分：適用於各類之細分，其符號以 a.b.c.……x.y.z. 代表之。

(二)地理區分：細節載於第二部第三表，其符號爲 1 、 2 、 3 …… 7 、 8 、 9 。以 2 代表本國， 3 代表接近國，美國爲73。

(三)語言區分：與地理區分有關，細節載於第二部第四表。其符號爲 1 、 2 …… 8 、 9 。如英語爲 111

(四)年代區分：適用於歷史之時代區分，及其他各大類主題之發明，發現年代。載於第二部第五表。如：M76＝1876，N59＝1959。

其他處理法，如醫學、神秘主義、美術、文學、語言、宗敎、印度哲學等古典圖書，均以「X」表示之。以「O」，「：」表示主題構成要素之關係等。

至於以上所述分類符號之排列順序：

(一)a.b.c.……x.y.z.。

(二)← →

(三)0 ：；－

(四)1 2 3 4 5 6 7 8 9（採十進制）

(五)A B C D E……X Y Z（大類）

冒號分類法雖在文學類及其他若干類上依著者複分，但是大部分書號，係以出版年代爲主。在阮氏所著「圖書館之發展」一書中，曾闡述其主張。書號之種類有以下九種：

(一)各國語言號：文學以外各類，均可省略本國語言記號。

(二)形式複分號：與共通細目不同，用 a. b. c.……w.x.表示之。

(三)年代號：係將圖書出版年代加以符號化。例如：冒號法之一九五二年版，卽以 qJ2 表示之。q 爲表之意，J2 爲一九五二年。

(四)受入號：第二册起加以 1 。

(五)卷號：記其卷數。

(六)附錄號：「—」破折號後再加 1 2 3……。

(七)批評號：在「；g」後再加 1 2 3……

(八)批評號之受入部分：爲無著者的古典書籍之用。

(九)複本號年代號之後，附以分號「；」，第二、複本須加上 1 。

以上各號的排列順序爲：

(一)a.b.c.……x.y.z.（中間除去 i.o.）

(二)A B C……X Y Z（中間除去 I O）

(三) -:

(四)0 1 2 3 4 5～6 7 8 9（年代順序、受入順序、卷號、批評、複本等以外，採十進位制。）

從上可知冒號法大致之結構及符號，玆以阮氏「冒號分類法」第四版（一九五二年）爲例，其代表符號應爲：

2：51N3	（2 爲圖書館，51爲分類表，N3＝1933）
qJ2	（q 爲表　J2爲1952年）

一般對此法之批評如下：

(一)塞耶・勃里斯諸氏對此法極爲激賞，認爲與他法不同。

不僅適用於圖書，而且也可用於其他資料之分類。但類表之結構卻嫌複雜。

(二)欲求在理論上瞭解冒號法，必須先自其第一部著作方法論入手，同時尙應研究阮氏其他著作之理論，否則實際應用必有困難。塞耶曾謂，欲瞭解冒號法，應對阮氏之著作，依年代順序，逐一探討。

(三)此法版本屢加修訂，影響各館之使用，缺乏安全感。

(四)著者用以說明其分類法之各種用語，有難以理解之苦。

附註

❶ 該書由 N.Y., Henry Holt & Co. 於 1929 出版。
❷ 該書由 N.Y., The H. W. Wilson Co. 於 1933 出版。
❸ 參閱加藤宗厚：圖書分類法要說，第 147—148 頁。
❹ 本章參閱前書第 346—352 頁。

伍、結　語

研究圖書分類法，對各學科的區分排列之探討，不容忽視。玆將西洋圖書分類法分別爲十進分類系統與非十進分類系統兩大類，擇要評述。因圖書分類法之適用與否，乃視各館個別的特殊情況，本身的需要及不同的觀點而定，罔顧使用之實際，其批評難中肯綮。故本章僅就就一般圖書館所採用之分類觀點，對各法試加比較。

一、十進分類法：所謂十進分類法，係將各科類目配置於十位數字之內。因受十分的限制，所以在編排上，較之非十進法更為困難。目前在西洋圖書分類法中，較為適用的十進法，為杜威法及國際十進分類法兩種，國際法乃以十進法為基礎，與杜法大綱一致。所以這兩種分類法在理論體系上是無何差異的。

論及杜威法的區分排列，係因襲哈里斯分類——被稱為逆培根式——這是衆所週知的事實，尤其將宗教與語言學各自獨立，應用科學包含醫學、工程學、工業、商業等範疇，以社會科學與歷史，語言學、文學相隔過遠等等，成為各方批評的焦點。但是杜威本人曾對此加以申辯說：「本表之編製，與其顧及理論的一貫性，毋寧注重圖書館之實用性為主要目標。」以此藉口，閃避了各方批評的利箭。

杜威法編製上的缺點，追本求源，將各類強行納入十部之內——嚴格的說，只有九部——為其主要的缺點。假如這些主題各予獨立的位置，很顯然的，上述的區分問題卽可獲致解決之途。各種分類法的編製者，對於類目的安排，原有不同的理論觀點與當然的理由，但並非是絕對的。這一點在非十進法中亦是如此。

十進法雖有以上的批評，但使用簡便，卻受到圖書館界，尤其是公共圖書館的歡迎，相信將來仍然會受到相當的重視與普遍的使用，而杜法所以被選為國際分類法，其故亦在此。

二、非十進分類法：在西洋圖書分類法中，非十進分類法，重要者，有展開法、國會法、及勃里斯的學科分類法等。前已論及非十進分類的區分，並不似十進法之牽強，其主題不限十分，盡可能擴展至二十，甚至四十六類，其細目的擴展，亦遠較十進法為細密廣袤，因此，在非十進法方面，排列的問題較為重要，同時亦成爲衆所議論的中心。

綜觀上列各法，由於大類多在二十個以上，故對全表難以把握一清晰的概念，這是非十進法的基本弱點。不過，一般使用者的目的，並未及於類表的全部，實際上反偏限於常用的類目，因此，對全表難以把握的困難，並不算是非十進法的致命傷。但是，此種分類法不論其部類的安排是依照實際的順序或字母順序，如其編排漠視論理的體系，是非常不妥的，研究分類者不能不注意及此。

展開法大類的排列，如塞耶氏所稱，係以主觀的進化順序爲骨幹，他曾說：「展開法乃基於當時學術的分類及圖書分類的綜合研究，完成其類目的排列次序」，在四大分類法中是最具理論性的區分。爲便瞭解，將其大綱引伸爲十部，卽成：總類、哲學、宗教、歷史、社會科學、科學、應用技術、美術、語言及文學。細察之，該法確實彌補了杜威法的缺點。

國會法乃以國會圖書館的藏書爲其基礎，表中曾加說明：「本分類表係以現有分類表互作比較，以各館之特殊情況，亦卽現今與未來的藏書，以及利用性質爲基礎而編製者。」又說：「本表之設計，並非以各種學科爲出發點，而是爲圖書設想，旨在爲該館藏書作適當的排列。」這兩點說明，強調了圖書分類的實用性，人稱國會法爲分類實務之指針，亦卽指此。此表亦爲就各家分類作比較研究後的結果，它並非漠視理論，而是超越理論的結果。爲欲探索其理論體系，可將國會法分爲十部，依其次序成爲：總類、哲學、宗教、歷史、社會科學、美術、語言學、文學、科學，實用技術等類，此種排列與展開法不無關係，的確不失爲有力的分類法。

勃朗的學科分類法爲四大分類法中，問世最晚的分類法，但係創編人 J. D. Brown 的第三種分類法。此法與前編各法之作法迴異。前編各表，同一主題因所採立場不同，可分別見於表中不同之處，舉如：「製糖」與「砂糖」的位置各異；動物學中的馬，畜產中的馬，競賽用馬，以及獸醫學中的馬，各有不同的歸類。然而，在學科分類法中，上述主題即各歸屬於最能顯示其其特性的類目之中，並以範疇表（Categorical table）中的相當號碼，予以區別清楚，此即主題分類法命名之由來。

學科法的編排，自「精神本位」改變爲「物質本位」，這一點可在 Adjustable Classification (1898) 中略窺端倪，這或是受到科學萬能時代的影響，以及受到 Wundt 的科學分類影響的結果。布朗氏以 B－D 代表物質與力量 (Matter and Force)，E－I 代表生命 (Life)，J－L 代表精神 (Mind)，M－X 代表記錄 (Record) 等，將理論排列的根據，充分表露無遺。

學科法的另一特色是理論與應用的配合，如：B0 物理學、動力學之後，即爲 B1 機械工程學；C3 聲學之後，即爲 C4 音樂；D7 化學之後，即爲 D9 化學工藝，均爲學科法首創者。

至於勃里斯分類法的大綱，早在三十餘年前圖書館雜誌 (Library Journal) 上即對其獨創的見解有所介紹。其法是勃里斯任職紐約市立大學圖書館，服務三十年，經其不斷的對分類的理論作深入的研究與實驗的結果。此法理論與實際能密切結合，融會貫通，可以說是分類史上的一大收穫。

該法將其他分類表中的首類，即總類，作爲「先行類」，以一至九的數字號碼作爲各類的共同細目與助記，同時，在類目安排上頗具苦心，這些都是該法的特色。當然，理論與實際應用的配合一點，較之學科法更爲進步，如物理學或化學，各與其應用部門，自輔助表中可以顯示其融合的關係。

此外，又如J類的敎育，在十進法中，並入社會科學之中，但在該法中，則介於I的心理學與K社會學之間，使敎育類在心理與社會兩方面，巧妙的組合起來。再有在其他分類法中，經濟學與工業是被隔離的，使分類員感到非常之困擾，但在此表中，以T與U使二者加以聯繫。至於對歷史、地理、文學及語言的處理，並未受到任何批評家的非議。此法如與十進法對比，其大綱成爲：總類、哲學宗敎、科學、應用科學、生物學、歷史、社會科學、美術、語言、文學等類。

以上係對幾種主要的非十進法加以比較，各分類家對於大類的區分排列，無不苦心孤詣的加以研究，不僅涉及理論的研究，同時更顧到圖書分類的實務，甚至窮畢生的精力時間，致力於此，結果仍無所獲者有之。因此，欲完成一種適用的圖書分類法，可以說是一種藝術，一種創作，並非任何人都能勝任的。

參考資料

1. Bliss, Henry Evelyn. *The Organization of Knowledge and the System of the Sciences.* Wilson, 1929.
2. ____________. *The Organization of Knowledge in Libraries and Subject Approach to Books.* Rev. ed. Wilson, 1939.
3. Broadfield, A. *The Philosophy of Classification.* Grafton, 1946.

4. LaMontagne, Leo E. *Ameircan Library Classification.* Shoe String, 1961.
5. Mann, Margaret. *Introduction to Cataloging and the Classification of Books.* A. L. A., 1944.
6. Mills, Jack. *A Modern Outline of Library Classification.* Chapman, 1960.
7. Ranganathan, S. R. *Prolegomena to Library Classification.* Madras Library Association; Goldston, 1937.
8. Richardson, E. C. *Classification, Theoretical and Practical.* Wilson, 1930.
9. Sayers, Berwick. *A Manual of Classification for Librarians and Bibliographers.* Grafton, 1959.
10. Tauber, Maurice F. *Cataloging and Classification.* (The State of the Library Art. v. 1.) The Rutgers University Press, 1960.

(原載於「人文學報」第三期，民國62年12月，輔仁大學印行。)

美國圖書館之目錄合作制度

在美國圖書館界中，有所謂「目錄控制」（Bibliographical control）一詞，其意指以目錄作爲控制出版品之一手段，藉此謀求各館館藏之普遍使用。在此一構想下所製作的目錄，包羅廣泛，當非傳統性收藏目錄所能及之。就目錄發展情形而論，有包括了全美國各大圖書館藏書的全國聯合目錄；也有專以交換及傳達目錄消息而設之目錄中心；更有爲全國圖書館提供編目服務的合作與集中編目制度。以上三項之目的，無非使目錄資料易於查獲，便於合作蒐集與合作流通，有助於讀者之使用。玆就上述目錄合作制度中之重要者，說明如下：

壹、合作與集中編目制度

——國會圖書館在合作與集中編目工作中之任務

美國圖書館所實施之合作與集中編目制度至今已有百餘年之歷史。其起始，係由圖書館界熱心人士所倡導，蓽路藍縷，倍經艱辛。至廿世紀下半葉，由於美國國會圖書館擔負起這一工作，合作編目與集中編目之理想，始克實現。

所謂合作與集中編目制度，乃指各圖書館合作編製圖書目錄卡片；或委由一館、一中心機構負責編目事宜，分交他館使用而言。此項措施，其目的不僅在以合作方式，節省人力物力，完成各館之共同要求；同時更可利用合作關係，促使目錄款目的統一，進一步發揮「目錄控制」（Bibliographical control）的最高理想。

合作與集中編目制度最初係由朱艾特（Charles Coffin Jewett）於一八五一年所倡議。朱氏建議由美國國立博物館（Smithsonian Institution）鉛版印行圖書目錄卡片，以應各館之需，但由於行政上及技術上的困難未能成功。當時，朱氏曾認爲國立博物館可能成爲未來的國家圖書館。此一建議雖未能實現，朱氏對於印刷卡片的計劃，以及目錄款目統一的認識，極爲圖書館界人士所讚許。

一八七六年，美國圖書館協會成立，在費城召開成立大會時，麥威爾·杜威（Melvil Dewey）提出了合作編目問題，這也就是後來圖書館月刊編輯們所鼓吹的集中編目問題。杜威曾說：「我們是否應該成立一個由協會支持的中央編目部呢？是否能够勸說出版家們將要出版的書提供出來，交由國會圖書館負責爲全國圖書館編出目錄來呢？」這一提案經大會通過，協會與出版商雙方均表示願意共同致力於集中編目事宜。杜威並指出此一工作理應由國會圖書館來承擔。一九〇〇年，美國圖書館協會合作委員會宣佈了一項計劃，各合作圖書館編妥之卡片由出版部負責印刷，由國會圖書館負責出售，但這一建議遭到許多委員的反對。最後，有人提出一解決辦法，使國會圖書館成爲國家圖書館之中心，並負責印刷及發行印刷卡片事宜。

一九〇一年九月，國會圖書館新任館長普特南（Herbert

Putnam）宣佈該館擬將印刷卡片直接供應各需要的圖書館。同年十月，該館通訊中公佈出卡片銷售計劃，規定主片每張定價二分，副片每張一分半。之後，該館又將卡片價格增加了百分之十。除銷售卡片之外，國會圖書館並選擇了廿一所圖書館免費贈存該館所印製的全套目錄，這也是美國國會圖書館贈存目錄（Depository Catalog）之始，對學術界貢獻至鉅。印刷卡片銷售的第一年，就有二百一十二所圖書館向它購買卡片，得現金三千七百八十五元，並收到預付款六千七百五十一元。

嗣後，其他政府圖書館相繼提供目錄草片，供國會圖書館編印印刷卡片之需，使卡片之供應制度更趨完善。首先是農業部，繼之爲地質調查部，最後是其他十八個政府機構圖書館。一九〇五年華盛頓公共圖書館也提供出草片，非政府的圖書館亦羣起效尤，卡片數量增加神速，到一九〇二年年底所能供應的卡片達九萬張，六年後超過了卅四萬七千張。一九一〇年，國會圖書館再發現了一個供應的來源，即要求收受免費寄贈目錄卡片的各館及六所其他的圖書館負責供應國會圖書館所不能預期獲得的圖書卡片，大約有三分之一的圖書館參加了這一合作編目工作。據統計在一九一〇年至一九三二年之間大約有百分之十的卡片是由其他圖書館所供給的。

印刷卡片的數量雖大量增加，但始終未能配合研究圖書館之需要。因此，在一九二三年美國圖書館協會指定由普林斯頓大學圖書館館長瑞查遜（Ernest Cushing Richardson）組織了一個書目小組進行編輯書目工作，但所編出的書目太少不足以應付需要。一九二七年，協會編目部曾召集了一個有關合作編目會議，該會報告說：「據學院及大學圖書館的報告，各館每年增加的卡片，約有百分之廿五至七十五是不屬於國會圖書館所印製的。」該會為謀改進，乃組織了一個特別委員會進行調查，由麥考夫（Keyes Metcalf）來領導，由教育委員會提出一萬三千五百元作為經費。這一特別委員會開始自四十九所圖書館的原始目錄中進行研究。他們注意到這些圖書館急需國會圖書館印製的外國出版品的卡片，並估計國會卡片對各館編目工作的經濟效用，算出從請求各館編出草片，再經修正、印製及銷售等過程所需要的費用，並建議由國會圖書館專設一辦公室負責連繫各合作圖書館編目事宜。這樣，每種卡片由國會印製再行銷售，所需成本約一角錢，高出普通卡片的價格。因此，教育委員會再提出四萬五千元作為三年計劃的經費，他們希望三年後利用出售卡片的收入繼續維持這一組織。

一九三二年，這一組織正式執行任務，在十五個月內，各圖書館提供了六千一百八十一種卡片，其中二千三百廿六種屬外國出版品，四千四百九十二種屬論文叢編。一九三四年，此一部門重行組織成為國會圖書館之一部門——合作編目及分類服務部。由合作編目委員會與國會圖書館共同支持。其工作包括指定杜威分類號及修訂卡片工作。一九四〇年則專由國會圖書館所支持。同年七月經進一步細分，成為國會圖書館編目部的一部分。其組織重行劃分，成為記述編目組合作編目股，與合作編目委員會取得密切連繫。

至一九六五年六月，參加合作編目的圖書館共計交出卡片五十一萬八千餘種，最高記錄是在一九五九年，該一年度卽達一萬六千種。但當一九六二年，大學圖書館不再供應論文卡片，以及參加法明頓計劃（Farmington Plan）的圖書館開始直接向國家聯合目錄（National Union Catalog）報告採訪結果時，繳送的卡片數量驟減，一九六五年度僅印出六千四百一十五種卡片。至此，合作編目不再被認爲是一種足以代替集中編目的方法，最近從國會圖書館的發展上看出合作編目制度將於短期內予以結束。

一九四二年，國會圖書館首次編印了書本式「國會圖書館印刷卡片目錄」，共一百六十七册，一九四六年出版。此一書本目錄的出現代替了許多贈存圖書館的卡片目錄，因爲卡片目錄需要相當的空間陳列，並需大量的人力處理。

經過一段漫長的時間，印刷卡片已有穩定的發展。一九四八年，由於議員的干涉，卡片銷售計劃遭到挫折，每張卡片的平均價格從三分錢提高到四分錢。如此，議員們認爲除支付成本外，尚有利潤。這雖然增加了收入，但卻減少了卡片的銷售量。後經圖書館專業人員及國會圖書館證實這一現象後，議員們乃在一九四九年將售價重行調整，並聲明除依照公共法二八六條規定各政府機構應付郵費外，將來惟有在增加成本時始提高其售價。

一九四八年，艾利士渥士（Ralph Ellsworth）曾建議國會圖書館應成爲一全國性的集中編目部。他的意見是請國會圖書館編出所有美國圖書館增加的新書目錄卡片，其費用由使用國會圖書館印刷卡片的各圖書館共同分擔。此一建議無異於圖書館界編目工作的革命，不過這確實是一種理想，應該受到支持。很明顯的，這一理想是超越時代的，惜支持者不多，乃遭擱置。

各館在訂購國會卡片時，如事先曉得卡片編號，將可降低卡片售價。一九四七年時「出版家週報」（Publishers' Weekly）徵得國會圖書館的同意，在每週的新書介紹欄內增列了各書的卡片號碼。一九五一年，各出版商也將卡片號碼印在書名頁背面。到一九五二年大約有一百家出版商採取這一方式。

一九五三年，國會圖書館開始了一項新的計劃，各出版商將未出版的書先送交國會圖書館，以期印刷卡片能及時編印，符合各館之需。同時在各圖書館未購得這些書以前，由「出版家週報」、「圖書館月刊」（Library Journal）及「美國書評季刊」（United States Quarterly Book Review）三刊物以最快的速度作新書預告工作。

有關東方語文圖書的編目方面，一九五〇年國會圖書館東方部及六所其他藏有東方出版品的圖書館在可能範圍內採用影印方式複印重要的書片，並在一九五八年開始排印中文、日文及韓文圖書卡片，更邀請數家圖書館提供所編的東方語文書籍草片。

許多圖書館員曾建議將卡片款目直接印在原書上，這也可以說是集中編目的最終理想。如能實現這一理想，各館收到一本新書時，不需要任何編目手續，只要從書上錄下款目卽可，這較訂購印刷卡片更爲方便。更有人配合這一理想，設計一種目錄卡片攝影機，準備供編目人員自書上複攝成書卡之用。一九五八年，圖書館資源委員會（Council on Library Resources）撥贈國會圖書館一筆經費，作爲「在資料上編目」（Cataloging in source）的試驗費用，以後又撥了五萬五千元作爲一年試驗的經費。在試驗階段有一千二百種出版品根據校樣編成目錄，印在書頁上。國會圖書館爲謀集思廣益計，邀請了二百所圖書館的編目人員參加一項座談會研究此種實驗的成效。與會人員咸認在原資料上印出卡片款目確實需要。但此一計劃由於經費及技術方面的問題未能繼續作進一步的實驗，以致不了了之。一九六一年，國會圖書館勸導書商們將國會卡片夾在書中，與書一起分送給各圖書館使用。

美國研究圖書館協會對於國會圖書館所實施的卡片服務未盡滿意，盼望各館盡可能蒐集世界各地新出版的資料，並盡快的將目錄資料傳達給讀者。圖書館專家們並盼望透過國會的力量，使國會圖書館成為全國的目錄中心。

國會圖書館自一九六六年開始印行英國圖書卡片，同年四月這些卡片成為國會的正式卡片的一部分，該館對於英國提供的目錄資料，除部分款目必須符合國會圖書館的規則，稍加修正外，餘均照原式印製，至於標題與分類號則一律由國會圖書館添加上去。一九六六年七月一日起，該館在編目部內設置一新部門，名為 Shared 編目組，專門負責從國外源源而來的目錄資料。至一九六六年底，國會圖書館接受英國、東德、西德、奧國、挪威、法國、加拿大等國送達的目錄，並計劃將來獲得丹麥、瑞士、芬蘭、西非、波蘭、捷克、南斯拉夫、蘇俄等國之草片。而在一九六七年時接受了澳洲、比利時、瑞典、阿根庭、荷蘭、意大利、西班牙、葡萄牙等國目錄資料。

國會圖書館並就贈存卡片的圖書館中，選出了幾所大的研究圖書館，請其就訂單核對未印成卡片的外國出版品，以便補編遺漏的圖書目錄，加強卡片的存量。

最近，國會圖書館更採用了新的技術方法改善編目工作，由電腦製作的第一套磁帶，業已分發給各合作圖書館試用。此一計劃係試驗一種由圖書館資源委員會與國會圖書館合作設計的能閱讀目錄的機器（Machine-Readable Cataloging），第一步是由電腦集中編目，然後各地方利用可自行操縱的閱讀機，配合使用。此一計劃開始於一九六五年，在實驗階段，利用磁帶錄製該館編目的所有英文資料，每天約為一百廿五種卡片，每週將這些磁帶送到十六所圖書館中加以試用，並向國會圖書館報告使用情形。

在不斷的努力改善之下，國會圖書館逐漸實現了杜威氏在一八七六年的理想——設置一全國性的中心編目機構。當一九〇一年國會圖書館館長普特南宣佈國會圖書館將印刷卡片分送各需要的圖書館中時，有些人認為集中編目的理想似已實現。但不久就發現這一想法過於樂觀，以後經過不斷的改善，增加經費，始漸有希望。在開始時，國會圖書館的態度是被動的，嗣後由於教育上及研究發展的需要，引起了國會的注意，乃創下了一個制度。據一九六六年該館統計，該年購置卡片者達一萬九千餘館，售出六千三百卅一萬四千二百九十四張卡片。其高度發展的複製技術，使印出的卡片供應無缺。目前，國會圖書館是以積極的與熱心的態度實現這一集中與合作編目的理想。

貳、全國性聯合目錄 (Union Catalog)

聯合目錄係指聯合編製某一地區各圖書館館藏之目錄而言。其功用在將各館館藏構成一可用的整體，藉此目錄使讀者獲知該一地區各館之藏書內容及其存儲地點，較之使用一館的目錄可獲悉更多的資料。美國圖書館的聯合目錄大別爲以下三類：一、圖書聯合目錄，二、叢刊聯合目錄，三、特殊資料聯合目錄。玆分述如下：

一、國會圖書館聯合目錄卡片

一九〇〇年，國會圖書館館長普特南（Herbert Putnam）預料到一個全國性的書目對於學術研究將能發揮無比的價值，乃決定以國會圖書館的印刷卡片與美國其他圖書館編印的目錄卡片交換，編製全國聯合目錄，這也可以說是聯合目錄之濫觴。

國會圖書館聯合目錄之發展，大致可分爲四個階段。第一階段自一九〇〇年起至一九二六年止。其間，國會圖書館本身所編的目錄卡片，以及由參加合作計劃的各大圖書館所提供的卡片，共達二百萬張。最初參加合作的圖書館有紐約公共圖書館，波士頓公共圖書館，哈佛學院，芝加哥的約翰克瑞爾科學與技術圖書館（John Crerar Library）。不久之後；第二批圖書館參加者，包括了芝加哥的紐伯瑞人文圖書館（Newberry Special Library）及芝加哥大學。第三批則爲其他政府機關圖書館。

第二階段自一九二七年起至一九三二年止。一九一四年到一九一八年的戰爭對於目錄的需要，較前更爲迫切，並顯示出聯合目錄的不完整。經估計，在一九二六年，美國各圖書館中約有八百萬種圖書具有潛在的利用價值，而在聯合目錄僅有二百萬張卡片，尚欠缺六百萬種圖書的目錄卡片未收羅在內。由此看出全國聯合目錄僅能發揮出百分之廿五的效用。

透過洛克菲洛基金會的支持，國會圖書館獲得了廿五萬美金發展目錄，其計劃開始於一九二七年八月卅一日，完成於一九三二年九月一日，共增加了六、三四四、三五六張卡片，成果至爲豐碩。自此以後，聯合目錄在國會圖書館中，以及在全國圖書館界中佔有重要的地位，奠定了今後發展的良好基礎。

第三階段自一九三三年至一九四二年止。在此階段中， Ernest Kletsch 被任命爲該目錄的第一位行政負責人，一直服務到一九三七年，由 G.A. Schwegmann, Jr. 接任，步入艱困時期。在預算方面，一九三三年自原定的每年五萬元削減到一萬八千元，在戰爭期間至一九四三年七月止，每年預算平均爲二萬五千元。在卡片方面，由於參加的圖書館日益增多，另增加了三、三五五、九四一張新卡，總數達到了一一、七〇〇、一九七張。尤以勃郎大學（Brown University），Arnold Arboretum 及克瑞士圖書館（Kress Library）的許多著名的藏書收羅在內，更重要的發展是在費城創立了一個重要的聯合目錄。

第四階段自一九四三年七月開始。當年預算爲五萬一千七百元。因處於戰時狀態，需要資料迫切，目錄乃益感重要。在此期間，有三項計劃使之增加了一百五十萬張新卡。(1)大約有卅萬張從顯微書影中繕錄的卡片，此項卡片係於一九三七年在華府地區各聯邦政府圖書館所編製者；(2)另外有九十萬張係自國會圖書館人名及團體姓名副款目錄出者；(3)另有三十八萬四千一百九十二張卡片則自克利夫蘭及費城聯合目錄中選錄者。新創設的其他聯合目錄計有：耶魯大學，北加來羅那與南東密西根的聯合目錄。

一九四八年三月五日，全國聯合目錄成爲一正式的組織，範圍日益擴大。一九四九年五月，顯微書影交換所（Microfilming Clearing House）建立，成爲顯微書影的資料中心。

目前，聯合目錄的發展，可自國會圖書館的年度報告中看出其方向。該目錄將包括圖書、叢刊及非書資料（Non-book materials），範圍係主要記錄北美各大圖書館所藏印刷的研究資料的存儲地點，除一份主要目錄外，尚有四種輔助的目錄，約三六七、六一二張卡片。包括了：

斯拉夫文	二四八、二七八張卡片
希伯來文	六一、六六五張卡片
中　文	一、〇八八九張卡片
日　文	四、六七八〇張卡片

分別排置在不同語文部門之中。在國會圖書館的聯合目錄部門中尚保管了大約有一百廿萬張國外資料的卡片，這代表了自一九〇〇年以來國外圖書館與目錄單位所提供的一部分資料，計有十六所國外的圖書館曾參與這一計劃。蘇俄及日本的卡片分別存置在 Air Information 與 Orientalia Division 中。

唐斯博士（Robert B. Downs）曾建議在聯合目錄中包括叢刊在內。過去曾有一種 Check-list of Certain Periodicals，係一活頁目錄，包括有三百多所北美各大圖書館的收藏，另有歐洲大陸與亞洲部門國家的收藏。自一九三九年至一九四五年，由於戰爭關係，該書目效用大減，而在一九五一年五月結束。

在非書資料方面，現仍在計劃階段。前述的顯微書影交換所之目的在爲叢刊、報紙及手稿方面的資料提供消息。一九五一年，該所攝製的顯微書影，計有報紙八九七種，叢刊三七九種，手稿一四九種。

聯合目錄是一項精細而複雜的工作，現在該目錄的工作人員有廿四餘人，分爲三個組。第一組爲預排組（The Preliminary Filing Section）負責排片。第二組爲編排及查檢組（Editorial, Filing and Searching Section）負責最後排片，複卡的汰除及其他查補卡片職責。第三組爲美國印刷品登記組 (The American Imprints Inventory Section），負責登記查點各項出版品事宜。

聯合目錄的編排與維護涉及到四個主要的問題：第一是有關重複卡片與不一致的款目如何處理問題。由於此目錄係在美國圖書館協會與國會圖書館編目規則制定前開始編排的，以致卡片上的款目記載事項多不一致，乃發生排片重複及缺乏統一性的缺點，因此，該負責部門乃根據聯合目錄規則補充修訂，以求一致。

至於各館所送的重複卡片，盡可能在不影響目錄價值的原則下，剔除重複，保留最完整的款目。

第二是如何區別圖書館的名稱，聯合目錄的作用就是備供用者查某書的儲存地點。所以，在目錄卡片上最重要的款目就是註明該書存置在何處。必須利用簡單符號表明各館名稱。在聯合目錄中所採用的符號是 Frank Peterson 所創編的，該符號有三個字母，一是代表州名，一是代表城市名稱，最後一個代表圖書館名稱。如 ICJ 代表 Illinois, Chicago, John Crerar Library。此一符號曾稍加變通，使用於威爾遜公司所編的「叢刊聯合書目」(Union List of Serials) 之中。

第三是排片規則的問題。由於查閱聯合目錄的讀者，不似一般使用圖書館目錄的讀者注意目錄內的各項目，所注意的多集中在某書的存置地點，因之，在排片方法上，有關某一著者的不同版本採年代次序的排列方式，並參照大英博物館目錄及Jaggard's Shakespeare 目錄，排列成幾部分。

最後是如何選擇與蒐集各參加圖書館的卡片問題，該聯合目錄在選擇及蒐集方面有六項來源，諸如各館印行的書目，剪輯資料等，均可作為選擇及核查之根據。

至於聯合目錄之服務，除直接查索資料來源外，尚有各方面提出的有關某書存置場所的詢問，如一九五一年，計有五二七〇件，查詢一七、二七二種圖書，由此可見對於公衆的效用。

二、國會圖書館書本式「國家聯合書目」

(The National Union Catalog: a cumulative author list representing Library of Congress printed cards and titles reported by other American libraries, 1953—1957. Ann Arbor. Michigan, Edwards, 1958, 28v.——1958—62. N. Y., Rowman & Little Field, 1963, 54v.——1963—67. Ann Arbor, Michigan, Edwards, 1969, 67v.)

「國家聯合書目」係美國國會圖書館根據聯合目錄卡片所編印的書本式目錄。一九四二年以前，國會圖書館以卡片形式編製聯合目錄，並以「贈存」方式，將卡片分贈華府以外地區的各大圖書館存覽備查。此項贈存目錄係以著者卡片為主，藉不斷補充新印的印刷卡片，保持其時效。一九四二年，該館為使此一目錄更便流傳使用，得美國研究圖書館協會之贊助，乃將贈存目錄影印複製，成為書本形式，定名為：A Catalog of Books Represented by Library of Congress Printed Cards. 其彙編本出版有三編，包括了一八九八年至一九五二年各編。第四編起更為現名，出版有一九五三～五七，一九五八～六二，一九六三～六七各編。

著者目錄係照著者字母順序所排列的目錄，此目以國會圖書館編印的印刷卡片為本，其範圍包括了：(1)國會圖書館的館藏(由於並不是所有國會圖書館所藏均印成卡片，所以此目錄不能代表國會圖書館的整個館藏記錄，僅可說是該館所藏的大部分)；(2)包括若干政府部門圖書館的館藏；(3)全國各圖書館所藏的圖書，也係合作編目下之成果。

在目錄中每一款目所介紹的資料至為精詳，著錄有：著者全名、生卒年代、書名、出版地、出版者、出版年代、稽核事項(頁數、挿圖、地圖、表格、書式等)、叢書註、版次、內容註等。此外，並列出該書標題及應行編製的副片，國會圖書館分類號碼，卡片號碼，間而列出該書之杜威分類號碼。

一九四二～一九四七年彙編本，包括在此期間印行的卡片，而非照書籍的出版時間。補篇中尚包括二萬六千種匿名或隱名著作的書籍，由國會圖書館所查補著錄者，稱之為「方括號內的著者」。

一九四八～一九五二年彙編本，其範圍與形式與前編稍異。自一九四八年起，此目錄每五年出版一次彙編本，就印刷卡片印出。一九四七年，國會圖書館編目規則頗多改變。此一改變自一九四八年起反映在此目錄之中。結果，目錄款目較前簡化，資料也較前減少。如著者的生卒年代，僅在區別同一姓名的各個著者時始予列出，稽核事項也較前簡略，敍述性的附註不似以前詳盡。

在本編及以次各編中，除主要款目外，有關圖書、小册、地圖、樂譜、期刊及其他叢刊所必須的款目均包括在內。影片及幻燈捲片則集中在最後一册第廿四卷中。

一九五三～一九五七年彙編本最顯著的改進就是步入「國家聯合書目」之途。此篇包括了北美五百所圖書館所提供的未著錄於國會圖書館印刷卡片的論著，並以符號表示出該資料存儲的圖書館名稱；另有用羅馬、希臘或希伯來文字撰編的各種語文的印刷卡片，包括了圖書、小册、地圖、期刊及其他叢刊款目。現在則影片幻燈捲片及唱片與圖書分開印行。叢刊包括在另一目錄 New Serial Titles 之中。

一九五八～一九六二年彙編本，包括了阿拉伯、印度、中、日、韓文圖書，提供目錄的圖書館增至七百五十所。

現刊本之出版係每年印行九次，有彙編的季刊本，每年元月至三月，四月至六月，七月至九月各出一次，另有年刊本。由於十月至十二月份無彙編本出版，這幾個月的資料必須俟年刊本出版後始能見及。此外，該目更出版有五年彙編本，尤便使用。

除以著者爲主的目錄外，國會圖書館尙編有標題目錄，計出版有一九五〇年至一九五四年版廿册，一九五五年至一九五九年版廿二册。此五年彙編本照各書標題排列，均屬一九四五年以後所編者。一九五〇年至五二年，該目包括了地圖、影片、樂譜；但自一九五三年之後，以上資料卽分別印行。目前繼續出版者有季刊及年刊本。

三、期刊聯合書目

期刊聯合書目乃指在一地區內各館所蒐藏的期刊目錄而言，通常係照期刊名稱的字母順序排列，並指示出該刊儲存的地點。此種目錄有的是各科兼備，無所不包；也可能係僅包括某些類別。期刊聯合書目的形式有兩種：一為列出現收的期刊；一為列出某館所藏期刊的實際卷期數。第一類對查該地區所包括之現刊至為有用，而列出的項目非常簡明，通常僅列出刊名及出版地點。第二類有助於參考工作，所給予的刊名資料，出版地點，創刊時間及停刊卷期（如係中途停刊者），卷期等，同時並指出每套雜誌所存的確實卷期數。

期刊書目的主要作用在供備參考並作為館際互借之需，但對編目人員也有幫助，甚至於當館際互借不能供應某些期刊時，也可經由顯微書影或照相複印方式獲得所需資料。因此之故，聯合書目不論在國外者或本國者對於研究圖書館有莫大之裨助。玆將美國重要的期刊聯合書目介紹如下：

(1) 美、加圖書館叢刊聯合目錄 (Union List of Serials in Libraries of the United States and Canada. 3d. ed. By Edna Brown Titus. N. Y. Wilson, 1965. 5v.)

叢刊聯合目錄第一版於一九二七年出版，包括美、加兩國二二五所圖書館所收期刊七萬五千種。第二版於一九四三年出版，包括六五〇所圖書館所收期刊十一萬五千種。該刊復出版補編本兩種，第一種包括一九二五年元月至一九三二年十二月之資料；

第二種包括一九四一年元月至一九四九年十二月之資料，均為兩卷。第三版於一九六五年出版，內容包括第二版所錄各刊及兩補編本近一萬二千種，均為一九五〇年以前所出版之叢刊款目，總計有九五六所圖書館所收十五萬六千種刊物。

所謂叢刊（Serials），意義紛歧，言人人殊。據美國圖書館協會之術語解釋，叢刊指陸續刊行之出版品而言，其出版每有一定的時間距離，包括期刊、報紙、年刊、年鑑、學會會報及議事錄等。歐洲圖書館界，習稱「期刊」（Periodicals），以示通俗易解。

叢刊聯合目錄之編輯，當自一九一三年始。當時，美國圖書館協會鑒於叢刊聯合目錄對於學術研究之重要，仍倡議組織一委員會籌劃編輯事宜，惜未見諸行動。一九二一年，威爾遜氏在圖書館協會年會中建議由其主持之出版公司編印美、加兩國各主要圖書館所收之叢刊聯合目錄，獲致通過，並組織顧問委員會協助策劃編輯事宜。

自一九二一年至一九五三年間，威爾遜公司先後編印出版了「叢刊聯合目錄」兩版及兩種補編本。原由協會指定的顧問委員會已由叢刊聯合目錄聯合委員會（Joint Committee on the Union List of Serials）所取代，其委員包括了十八個圖書館協會支會的代表，以及其他有興趣的機關。該目錄先後更換了三位不同的主編，無論是在叢刊的數量上及包括的圖書館數目上均有顯著的增加。

在開始時，包容在叢刊聯合目錄中的叢刊，因經費關係而在範圍上有所限制。在第一版中，政府出版品，一八二〇年以後出版的美國與外國的報紙，美國及國際會議的出版品，法律報告及摘要，年報等均不與焉。在第二版中，包括範圍已漸擴大，增列了每年的出版品，編號的論叢等。至於因受到範圍上的限制，未包括在此目錄中的各刊，乃另立專目，如：List of Serial Publications of Foreign Government, 1821—1936 及 American Newspapers, 1821—1936; International Congresses and Conferences, 1840—1937 等是，用以補充前目之不足。

此後，新的大學及研究所紛紛設立，二次世界大戰爆發，致使叢刊數量大增，對於資料的需求亦較前迫切。叢刊聯合目錄第二版經重新影印刊行，而第三版之編印也積極籌劃。

一九五一年，國會圖書館因事實需要，創編了一份刊物，名爲：「新收叢刊目錄」Serial Titles Newly Received 專載該館新收之叢刊，包羅至爲廣泛。一九五三年，該刊獲得叢刊聯合目錄聯合委員會之支持與合作，擴大其收集範圍至國會圖書館以外的各大圖書館，更名爲：「新叢刊目錄」New Serial Titles，成爲叢刊聯合目錄之補編本。

一九五六年，聯合委員會決定在做進一步的計劃之前，先行調查各方面的意見，在洛氏基金會之贊助下，該會指定前任主席 Wyllis E. Wright 主持其事。一九五七年春季，根據各方意見制定草案，建議應在國會圖書館創編叢刊聯合卡片目錄，儘可能求其範圍廣褒，以期叢刊聯合目錄以次各版依此而編印，並能直接對讀者服務。同時並建議將叢刊聯合目錄第二版及兩補編本合併，依字順混合編排影印刊行。

很遺憾的，由於未能獲得基金會的不斷的支援，該計劃未能完全照原建議實施，聯合委員會不得不重行檢討其計劃，縮小其範圍。兩年後，該會獲得圖書館資源委員會(Council on Library Resources）的支持，進行編印叢刊聯合目錄第三版，包括的資料截至一九五〇年止，同時更擴大編印新叢刊目錄（New Serial Titles），其資料自一九五〇年以後開始，以作爲第三叢刊聯合目錄之補編本。

第三版之內容並非是第二版的修訂本，而係第二版及兩補編本之混排重印本，並補錄各館提供的資料，較之第一版的資料增加有兩倍之多（第一版七五、〇〇〇種，第三版一五六、四四九種），提供資料的圖書館亦自二二五所增加到九五六所。

總之，叢刊聯合目錄之能以印行，不能不歸功於威爾遜公司不計盈虧的爲學術而努力的出版家風度，以及編輯人的細心編排與委員會的籌劃。其成就現已超過了英國人所編的Britsh Union Catalog of Periodicals。

(2) 新叢刊目錄（New Serial Titles; a Union List of Serials Commencing Publication after December 31. 1949. Washington, D.C., Library of Congress, 1953--.)

此目係由叢刊聯合目錄合作委員會贊助，由國會圖書館印行。該合作委員會於一九三七年組織，係美國圖書館協會之一顧問委員會。該委員會代表了美國法律圖書館委員會，研究圖書館委員會，美國書目會社，加拿大圖書館協會，國會圖書館，醫學圖書館協會，國家研究委員會，專門圖書館協會，戲劇圖書館協會及威爾遜出版公司。此目印行的兩項基本目的是：一方面作爲新出版叢刊之月目；另一方面作爲叢刊聯合目錄，提供目錄上的資料及存置地點之消息。

此目之編，係以國會圖書館館藏叢刊記錄爲依據。一九五〇年時，國會圖書館曾將所藏叢刊製成打洞卡片（Punched Card）而此目卽根據此項卡片完成其編輯工作，於一九五一年首次刊行。一九五二年七月，此目包括了紐約市公共圖書館所收叢刊。至一九五三年末，更擴大至一〇二所圖書館，而今則包括了數逾八百所美、加兩國圖書館之叢刊。諸如在「聯合叢刊目錄」中所未收的官書，年度報告，機關公報均包容在此目中。此目所收叢刊不以英文者爲限，凡使用羅馬字母的各種語文，以及非羅馬字母而加以音譯的語文，如希臘文、希伯來文等均收羅在內。

在體例方面，此目照叢刊名稱的字母順序排列。其出版係每月一期，有每年及五至十年的彙編本。如一九六一年的彙編本包括了一九五〇年至一九六〇年的全部款目。所出版的一九六一至一九六五年的五年彙編本，共分三册，包括了美國及加拿大七百卅所圖書館一〇七、〇〇〇種叢刊。所列款目均參照美國圖書館協會編目規則編目。

此目不僅對於查尋目錄資料，瞭解收藏地點有所幫助，同時，更對叢刊之選擇與參考兼具效用。新版之印行，係照打洞卡片複製，迅速正確，可以說是採用機械方法編印目錄之濫觴。

(3) **外國政府叢刊出版品目錄** (List of the Serial Publications of Foreign Governments, 1815—1931. N. Y. Wilson, 1932, 720P.)

此目之編一如「叢刊聯合目錄」，乃應美國學術團體委員會，美國圖書館協會及全國研究委員會之需要而編。內容包括不著錄在 Union List of Serials 內之各國政府出版之叢刊等是。其排列係照國家名稱字順（蘇俄單獨排列），次照政府機關、部、局等複分，並註明各刊存置地點。共包括有八十五所美國圖書館之存藏。

四、特殊資料聯合書目

顯微書影聯合目錄（Union List of Microfilms. Union Library Catalogue of the Philadelphia Metropolitan Area. Committee on Microphotography. 1961 2v.）

此目係由費城聯合目錄中心所編印。包括費城地區一九七所圖書館所收藏之二萬五千種顯微書影全目，截至一九四九年六月止。各款目照字順排列，註明標題、目錄資料及原件與正負片存儲地點。如係報紙影片則依報紙名稱排列，註明年月及存儲場所。舉凡列入 Newspaper on Microfilm 各報，不包括在本目之內。

一九六一年，此目出版增訂版，包括一九四九年至一九五九年，費城地區二一五所圖書館所收五萬二千種顯微書影。

此目雖係費城地區之資料，但包羅廣泛，所以也可以列入全國性書目之中。

叁、地區性聯合目錄中心（Bibliographical Center）

美國圖書館在廿世紀的發展中，最爲人稱道的莫過於聯合目錄與目錄中心的設置。有關全國性聯合目錄組織已在前節加以介紹，茲就地區性聯合目錄與目錄中心介紹如下。

聯合目錄之功用如前所述，係聯合編排某一地區各館館藏目錄，作爲了解各館館藏及查檢某一圖書之工具，此一目錄大多排置於該地區的中心圖書館中。至於目錄中心，雖其功用與前相似，但其組織則爲一獨立單位，聘用有專門人員，其服務專以供應目錄消息爲主。

美國地區性聯合目錄與目錄中心爲數甚多，遍及全國，其規模較大者有以下各處：

(一)**費城目錄中心與圖書館聯合目錄**（Philadelphia Bibliographical Center and Union Library Catalogue）：此一機構於一九三五年設於費城賓州大學內，約有在費城地區內二百餘所圖書館參加此一組織，將所藏圖書目錄卡片彙送該中心集中編排，成一聯合目錄，服務大衆。據一九六〇年統計，該中心共藏有各館卡片四百餘萬張，在一九五八年度即收到新卡十三萬張，由此可見，規模之龐大。

費城目錄中心與聯合目錄之服務可分爲以下數端：

(1) 查詢資料消息：該組織的首要工作爲提供大衆有關該一地區各館所藏資料消息與存置地點。一九五八年計有一一、五三六項詢問案件，查詢三五、八六八件資料。大部分的問題係來自大學圖書館。另有九六八人親自到中心來查詢六、二九六件資料的消息。據統計，該中心所接受的查詢服務，每年增加，足徵大衆對此項服務的需要。該中心爲能迅速服務，除當面答覆外，並有電話、函件及電報服務，使偏遠地區人士便於利用，其中以電話及函件查詢者佔大多數。

(2) 與國會圖書館合作編目：該中心在過去歷年間，按時提供新收目片予國會圖書館，俾使「國家聯合目錄」中能詳列費城地區各館之藏書目錄。

(3) 編印「顯微書影聯合目錄」：該中心不僅收藏圖書卡片，同時並有顯微攝製品記錄，根據此一記錄編印顯微書影聯合目錄。初版於一九五一年印行，包括一九七所圖書館收藏之顯微書影二萬五千種。

(4) 其他合作活動：該中心曾將在此區域所缺之醫學書籍，報告予醫學圖書館協會費城支會，設法研究如何補充。

(二)落磯山地區目錄中心（Bibliographic Center for Rocky Mountain Region）：此一目錄中心成立於一九三五年，位於丹佛城公共圖書館，係一私營之事業，經費來源主要依靠地區圖書館之支持，而目錄中心也提供其服務，使各館得以擴大可用的資源，進一步對讀者服務。

這一目錄中心和前述的費城目錄中心相似，可迅速查明各單位需要的書籍線索，進而利用館際互借或交換方式取得，供備使用。該中心現有十一個州數逾七十所圖書館所藏六百萬張書刊卡片，統照一字順系統排列。一九六七年新收卡片達四十五萬六千張。

該中心所提供的服務項目如下：

(1) 可供查詢落磯山區七十所圖書館之圖書雜誌收藏之消息。

(2) 可供查詢未收入五大聯合目錄中的書刊消息：國會圖書館聯合目錄，費城目錄中心，加州聯合目錄，內布拉斯加聯合目錄及太平洋西北目錄中心。

(3) 為本地區各參加會員圖書館安排館際互借事宜。

(4) 為讀者辨識圖書與期刊目錄資料。

(5) 查尋某書之國會圖書館卡片編號。

(6) 為讀者查尋某一主題或某一著者之書目。

(7) 辦理外國語文圖書之翻譯工作，所有費用由請求之圖書館負擔。

(8) 凡不能借出之書刊，安排訂購顯微書影與影印事宜。

(9) 出版「年度報告」與「專類書目」(Special Bibliographies) 以便研究工作人員及學生等瞭解其現況與所藏。

該中心一九六七年度所提供的目錄服務達一萬六千件，會員每件收費二元，非會員收費三元，藉此收入以謀自給自足。

(三)加州聯合目錄 (The California Union Catalog)：成立於一九〇九年，設於加州首府薩克拉門多城州立圖書館內。所收目錄，包括了四十七所縣立圖書館，十四所市立圖書館及三所大學圖書館，共六十四所圖書館之目錄。每年約增加十三萬五千張卡片。其服務項目主要為查詢資料消息，平均每月大約有三百件，查詢案件關係到二千五百種圖書的消息。

(四)太平洋西北目錄中心 (The Pacific Northwest Bibliographic Center)：設於華盛頓州西雅圖市。藏有在華盛頓、奧瑞根、蒙他那、埃達荷、阿拉斯加及英屬哥倫比亞等地區，數逾二百所圖書館所收圖書目錄卡片三百八十四萬張，其服務情形一似上述各中心。

除以上各中心外，尚有克利夫蘭地區聯合目錄 (Cleveland

Regional Union Catalog），阿提蘭他聯合目錄（Atlanta Union Catalog）等多處。各中心之經營多靠各參加圖書館之合作支援，所聘人員自三人至七人不等。目前，由於各中心所蒐集的卡片數量龐大，加以通訊工具之發達，連繫方便，部份人士對於目錄中心的存在頗多疑問，認爲無此必要繼續維持。但大多數圖書館界人士認爲目錄中心之存在對於各地區間的合作發展，確有貢獻；尤對學術研究，節省查詢資料時間，更多幫助。其作用在補充「國家聯合目錄」之不足，所以仍有其存在必要的。

參 考 資 料

1. Dawson, John M. "The LC: Its Roles in Cooperative and Centralized Cataloging." *Library Trends*. July 1967. P85.
2. Field, F. Bernice. "The Union List of Serials: Third Edition." *Library Resources and Technical Services*. Vol. 11, no. 2: 133—137. Spring 1967.
3. Shores, Louis. "The National Union Catalog of the United States." Mark Hopkins, *Log. and other Essays*. The Shoe String Press, 1965. P. 203—213.
4. Winchell, Constance M. *Guide to Reference Books*. Chicago, A.L.A., 1967.
5. Kuhlman, A.F. "The Consumer Survey of New Serial Titles." *Library Resources & Technical Service*. Vol.11, No. 2: 138—144. Spring, 1967.
6. American Libraries. *Report of the U.S. Field Seminar on Library Reference Services for Japanese Librarians*. 1960. P. 44—45.

7. *The Philadelphia Bibliographical Center and Union Library Catalogue. News Letter,* No. 72. 1959.
8. ________. Twenty-Third Annual Report of the Union Library Catalogue of the Philadelphia Metropolitan Area. 1958.

(原載於「教育資料科學月刊」第1卷第4-5期，民國59年5月，淡江大學印行。)

肆、圖書館教育

三十年來的臺灣圖書館教育

政府遷臺後，圖書館事業蓬勃發展，對圖書館員的需求亦更爲迫切。目前已有五所大專院校提供完整的大學部的圖書館學課程。其中國立臺灣師範大學於民國四十四年設社會敎育學系，分設圖書館學組。國立臺灣大學於民國五十年創設圖書館學系，私立世界新聞專科學校於民國五十三年創辦圖書資料科，私立輔仁大學於民國五十九年在文學院內設圖書館學系，私立淡江大學於民國六十年設敎育資料科學系，課程章制，均較前進步，可以說是目前臺灣圖書館敎育發展之主體。至於研究所階段的課程，師大、政大及文化大學均有開設，臺灣大學並於民國六十九年設圖書館學研究所。在職訓練由於中國圖書館學會的倡導，現已辦理廿六屆。玆將目前實施情形分別介紹如下：

一、大專院校圖書館系科

1.國立臺灣師範大學社會教育學系圖書館學組

師範大學社會敎育學系成立於民國四十四年，以培養社會敎育工作專才爲主要任務。敎育內容除著重社會敎育理論與實際之研討外，爲使學生各具所長，自二年級起，將專業課程分爲社會工作、圖書館學及新聞學三組。三組所學均以達到充實全民智能，加速社會發展，以及增進社會福祉的社會教育目標爲其任務。民國六十九年，奉教育部核定招收夜間部圖書館教育組學生一班，以在職教師及圖書館工作人員爲對象，施以圖書館學專精訓練。

師大社教系之教學目標主要爲：培養社會教育工作人才，養成各類社會教育工作專才，以及培育具有專長之中等學校師資。社教系所開課程，包括圖書館專業課程，同時亦修習教育與社會教育課程。課程之設計依性質可分爲：基礎課程、教育與社會教育課程、圖書館專業課程及語文課程四方面：

(一)基礎課程：基礎課程是根據教育部於民國六十六年修訂的大學必修科目表及該系三組共同的需要所開授。其中除包括國父思想、國文、英文、中國通史、中國現代史、自然科學概論、社會科學概論等科目外，另增加該系學生所應修習的社會學、經濟學、統計學、法學概論、憲法學、論文寫作方法等科目。目前所開授的必修與選修基礎課程共有十五門、五十個學分。

(二)教育與社會教育課程：教育與社會教育課程是依據中學師資及社會教育工作的雙重需要所開授，其中必修者包括：教育概論、社會教育、中等教育、教學原理、視聽教育、教育心理學、教材教法及教學實習等共有十七門、五十六個學分。

(三)圖書館學專業課程：係從事圖書館工作必須具備的知識與技能，可分爲必修、選修及相關科目三方面，共廿二門、九十一學分。其名稱及學分如下：

科目名稱	學分	必修	選修	科目名稱	學分	必修	選修
圖書館學概論	4	√		大學圖書館	2		√
中文圖書分類編目	6	√		公共圖書館	2		√
中文參考資料	6	√		檔案管理	6		√
中國目錄學	4	√		圖書館學專題研究	2		√
圖書選擇與採訪	3	√		青少年及兒童讀物	4		√
西文圖書分類及編目	6	√		版本學	3		√
西文參考資料	6	√		圖書館史	3		√
資料管理	3	√		博物館學	3		√
圖書館實習	6	√		資訊科學概論	2		√
學校圖書館	2	√		電子計算機概論	2		√
圖書館自動化作業	2	√		資訊檢索	2		√

(四)語文課程：語文知識爲該系三組所必需，該系除在共同必修科目中，開有國、英文，另在二、三年級開有大二英文、實用英文、日文、法文等科目外，並單獨開有國文及英語兩輔系課程。國文方面有國學概論、中國文學史、文字學、應用文及習作、國文敎材敎法等五門、廿學分。英語方面包括聽講練習、發音練習、英語語音學、語型練習、文法及修辭、作文及翻譯、英語敎材敎法等七門、廿二學分。除以上兩輔系課程外，學生如願選習其他學系課程作爲輔系，亦可由系代爲安排。

以上四方面課程，基礎課程多集中在一、二年級修習，有助於奠定通才敎育的基礎，偏重在社會科學知識之加強；敎育及社會敎育方面課程多集中在二、三年級。此項課程可增加圖書館組學生有關敎育理論與實際的知識，有助於圖書館工作及社會敎育工作之推行。圖書館專業課程分別於二、三、四年級開授，敎導學生有關圖書館資料管理的理論與實際。語文輔系課程配合在二、三、四年級實施，一方面增長學生語文能力，一方面在使學生具有一中學任敎的專長科目。依照敎育部的規定，學生在校四年，修滿一百廿八個學分（必修敎育學分廿六個及輔系至少廿個學分，不計在內），可以結業。另在指定的學校或社敎機構實習一年，成績合格，准予畢業，授敎育學士。

該系聘有專任敎授八人，副敎授五人，講師六人及助敎四人；另兼任敎授十一人，副敎授三人，講師二人，合共三十九人。其中擔任圖書館學課程之專兼任敎師共十三人。

師大社敎系自四十八年至七十二年度止，共畢業學生廿五屆三百三十人，除僑生五十餘人返回僑居地服務外，其他大部分均在國內外圖書館服務或執敎。

師大社敎系與美國華美圖書館員協會，在亞洲學會資助下，於民國六十四年合作創編「圖書館學與資訊科學」半年刊一種，現已出版九卷，對圖書館學之研究貢獻至鉅。

2.國立臺灣大學圖書館學系

臺大圖書館學系成立於民國五十年，招收高中畢業生，修業四年，授予文學士學位。敎學的目標在傳授學生圖書館學與資訊科學的基本知識，訓練學生對各類圖書資料之使用及服務技能，培養學生對圖書館之認識與服務精神，及以利用圖書館爲媒介，促進文化、科學、研究與休閒生活的均衡發展。

所開課程，以部頒標準爲依據。根據七十二學年度敎育部所頒發之新課程標準，該系課程分爲部定各學院共同必修科目（廿八學分），部定該系核心必修科目（五十學分），系定必修科目（卅五學分），部定及系定重點選修科目（十五學分）四類合共一百廿八學分，爲部定最低畢業學分。惟爲擴大學生知識領域，增加其就業機會，該系學生尚須加選外系副主修或輔系科目廿學分，故實際畢業學分爲一百四十八學分。玆將部定核心必修科目及系定必修科目列表如下：

部定核心必修科目		系定必修科目	
科目名稱	學分	科目名稱	學分
圖書館學導論	2	普通心理學	3
資訊科學導論	2	理則學	3
中文參考資料	4	圖書館史	3
中文圖書分類編目	6	研究方法與論文寫作	2
非書資料	2	第二外國語（法、德、西、日之一）	12
電子計算機概論	4	大衆傳播	2
目錄學	4	三類主要文獻之一（人文、社會、科技）	4
西文圖書分類編目	6	各型圖書館之一	2
圖書資料徵集	4	圖書館作業評估	2
西文參考資料	4	圖書館學專題（含趨勢）	2
圖書館管理	4	英文打字	0
圖書館實習	0		
圖書館自動化	4		
視聽資料	4		
合計	50	合計	35

此外，學生得於下列選修科目中選修相關科目十五學分，作爲系內重點選修：社會科學文獻（四）、人文科學文獻（四）、科技文獻（四）、大學圖書館（二）、公共圖書館（二）、學校圖書

館（二）、專門圖書館（二）、參考服務通論（二）、青少年讀物（二）、兒童圖書資料（二）、叢書學(四)、視聽教材製作(四)、政府出版品（二）、圖書館統計學（六）、電子計算機資料處理（三）、系統分析（二）、電子計算機程式設計（三）、微電腦在圖書館之應用（三）、資訊系統（二）、摘要及摘要法（二）、索引及索引法(二)、日文資料處理(二)、圖書館學實用英文(二)、編目實習（三）、分類法研究（二）。

自民國五十年成立以來，該系畢業學生已有十八屆，共八五九人。七十二學年度聘有專任教授四人，兼任教授五人，專任副教授二人，兼任副教授一人，專任講師五人，兼任講師四人，助教二人。

3.私立輔仁大學圖書館學系

輔仁大學於民國五十九年分別在日、夜間部設圖書館學系，其教學目標本諸該校「聖美善眞」的校訓，培養具有人文及社會科學基礎，並有專業信念及服務精神的圖書館人才。該系爲順應世界潮流，並增設資訊科學課程，以加強資訊科學之研究。

輔大所開課程係遵照教育部六十六年六月修訂的「大學必修科目表」施行。學生在校四年（夜間部五年），修滿一百廿八個學分，授文學士學位。現開課程包括大學各院系共同必修科目、圖書館系必修科目、文學院必修科目及系選修科目等四種。玆將該系必選修科目開列於下：

科目名稱	學分	必修	選修	附註
圖書館學概論	4	√		
中文參考資料	6	√		
西文參考資料	6	√		
中文圖書分類編目	6	√		
西文圖書分類編目(一)(二)	10	√		(二年修畢，第一年6學分，第二年4學分)
非書資料	2	√		
視聽資料	2	√		
中國目錄學	4	√		
圖書選擇與採訪	6	√		
圖書館行政	2	√		
圖書館實習	3	√		
第二外國語	12	√		(分二年修畢，有日、法、德文單獨開班授課)
英文打字	0	√		
各型圖書館	2	√		本系開有大學圖書館、公共圖書館、醫學圖書館、音樂圖書館、兒童圖書館、學校圖書館任擇其一

科目名稱	學分	必修	選修	附註
大衆傳播概論	4	√		
中國文學史	6		√	
中國印刷史	4		√	
公共圖書館	2		√	
醫學圖書館	3		√	自69年2月起停開
音樂圖書館	4		√	自70年9月起停開
兒童圖書館	2		√	
兒童文學	2		√	
青少年讀物	2		√	
參考工作	2		√	
科學技術資料	4		√	
社會科學文獻	4		√	
人文科學文獻	4		√	
中文檔案管理	2		√	
英文檔案管理	2		√	
研究方法與論文習作	2		√	
電腦概論	6		√	
資訊科學概論	4		√	
資料處理	6		√	

自六十一學年度起，該系遵照部頒輔系辦法，學生可在系主任同意下，選擇全校任一系爲輔系，修習該輔系指定的必修科目至少廿學分。

該系聘有講座教授一人，專任教授一人，副教授二人，講師二人；另聘兼任教授三人，副教授四人，講師七人，助教二人。

輔大圖書館系至七十一學年度止，畢業學生日間部五七六人。夜間部四三六人，合共一〇一二人。該系學生編有「圖書館學刊」及「耕書集」爲師生發表研究成果的刊物。

4.私立淡江大學教育資料科學系

淡江文理學院於民國六十九年改制爲淡江大學，民國五十八年該院爲促進視聽資料及資訊科學之研究，設立「教育資料科學研究室」，並創辦「教育資料科學月刊」，同時蒐集資料，網羅教學人才，經兩年的籌備，在民國六十年暑假，成立教育資料科學系。

該系課程之設計，係以圖書館學爲基礎，並融合視聽教育與資訊科學於一爐，就教育資料的蒐集、製作、典藏與利用，從事整合性的研究與教學，以期培養手腦並用的眞正爲社會所需要的人才。在課程的比重上，圖書館學佔六分之三，視聽教育佔六分之二，資訊科學佔六分之一。就科目而言，可分爲部定共同必修科目、部定必修科目、系定必修科目及選修科目等。學生在校四年，修滿部定一百廿八個學分，成績及格。授文學士。玆將必、選修之專業科目列表如下。

科目名稱	學分	必修	選修
圖書館學導論	2	√	
資訊科學導論	2	√	
中文參考資料	4	√	
中文圖書分類編目	6	√	
非書資料	2	√	
視聽資料	4	√	
電子計算機概論	4	√	
中文打字	1	√	
英文打字	1	√	
西文參考資料	4	√	
目錄學	4	√	
西文圖書分類編目	6	√	
電子計算機程式寫作	4	√	
圖書館管理	4	√	
圖書館實習	0	√	
中小學圖書館	2		
公共圖書館	2		
大專圖書館 （以上三類圖書館，必須選修一類）	2		
專門圖書館	2	√	
社會科學文獻	4		
自然科學文獻	4		
人文科學文獻 （以上三種科學文獻，必須選修二種）	4		
攝影學	3	√	
圖書資料徵集	4	√	
資訊中心與服務	4	√	
索引與摘要	2	√	
圖書館自動化	4	√	
社會科學概論	2	√	
研究報告寫作	2	√	
教育概論	4		√
教育資料統計	4		√
官書	2		√
普通心理學	4		√
圖書館史	3		√
電影學	2		√
電視學	2		√
兒童及青少年讀物	4		√
檔案管理	2		√
國會分類法	2		√
醫學圖書館	2		√
視聽教育	2		√

淡江大學教資系聘有專任教授二人，副教授四人，講師三人，助教四人；另兼任教授三人，副教授七人，講師九人，以上共卅一人。自民國六十四年至六十九年度止，畢業學生六屆共有五五六人。

該系出版有「教育資料科學月刊」共十七卷，自十八卷一期更名爲「教育資料科學季刊」，中英稿件合印刊行。自廿卷一期又更名爲「教育資料與圖書館學」，仍是中英稿件合印刊行。

5.私立世界新聞專科學校圖書資料科

世界新聞專科學校係於民國四十九年自世界新聞職業學校改制成立。民國五十三年，該校以各機關學校及團體機構，多有圖書館或資料室之設置，藉以庋藏圖書，蒐集資料。而圖書資料之採編、整理與研究，對新聞事業關係最爲重要，爲適應當前社會需要，乃增設圖書資料科。

科目名稱	學分	必修	選修
中文圖書分類編目	4	√	
圖書館學	4	√	
圖書館與大衆傳播	4	√	
圖書印刷發展史	2	√	
資料管理	4	√	
印刷概論	2	√	
中文參考資料	2	√	
西文參考資料	2	√	
西文圖書分類編目	4	√	
圖書館行政	2	√	
檔案管理	4	√	
速讀及閱讀指導	4	√	
圖書採訪與選擇	2	√	
中國目錄學	2	√	
電子資料處理	4		√
新聞學	4	√	
攝影概論	2	√	
國學概論	4	√	
應用文	4	√	
應用英文	4	√	
中文圖書分類編目實習	4	√	
中文圖書分類編目實習演練	0	√	
資料管理實習	2	√	
資料管理實習演練	0	√	
西文圖書分類編目實習	4	√	
西文圖書分類編目實習演練	0	√	
微影及複印實習	2	√	
中西文打字實習	2	√	
檔案管理實習演練	2	√	
電子資料實習演練	0		√
圖書採訪與選擇實習	1	√	

圖書資料科原分爲三年制與五年制兩種，前者高中畢業修業三年，後者初中畢業修業五年，不授予學位。現五年制已停辦，僅招收三年制學生，修滿一百廿學分始准畢業。研習的科目分爲專業科目、專業實習科目、共同必修科目及選修科目四種。兹將專業科目開列於前：

該科專業科目聘有專任教授一人，講師一人，助教八人，另兼任副教授二人，講師十人，共廿二人。該科自六十四年起至七十一年度止，三年制畢業學生四三七人（不包括夜間部）。

二、各大學研究所課程

有關研究所課程，曾經開授及現行開授者有以下各校：

1.師範大學國文研究所目錄組：

師範大學曾於民國四十六年至四十九年間與國立中央圖書館合作在國文研究所設目錄組，招收大學文史學系畢業生六名，在校作爲期二年的專門研究。研究重點則以目錄版本與圖書館學爲主，成績及格提出論文後，授予碩士學位。此項計劃惜僅辦理一屆，未能繼續。

2.政治大學國文研究所目錄組：

政治大學於民國六十一、六十二年與國立中央圖書館合作，在國文研究所招收研究生從事目錄版本研究，其性質與師大前辦者相似，現已停止招生。

3.中央圖書館圖書館學研究班：

國立中央圖書館為提高人員素質並培養大學及研究圖書館管理人才，獲亞洲協會資助於民國六十年十月設立「圖書館學研究班」。招收大學圖書館系以外的畢業生作為期九個月的研習（每學期各十二週）。參加者有正式學員十一員，每月酌給生活補助費，另有自費學員五名，研究期滿發給結業證書。

4.中國文化大學史學研究所圖書博物館組：

該校於民國五十九年在史學研究所設有圖書博物館組，研究二年，授予碩士學位。此項計劃現仍繼續，已畢業二十餘人。所習課程除歷史學外，圖書館學方面開有：比較圖書館學、資料管理法及目錄學等。

5.臺灣大學圖書館學研究所

為增進我國圖書館學素質，提高專業圖書館員水準，及培植圖書館界中堅人才，我國第一個圖書館學研究所，於民國六十九年在臺大文學院成立。凡國內、外已立案之公、私立大學院校畢業生得有學士學位或具同等學歷者，經過入學考試及格，得進入本所攻讀碩士學位。修業期間為二至四年，修習至少廿四學分，成績合格，通過學科及第二外國語考試，提出論文並經口試通過者，授予文學碩士學位。

該所於六十九學年度招收碩士研究生四人，七十學年度五人，七十一學年度七人，七十二學年度八人，另有外籍學生三人，兩人來自韓國，一人來自法國。目前已畢業者二人，在校者廿五人。

科目名稱	學分	必修	選修	備考
研究方法	2	√		部定
圖書館組織與行政	2	√		部定
專題討論	2	√		部定
圖書館實習	2	√		部定
碩士論文	6	√		不在24學分之內
讀者服務研討	2		√	
技術服務研討	2		√	
大學圖書館研討	2		√	
資訊科學研討	2		√	
電子計算機研究	2		√	
中國圖書館史	2		√	
比較圖書館學	2		√	
圖書館教育	2		√	
圖書館建築	2		√	
當代圖書館問題	2		√	
公共圖書館系統與管理	2		√	
專門圖書館與資訊中心	2		√	
分類理論研究	2		√	
高級分類編目	2		√	
中國版本學研究	2		√	
中國目錄學研究	2		√	
摘要及摘要法	2		√	與大學部高年級合開
索引及索引法	2		√	與大學部高年級合開
資訊系統	2		√	與大學部高年級合開
系統分析	2		√	與大學部高年級合開
論文寫作	2	√		系定必選

該所課程分爲補修科目、必修科目及選修科目三種。凡非圖書館系畢業之研究生，須先補修中編、西編、中參、西參及圖採五門基本課程完畢（補修課目均不計學分），始准選修研究所階段的專業課程，專業課程分爲必修、選修二類，詳如上表。

三、在職訓練計劃

中國圖書館學會爲訓練圖書館在職人員，發展圖書館事業，自民國四十五年暑期起舉辦圖書館工作講習班，招收各館工作人員作短期的講習，極獲各方好評，嗣後自四十六年以迄五十年，由美國國際合作總署駐華安全分署與教育部合作，在美援僑教經費項下撥款委託該會繼續辦理。五十一年因美援停止，曾一度中輟。五十二年，學會應各方之請求，恢復辦理。由參加學員繳納學雜費用，支應各項開支。計至民國七十二年止，前後共辦理廿六屆，參加學員逾三千人。

圖書館工作人員講習班係以圖書館學會教育委員會爲策劃機構，每期推選班主任一人主持其事，講習地點借用臺大、師大、中央圖書館及分館等處爲講習場所。講習時間自四週至三個月不等，惟以六週者爲多。講習課程包括有：

必修科目

圖書館學概論	12小時
中文圖書分類與編目	36小時
西文圖書分類與編目	36小時

中文參考資料	24小時
西文參考資料	24小時
圖書選擇與採訪	12小時
視聽資料	12小時
專題講演	12小時
觀摩實習	12小時

選修科目：

大專圖書館實務	12小時
公共圖書館實務	12小時
學校圖書館實務	12小時
專門圖書館實務	12小時

任課講師均為具有圖書管理經驗，及在大學圖書館組系執教者。課程之安排以實務為主，除教室講授外，配合有參觀實習與特約講演、專題討論等，以期參加學員瞭解圖書館界活動、研討圖書館實際困難問題，故參加者日益踴躍。自五十二年以來，同時招收有志於圖書館工作的社會青年參加研習，各大專院校畢業肄業學生報名參加者極多。

民國六十八年，學會更於暑期辦理圖書館自動化作業專題研討會及醫學圖書館研討會。前者係與國立臺灣大學圖書館學系合作辦理，招收在職人員，作為期兩星期的研習。講授課程有系統分析、電子計算機程式、中文電腦理論、中文電腦應用、圖書館自動化、資訊科學概論等，每屆參加者約五、六十人。醫學圖書館工作人員研討會分別由國防醫學院、榮民總醫院及臺大醫院圖書館辦理，邀集各醫學圖書館在職工作人員作為期兩日的研討，研討主題有醫學圖書分類編目、醫學摘要、索引及有關實際經營問題，每屆參加者六十人。

除圖書館學會舉辦的各項講習外，其他短期講習或在職訓練辦理者甚多。如省立臺中圖書館、板橋國校研習會、臺北市立圖書館、東海大學、成功大學及彰化縣立圖書館等單位，均視業務需要經常辦理，對於本省圖書館事業之推展，極具貢獻。

四、圖書館學課程標準

中國圖書館學會自民國四十五年辦理圖書館工作人員暑期講習班以來，對圖書館教育積極提倡，並於同年元月經該會常務理事會決議組織教育委員會負責策劃推動有關圖書館教育事宜，先後在民國五十一年、五十三年及五十四年三次擬訂圖書館學系課程標準報請教育部參考施行。

民國五十一年教育部為修訂大學課程標準，曾函請中國圖書館學會提供對圖書館學系之改進意見，當經常務理事會研究，擬訂圖書館學系必選修課程表一種，於同年九月報部。

該會認為圖書館學係以有系統的方法，研究蒐集、組織與利用印刷與書寫記錄的知識與技術。選修本系課程的學生必須具備一般學識基礎，一種學科專長，以及中外語文根基。其必修課程包括十四個科目，除專業課程外，並列入第二外國語及西洋通史。

民國五十三年，圖書館學會鑒於當時各大學所開授的圖書館學缺乏一致的標準，於三月間在臺中東海大學圖書館召開「圖書館學系課程規劃座談會」，邀集臺灣大學、師範大學、成功大學、東海大學及東吳大學圖書館學教授共同研討當前國內大學圖書館學系課程標準。嗣後又於四月間在臺北市立圖書館繼續討論，擬訂圖書館學系方案送教育部採擇施行。該方案以高中畢業生修業四年，修滿一四二學分授予學士學位爲原則。建議開授的科目包括共同必修科目四十四學分，系必修普通科目三十學分，專業科目二十八學分及選修科目十八學分。

民國五十四年教育部爲改進大專院校課程，曾成立大學課程修訂委員會，就大學各院系必修課程全部修訂。圖書館系課程由部聘蔣復璁、蘇薌雨、王振鵠、賴永祥、姜文錦五人爲委員，負責規劃起草，經大學課程修訂委員會及部會通過，並於同年十月五日公佈，定自五十四學年度一年級學生起施行。該項課程標準規定，必修科目爲五十二至五十四學分，除專業科目外，包括第二外國語十二學分及文學史等六至八學分。

民國六十一年春，教育部鑒於前訂課程標準實施年久，有重行修訂之必要，乃召集大學課程修訂會議，並分別指定各大學分別主持各學院課程修訂事宜。修訂原則決定儘量減少必修時數，保持較具彈性的選修範圍，俾符合學生的研究志趣。

民國六十五年二月淡江文理學院舉辦圖書館學課程研討會，邀約各校圖書館學教授共同研討圖書館系及該校教育資料科學系課程，頗多建議。民國七十二年四月教育部爲配合學術發展趨勢，適應國家需要，全面修訂大學必修科目表，有關文學院圖書館系的必修課程修訂如下：

科目名稱	學分	年級
圖書館學導論	2	1
資訊科學導論	2	1
中文參考資料	4	2
西文參考資料	4	3
中文圖書分類編目	6	2
西文圖書分類編目	6	3
圖書資料徵集	4	3
電子計算機概論	4	2
目錄學	4	2
非書資料	2	2
視聽資料	4	3
圖書館管理	4	4
圖書館實習	0	4
圖書館自動化	4	4

以上共五十學分，目前各大學圖書館系均依此標準辦理。

五、結　語

圖書館教育與圖書館事業的發展息息相關。在我國圖書館事業發展的初期，歐風東進，國人漸知興辦圖書館之重要，而推進此項事業更非有專業人員不爲功，因此，圖書館人員的教育與訓練遂應運而生。

我國圖書館教育，自民國九年文華圖書館學專科學校成立，以及北京高等師範開設圖書館暑期講習會迄今，已有六十多年的歷史。在大陸時期，圖書館教育的推展，多賴圖書館界先進的推動，以及中華圖書館協會的倡導，始略具基礎。但大陸幅員廣闊，圖書館衆多，以有限圖書館系科之設，實難以應付多方面的需要。抗戰軍興，圖書館事業停滯不前，圖書館教育亦受影響，未能繼續發展。

政府遷臺後，因圖書館普遍發展，圖書館教育亦受到重視。自民國四十四年師大設置社會教育系圖書館學組起迄今，二十八年來，五所大專院校培養的專業人才達三千五百人，對於臺灣圖書館事業的發展，確有相當貢獻。尤以各學術圖書館近年來的進步，更是有目共睹的事實。如果我們說，臺灣圖書館事業的發展，主要是由於圖書館教育實施後所產生的功效，亦不爲過。

但是，從圖書館教育與國家社會的需要方面來衡量，在質、量雙方面有待改善之處尙多。從質的方面來說，圖書館工作是一項公衆服務，在教育內涵上，如何奠定專業信念，貫注專業精神，培養其應有的服務觀念與態度，以適應未來圖書館工作的需要，這是圖書館教育成敗之一重要因素。其次，在教學內容上，學科專長，語文基礎，以及圖書館技能三者如何兼籌並顧，相輔相成，也是有待研究改善之一重點。尤以目前政府大力推展資訊工業，而各界人士對於資訊服務之需求日益迫切，今後在教學內容方面如何因應當前的情勢亦應考慮。在量的方面，目前各校圖書館系科畢業學生每年數逾三百人，而實際每年進入圖書館服務者僅有百分之卅，今後如何在圖書館教育方面質量並重，精減招生名額，吸收確有從事圖書館服務興趣的學生，給予嚴格的專業訓練，在課程安排上知識與技術並重，理論與實際兼修；此外，在人員任用上，打通人事管道專才專用，均為今後應行研究改善的問題。

（原載於「中國圖書館學會會報」第35期，民國72年12月印行。）

美國的圖書館教育制度

美國圖書館教育之發展，大致可以分爲三個階段。第一階段自一九二〇年起到一九三三年止，在這一階段中，威廉生在一九二三年發表其重要的教育文獻，促起了美國圖書館界對於圖書館教育之重視；十年之後，美國圖書館協會制訂了全國性的「圖書館學校之最低條件」(Minimum Requirements for Library Schools)，以此作爲評量圖書館學校之標準達廿年之久。第二階段自一九四六年起到一九五六年止，在這一階段中，美國圖書館協會召開一全國性的教育會議，研討有關問題；同時在全國舉辦的公共圖書館調查(Public Library Inquiry)工作中，亦涉及到圖書館教育問題；一九五一年，圖書館協會教育委員會更通過了一項「認可標準」(Standards of Accreditation)據以審查圖書館學校之各項設施是否達到協會規定之要求。第三階段則自一九六五年到一九七五年，而現正步入終途。圖書館教育刻正面臨資料爆發時代的新的挑戰，如何因應這一情勢，在課程上及教學方法上謀求改善，成爲圖書館教育之一大課題。

美國圖書館教育現況，據「北美圖書館教育指南及統計(1966-1968)」中可略窺一斑。該統計指出，美國及加拿大在一九六五年共有圖書館員八萬零九百人，而在一九六七～六八年，美國大學授予了八十二萬八千七百個學位，其中六千一百零六個學位是圖書館學，佔全部的百分之七。一九六八年，美、加兩國共有四百三十五個教育計劃，根據四百零五個教育計劃提供的資料顯示：

教學與研究計劃	美國	加拿大	合計
經協會認可的研究計劃	39	3	42
未經協會認可的研究計劃	78	3	81
一般大學部計劃	183	4	187
大學部技術員計劃	57	9	66
在安排中的計劃	27	2	29
合計	384	21	405

在美國一百一十七個研究性的圖書館學與資訊科學教育計劃中，一九六八年共有三百五十六位專任教員及一百八十六位兼任教員。一九六七年秋，將近有一萬八千名學生註册入學，其中有六百五十六人為外國學生。在一九六七～六八年有五千零六十三人畢業，女性四千零廿九人，男性有一千零卅四人。

到一九七二年八月止，根據美國圖書館協會統計，經協會認可的研究計劃業已增加到五十七個，其中美國有五十一個，加拿大有六個，由此可見其逐步發展情形。

本文僅就美國圖書館員專業教育之發展及課程之設計，分別以下重點探討如後：

1.杜威的圖書館經營學校——正軌教育之起始。

2.威廉生的「圖書館服務之訓練」報告——教育改革計劃。

3.全國性的圖書館教育計劃——認可制度之建立與實施。

4.六年制專家訓練計劃——專業教育的新措施。

5.課程之分析——核心課程之設計。

以上前三章係探討美國圖書館教育之發展，就其重點加以論述，並說明認可制度之由來與實施情形。第四章分析研究六年制教育計劃之目的與實施經過；第五章就美國圖書館學校課程資料作一分析比較，藉供瞭解一般內容與重點。最後在結論中回顧與展望美國圖書館教育制度之過去成就與未來趨勢及其問題。

壹、杜威的圖書館經營學校

美國的圖書館教育制度與英國迥然不同，主要的分別是美國的大學及高等教育機構在培養人才這一方面承擔了全部的責任，而英國人則否。歐洲人認爲大學係一培養具有社會地位的領導人物之場所，這一觀念是美國人難以接受的。美國大學之發源雖受到歐洲的影響，但在性質上已形成了其本身的特色，尤其民主思想充分表現在大學教育之內，特別重視自我發展與個人的權利。學生們可以在導師的輔導下，自由選修志願研究學習的科目。「選修制度」(Elective System)獲致普遍的實施。

美國大學自創立之始就認爲其職責是爲學生將來的事業預作準備，以提供美國各行業訓練專精的人才爲其主要功能之一，由於工業社會對於各方面人才的大量需求，促使各大學開授了有關各行業的課程。如哈佛及耶魯兩校，開始時雖沿襲了英國的傳統，以純學術研究爲主，但仍提供了若干專業課程，尤其以哈佛大學爲甚。

這種觀念，從美國獨立戰爭之前，就有了相當的認識，英國的制度並不適合美國當時的需要，美國需要的是具有專業技能的人才，如工程師、科學家等是。傳統式的學院，埋首於希臘及文學的研究已不合時宜。因此，繼之而起的是創設了若干獨立的職業學校，如一八二四年成立的 Rensselar Polytechnic Institute 即是。這種情形再加上國內及國外工商業發展之需要與刺激，如一八五一年與一八六七年在倫敦和巴黎舉行的博覽會，德國技術科學方面的各項驚人成就，形成了一股沉重的壓力，促使美國的高等教育發展的一特殊的型式，以應各方面之需要。一八六二年美國聯邦政府頒布了「公地贊助法案」（Land Grant Act）也是爲適應這一情勢的結果。

十九世紀末，麥維爾·杜威（Melvil Dewey）就在這一時代背景下產生了建立一所圖書館學校，訓練圖書館專門人才的構想。起初，杜威意欲以實地見習的方式爲之。即在一所規模完備的圖書館中，安排一項有系統的指導計劃與見習制度。這一構想直至一八七九年始有改變，認爲有設置一所實施集中訓練的圖書館學校之可能。

杜威最初對於專業訓練似有混淆不清的看法，有時他認爲圖書館事業是一種專業（Profession），有時他又認爲是一項職業。一八八三年，美國圖書館協會在召開 Buffalo 會員大會，他引述英國圖書館學家 Tedder 在兩年前於英國圖書館會議的話語：「圖書館員宣稱其職業爲一專業的時代業已來臨！」

這兩位英、美兩國圖書館事業先驅者的觀念是一致的，兩人均以致力於培養年輕的圖書館員而努力，但是在方式上卻有不同的做法。英國人主張採取「從做中學」的方式，將有志於圖書館事業的人員安排到圖書館中，一似杜威最初的想法，從親身體驗及實際工作中瞭解圖書館的經營實務；而美國人則主張應在一所學校中，以正軌的敎育方法培養圖書館事業的專才。杜威的這一觀點始終未能獲得 Tedder 之贊同。不僅如此，當時美國頗負盛名的圖書館索引家 William F. Poole 對這一計劃亦不以爲然，公開指陳：「訓練優良圖書館人員的唯一途徑是，先具備良好的敎育基礎，然後在一圖書館中從事實際工作，沒有一所學校較之一所管理完善的圖書館更爲適當的了。」❶另外，哈佛大學圖書館長 Justin Winsor 同意這一看法，認爲：「在一組織完善的圖書館中獲取實際經驗爲一最佳的準備。」甚至紐約市公共圖書館長 John Shaw Billings 亦爲文反對設立學校敎授圖書館方面的知識與技能。但是，杜威堅持他的觀點，並且利用其擔任哥大圖書館長的機會積極實踐其理想。

杜威係於一八八三年出任哥大圖書館長之職，哥大董事會對杜威之服務至表滿意，但對其主張卻不表贊同。當時哥大校長Barnard爲杜威摯友，在董事會中大力支持杜威的計劃。結果，董事會允予考慮，交由大學圖書館委員會進行研究。由於這一決定促使杜威的設校計劃在美國圖書館協會於巴法羅（Buffalo）舉行的大會中獲得支持，並公開宣布：「本會謹對哥倫比亞大學董事會，考慮對圖書館工作實施一項敎育的實驗計劃，表示支持與謝忱」。

在協會的支持下，哥倫比亞大學董事會終於在一八八四年通過了杜威的計劃。但是，由於哥大的傳統是限制女生入學，而圖書館學校又不得不招收女生，以致引起哥大校舍委員會的強烈反對。杜威不得已遠離哥大校區，利用敎堂附近一所廢棄不用的建築作爲校舍。在缺乏人員，缺乏經費，缺乏設備的情形下，慘澹經營，創立了第一所美國的圖書館學校，以「哥倫比亞圖書館經營學校」(School of Library Economy at Columbia University) 爲名，於一八八七年六月五日正式開班上課。

圖書館經營學校第一屆招收了廿名學生，其中男生三名，女生十七名，作爲期三個月的訓練。工作人員，包括負責人在內共有七人，均屬兼任。課程的設計與安排偏重實際工作方面。據哥倫比亞大學於一八八六～一八八七年出版的「新聞通訊」(Circular of Information) 中介紹該校課程說：「該校所開課程侷限於專門工作之研討，無意於介紹一般文化及補充過去所受敎育之不足……這一學校純屬一短期的技術性的課程」❷。

該校最初的課程主要包括了以下範疇❸：

1. 圖書館經營 (Course in Library Economy)：由主任及圖書館工作人員擔任之。
2. 目錄學 (Course in Bibliography)：由各科目專家擔任之。
3. 專題講演 (Lectures by Specialists)：內容包括裝訂、印刷、出版、發行、機械設備之運用等。邀請專家擔任之。
4. 業務指導 (Advice from Leading Librarians)：邀請圖書館界領導人物擔任。
5. 學術講演 (College Lectures)：邀請校外學者專家擔任之。

以上課程，如杜威在圖書館協會會議中所述，其目標有以下四點：

1. 實用目錄學的知識。敎導學生認識及瞭解重要的著者及其論著。

2. 有關圖書版本的知識。介紹並比較各種著作版本之優劣得失。

3. 閱讀方法。敎授如何迅速查索所需的資料。

4. 資料整理方法。如何分類、排列、索引等。

美國圖書館界對於杜威的計劃見仁見智，有不同的看法。杜威最初的構想雖不以探討圖書館事業的理論爲原則，但各項活動卻深具學術性質。他在開學的第一個月內曾邀請了若干圖書館專家擔任專題講演，如哥大校長講「百科全書之編製」，國會圖書館長 Putnam 講「從出版家的觀點談到文學財產」，另邀其他學者講「兩千年前的埃及」、「小說的特性與語言」等。

圖書館課程，除分類、編目等實用技術外，另授以打字及書法，以期學生能適合圖書館內的各項工作。由於各類圖書館均感缺乏受過訓練的人員，杜威所設計的課程即針對這一方面的需要安排。Louis R. Wilson 曾說：「哥大課程雖偏實際，但係作有系統的發展，使學生在短期間瞭解到各門課程的內涵，同時並分派到圖書館中見習，亦可對圖書館業務獲致一全面的認識」。

該校第一屆畢業生的訓練均極成功。第二屆於一八八七年十一月十日開班，仍以圖書館技術訓練爲主。該校敎師大多自各大學中延聘而來，並留聘了若干第一屆畢業學生任敎。最重要的一點是這種訓練的方式及圖書館學校的價值已爲圖書館界人士所體認。遺憾的是哥倫比亞大學董事會對於杜威的計劃始終耿耿於懷，尤其對於招收女生一節更感不滿，這種情況一直到哥大校長 Barnard 於一八八八年卸任而益形惡化，該年十一月董事會召開了一次非常嚴肅的會議，認眞的討論到圖書館經營學校的存廢以及杜威是否繼續留任問題。在這種壓力之下，迫使杜威辭去哥大職務，轉任紐約州立圖書館主任，並且於一八九九年四月將圖書館經營學校遷至紐約州首府 Albany 市，直至一九二六年環境改變，始又歸併於哥倫比亞大學。

美國圖書館學家 Robert Leigh 曾建議第一所圖書館學校的地點應附設在一所大學之內。就圖書館敎育而言，這是一項非常重大的建議，對於以後的發展深具影響。圖書館學校遷至紐約州之後，改變制度並授予學位。新制強調理論的重要性，這對一般期待圖書館技術人員者深感不滿，咸認杜威過去曾保證說圖書館學校設置目的在實務方面的訓練，顯然並未實踐其諾言。

在一八九〇年代，有關圖書館員的敎育與訓練工作，仍多在圖書館及職業學校中實施。在美國，第一所訓練班係由位於紐約市的 Pratt Institute 設立的，目的在培養該館助理人員。一八九一年位於麻省的 Amherst 暑期學校，開始一項短期講習計劃，敎授若干基本的技術方法。Amherst College 館長 William Fletcher 爲唯一講師，講授克特編目規則及其他技術規範。一八九二年費城的 Drexel Institute 開授圖書館學科目，敎導技術實務，兼及打字、書法、裝訂、統計等科目。一八九三年，芝加哥的 Armour Institute 設圖書館系，第一年一似 Pratt 及 Drexel 兩校所開者；而第二年則爲高級課程，其中包括了印刷及圖書館事業史等。

一八九七年，在芝加哥的 Armour Institute 圖書館系改設於伊利諾大學與紐約州圖書館學校形成對立。伊利諾大學為四年制的大學部課程，畢業後授予學位，其中以兩年時間專授圖書館學課程。

在檢討以上階段的美國教育制度時，杜威曾在一八九三年紐約 Lakewood-on-Chautaugua 會議中比較伊利諾大學與其他專業訓練之異同，他認為「專家」一詞是不適用於短期訓練班的。所以在這一階段的圖書館教育發展中，所能稱之為專業教育的，亦不過是伊大及紐約州兩校而已。

貳、威廉生的「圖書館服務之訓練」報告

在一九〇〇～一九〇四年間，美國卡內基基金會曾以五千六百萬美金贊助圖書館事業，在美國各地興建圖書館。一九一六年，該會為瞭解捐建各館之業務，曾邀聘了一位經濟學家 Alvin S. Johnson 從事一項市立公共圖書館建築計劃的調查工作。調查結果，Johnson 建議如欲提倡圖書館事業，要在圖書館建築之外，更注意到圖書館人員的培養，以協助圖書館學校的設置；並為圖書館系學生提供獎學金，鼓勵有志青年獻身圖書館事業。由於這一報告的影響，促使威廉生圖書館教育調查工作之產生。

威廉生（Charles C. Williamson）為美國專門圖書館委員會主席，並任紐約市參考圖書館館長。一九一八年，威氏曾就當時美國圖書館教育作一初步報告，一似 Johnson 指出的，他認為圖

書館專業敎育不適合小型圖書館之需要，建議應設立一所圖書館高級學校培養高級人員；同時設立函授學校，提供最低的訓練課程。此外，還應設一機構協調現行的不同訓練計劃。根據這一報告，卡內基基金會在一九一九年委託威廉生對美國圖書館敎育作一全面調查，這一調查在一九一九～二一年間進行。其結果乃有一圖書館歷史文獻「圖書館服務之訓練」(Training for Library Service) 一文之產生，並於一九二三年公諸於世❹。

威氏的調查，係以當時美國十五所專業敎育機構爲對象，兼及短期訓練單位。威氏蒐集有關各校課程、設備、入學資格、畢業生就業情形及經費方面的資料，加以分析研究，指出美國圖書館敎育之得失，並提出各項具體建議。威氏指出：

1. 圖書館中的工作，依其性質可分爲專業工作與事務性工作兩類，圖書館學校應致力於專業性工作之訓練，而這種訓練應在一廣泛的四年大學敎育基礎上實施。
2. 各校所開課程，其輕重配置各有不同的觀點，難有一致的作法。在專業學校第一年所開的主修與副修科目之間，需要相當程度的標準化。
3. 專業訓練必須以四年的大學通才敎育爲基礎，提高在研究所階段實施。在所調查的十五所學校中，僅有兩所要求四年大學的敎育，其他僅要求高中四年的敎育，另須入學考試。
4. 在師資方面，威氏分析現有各校師資，很多敎授不够資格敎導具有大學程度的學生。在一九二一年時，僅有半數的師資爲大學畢業生。威氏建議必須提高敎師待遇，網羅有經驗的及高度才智的人才從事圖書館教育工作。進而建議，一校不得少於四位專任教師，兼職制度應予廢止。

5. 圖書館學校必須成爲大學的一系（不應設在公共圖書館之內）其地位與其他專業學系相等。在調查的各校中僅有六校與大學有關，另有六所附設於公共圖書館或州立圖書館之內。

6. 威氏承認在圖書館學校中專業訓練的需要，但他建議第一年的專業研究應屬一般性及基本性，第二年開始專門化課程之研究。

7. 圖書館專業人員的資格應獲致全國性的認可。目前雖有若干州業已實施認可制度❺，但仍乏全國性的標準。威氏建議應設置一專門機構，負責制訂圖書館學校標準，並辦理審查各校是否具備最低的設置條件。這一項建議獲致了普遍的重視，並有很高的成就。

在威氏報告發表之前，早於一九二三年時，美國圖書館協會就組織了一臨時圖書館訓練委員會，研究專業教育的發展問題。該會最重要的活動就是在一九二四年三月於紐約市召開了一項爲期三天的會議，討論到訓練機構的設立標準事宜。一九二四年，美國圖書館協會受到威廉生的影響，設立了一個「圖書館教育委員會」，負責推動圖書館教育的認可制度。在該會成立一年之後，研訂了第一套最低的圖書館學校標準，該一標準於一九二五年西雅圖會議中通過施行，其中僅承認了四種不同的圖書館教育計劃：

1. 初級大學制圖書館學校，需要一年的大學學歷作爲入學資格。

2.高級大學制圖書館學校，需要大學修業三年作爲入學資格。

3.研究所階段的圖書館學校，需要大學畢業作爲入學資格。

4.高級研究學校，需要大學學位及完成一年專業課程作爲入學資格。

該會對每一種學校之組織、管理、敎員、經費、設備、入學資格、課程年限、應頒發之學位及應開課程，均提出標準原則。

最初的標準，在基本性質上是以數量爲主要根據的，一九三三年，該會建議，同時經協會在芝加哥召開的會議通過，增加了若干有關素質方面的規定，諸如課程性質，敎學精度及圖書館學校專業精神等。同時，該會決定減少了圖書館學校的類型，規定所有學校均需以修滿四年大學課程爲其入學資格。它將被認可的學校分爲三類：第一類包括加州、哥倫比亞、密西根、伊利諾及芝加哥大學等五校，均授予碩士學位。芝加哥大學並授予博士學位。第二類包括授予圖書館學士學位（BS in LS），僅提供一年研究計劃的學校。第三類指在大學課程中開授若干圖書館學課程，授予普通學士學位（BA 或 BSC）的各校。

以上是敎育委員會所承認的三種學校，此外還有許多不合協會所訂條件的學校，這些學校仍繼續存在並授予圖書館學士學位，但其學生畢業資格卻未獲普遍承認，所獲的待遇也較一般爲低。

除以上情形外，有關學校圖書館員的訓練則多設於培養師資機構之內，針對圖書館之需要安排其課程，但學生畢業後亦可到大學或公共圖書館中謀求職位，一似未經認可的學校。這種制度到目前仍然如此。

一九三七年，Louis Round Wilson 曾爲文檢討自威廉生以來的成就。威氏強烈建議圖書館人員的敎育，應在敎育機構內實施，而非在圖書館內完成；而圖書館學校應附設在大學之內，這一理想可以說目前已大部達到了。

叁、全國性圖書館教育計劃——認可制度之實施

第二次世界大戰後，美國各界對於戰後的復元及未來發展作了深入而切實的檢討，圖書館事業自不例外。在一九四三～一九四八年間，美國圖書館界曾出版了一連串的調查研究，探討圖書館敎育問題。如一九四三年間，K.D. Metcalf 完成了一項圖書館學校的敎導計劃，其中指出自一九二一年威廉生的「圖書館服務之訓練」發表之後，各校在核心課程方面頗少改變。同年，Ernest J. Reece 亦發表了「圖書館學校計劃」一文，對課程演變作了詳細的分析，其結論一似 Metcalf 的看法，在過去五十年間，圖書館學校的課程在基本上沒有太大的變化。

一九四七年間，另有兩篇圖書館敎育的研究發表，Joseph Wheeler 應卡內基基金會之邀發表了一篇圖書館備忘錄，名爲「圖書館敎育之進展及其問題」對於圖書館專業與高等敎育的關係，有特殊的見解。同年，J. Periam Danton 曾就十二種現行圖書館計劃加以分析研究，結果認爲圖書館課程過份偏重於圖書館技術方面，對於有關圖書館事業的背景知識似嫌不足；同時所有

課程完全集中在一年之內實施過於繁重。各校教育計劃意圖適合各類型圖書館之需要，其結果缺乏專門性及深度。

在這一時期中，從一連串的會議可以看出一般對於圖書館教育之興趣，最重要的一次會議是一九四八年，由芝加哥大學所召開的，其中討論到有關訓練的目的、問題與方法等項。會議結果曾在 Education for Librarianship 一書中發表，成為一項極具價值的文獻。

在戰後，圖書館學校仍照一九三三年教育委員會所擬訂的標準實施認可制度，由於新的學校創設，影響到舊的學校原有課程，因此，一九三三年的標準不再合用。一九四八年，圖書館學校的認可制度暫時停止實施，直至新標準制訂後，始又恢復。

在一九四六年至一九五〇年間，可以說是圖書館教育的試驗年。一九五〇年時，已被認可的圖書館學校步入一項五年制的新計劃，即高中畢業後，攻讀四年大學課程，再加上一年的研究所課程，授予圖書館學碩士學位。圖書館教育委員會並制訂了一套新的標準，據以衡量圖書館教育計劃，決定高中畢業後再接受五年的教育，為圖書館專業人員的最低要求。

新標準於一九五一年公布，定名為「認可標準」(Standards for Accreditation)，確定了未來教育委員會的政策，其中包括了四項原則：

1. 基本的專業教育計劃為高中畢業後修習五年。
2. 在這五年中，有關專業科目可作不同的安排，但是不得少於一個學年。
3. 五年計劃的基本目標為教導對於各型圖書館及各項圖書館

服務之基本原則與程序；以培養具有相當基礎的專業人員為其目的。

4.在基本計劃中，應注意教導圖書館之特殊服務，但是不能因此而犧牲了必需的一般高深的及專門性的教育。

新的標準，以及圖書館學校所實施的新計劃乃基於一項假定，使學生能適應圖書館各方面的工作，而專門性的訓練必須接連在充分的通才教育之後，並授予必需的專業核心課程。

一九五三年，美國圖書館協會的主要工作是在圖書館學校中推動新計劃的認可工作，教育委員會（後來更名為「認可委員會」Committee on Accreditation）開始訪問並審查各圖書館學校。到一九五七年時，該會曾完成了卅五所學校的調查訪問工作（這些學校都是依照一九三三年的標準所通過的），另外又訪問了五所新的圖書館學校，結果僅有卅一校達到標準。這些學校都係研究所階段的課程，授予碩士學位。

在美國未經圖書館協會審查認可的學校尚有四百所之多，大部分為本科生計劃。教育委員會對於本科生計劃不表支持，但是在一九五二年時，卻通過了一項「師資訓練機構圖書館學計劃標準」（Standards for Library Science Programs in Teacher Education Institutions）。該一標準與美國大學協會師範教育標準配合使用，作為評估師資訓練機構之依據。一九五四年，一個新的機構，全國師範教育認可委員會（NCATE）成立，接辦全部師範教育認可工作的職務。因美國本科生計劃多係為培養學校圖書館員而設，故設於師資訓練機構較為適宜。

認可委員會 (The Committee on Accreditation)與 NCATE

合作，制訂了本科生圖書館計劃標準。在一九五八年， COA 公布一項「本科生圖書館學計劃標準與指南」(Standards and Guide for Undergraduate Library Science Programs) 以協助各大學開授四年制的圖書館學計劃。實際上， COA 並未使用該一標準，僅係供備 NCATE 作爲審查師資訓練機構所開圖書館學課程之需。

有關博士階段的教育計劃，現在美國計有兩種。一種是 Doctorate of Philosophy ，係一高級研究性的學位；另一爲 Doctor of Library Science (DLS) ，爲培養圖書館高級工作人員所準備，爲一專業性的學位。有的學校授予 PHD ，有的授予 DLS。

在 Berkeley 兩種博士學位兼授，前者 (PHD) 一似其他的高級學位，後者 (DLS) 爲高級專業學位，與教育學、工程學、醫學近似，兩者均需在校至少研究兩年。這兩種學位最初規定 PHD 學位係爲歷史、目錄學及社會研究所設；而 DLS 則針對行政問題及圖書館活動之研究而設；現在無太大區別，一爲教學，一屬行政而已。

目前授予博士學位的學校共有十四所，最早係於一九二八～二九年，由芝加哥大學所創始者，一九四九年伊利諾大學及密西根大學相繼實施，一九五二年哥倫比亞大學，一九五五年加州大學，一九五六年西方儲備大學，一九五九年羅傑斯及南加州大學，一九六四年印第安那大學等校先後設置。由於芝加哥大學設校較早，歷史悠久，所頒授的博士學位也較其他各校爲多。攻讀博士學位的學生，其資格一般爲：

1.在一認可的圖書館學校獲有碩士學位，或是獲有一五年的圖書館學學士學位，另有某一學科的碩士學位。

2.在獲得碩士學位之後，至少應在一圖書館中工作兩年。

3.證明有研究深造的能力，在碩士階段成績優良者（伊利諾大學要求平均成績在B以上）。

博士學位的修業年限，一般規定所有課程必須在五年以內全部修畢，通常的修業年限為二至三年。各校所開課程情形不一，以伊利諾大學為例，除部分碩士學位課程外，主要有圖書館事業背景、組織與行政、圖書資料、讀者服務及技術程序等方面的專精研究。尤以圖書館史及書籍印刷史更佔總數的百分之卅六。總之，圖書館博士學位的修習計劃，一如美國大學中的其他學科相似，特別偏重專門化的範圍，而期止於至善的地步，芝加哥大學圖書館學研究所曾指出：「圖書館學著重實際的效用，而非一純粹理論的科學。準此，其目標並非為學問而學問，而是如何使圖書館發揮其最大的功能！」

肆、六年制專家訓練計劃(Sixth-Year Specialist Program)

美國圖書館教育主要是在研究所階段實施，現已成為一不爭之事實。在研究所階段的教育中，除上述碩士與博士階段的計劃外，最近又有六年制專家訓練計劃之進行，無形中使圖書館人員的專業知識與技能更提高一步，成為世界各國圖書館教育之一創舉。

六年制專家訓練計劃係於一九六一年由哥倫比亞大學所創始。其目的在使圖書館專業人員於獲得碩士學位後，再研究一年，亦即高中畢業後之第六年的敎育。這一計劃在某些方面一似過去曾一度實施的六年制計劃。畢保德 (Peabody College) 圖書館研究院在一九五四年曾開始一項六年制敎育計劃，後於一九六五年停止，其他如加拿大的 Toronto 亦曾於一九五〇年開始此項計劃。到一九七〇年止，在美國已有二十校實施六年制計劃。但非常重要的是現在各校所發展的六年制計劃與舊制的六年制碩士學位計劃不同；後者爲一普通的高級課程，而前者則爲增強圖書館員對於某項專精的業務活動所準備者。玆將各校創始年代，表列於下：

表一　美國圖書館學校六年制計劃創始年代表❻

校　名	創始年代
Atlanta	1967
Chicago	1969
Columbia	1961
Drexel	1966
Emory	1966
Florida State	1967
Illinois	1964
Kent State	1968
Louisiana State	1967
Maryland	1967
Minnesota	1966
Peabody	1954 a
Pittsburgh	1963
Rutgers	1966 b
Texas	1967
Toronto	1950 c

UCLA	1967
Wayne State	1967
Western Michigan	1966
Wisconsin	1966

註 a. Peabody: 1954 年創始，1965 年停止；1968 年重新開始。
b. Rutgers: 確實創始時間應爲1967～68。
c. Toronto: 六年制碩士計劃。Toronto 第五年授予 B.L.S. 學位。

上表顯示，有四分之三的學校係在一九六五年以後創始者，祇有三所學校係於一九六三年以前創始。

各校實施六年制計劃之目的，綜括說來只有七項；卽：作專精之研究，提高專業技能，研究圖書館學敎學方法，培養行政人才，介紹資訊科學及自動化之新知，以及研討敎學資料中心之管理問題。就上列各校分析，除芝加哥、匹玆堡及伊利諾大學係以碩士學位以外的專精研究爲主；另德克撒斯及米尼蘇達大學專爲研究圖書館學之敎學外，其他各校均具有多方面的目標。而在所列的七項目標中，尤以前三項：研究專精學科，增長新的知識及提高專業技能，更佔大多數。此外，從圖書館界實際需要而論，高級行政人員及資訊科學 (Information Science) 人才的缺乏，亦促成了美國圖書館學校實施六年制課程計劃的原因。

六年制計劃與博士班計劃之間有沒有關連性呢？到一九六九年六月止，美國認可的學校中有廿所學校設有六年制計劃，其中有九所設博士班。經分析，在九所學校中有四校的六年制計劃與博士班計劃無關，認爲是一項個別的學程，或是與博士班交替的計劃。有兩校認爲是一項個別的學程或是修習博士學位的準備階段；有一所認爲是與博士班交替的計劃或是修習博士學位的準備階段；有一所認爲是修習學位的準備階段；最後一所是哥倫比亞大學，該校計劃是供給無意於獲取高級學位，而專爲研究高深學術者而安排的，亦可以說是屬於一項個別的敎育計劃。

在其他沒有開設博士班的十一所學校中，有些認爲六年制計劃應屬個別的計劃，其他則認爲此項計劃應視爲博士班的交替計劃或是博士班的準備計劃。

從一九六一年至今，這一計劃正在普遍發展，據丹通（Danton）分析 ，目前至少還有十所學校正在籌辦這項計劃之中，至於有無取代碩士學位計劃的可能，則尚難預測。

有關六年制計劃的入學條件，各校要求不一。玆據資料將其歸納爲以下九項，統計如次：

表二 各校六年制計劃入學資格分析表

入學條件	校數	附註
1.要求曾在一認可學校中獲得M.L.S.學位者	19	芝加哥除外
2.不問是否被認可的學校，獲有 M.L.S. 即有資格申請入學	12	
3.獲有圖書館學士（B.L.S.）學位	15	
4.曾在大學部修習圖書館學，另獲有其他學科碩士學位者	1	另四校可能接受，視情形而定
5.需要一至三年工作經驗者	15	
6.有年齡限制者	4	
7.必須參加 G.R.E. 考試者	8	
8.除以上條件外，尚需口試及推薦人者	10	畢保德要求寫一篇三百字短文
9.要求通達M.L.S.學位規定外的外國語文者	0	

從以上分析中可以看出，除芝加哥大學外，十九所學校均要求以曾在一認可的圖書館學校中獲得碩士學位爲其入學資格條件；如在未經認可的學校中獲得碩士學位者，僅有十二校准其入學，但其中有五校表示需視情形而定。獲有舊式 B.L.S. 學位，其性質與新制的M.L.S.學位相近者，有十五校可予接受。只有一所學校（Wayne State）接受曾在大學部修習圖書館學，另獲有其他學科學位的學生。

在上表中，四分之三的學校要求修習六年制專家敎育者，需具有一年至三年的實際工作經驗，其中如畢保德、路依絲安娜及瑪瑞蘭三校特別要求應有三年的經驗，在年齡方面，有四所學校規定有年齡限制，加拿大的 Toronto 規定四十歲以下，米尼蘇達規定四十五歲以下，伊利諾及西密西根規定爲五十歲以下。在 Graduate Record Examination（G.R.E.）方面，約有半數的學校要求（G.R.E.）成績應在九〇〇到一二〇〇分之間。

有關課程之實施，各校頗不一致，難以舉列。有九校對六年制學生無必修科目之要求；七校要求應就「研究方法」，「個別學習指導」，「圖書館學研究」科目中修習一種；七校規定有一門或一門以上的專門科目或專題討論，其內容針對學生專長而定。如：「圖書館敎育與督導敎學」一科供研究圖書館學校敎學法者修習。「資料檢索概論」，「圖書館機械化」二科目供研究資訊科學學生修習。

在十六所從一九六九年春季開始六年制的學校中，有十所學校開授新的課程，玆將其課程名稱列舉如下：

Studies in Reading

Library Curriculum Materials
School Librarianship
Supervision of School Media Services
Rare Books
Information Science
Theological Library Administration
Curriculum Materials
Advanced Administration of School
Programming Theory for Information Handling
Education for Librarianship
Automation and Data Processing
System Analysis
Documentation Theory
Data Processing for Information Retrieval
The Community College
Modern Archives Administration
Current Issues in Work with Children
Comparative Librarianship
Problems in Library Education

除以上科目外，至少有六所學校安排有專門性質的課程，其中如：美國圖書館學研究、醫學圖書館、法律圖書館、檔案與口述史、鄉村圖書館等。至於圖書館學校以外的課程，各校均指定其他系科課程作爲圖書館學校之選修科目，多者爲十八學分，少者爲四學分，規定不一。這些課程均屬配合專門課程所需者，作爲輔助性的學科。

目前美國各校中攻讀六年制課程的學生，一九六〇年有九人註册入學，到一九六九年時有二一六人，十年間註册人數合共八八一人。但完全完成學業者，到一九六八年僅有一九人。

各校所要求的修業年限，十六校規定必須修習一年，另四校規定一學年加一暑期。九所學校要求在此期間應繳送論文與研究報告，三校規定必須通過綜合考試。結業後所授予的學位或證書各校不同，部分學校如：芝加哥、伊利諾、匹玆堡及肯特等授予高級研究證書；另一部分學校，如：畢保德、西密西根、魏恩等授予敎育專家學位；另有的授予高級服務證書等。

伍、美國圖書館學校所開課程之分析

美國圖書館學校課程反映出美國圖書館界對於圖書館學的認識與看法。玆就五十所美國圖書館校況及課程資料比較分析，當可看出目前各校課程設計之一般。

綜括而論，各校所開課程數量不一，名稱與內容亦有差別，惟較明顯的有以下幾項事實：

(一)根據一九七二年八月，美國圖書館協會發表資料顯示：美國現經協會敎育委員會審查合格的圖書館學校共計五十七所，其中美國所設立者五十一所，加拿大設立者六所，均屬研究所階段課程，修滿規定學分，可授予碩士學位。故課程之設計乃係啣接大學四年之後的第五年敎育。

(二)各校課程之安排，不僅注意到對圖書館事業發展背景的瞭解，同時更要求學生掌握圖書館內各項實際業務的技術方法，通達各種不同種類的圖書館管理要項。

(三)在碩士階段的研究中，各校所開課程均有所謂核心課程者，其中更分爲必修科目及選修科目兩大類。前者乃指作爲一位圖書館專業人員所必須具備的知識與技能而言；後者乃指爲適應學生的不同興趣，不同知識背景或未來不同的工作需要可自由選習的課程而言。

(四)根據統計資料顯示，大約有四分之一的學校要求在攻讀碩士階段的課程之前，必須先修六個到十二個學分的預修課程；另外有四分之一的學校開有大學部課程。

(五)就所獲資料顯示，各校所開必修科目數從零到十一門，平均數是六門。所開選修科目各校不一，從十四門到六十四門，平均數是卅七門。有九校規定學生必須選修圖書館學以外的科目。有七校要求學生必須參加業務實習，有九校可由學生自由選修，以資增強實際工作經驗。

茲將五十所圖書館學校所開的核心課程數與百分比，分別爲必修與選修科目兩類，列於表三。

(一)必修科目

茲就表三所示，將各種重要的必修科目依其性質歸併爲十大類，逐項說明如下：

1.參考與目錄學 (Reference and Bibliography)：在五十所

表三　美國圖書館學校所開核心課程統計表❼

科目名稱	列爲必修科目（校）	列爲選修科目（校）	該科目內容包括其他科目之內者（校）	開授該項科目之學校	
				總數	百分比
1.參考與目錄學	42	5	3	50	100
2.分類與編目	42	4	4	50	100
3.選擇與採訪	32	10	4	46	92
4.圖書館學概論；圖書館之社會功能 (Library in Society)	26	11	3	40	80
5.行政管理，系統分析 (System Analysis)	24	3	23	50	100
6.研究方法	14	29	0	43	86
7.圖書與圖書館史	9	35	4	48	96
8.資訊科學	8	36	6	50	100
9.傳播與圖書館	4	18	0	22	44
10專題研究：問題與趨勢	3	30	4	37	74

學校中，有四十二所學校要求學生必須修習一門或一門以上的有關參考方面的科目。三所學校將此科目內容併入其他科目中講授，另五所學校將其列爲選修科目。

有些學校將國家目錄與商業目錄，以及目錄組織 (Bibliographic Organization) 併入參考科目之內。Albany, California, UCLA，及 Rutgers 四校開有個別的目錄方面的科目。科目內容包括：原則、組成、用途、有關目錄、書誌與索引的評估，以及圖書館員作爲目錄學家所承擔的任務等項， UCLA 爲唯一的學校要求學生選修兩門有關目錄功能方面的課程。

2.分類與編目 (Cataloging and Classification)：分類與編目

與參考同爲圖書館學校重要課程。但 Columbia及Syracuse兩校則要求以「圖書館技術服務」（Technical Services in Libraries）作爲資料組織的第二門課程。Catholic 大學僅要求修習「圖書館技術服務」一科。North Carolina增開一「圖書館服務之組織與活動」（Organization and Operation of Library Services），內容包括資料採訪，利用前之準備，流通與儲存，以及資料服務等項。

Rutgers 大學在這方面所開的課程，名稱是「目錄之組織與記述」（Bibliographic Organization and Description），分析各種資料的組織方法。California 及 UCLA 兩校各開有兩門必修科目，名稱是「分類與主題編目」（Classification and Subject Cataloging）。至於開有高級分類編目課程的學校有 Denver, Emory, Oregon 及南加州大學等校。

3. 圖書選擇與採訪（Selection and Acquisition）：在五十所學校中，有卅二所（佔百分之六十四）學校列爲必修。科目內容包括：圖書資料之評估標準、採訪業務、出版動態、選擇工具、各種國家與商業目錄之介紹等。科目名稱、範圍、方法與重點，各校不同，大多學校爲「圖書選擇之原則」（Principles of Book Selection）；另外，印地安那大學爲「圖書館服務與館藏資料」(Library Service and Collections)，哥倫比亞大學爲「圖書館技術服務」（Technical Services in Libraries）。在印地安那大學除探討選擇的原則和選擇的工具外，更注意到如何適應各類圖書館讀者的不同興趣與要求。哥倫比亞大學則將此列爲五大必修科目之一（其他四種包括：參考與目錄學兩科目，資料組織法一科目，另混合行政管理，歷史及圖書館社會學爲一科目）。技術服務科目爲一有關圖書資料的採集、編目、保存與流通方法之綜合研究介紹。

4. 圖書館學導論；圖書館之社會功能（Introduction to Librarianship; Library in Society）：有廿六所學校（佔百分之五十二）開授有關這一方面的課程，有的名爲「圖書館學導論」，有的名爲「圖書館之社會功能」。Western Michigan 大學開有「圖書館事業之基礎」（Foundations of Librarianship），內容包括了歷史功能，各類圖書館情況，並介紹當代圖書館文獻。芝加哥大學開有「圖書館與社會」（Library and Society），其內容廣泛，重點爲圖書館之特質、組織及圖書館作爲一社會機構之功能。亦有的學校將「圖書與圖書館史」，「傳播與圖書館」，「圖書館事業當前之問題」等內容併入以上兩科目之中講授。

5. 行政、管理及系統分析（Administration, Management, and System Analysis）：在廿四所學校中（佔百分之四十八）列爲必修，作一概論性介紹。芝加哥大學及坎薩斯大學明確規定此科目爲「系統分析」，內容以資料處理及電腦應用爲其重點。

夏威夷大學及威士康辛大學因受到 Rutgers 的影響，將圖書館程序與管理列爲必修。Rutgers 大學在這方面有三種必修科目：①圖書館經營之系統分析（System Analysis in Library Management）；②管理之理論與實務（Administration: Theory and Practice）；③圖書館服務之設計（Planning Library Services）。夏威夷大學以第二種列爲必修，威士康辛大學以第一種列爲必修。在全部學校中有三所沒有開授基本行政管理方面的課程，而將其內容併入其他科目中講授。

6. 研究方法（Research Methods）：由於大部分學校對於論文寫作沒有硬性的規定，只有十四校（佔百分之廿八）將此科目列爲必修。另廿九校（佔百分之四十二）列爲選修，而七所學校無此科目。

7. 圖書及圖書館史（History of Books and Libraries）：除兩校外，其他均開有這一科目，惟其中九校（佔百分之十八）列爲必修，卅五校列爲選修。就美國圖書館學校的經驗，這一方面的內容不宜列入圖書館學導論或其他科目中敎授，在敎學內容與方式上應注意到新的敎學方式，新的技術方法之運用。

8. 資訊科學（Information Science）：雖然只有八校列爲必修（佔百分之十六），但這是繼參考、分類編目及行政之後，惟一被五十所學校所開授的科目。有六所學校未將此科目列爲必修或選修，而將其內容併入其他科目，如「自動化與圖書館」（Automation and Libraries）及「系統分析」（System Analysis）等是。

9. 傳播與圖書館（Communication and Libraries）：有廿二所學校（佔百分之四十四）列爲必修或選修科目，其中四校列爲必修，十八所學校列爲選修。沒有一校將其內容併入其他科目中講授。

10.專題討論：問題與趨勢 (Seminar: Issues and Trends)：雖然祇有丹佛、坎薩斯及西蒙斯三校（佔百分之六）列爲必修，但不容忽視的，仍有卅所學校列爲選修科目。阿爾倍他大學曾利用每週講演討論時間接觸到圖書館法令，圖書館協會活動方面的問題，但仍將此科目納入教員們認爲過多的課程之中。

(二)選修科目

在各校所開的選修科目中，性質龐雜，爲數繁多，玆就具有代表性者合併歸納爲：背景、行政管理、參考、資料及服務、技術服務、圖書館敎育及學習與研究等七大類，就五十所圖書館學校所開科目數，百分比及開授該選修科目學校數分別統計如後，並於表四後加以解說，俾供瞭解。

表四　美國圖書館學校所開選修科目統計表❽

科目範圍	選修科目 數目	選修科目 百分比	開授該選修科目之校數
1.背景 (Background):	179	100	
圖書館及圖書史	91	51	44
傳播學，包括文化自由	26	15	20
出版機構與出版事業	17	9	17
圖書館之社會功能	15	8	13
圖書館學導論	5	3	5
比較圖書館學及國際關係	25	14	21

2.行政管理：	525	100	
一般科目	58	11	32
圖書館制度	8	2	8
系統分析	14	3	13
自動化與圖書館	12	2	11
建築與設備	13	2	12
學術圖書館	61	12	43
公共圖書館	52	10	43
青少年與兒童工作	55	10	42
學校圖書館	116	22	48
專門圖書館	136	26	49
3.參考及其他科目：	340	100	
一般科目	46	14	30
政府出版品	46	14	43
叢刊	8	2	8
視聽資料	38	11	31
人文科學文獻，包括人文及社會科學文獻	75	22	46
社會科學文獻	54	16	40
科學及技術文獻	73	21	49
4.資料與服務（「參考」以外科目）：	186	100	
兒童資料，包括兒童及青少年資料	68	37	47
故事講述	21	11	21
青少年資料	32	17	32
成人資料	36	19	26
閱讀	29	16	21
5.技術服務：	326	100	
選擇與採訪	27	9	23
目錄學（與技術服務相關）	16	5	15
技術服務	25	8	23
分類與編目	83	25	44
分類	20	6	16
索引與摘要法	17	5	15

資訊科學	135	41	43
複印術（Reprography）	3	1	3
6.圖書館教育	25	100	21
7.學習與研究：	175	100	
研究方法	39	22	32
專題討論	45	26	32
研習指導	91	52	48

1.背景（Background）：在一七九種有關圖書館事業背景的選修科目中，有九十一種（佔百分之五十一）開授圖書館與圖書館史，廿六種（百分之十五）爲傳播學，廿五種（百分之十四）爲比較圖書館學及國際關係，十七種（百分之九）爲出版機構與出版事業，十五種(佔百分之八)爲圖書館之社會功能，五種(佔百分之三)爲圖書館學導論。

在歷史背景方面的課程中，加州大學開有八種科目，列居首位；哥倫比亞大學開有五種科目，位居第二，芝加哥及丹佛各有四種，同列第三位。在所開科目中，有兩門較爲特殊的科目，爲丹佛的「美國圖書館事業狀況」，另一爲加州大學（L.A.）的「圖書館技術史」。

有些學校以歷史方法研究圖書館背景方面的問題，如：「兒童文學之歷史發展」、「目錄原理及歷史」、「圖書館教育」等是。此外，還有偏重地區性的課程，如：「美國西南部文獻與圖書館」，畢保德圖書館學研究所的「南方圖書館」等。

2.行政管理（Administration）：有關行政管理方面的科目，各校共有五百廿五種之多，其中一三六種（佔百分之廿六）屬專門圖書館；一一六種（佔百分之廿二）屬學校圖書館；五十五種（佔百分之十）屬學校及公共圖書館之青少年與兒童服務；五十二種（百分之十）屬公共圖書館；其他四十七種（百分之九）屬系統分析、建築與設備、自動化與圖書館體系等。

有九所學校仿照 Rutgers 的方式開授一般行政的原則與實務，而非各類型圖書館的行政管理與實務，但Rutgers 仍保留了專門圖書館的課程。

在五十五種科目中屬公共圖書館對青少年與兒童之工作，其他則針對學校與公共圖書館雙方面的情況。

十四所學校開授系統分析科目，五校提供圖書館與法律程序，其他尙有若干在這方面的新課程，如夏威夷大學所開的「亞洲圖書館之行政管理」等。

3. 參考 (Reference)：有關參考與目錄學課程，各校共有三百四十種之多，其中百分之五十九屬於各科目錄學範疇。值得注意的是在五十所學校中，有四十三所學校開授「政府出版品」，在其他學校中，有的將政府文獻合併在其他科目之內，如西蒙斯的「目錄方法與政府出版品」，阿爾巴尼的「叢刊與政府出版品」等是。

另有一科目「視聽資料」，爲卅一所學校所開授，內容包括有關該方面資料的選擇、組織與利用，用以增進學生對於圖書以外資料的瞭解。有的學校將這一科目開在其他系科，因之，圖書館學校的學生必須到其他系科選習這一課程。根據經驗仍以在圖書館學校中專爲本系學生單獨開授爲宜，如此可適應其課程要求。

4. 資料與服務（Materials and Service）：在一百八十六種爲各種不同年齡的讀者所開的課程中，有四分之三屬青少年與兒童的服務。坎薩斯大學及加拿大的瑪吉爾大學爲僅有的兩校將此科目分別年齡並將資料與服務合併講授者，如：「公共圖書館之兒童資料與服務」即是。另西蒙斯在這一方面開有三門科目，爲：「圖書館，目前之問題與兒童」、「圖書館，現代社會與青年」、「對成人讀者之服務」等是。

5. 技術服務（Technical Services）：在三百廿六種有關技術服務的選修科目中有一三五種（佔百分之四十一）屬資訊科學；八十三種（佔百分之廿五）屬分類與編目。由於許多圖書館敎育家認爲資訊科學應分散在各科目中講授，因此，有四十三所學校將之列爲選修科目是頗爲引人注目之舉。在五十所學校中有四所授予博士學位的學校——加州大學、西方儲備大學、芝加哥及匹玆堡大學——以全部三分之一的選修科目作爲有關資訊科學的研究。大部分的學校都開授一、二種介紹機械儲存與檢索資料的方法，以及資料的組織排列技術等。

6. 圖書館教育（Library Education）：有廿五種圖書館敎育科目，敎授有關歷史、目標、方法、問題與趨勢，作爲培養未來圖書館師資之準備。

7. 學習與研究（Study and Research）：在一百七十五種科目中，卅九種屬「研究方法」，四十五種屬「專題討論」，九十一種屬「研習指導」。夏威夷大學有一「專題討論」科目，係於學生結業前開授，俾增進學生對於整個圖書館狀況之瞭解，西蒙斯新設一科目，將專題討論與高級獨立學習兩科目合爲一。

從以上必修與選修科目統計中，可以瞭解到各校所開課程之一般。如表三所示，各校均將參考，分類與編目，行政管理及資訊科學四類課程列爲必修，在五十所學校中，百分之九十六的學校開授圖書館史方面的課程；百分之九十二的學校開授選擇與採訪；百分之八十六的學校開授研究方法；百分之八十的學校開授圖書館學導論或圖書館之社會功能；另百分之四十四的學校開授傳播與圖書館。

在全部一千七百五十六種的選修科目中，行政管理有五百廿五種，佔總數的百分之卅；參考課程有三百四十種，佔總數的百分之十九；技術服務有三百廿六種，佔總數的百分之十九，這三種課程總計佔全部課程的百分之六十八，詳見表五：

表五　美國圖書館學校所開選修科目總數統計摘要

科目名稱	數目	佔總數百分比
背景	179	10
行政管理	525	30
參考	340	19
資料與服務	186	11
技術服務	326	19
圖書館教育	25	1
學習與研究	175	10
總計	1,756	100

陸、結　論

美國圖書館員的養成制度，根據上文的分析研究，可以歸納有以下幾點：

(一)自學制方面而言：

美國圖書館敎育分爲：大學部課程，碩士班課程，六年制專家計劃及博士班課程等三個階段實施。正軌敎育制度始於一八八七年元月五日在哥倫比亞大學成立的圖書館經營學校；碩士學位的授與係於一九〇七年由阿爾巴尼圖書館學校所創始；六年制計劃係於一九六一年，由哥倫比亞大學所創始；博士學位的授與係於一九二八年由芝加哥大學起始。大學部課程係供一般瞭解圖書館之功能，設施與服務，並作爲研究階段的準備課程，及供有志於從事「敎員兼圖書館員」工作者選習。碩士階段的課程，爲目前圖書館專業敎育計劃之主體，根據芝加哥大學概況所宣示，其目的在：

1. 使學生瞭解圖書館專業性質，並探討資料處理技術原則與未來發展趨勢。
2. 使學生對於未來圖書館及資料管理制度設計方面所承當的任務有所準備。
3. 經由理論的，歷史的及實驗的研究，改進知識記錄的傳播技術。
4. 建立圖書館敎育的哲學。

敎育計劃之實施係在通才敎育基礎上，發展其專業的知識與技能。在各階段的敎育過程中，這種敎育亦是美國圖書館專業敎育的起點，也是專業資格必須的敎育條件。博士學位計劃一如美國大學中的其他學科，特別偏重專門化的範圍，達到「止於至善」的地步。其目的爲：

1.培養學力充實，與趣專一的圖書館工作者，使其有機會在圖書館學方面作高深的硏究。

2.培養圖書館學的敎育工作者及高級行政人員。使其有足以傳授圖書館學知識及處理，分析行政事務的能力。

3.發展學生掌握題材及硏究調查的能力。

博士班的課程，各校重點不一。一般說來偏重在圖書館事業背景，歷史發展，目錄學原理，行政問題及技術方法等方面的硏究。

至於六年制專家敎育計劃則爲提高專業知識，增長對於資訊科學的瞭解，以及培養高級行政人員與圖書館學的敎育工作者而設立。這一計劃純係爲適應當前科技發展及各界對於圖書館專門人才的需要而產生的，現仍處於發展階段。

(二)自課程方面而言：

美國圖書館敎育的基本條件有三：一爲通才敎育基礎；二爲學科專長；三爲語文根基。通才敎育的基礎在圖書館協會所通過的認可標準中一再強調，認爲：「通才敎育是成功的圖書館敎育的必備條件。」威廉生亦曾認爲：「在圖書館工作中，一個受過良好敎育而對書籍與讀者有興趣的人，較之那些僅具專門技能而缺乏知識背景的人更易於獲致成功。」由此可見其重要性。學科專長乃指在圖書館學以外的專長科目興趣，這一條件亦可以說是專業工作的配合條件。如一位在法律圖書館工作者對於法律學毫無基礎是難以推展其工作的；再如一位專門圖書館的編目員，對於所編專門學科的書籍內容毫無瞭解也無法著手。尤其目前圖書館實施分科管理制度，沒有學科專長的人是不能適應這一制度的要求的。至於語文根基亦爲圖書館敎育之一重要條件。目前各國出版品汗牛充棟，有關圖書館之選擇、分類與編目。在在需要精通外國語文人士處理。因此，美國圖書館敎育的課程是在這三個條件之上安排的。

美國圖書館學校的課程可以說仍承襲了杜威創立哥大圖書館學校的傳統，偏重在實用技能與知識的傳授。課程內容包括：核心課程、專門課程及相關課程。如前所述，核心課程中的圖書館學導論，目錄學與參考，圖書選擇與採訪，分類與編目爲圖書館學課程中的四大支柱，亦係各校一致開授者。但在課程內容的實施上究以圖書館學的通才爲重，抑以專才爲重？由於學術發展及各圖書館工作上的需要關係，現成爲一爭辯性問題。

在課程的安排中另一顯明的事實是「資訊科學」（Information Science）的興起。在一九六〇年時，美國各認可的學校多稱爲 Library school，或是Department of library science, library service 或是 librarianship，而最近有的學校定名爲 School of Library and Information Science。

此外，還有些學校設置 Schools and Departments of Computer Science and Technology/of Information Science。在

北卡羅來那大學設有一所圖書館學校和一資訊科學系；Drexel's Graduate School of Library Science 授予圖書館學及資訊科學學位。Ohio State University 已設有分開的電子計算機系及資訊科學學系，均屬工程學院。現又設立一圖書館學碩士學位，屬於 College of Administrative Science。另李海大學近年來對於資訊科學頗有進展，其活動集中於哲學系。哥倫比亞大學曾試將資訊科學與圖書館學合併納入傳統性的課程內，意圖開拓一新的教學型式。

在一九六〇年的各校概況中顯示，有五所學校開授文獻管理之類課程，另有九校開授視聽資料；但到一九六八年時，有廿七校開有「圖書館自動化」及「資料處理」方面的課程，卅四校開授「資訊科學」，十八校開授「視聽資料」課程。哥倫比亞大學教授 Dr. Michael P. Barnett 過去對資訊科學素有研究，一再建議將其納入圖書館系必修科目之中，以擴大圖書館學的領域，增加學生對於資料處理方法的瞭解。據前章統計所示，在五十所學校中均已開授了資訊科學，由此可見所受重視情形。

最後談到美國圖書館專業教育的原動力——圖書館學校的認可制度（Accreditation of Library Education），這是美國教育制度的一大特色。美國圖書館教育素質的不斷提高與認可制度有密切的關係。美國圖書館協會的認可委員會鑒於一九五一年所制訂的標準有失時效，早在一九六九年起即進行修訂工作，並於一九七二年發表一修訂案，供備圖書館界人士批評研究。有關課程方面，新標準特別強調以下各點：

1.注重瞭解原理與技能，而非一般程序。

2.應偏重所授科目之意義與功能。

3.應反映出圖書館事業及相關科目之基本的與實際研究方面之發現。

4.注意到圖書館發展與專業教育之新趨勢。

5.促進專業人員自我充實與發展。

總之，美國的圖書館教育制度與方法係在一民主自由的社會制度下發展而成的，這種教育因社會需要及學術發展而日有調整。Martha Boaz 曾指出：「圖書館員最理想的條件是每一個館員都是一位通才，而又是專才。獲有一個文理學科的學士學位，一個圖書館學高級研究學位，以及至少有一個另一專門學科的碩士學位。」這一觀念不僅爲目前美國圖書館教育的發展目標，同時亦影響到世界其他國家，莫不以美國的教育制度爲藍本，向提高專業人員素質一途邁進。

附　註

❶ William F. Poole, *Library Journal,* 8:288, Sept-Oct., 1883.

❷ Columbia College Library, School of Library Economy. *Circular of Information, 1886-1887.*

❸ Carl M. White, *The Origins of the American Library School,* New York, Scarecrow Press, 1961, P. 82.

❹ Charles C. Williamson, *Training for Library Service,* 1923.

❺ William K, Selden 曾闡釋「認可」的定義說：認可制度係某一機關或某一單位承認一所學院或一所大學，或某一項研究計劃業已達到所規定的最低條件之程序」。原文見 Florrinell F. Morton: "Accreditation in Library Education," *ALA Bulletin,* 55(11), November 1961,

P. 876.

❻ J. Periam Danton, *M.L.S. Between/Ph.D.,* Chicago, A.L.A., 1970. p. 12.

❼ Herbert Goldhar (ed), *Education for Librarianship: The Design of the Curriculum of Library Schools.* Urbana, Illinois, University of Illinois, Graduate School of Library Science, 1971. p. 30.

❽ Ibid., p. 38-40.

參 考 資 料

1. Downs, Robert B. "Education for Librarianship in the U.S. and Canada," *Library Education: An International Survey.* Ed. by Larry E. Bone. Urbana, Illinois, Graduate School of Library Science, 1968. P. 1-20.
2. Berelson, Bernard, ed. *Education for Librarianship.* Chicago, A.L.A., 1949.
3. Bramley, Gerald.*A History of Library Education.* London, Clive Bingley, 1969. p. 73-100.
4. "Education in Library and Information Science," *Encyclopedia of Library and Information Science,* Vol. 7: 414-434.
5. Danton, J. Periam. *M.L.S. Between/ Ph.D.* Chicago, A.L.A., 1970.
6. Goldhor,, Herbert. ed. *Education for Librarianship: The Design of the Curriculum of Library Schools.* Urbana, Illinois, University of Illinois, Graduate School of Library Science. 1970.
7. Smith, J. Metcalfe. *A Chronology of Librarianship.* Metuchen, N.J. Scarecrow Press, 1968.
8. White, Carl Milton: *The Origins of the American Library School.* New York, Scarecrow Press, 1961.

（原載於「教育資料科學月刊」第7卷5、6期至第8卷1期，民國64年6-7月。）

伍、圖書館事業

我國近代圖書館事業之發展

我國新圖書館運動，發軔於遜清，而創立於民國。就其發展經過而言，約可分爲四個時期：自清光緒而至宣統年間爲萌芽時期。其間，甲午戰敗，國勢衰微，有識之士認爲富強之途在變法維新，而在政治教育革新方面應設學校，建藏書樓，以啓廸民智，加以當時日本及西洋圖書館觀念陸續傳入，圖書館之設置始初露端倪。其次，自民國初創，以至抗戰前夕爲成長時期。民國建立，由於新教育制度推行，圖書館事業深受重視，而圖書館之設置亦一時蔚成風氣，尤以中華圖書館協會的成立，圖書館教育的實施，更加速了圖書館事業的發展。繼之，抗戰前後可說是艱困時期。抗戰軍興，烽火遍地，各地圖書館損失慘重，甚多毀於兵燹，圖書館事業的發展亦大受影響。政府遷臺後迄今爲發展時期。三十餘年來，圖書館事業在安定中求進步，尤以民國六十八年文化建設施行，各地方建設圖書館，臺灣圖書館事業欣欣向榮，可以說是圖書館事業發展的新階段。

一、萌芽時期的圖書館事業

我國近代圖書館事業之發軔，起始於清末初期的變法維新運動，當時提倡維新變法的學者鄭觀應氏曾在「盛世危言」一書中大力鼓吹藏書院之設置。其後，光緒二十二年十一月一日汪康年在時務報第十三期中撰文說明：「……振興之策，首在育人才，育人才則必新學術，新學術則必改科舉，設學堂、立學會、建藏書樓……」。光緒二十二年初，官書局大臣孫家鼐在「官書局開設緣由」一文中稱：「泰西教育人才之道計有三事：曰學校，曰新聞報館，曰圖書館。」同年五月二日刑部左侍郎李端棻在「推廣學校以勵人才」奏摺中，主張變法之途有五，其中之一卽爲設藏書樓，建議「自京師及十八省省會，咸設大書樓，調殿板及各官書局所刻書籍，暨同文館製造局所譯西書，按部分送各省以實之，並購補西書，許人入樓看書，以啓廸民智」。這一建議與現代圖書館設置觀念已大致相合。

清末，民間盛行「學會」之組織，其宗旨在鼓吹思想，講論新知，以反映思潮。其中康、梁等人在北京創立的強學會最爲突出，該會以辦圖書館與報館爲最初着手的事業，並籌設「書藏」以供衆閱覽。梁氏鼓吹圖書館的觀念對時人及社會頗有影響，其後各省聞風興起，皆普設學會，開設書藏。此外，當時新設立的學堂，亦注意到圖書館的設置，尤以京師大學堂設一大藏書樓，廣集中西要籍，以供士林瀏覽，爲學堂中的表率。

光緒二十八年，羅振玉提出新教育制度，倡導組織一種全國民衆圖書館及博物館系統，建議全國應普設圖書館與博物院，可惜這一建議未能立卽採納施行。光緒二十八年七月清廷詔頒「學堂章程」，其中對於大中小學圖書館的行政、業務、職員等均有詳細規定。光緒二十九年美籍傳敎士韋棣華女士（Mary Elizabeth Wood）在武昌創辦私人圖書館，名爲文華公書林，採開架制爲民衆服務，爲我國圖書館事業開創一新模式，其影響至爲深遠。光緒三十一年七月，淸廷停止科舉制度專辦學校，三十二年一月政務處奏准設立學部，下設總務、專門、普通、實業及會計等五司，凡屬圖書館、博物館、天文臺、氣象臺等均歸專門司辦理。同年，學部奏定「各省學務官制」，改學務處爲學務公所，以輔佐提學使籌劃學務。學務公所內設「圖書」一科，掌理編譯教科書參考書，審查省內各學堂授課，管理圖書館、博物館等。光緒三十一年，湖南巡撫龐鴻喜奏辦第一所公立公共圖書館於長沙，這是我國第一所以「公共圖書館」定名所設置的圖書館，對於以後各省圖書館事業的發展影響至鉅。光緒三十二年郵傳部成立，管轄船、路、郵、電四政，並設圖書館一所，存備專門圖書，爲專門圖書館之創始。

宣統元年，學部奏請設立京師圖書館，亦即後來國立北平圖書館的前身，次年又頒佈「京師及各省圖書館通行章程」，其中規定：「京師及各直省省治，應先設圖書館一所。各府廳州縣治應各依籌備年限，以次設立。」意求建立全國圖書館制度，立意深邃，惜章則甫頒，淸室衰頹，一切惟留待民國成立以後重新規劃推展了。

二、成長時期的圖書館事業

——民國元年至二十六年

我國新圖書館運動發軔於遜淸，但配合新教育制度而謀普遍發展則在民國以後。民國四年，教育部爲推行社會教育，設立北京通俗教育調查會，以「研究通俗教育事項，改良社會，普及教育」爲宗旨，並頒佈「通俗圖書館規程」十一條，通飭各省縣施行，這也是民國以來最早的圖書館法規。通俗圖書館以儲集各種通俗圖書，供公衆閱覽爲其目的，一似今日的公共圖書館。同年十一月教育部又公佈「圖書館規程」十一條，其內容較前法明確。其中規定各地方圖書館定名爲公立圖書館，列明圖書館設置的條件，並確定教育部爲圖書館的主管機關。民國十六年國民革命軍北伐成功，定都南京，中央廢教育部改設大學院，作爲全國學術及行政最高機關。大學院設教育行政處，下設社會教育組、圖書館組，分轄全國社會教育行政事宜。同年十二月，大學院鑒於前述規程已不合時宜，另頒「圖書館條例」十五條，此一條例規定各地公私立圖書館以該館所在地的教育行政機關爲主管單位，並對人員、經費有所規定。民國十七年底，大學院廢止，恢復教育部，部內仍設社會教育司，主管全國社會教育工作。民國十九年，教育部公佈「圖書館規程」十四條，其中條文大部根據圖書館條例而來。這也是抗戰前所公布的最後一項法規。

就圖書館的設置而言，民國二十六年以前，我國僅設國立北平圖書館及中央圖書館。國立北平圖書館的前身爲京師圖書館。京師圖書館成立於淸宣統元年，館址設於北平地安門外什刹海廣化寺，其館藏繼承明代文淵閣藏書，少數善本尚可追溯到南京緝熙殿藏本。當時該館由繆荃蓀任監督，於民國元年八月開放閱覽。民國十七年，京師圖書館改名爲國立北平圖書館，於十八年遷至中南海居仁堂。

民國十五年，中華教育文化基金董事會利用庚子賠款成立北京圖書館，館長由梁啓超兼任，民國十七年改名爲北海圖書館。民國十八年國立北平圖書館與北海圖書館合併爲國立北平圖書館，館長由蔡元培擔任，並在北海附近選定地點興建新館。館舍壯麗，環境優美，爲我國有名的圖書館建築。

北平圖書館館藏繁富精美，所收善本包括宋元明清歷代刊本、敦煌經卷、文津閣四庫全書，以及清內閣大庫殘本。以後購藏天一閣古地志書、海源閣舊藏及金石搨本等，收藏至豐。

繼北平圖書館之後所設立者爲中央圖書館。民國十七年，大學院召開全國教育會議於南京，決議籌設國立中央圖書館，由大學院計畫進行。次年一月，中華圖書館協會在南京開第一次年會，又決議呈請教育部從速籌辦。二十二年元月教育部成立籌備委員會，委蔣復璁先生爲籌備處主任。次年，教育部又將該部所屬出版品國際交換處歸由籌備處接辦。二十四年籌備處購得中央研究院成賢街總辦事處房屋，於二十五年九月一日開放閱覽。

在省市地方圖書館之設置方面，民國成立後，教育部設社會司，推動圖書館事業，而各省圖書館更有增設或擴充。民國四年教育部在頒布的「圖書館規程」中規定「各省各特別區域應設圖書館，儲集圖書供公衆閱覽」，至民國十五年時，全國各省多已設立省立圖書館，且具相當的規模。

民國十六年，國民政府在南京成立，大學院公布「圖書館條例」，明定各省區應設圖書館，自此之後，圖書館事業的發展，自省會更遍及內地。據上海申報年鑑在二十五年時的調查，全國圖書館數已達五一九六所，其中以河南省的四四二所，位居首位，而河北省的四三九所次之，可見當時圖書館發展之一斑。

在當時所設立的省立圖書館中，規模較宏者有江蘇省立國學圖書館，該館於清光緒卅四年創設於南京，至民國十八年十月經江蘇省政府委員會議決更爲現名。成立之初，收購錢塘丁氏八千卷樓藏書、武昌范氏、桃源宋氏藏書，並調取官書局之官書，至二十四年底，全部藏書增至二十一萬六千册。其中宋元舊刻、精鈔名校，以及手稿孤本、國外之精刊不可縷計。另浙江省立圖書館，該館濫觴於清乾隆時之文瀾閣，光緒二十九年浙江學政張亨嘉奏建藏書樓於杭州，是爲該館基礎。宣統元年改藏書樓爲浙江圖書館，民國五年改名爲浙江公立圖書館，十六年更爲今名。該館承文瀾之舊業，在省館中居重要地位，所藏文瀾閣本四庫全書，太平天國亂時已散失大半，經清季丁松生氏鈔補及民國以來二度補鈔已成全璧，成爲文獻瑰寶。該館除總館外設有分館，民國二十一年時藏有圖書二十四萬册，並定期發行有浙江圖書館月刊及文瀾學報等。

在大學及學校圖書館方面，較之地方圖書館事業之發展未見遜色。據教育部編製的「二十二年度全國高等教育概況」所載，該部調查全國國立、公立、私立大專院校共有一〇九所，合計圖書爲四百四十九萬三千册，平均每校有書四萬一千册。在各校中以國立清華大學、北京大學、中山大學、私立燕京大學、金陵大學等圖書館藏書均在二十萬册以上。

至中小學圖書館，據教育部於民國二十五年出版的「全國公私立圖書館調查報告」中顯示，全國共有學校圖書館一九六三所，惟其規模不大，尚在初創階段。

在專門圖書館方面，據民國二十三年統計，當時全國共有一百一十二所社團圖書館及五十八所機關圖書館，其中較具規模者有上海商務印書館東方圖書館、北平故宮博物院圖書館等。

在圖書館教育方面，我國圖書館學正軌教育創始於美國圖書館專家韋棣華女士之倡導。韋女士於民國九年在武昌文華大學辦圖書館科，民國十一年發起以美國退還庚款，提倡中國圖書館事業。對圖書館事業之發展，熱心贊助，不遺餘力。

文華大學圖書館科由韋女士主其事，並與沈祖榮、胡慶生分任教授。其入學資格，須在大學肄業二年者，修學期限三年。民國十四年，文華大學改組爲華中大學；民國十六年，華中大學暫時停辦，圖書科仍繼續辦理，單獨成校，招收各大學轉學三年生，肄業兩年，名爲專科，實屬大學。民國二十九年，教育部規定專科學校爲五年制，文華圖書館專科學校招收高中畢業生，肄業兩年。民國三十六年秋，又改爲三年制。文華培養圖書館專業人才甚衆，至民國三十年止，畢業者共一百二十七人，對圖書館事業之發展，極具貢獻。

在這一階段，另一方面的重要發展是中華圖書館協會的成立。圖書館協會爲促進圖書館事業，聯絡圖書館人員的組織。民國十四年四月，上海圖書館協會因接獲安徽、山西、浙江、河南、江西等圖書館之函請，以全國圖書館協會之組織，刻不容緩，故希該會設法籌備。經該會討論，僉謂義不容辭，乃多方聯絡，而於四月二十五日正式成立組織，公舉蔡元培、梁啓超、胡適、丁文江、沈祖榮、鍾叔進、戴志騫、熊希齡、袁希濤、顏惠慶、洪有豐、何日章、王正廷、陶知行及袁同禮等十五人爲董事，並決定設執行部，由戴志騫爲部長，杜定友、何日章爲副部長負責推行會務。會址擇定北京西城松坡圖書館爲事務所。同年六月二日，在北京舉行成立大會，由顏惠慶任主席，美國圖書館協會代表鮑士偉、文華圖書館科韋棣華及梁啓超氏均發表講演。

中華圖書館協會成立後，對於團結圖書館工作人員，提倡圖書館學研究，以及促進圖書館事業之發展，貢獻良多。該會定期出版「圖書館學季刊」及會報，探討圖書館學術及報導會務消息。

三、艱困時期的圖書館事業

——民國二十六年至三十八年

民國二十六年，中日戰起，初建的圖書館事業基礎損毀過半。據民國二十八年教育部統計所載，截至二十七年底止：「大學及專科以上學校，全國共一百十八所，十八閱月來，十四校受極大之破壞，十八校無法續辦，……在各大學之損失，當以圖書館爲最甚，以國立學校言，則損失一百十九萬一千四百四十七册，省立學校十萬四千九百五十册，私立學校一百五十三萬三千九百八十九册，總計達二百八十三萬零三百八十六册之多，但此僅就淪陷區內之四十校計，其數已如是之巨，淪陷區及戰區之圖書館凡二千五百餘所，損失之最低限度，以平均每館五千册計，全部損失至少當在一千萬册以上……。」

抗戰期間，教育部以圖書館爲社會教育中心，關係到教育發展，對於圖書館事業極爲注重。在這一期間公布的圖書館法規有九種之多。就全國性的法規而言重要者有以下各項：民國二十八年公佈有：「修正圖書館規程」、「圖書館工作大綱」及「圖書館輔導各地方社會教育機關圖書教育辦法大綱」三法規。「修正圖書館規程」三十三條係就民國十九年五月公布之「圖書館規程」修正而成，但其內容較前更爲周詳完備。其中最重要者爲確定省市縣立圖書館之組織，省市立圖書館設總務、採編、閱覽、特藏及研究輔導等五部，縣市立圖書館設總務、採編、閱覽及推廣等四部。此外更就圖書館工作人員的資格有所規定。另教部同時頒布工作大綱，詳細列舉各部門工作要項，作爲各館工作的指標。

民國三十年二月，教育部公布「普及全國圖書館教育辦法」，其主旨在要求各省市至少應設立圖書館一所，並依經濟能力，地方需要而逐漸增設。各縣市亦應設縣市圖書館，各鄉鎭設書報閱覽室，以謀地方圖書館事業之普遍發展。

就個別圖書館的法規而言，民國二十九年十月國民政府公佈「國立中央圖書館組織條例」，明定該館「掌理關於圖書之蒐集、編藏、考訂、展覽及全國圖書館事業之輔導事宜」，這一條例可說是由中央政府公布的第一個圖書館組織法規。繼此之後，民國三十四年至三十五年間，中央又公佈了「國立西北圖書館組織條例」，「國立北平圖書館組織條例」，以及「國立羅斯福圖書館籌備委員會組織規程」，對於國家圖書館之設置及其組織有了明確規定。

在圖書館的發展方面，民國二十六年抗戰軍興，中央圖書館奉命在同年十一月十八日西遷，於二十七年二月四日入川，設辦事處於重慶。二十八年三月又疏散至江津縣白沙鎭，出版品國際交換處仍留重慶，二十九年七月奉命結束籌備，八月一日正式成立，組織條例亦在同年十月公布施行。

抗戰期間，該館業務未因人力物力之缺乏而有怠忽，尤以館長蔣復璁先生在民國二十九年冒險潛赴上海蒐購善本古籍，更為國家保存大批珍貴資料。

國立北平圖書館在抗戰時，奉教育部令暫在長沙設辦事處，與長沙臨時大學圖書館合作經營，二十七年春遷昆明，三十二年移渝，在沙坪壩設辦事處。

該館珍本圖書，早在東北事變後，即寄放上海及南京等處。民國三十年十月，寄存於上海的善本圖書二千七百餘種，二萬一千册，經我國駐美大使胡適的協助，分裝一〇二箱，啓運美國，寄存於美國國會圖書館。嗣於民國五十四年十月二十一日經中央圖書館報請教育部核准，通過我駐美大使館及美國務院，與國會圖書館商洽交還運臺，撥由中央圖書館保管。另同時運回的尚有寄存美國的居延漢簡萬餘片，由中央研究院保管。

民國三十二年，教育部為促進西北各省文化事業的發展，籌創國立西北圖書館於蘭州，經年餘之籌備，於三十三年正式成立，首任館長為劉國鈞氏。三十四年七月，政府因財力拮据，該館奉令停辦。

在抗戰期間成立的圖書館中，公共圖書館有四川、貴州、雲南、昆明及西康等省立圖書館。大學圖書館有國立西南聯合大學、國立西北大學、復旦大學等圖書館。另有專門圖書館及私立圖書館十餘所。至於隨政府西遷的圖書館，除國立中央圖書館及北平圖書館外，尚有浙江、安徽、湖南、湖北、河南、陝西、福建、廣西、雲南等省立圖書館，以及國立武漢、中山及浙江大學圖書館等。

在圖書館教育方面，民國二十七年文華圖書館專科學校由武昌遷渝，繼續辦理。二十八年並增設檔案科。民國二十九年金陵大學文學院設圖書館專修科，辦理兩期即停止招生，畢業學生十六人。民國三十年，國立社會教育學院設圖書博物館學系，內分圖書館與博物館兩組，修業四年。

從以上可知，抗戰期間，我國圖書館因戰火之毀損及日寇之掠奪，圖書典籍損失慘重，誠爲文化之浩刼，幸而政府當局重視圖書館事業之發展，而圖書館工作人員亦恪守崗位，努力不懈，使我國圖書館事業得以繼續發展，其精神實令人敬佩。

民國三十四年八月，日本宣布無條件投降，政府還都南京，西遷各館均準備復員工作。

三十五年，國立中央圖書館正式還都，原設重慶分館館厦及普通本圖書，移交新設立的國立羅斯福圖書館接管。還都以後，在服務方面除恢復原館服務外，增設中區閱覽室及北城閱覽室，並籌備各專科研究室等積極推展業務。在藏書方面，該館接收僞中央圖書館澤存書庫等圖書，至三十七年冬該館奉命遷臺，所藏圖書，已近百萬册了。

北平圖書館復原工作，一方面整理舊館，一方面接收新藏。當時增加圖書總數在五、六十萬册左右。該館在服務方面從事目錄索引之編纂及史料的編譯工作。民國三十五年初收購聊城楊氏海源閣舊藏，其中包括宋元本及鈔校本甚豐，繼又購入東莞倫氏所藏淸代著述萬餘種，館藏益爲充實。

抗戰勝利後，國立西北圖書館恢復館務，三十六年二月改稱國立蘭州圖書館，兼充國立蘭州大學圖書館。

民國三十四年，政府為紀念美國總統羅斯福對於促進世界和平，創設聯合國之貢獻，決定在重慶設立國立羅斯福圖書館，以垂久念。該館設籌備委員會，由部聘請張羣、朱家驊、王世杰、陳立夫、胡適、傅斯年、蔣夢麟、蔣復璁、嚴文郁等二十餘人為委員，由嚴文郁為秘書，實際負責籌建工作。惜該館組織條例未獲立院通過，在大陸陷匪前，一直以籌備處之組織，處理業務。

民國三十五年，教育部感於事實需要，聘請劉季洪等十三人籌備國立西安圖書館，復因戰亂關係，工作遭受影響，迄未正式開放閱覽。

在復員期間，依教育部規定，各地西遷的社教機關均遷返原地，而新創立之全國性的機構，遷至首都，地方性者由各省市接辦。據中國教育年鑑統計：抗戰前，我國各省已設立之公共圖書館、民教館圖書部、學校圖書館與機關社團圖書館合計共有五一九六所，而至三十六年僅存二七〇二所，由此可見圖書館事業在戰爭期間損失情形。

四、發展時期的圖書館事業

——民國三十八年迄今

政府遷臺後的圖書館事業，大約可分為三個階段：第一個階段是從民國三十四年至四十一年，當時臺灣光復伊始，日據時代所設立的圖書館因戰爭破壞而陷於停頓，新圖書館制度正待建立。在這一階段中，政府當局頒布了「各省市公立圖書館規程」及「臺灣省各縣市立圖書館組織規程」作爲各館建立組織的依據。省、縣、市圖書館次第設置。同時，國立中央圖書館、中央研究院歷史語言研究所、故宮博物院，以及若干政府機構圖書館的藏書亦自大陸遷臺，適時補充了臺灣文化資源之空缺。

第二個階段，自民國四十二年起至民國六十年止，在這一階段中，國立中央圖書館在臺復館；各大學圖書館紛紛建築新館舍；中國圖書館學會在臺成立，並開始研訂圖書館標準；國立臺灣師範大學及臺灣大學等校先後創辦了圖書館學系，培養專業人員，一切趨向正常途徑發展。

第三個階段，自民國六十一年至今，在這十餘年間，各大圖書館合作制度逐漸成立；專門圖書館紛紛成立。自民國六十八年起，政府大力推行「文化建設」計劃，在五年內每一縣市將興建文化中心一所，其中以圖書館爲主，圖書館事業晉入一新的發展階段。

根據民國七十二年所作的調查，我國臺閩地區計有國立圖書館及其分館一所，公共圖書館一百七十六所、大專圖書館一百三十五所、專門圖書館二百二十所，另有中小學圖書館二千多所。

國立中央圖書館爲臺閩地區唯一的國家圖書館，該館於民國四十三年在臺北復館，六十二年奉令接管前省立臺北圖書館爲分館。館藏以歷代善本古籍、國內外官書、臺灣及東南亞資料、以及當代國內出版品見長，爲配合文化建設以適應未來需要，已於民國七十一年興建新館，預定七十五年啓用，屆時當可充份發揮國家圖書館的功能。

光復初期，各地方公共圖書館的經營多陷於停頓，直至各縣市政府改組後始逐漸恢復。其後，中央及地方政府陸續公佈「各省市公私立圖書館規程」（後修正易名「各省市公立圖書館規程」）、「臺灣省各縣（市）圖書館組織規程」及「臺灣省各鄉鎮（縣轄市）立圖書館組織規程」，對於各級公立圖書館之任務、組織、人員均有明文規定。民國五十一年，中國圖書館學會研擬「公共圖書館標準」，對公共圖書館之原則、組織、服務、圖書資料、管理、經費、人員均提出適當之標準，以為設置之參考。民國六十六年，政府推動十二項建設，其中文化建設以建立每一縣市文化中心，包括圖書館、博物館、音樂廳為目標，教育部並研訂「建立縣市文化中心計劃大綱」，計劃中有關圖書館的部份，包括遷建國立中央圖書館、建立各縣市文化中心。高雄、臺北兩院轄市分別籌設文化中心、社教館及圖書館，目前各文化中心紛紛啓用，積極推動文化建設，以舒展國民精神生活。根據調查，目前臺灣地區計有各級公立圖書館（包括縣市文化中心）近二百所，另金馬地區五所。其密度在中國近代圖書館的發展上堪居首位，亦可見政府推行社會教育之不遺餘力。

三十多年來，臺灣地區高等教育發展迅速，各校除擴充容量外，並極力改善圖書館之設施，以配合大學教育之發展改進。中國圖書館學會曾先後制訂「大學暨獨立學院圖書館標準」、「專科學校圖書館標準」，民國七十一年「大學法」的公佈亦提昇大學圖書館之地位，凡此於大學圖書館之業務發展，甚有裨益。一般而言，大專圖書館在藏書、人員、經費及建築上之發展均較其他圖書館為優，究其原因，蓋與政府提倡高等教育及上述法規、標準之促進，為助甚大。目前臺灣各大專院校均設有圖書館，其中臺灣大學、師範大學、政治大學、中山大學、東海大學各校圖書館之經營均頗負盛名，其他清華、成功、中興、輔仁等校圖書館之典藏亦各具特色。至於中小學圖書館係配合學校之教學，為教員學生提供參考閱覽，教育部曾先後公佈「國民學校設備標準」、「國民中學暫行設備標準」作為各校在圖書館經營管理上之參考。

根據調查，臺灣現具有規模的專門圖書館已達二百餘所，其中包括機關議會、研究機構、公營事業、軍事單位、工商團體及文教機構等等。各專門圖書館針對其業務的需要而發展，典藏亦皆具特色，例如中研院史語所傅斯年圖書館在歷史語言資料的庋藏、故宮博物院圖書館在清史文獻的保存，此外，國民黨黨史委員會孫逸仙博士圖書館為一收藏豐富的黨政圖書館，其他中研院近史所的史料檔案、臺灣文獻委員會的臺灣文獻、中山科學研究院圖書館之科技資料，均為不可多得之特藏。

由於遷臺以後圖書館事業的蓬勃發展，使得專業人員之需要亦頗為迫切，目前已有五所大專院校提供圖書館學課程，國立臺灣師範大學社會教育學系圖書館組培育兼具中學教師資格之學校圖書館員，臺灣大學與輔仁大學則在培養各類型圖書館之工作人員，後者並有夜間部學制，淡江大學教育資料科學系則重在圖書資料管理及自動化人員之養成，世界新聞專科學校提供圖書館基本人員之訓練。師範大學、政治大學及文化大學皆開設研究所階段課程，臺灣大學並於民國六十九年設立圖書館學研究所。至於在職訓練方面，由中國圖書館學會招收各館工作人員做短期講習，對各類圖書館業務頗多改善。

五、結　論

——圖書館事業對我國文化發展之貢獻

現代圖書館以蒐集、組織、保存人類之思想言行紀錄並謀求普遍利用爲目的，本質上即深具保存文化與傳播文化的雙重使命。其與歷史文化的發展互依互存。從文化保存之角度觀之，圖書館所庋藏之圖書資料，皆爲人類文化與經驗之精髓，對文化的發展和學術的交流深具影響，它所提供的資料，有助人類將其見聞與經驗歷代相傳。另從文化傳播之角度觀之，文化的進步係由經驗與知識累積而來，其發展需要依賴傳播、分享與交換等過程。圖書館爲民主社會中之一教育機構，亦爲文化體系中之一環，在知識的傳播中，自然肩負著傳播與交換的角色，圖書館所藏圖書資料就是傳播的內容，而提供的服務就是傳播之方式，而讀者也就是接受傳播的對象。

回顧過去，圖書館事業在這七十餘年的發展過程中，一直致力於舊學的保存與新知的闡揚，其於文化發展上可得而言者，有如下各點：

一、保存歷史文化

圖書館蒐集保存國家的重要文化資源是責無旁貸之事。以國家圖書館而論，其蒐集範圍包括國家圖書文獻、古刻名鈔、珍本舊籍，以及國內外各科學術研究著作等，無不悉數蒐集，此外，並需配合國家和時代的需要，蒐集各種資料。以京師圖書館與北海圖書館爲例，在集藏方面，除原有學部藏書、內閣大庫殘本、文津閣四庫全書、敦煌寫經、永樂大典等書外，民國後並採訪清乾隆禁書、范氏天一閣古地志書、海源閣藏書、通俗文學書、西夏文元刻大藏經、元明人別集，以及明清珍藏之輿圖、金石搨本及工程模型圖等，對於文化之保存，極具貢獻。而兵燹肆虐時，圖書館更致力於圖書文獻之維護，抗戰期間，大批私藏善本書籍流入上海書肆，如不及時搜購而任其流失國外，將是我國文化遺產至爲嚴重的損失。當時敎育部指令國立中央圖書館負責搜購，遂使吳興張氏適園、劉氏嘉業堂、金陵鄧氏羣碧樓、番禺沈氏等，多年聚藏佳槧，均能適時購得。此舉使我中華典籍得免流失異域。另國立北平圖書館亦於中日戰爭未起之時，即預將善本書籍移往上海，其後並運往美京華盛頓，寄存於國會圖書館，以免遭受戰爭刼難，直至民國五十四年始運返回國。此外，並在大後方銳意搜購川康雲貴以及兩粤等西南地區之方志及碑刻拓片，以保存西南文獻。另西北圖書館於西北文獻之保存亦頗重視。抗日時期的圖書館所負保存文化的使命，更重於往昔，在日寇侵略，抵禦外侮的文化保衞戰爭中，圖書館扮演了極爲重要的角色。

民國三十七年底，共匪叛亂，中華文化又面臨一次戕害，各圖書館播遷文物來臺，除塡補臺灣文化資源之空缺外，亦再度保存我文化的精華。當時中央圖書館選運來臺的文物，包括全部館藏善本書十二萬餘册、普通線裝書萬餘册，以及較重要的中西文圖書、期刊、公報、報紙，另有金石拓片六千種、及甲骨殘片、漢簡、寫本經卷。在善本圖書中包括宋本二〇一部、金本五部、元本二三〇部、明本六二一九部、嘉興藏經一部、清代刊本三四四部，以及稿本、批校本，鈔本等。而故宮博物院存京圖書，除數十箱大藏經不及裝載外，其餘運抵臺灣圖書共計十五萬餘册，其中包括文淵閣四庫全書、摛藻堂四庫全書薈要，其他如觀海堂舊藏，另清國史原稿、地方志等亦悉數運出。此外，中央研究院歷史語言研究所運臺舊藏圖書文物亦甚夥繁，包括元明清內閣大庫檔案，以及墓碑、墓誌拓片等原始史料，另有十萬件古代石器、陶器、銅器等文物。其他如敎育部運臺之前國立東北大學圖書數萬册，撥交師範學院圖書館寄存，構成館藏丕基。

民國五十五年，中共發動文化大革命，大肆焚毀圖書典籍，政府則大力推行中華文化復興運動，並積極充實臺閩地區各圖書館之文化資源。其間分野，不啻天壤之別。

在文化復興運動聲中，各圖書館鑒於所藏之海內孤本，或未刊稿本，對於讀者在使用上和流通上率多不便，遂配合出版界，紛紛利用各館館藏，進行整理及流傳工作。出版社藉著影印出版，將古籍瑰寶化作萬千書種，圖書館則利用科技方法來維護並流傳典藏，如中央圖書館自民國六十三年起將善本圖書全部攝製微縮膠捲，卽可確保古籍之典藏，又可代替原件出借閱覽，於流通和整理方面稱便不少。該館爲發揚中華文化，擴大善本圖書之流傳，曾訂定「善本圖書申請借印出版管理辦法」，此外，更進一步以影印方式蒐集散佚國外之古籍，以保存國家文獻。而多年來出版社對典籍之印行，更著有績效，不但充實了各資料單位的館藏，方便研究人員的參考，更間接促使文化的勃興。

民國四十三年，國立中央圖書館在臺復館，積極蒐集編藏圖書文獻，尤其在善本書籍之編目考訂；多方考辨眞僞、校訂異同、條列源流，以求文獻資料之正確精審。此外，並利用館藏，從事社敎推廣，歷年來所舉辦的各項展覽，如「歷代善本圖書展覽」、「中國歷代圖書展覽」等及各年度之「學術論著展覽」等均引起廣大社會民衆之重視，其於緬懷民族文化之淵源，宏揚當代學術著作，爲助甚大。

民國六十九年，中央圖書館與中國圖書館學會合作進行「圖書館自動化作業」，旨在改進圖書館服務之型態，建立全國資訊網以配合國家文化建設。研訂的成果不僅有助於館藏資料的有效處理，進而便利學術之研究與發展，經過三年的研究測試，該館並將善本圖書識款目輸入電腦，建立善本圖書聯合目錄檔。其於文化之整理與傳布又向前邁進一步。

民國七十年。該館籌設「漢學研究資料及服務中心」。其工作要項包括：蒐集並調查漢學研究之資源、報導漢學研究動態、編印漢學研究工具書、建立漢學學人專長資料檔及提供漢學資料之複印、代購服務。三年內先後出版「漢學研究」、「漢學研究通訊」等刊物，深受學術界之重視。

此外，各縣市文化中心圖書館成立後，更負起文化遺產保存的基層工作，不僅致力採訪具有中華文化特質的圖書資料，更就地利之便，蒐集地方文獻史料，保存國家文化資源。

二、推廣社會教育

圖書館爲發揮其社敎功能，利用館藏資源，對社會民衆提供完善的服務。

清朝末年，變法維新運動將圖書館的建立列爲首要工作之一，認爲圖書館非僅以廣儲圖籍爲務，更肩負有保存國粹，輸入文明之文化功能；此外，在敎育上，更可啓廸民智，勸學育才。當時對圖書館的經營觀念，已打破「藏書樓」的藩籬，而以縱觀覽鈔爲尚。尤其公私立公共圖書館的創建，使向學之士問學有道，不僅開放閱覽，更設立規章，專人負責，以維管理之完善。以光緒三十三年之貴州學務公所所附設之圖書縱覽室爲例：章程上明言，誠意接待來室閱覽者，不取分文。韋棣華女士創設的文華公書林，更以開架方式提供免費閱覽。在康有爲等人鼓吹之下，學會、報紙、書藏紛紛成立，立憲時期清廷亦從衆頒布圖書館通行章程，各地圖書館均紛紛成立，民智大開，對新學之講求與改革之熱望與時俱進，更予革命的思潮與勢力頗有推波助瀾之效。當時革命黨人爲避清廷耳目，紛紛籌組社團，設立書社，發行報紙，以利革命活動之鼓吹。湖北革命黨人劉靜菴即在武昌設立日知會，爲宣傳革命機關，並於鄂省境內遍設閱書報處，訂購書報，名爲瀹進新知，實則隱寓灌輸革命大業之道。

民國成立，圖書館的發展方向先著重於培養人才的學術圖書館，但在圖書館社會敎育功能方面，也陸續推展。以民初之北平圖書館爲例，其所舉辦之展覽會中，如德國文學家席勒(Schiller)一百五十週年紀念名著展、美英印刷展、航空水利無線電展、戲曲音樂展等，更可見圖書館在民初引進新知、啓廸民智的具體貢獻。

迨民國十七年北伐完成後，國家政治邁入訓政時期，並積極準備實施憲政，首要的工作便是提高國民知識水準與生活素質。

當時軍閥的勢力猶存，國共的衝突依然持續，日本亦不斷製造糾紛，謀我日亟，國家處於內憂外患中，仍將餘力用於各項建設，如發展經濟、社會改革及文化運動。當時圖書館除了繼續整理文化遺產外，更積極擴展地方圖書館敎育性、通俗性的功能，以配合鄉村建設運動與新生活運動。

依照民國十八年政府所公佈的敎育宗旨，「社會敎育必須使人民具備近代都市及農村生活的常識、家庭經濟改善的技能、公民自治必備的資格、保護公共事業及森林園地的習慣、養老恤貧防災互助的美德等」，民國十九年，敎育部再制定公民敎育、農工商補習敎育、識字敎育、健康敎育、美化敎育、家事敎育、特殊敎育、感化敎育等目標，並透過公立圖書館、閱覽室等逐漸推行，以達前述之敎育宗旨。故此時期的圖書館爲配合政府之敎育宗旨與目標，更進一步走向基層社會民衆敎育。當時有所謂「通俗圖書館」之成立，有些省份之通俗圖書館是與民衆敎育館合而爲一，據國聯敎育考察團所做的調查，浙江省在一九三〇——一九三一年，圖書館有四十六所，巡廻圖書館有七十六所，民衆敎育館有八十二所，又據民國二十五年第二次中華民國敎育年鑑統計，全國各省單獨設立的通俗圖書館有一千五百零二所，在民衆敎育館內附設圖書部的有九百九十所，合計二千四百九十二所圖書館，成爲建國時期中敎育建設十分重要的一環。

抗戰時期，各地圖書館在敵火艱難中，輾轉播遷與政府共赴國難，振興後方圖書館事業，並爲大後方之學生、軍人與民衆供給知識，繼續其社會敎育功能。其工作要項諸如：(一)配合抗戰建國需要，各圖書館編就「抗戰參考書目暨論文索引」、「戰時國民知識書目」、「戰時經濟參考書目」等；於新生活運動、節約運動、愛國敎育、生計敎育等運動的推行，善盡政令宣導之責。(二)組織軍營圖書館，籌設流動書櫥，並利用廟宇、敎堂、民房、校舍充作館舍及閱覽室以爲戰士、傷患及一般民衆提供精神糧食。(三)輔導後方圖書館之經營。當時國立中央圖書館曾協助籌設多所圖書館之成立，並視察各地圖書館之經營，編製圖書館輔導用書，並草擬圖書館規程。

共匪禍國，大陸淪陷，政府遷臺曾先後頒布「縣市立及鄉鎮圖書館之組織章程」，並藉諸巡迴文庫及視聽器材流動施敎，使圖書館的推廣服務，遍及全省，凡此皆顯示圖書館扮演「社會大學」、「民衆大學」之角色，充分發揮了普及敎育的理想。

其後，政府更於民國六十六年籌議文化建設，以復興民族文化、調劑國民生活及建設現代文化大國爲致力目標。建設的方式係透過以圖書館爲主體之縣市文化中心來推動。縣市文化中心圖書館藉諸閱覽、展覽、演講等活動，以傳佈知識消息，並鼓勵民衆利用館藏，以從事自我敎育。此外文化中心圖書館並利用館藏設備，提供閱覽，舉辦活動，來健全國民心智與調適民衆生活。

三、配合學術研究

爲研究工作者提供參考資料亦爲圖書館使命之一，國立圖書館、大學圖書館與專門圖書館之設立，多寓配合學術研究之意。國家圖書館之採訪重在中外典籍之備置，以應研究之需要，大學圖書館爲各項敎學、研究及推廣而購藏圖書資料，以培養學生有獨立研究能力，並增長其專門知識。而專門圖書館乃針對特定服務對象而提供研究資料。

民國締造後，關係圖書館事業發展至鉅的便是新文化運動，在此啓蒙運動中，引起西方自由主義、科學精神、對傳統舊文化重新予以評估。梁啓超、錢玄同、胡適、顧頡剛爲非古、疑古學派之代表，持懷疑精神配合新式治學方法，以整理國故。其中以胡適、梁啓超最有成就。當時，京師圖書館與北海圖書館最主要的貢獻，則爲舊籍之蒐集、闡發與整理。其第一任館長梁啓超即曾在中華圖書館協會成立演說辭中，力倡在此民國初建的過渡時期，應發展配合研究之學術性圖書館，側重中國歷代典籍之整理，呼籲用現代西方圖書館學理論更新中國傳統之目錄學。該館對學者的服務最爲稱便者，即是就新舊書籍編製各種索引，擇其要者有周金文存索引、殷周古銅器銘文索引、國學論文索引、文學論文索引、清代文集篇目分類索引、傳記索引、滿漢姓氏部落及方輿全覽索引、西番譯語索引等，在國故整理工作中這些索引的編製可說是十分重要的治學工具，皆爲振與學術的基礎。

民國十七年至抗戰爆發前，係國家處於艱苦建國之十年期間，當時中央圖書館於民國二十二年籌備，二十五年正式開放閱覽；籌備未幾在蔣慰堂先生策劃下印行了史料中極具價值之四庫全集未刊珍本初集二百三十一種。而省縣圖書館除繼續原有文化舊籍之蒐藏外，更重視各省地方文獻的蒐集、整理和發表，如江蘇國學圖書館、浙江、安徽、江西、湖北、雲南、河南、山東、遼寧、河北等省立圖書館，促進了區域性歷史及方志學之研究。

七七事變以後，文教機構在顚沛流離間，損失了大量的圖書，加諸戰火阻隔了國外出版品的採訪，當時經費裁減，亦無力大量購藏，以致影響學術研究甚鉅，尤其是高等教育的教學與研究大受阻礙，因此遂有「戰時徵集圖書委員會」及「國際學術資料供應委員會」的先後成立。前者係由教育部與外交部所倡議，旨在向英美各國宣傳募集圖書，書籍輾轉抵滇後，再分配各校入藏。其後太平洋戰爭爆發，交通受阻，圖書寄運日益困難，遂由中美英三國籌組「戰時徵集圖書委員會」，由英美兩國就新出版之學術刊物，攝成顯微影片，連同放映機空運我國。此舉彌補了戰時圖書的欠缺，並提供後方教育和學術機構之教學研究，對於抗戰艱苦環境中的文教事業裨益頗大。

政府遷臺後，致力於文化教育事業之推廣普及，並加強各學術性圖書館之設置與充實，以配合學術研究。三十餘年來，各大學紛紛建築新館舍，充實其館藏；在安定環境中各館更編製專題書目、論文索引，出版參考工具書，以應各方研究參考之需。

以上僅就圖書館事業發展中之犖犖大者加以簡扼說明。總之，圖書館爲一國文化之表徵，其經營之良窳，影響到國家文化教育之發展。玆值政府大力推動文化建設之際，實宜就過去之發展作一回顧，以檢討過去，策勵來玆，進而謀求進一步之規劃，以臻理想。

參考資料

甲、專著

1. 國立中央圖書館編，中華民國圖書館年鑑。民國七十年，臺北：編者印行。
2. 嚴文郁，中國圖書館發展史——自清末至抗戰勝利。民國七十二年，臺北：中國圖書館學會印行。

3. 宋建成，中華圖書館協會。民國六十九年，臺北：臺灣育英社文化事業有限公司印行。
4. 李希泌、張椒華編，中國古代藏書與近代圖書館史料（春秋至五四前後）。一九八二，中華書局印行。

乙、論　　文

1. 王省吾，「中國近代圖書館發展史」，圖書館學報五期，頁 97—117，民國五十二年八月。
2. 王振鵠，「三十年來的臺灣圖書館事業」，圖書館學與資訊科學，1卷2期，頁41—69。民國六十四年十月。
3. 王振鵠，「當前圖書館建設的使命」，讀書選集第2輯，頁300—304，臺北：中央日報社，民國六十九年。
4. 王振鵠，「七十年來的中國圖書館事業」，中華民國開國七十年之教育，頁887—916，臺北：廣文書局，民國七十年。
5. 宋建成，「清代圖書館事業發展史」，民國六十一年，臺北：撰者印行（文化學院史學研究所碩士論文）。
6. 宋建成，「近代我國圖書館事業的發軔」，教育資料與圖書館學20卷1期，頁65—93，民國七十一年九月。
7. 周駿富，「近六十年來的中國圖書館事業」，圖書館學第三章中國圖書館簡史，頁107—140，民國六十三年。臺北：臺灣學生書局。
8. 張錦郎，「清末的圖書館事業」，中央圖書館館刊6卷2期，頁1—19，民國六十二年九月。
9. 張錦郎，「抗戰時期的圖書館事業」，中央圖書館館刊7卷2期，頁8—26，民國六十三年九月。
10. 鄭肇陞，「國立中央圖書館五十年」，國立中央圖書館館刊，新16卷1期，頁12—22，民國七十二年四月。
11. 蔣復璁，「中國圖書館事業的回顧與展望」，中央圖書館館刊新7卷2期，頁4—6，民國六十三年九月。

（原載於「中華民國歷史與文化討論集」，民國73年6月，臺北該集編委會印行。）

文化建設與圖書館

文化建設工作自民國六十八年開始，中央及地方均已確定其發展目標而積極進行。本文僅就文化建設之緣起、計劃、意義、目標與文化中心圖書館之規劃問題作一綜述，並就圖書館事業之發展方向提出個人看法，俾供作進一步分析探討之參考。

壹、文化建設之緣起及計劃

蔣總統經國先生於六十九年九月二十三日在當時行政院長任內向立法院所提之施政報告中，曾明白表示，政府將繼十項建設之後，決定進行十二項建設。其第十二項即是：「建立每一縣市文化中心，包括圖書館、博物館及音樂廳。」

六十七年二月二十一日蔣前院長在立法院作施政報告時又曾強調說：「建立一個現代化國家，不單要使國民能有富足的物質生活，同時也要使國民能有健康的精神生活。因此，我們在十二項建設中特別列入文化建設一項。計劃在五年之內，分區完成每一縣市的文化中心，隨後再推動長期性的、綜合性的文化建設計劃，使我們國民在精神生活上都有良好的舒展，使中華文化在這復興基地日益發揚光大。」

教育部遵照蔣院長指示，經邀請省市教育廳局及學者專家籌組文化中心指導及規劃委員會，研訂「教育部建立縣市文化中心計劃大綱」，並提報行政院六十七年十月二十六日第一六〇一次會議通過。預定自民國六十八年至七十二年，分別完成以下計劃：

(一)中央：遷建國立中央圖書館。興建音樂廳、國劇院、自然科學博物館、科學工藝博物館，海洋博物館。

(二)臺灣省：每一縣市建立文化中心，以圖書館為主，包括文物陳列室、畫廊或美術展覽室、音樂演奏廳或集會場所。

(三)臺北市：興建社會教育館、美術館、青少年活動中心、遷建動物園。每一行政區建立圖書館一所。

(四)高雄市：興建中正文化中心。每一行政區建立圖書分館一所。

以上各項計劃之目的在透過圖書館、音樂廳及博物館的興建，促進各縣市文化活動中心之形成。用以培養國民讀書求知之習慣，達成知識水準之全面提高。此外，並增進青年身心正常發展，變化國民氣質，養成社會良好風尚。

在計劃原則上，依據「教育部建立縣市文化中心計劃大綱」規定：

(一)縣市文化中心的建立，必須與地方建設及社會發展相結合，並顧及各該地區未來廿年或卅年開發後的需求。

(二)每一縣市建立文化中心應包括圖書館、音樂廳、博物館或文物陳列室。凡屬新建各館，其興建規模的大小及是否三館合建一起應視當地人口多寡、使用土地的情況與實際的需要而定。舊有各館，予以改建或擴建，在業務上須妥善規劃，充實改進，避免重覆。

(三)每一縣市文化中心必須有一主題，多彩多姿，各富特性，藉以啓發居民愛鄉愛國的觀念，增進同胞血緣相通的認定，加強精神心理建設，俾能與社會教育及觀光發展相結合。

有關文化中心之設計，教育部並研訂「建立縣市文化中心各館廳設計注意事項」於六十八年三月印發各縣市參考。

在經費方面，中央及省市教育廳局研商編擬概算，由中央專款補助。在人員方面則制定或修定法規，有計劃培養、聘用專業人才及技術人才。

以上建設工作之進行，現除由中央成立「建立縣市文化中心指導委員會」研議政策外，並在委員會下設置「建立縣市文化中心規劃委員會」負責執行一切工作。在省市方面則成立「文化中心籌建委員會」推展各項工作。

貳、文化建設之意義及其目標

政府自民國卅八年播遷來臺，在教育發展上有兩件大事，一爲民國五十六年六月，先總統　蔣公在總統府　國父紀念月會中昭示：「我們要繼耕者有其田政策推行成功之後，加速推行九年義務教育計劃，以我們現階段整個社會經濟發展的成果，來解決九年義務教育問題，一定可以樂觀厥成。」嗣於同年八月明令規定九年國民義務教育於五十七學年開始實施。此一措施關係到我國國民素質之提高，誠爲我國教育史中之一重要里程。

另一則為蔣總統經國先生宣示繼十大建設完成後所致力的文化建設計劃。這一計劃為全民的精神建設，可說是我國六十餘年來實施社會教育的一項重大發展。目前，文化建設以興建各縣市文化中心作為實際工作之一機構，無形中增強了社教機構的功能並且賦予社教機構保存文化、宏揚文化，以及提高民衆健康的精神生活之重責大任。

我國對於文化的保存與宏揚至為重視，民國五十五年十一月，政府明令以　國父誕辰為文化復興節。推行文化復興運動，以培養國民基本智能，發揚至眞至善至美的優良文化傳統，而文化中心之設置，就其性質來說亦即文化復興運動之具體活動。這一活動不是屬於一時一地的運動，而是使我們民族自覺、國家富強的一種繼繼承承的運動。因此，文化建設理應在一明確目標下，作長遠規劃，絕不能急功近利，僅以完成若干建築為滿足。

文化建設與一般物質建設有別，究其性質，乃屬心理的與精神的建設。所謂心理與精神的建設最重要的乃是肯定我中華文化的價値，發揚我民族文化的精神與美德，使之融合於一般國民生活之中，而形成一普遍共同的行為準則和生活模式。易言之，文化建設的主要意義在建立民族自信，培養民族自尊，振作民族精神，以維持我中華優良傳統文化於不墜。

蔣總統經國先生曾在六十七年九月中央研究院院士會議中致詞說：「今天社會結構的變遷和價値觀念的蛻變，必須提高國民道德水準，促致社會心理平衡。因此物質觀念與精神價値不能倚輕倚重，以求社會心理的建設。」這也說明了政府強化經濟建設，提高國民精神，決定推行文化建設之本意。

文化建設涉及廣泛，影響深遠，自非短時間內所能見其成效，亦非若干社教機構所能獨立承擔責任。因之，全國上下必須認清目標，體認其重要性，齊心協力，共謀發展，始有成效。總之，在今後實際作爲上，應一面在現有架構上多多協調，發揮效率；一面應寬籌經費切實建設，俾能內求生命理念之高遠深邃，外求生活內容之充實純美，而三民主義各項建設工作之理論與實際，尤須與傳統文化及當前人民生活密切配合，以建立安定祥和的社會，才是文化建設最高的目標。

叁、文化中心圖書館之功能

縣市文化中心圖書館屬於地方公共圖書館性質，論及公共圖書館的發展，在世界各國已成爲社會中一不可或缺的教育機構。追溯其發展過程，公共圖書館是配合義務教育的推行而產生，由於成人教育的實施而成長。其服務乃基於自由平等的原則，以圖書資料爲工具，以提供閱讀指導爲手段，藉以發揮有教無類的理想。至於文化中心圖書館之興建，除應具有一般公共圖書館所必須具備的功能外，更應肩負以下的使命：

(一)宏揚民族文化：

無論是那一類型的圖書館，其本身自設置以來，即被賦予一項共同的使命，就是將記錄人類思想言行的圖書資料加以蒐集、保存、整理，以便今天的及未來的讀者利用。這一使命也就是人類文化的延續和發揚的重要過程。

縣市文化中心圖書館自不例外，在文化建設的大目標之下，它不但要維護我國優良的文化傳統，發揚倫理、民主、科學的精神，蒐集具有中華文化特質的圖書資料，更應吸收外來的優良文化資料，融合創新，使中華文化順應時代的潮流，合乎時代的需要。

除此之外，圖書館更應適應地方環境，蒐集切合當地民衆需要的地方文獻資料，以備參考利用，並有助於在發展國家文化資源上，分擔其地方性的責任。

(二)教育社會民衆：

我國圖書館事業，自清末民初發展至今，已有七十年的歷史。就最早的通俗圖書館規程分析，圖書館的創立主要在儲備圖書，供民衆觀覽，藉以達到掃除文盲，普及教育之目的。但是，這一目的隨教育的成長而逐漸改變。現代的公共圖書館不再以普及教育爲滿足，現已發展成爲推行成人敎育的社敎機構，這一情形與世界先進國家圖書館的發展趨勢完全相同。

所謂之成人敎育乃基於敎育爲人生終身過程這一觀念所形成的敎育，這也是繼學校敎育之後，在個人的努力之下，謀求增長知識的一種方法。美國成人敎育協會主持人J·E羅素曾指出：「成人敎育是鼓勵人們前進的方法，使個人對於現有的知識與生活更趨完善。成人敎育的成效，就是人們對於自身生活較爲充裕，對於生命的意義更爲欣賞，對於心身的運用更爲滿意，對於人類的責任與權利，更爲明瞭。」成人敎育的特點是自動的、自由的，利用暇晷追求知識，這也是一種適合個人意志、環境、目的與程度的教育，同時也是一種自育自長的方法。

(三)傳佈知識消息：

二次大戰之後，由於科技的發展和學術的進步，以及出版事業的發達，促使研究工作者和社會各階層民衆增加了對於知識消息的需求和依賴，圖書館爲因應這一需要，盡力設法主動而迅速的謀知識消息之傳佈，以便增長民衆的智能，並作社會民衆的問訊中心。

傳佈知識消息的方式很多，圖書館目前所採用的最基本的方式是利用參考服務，協助讀者獲取所需要的資料。這一服務包括解答讀者的詢問，並就館藏資料作適當有效的指引，介紹與運用，以發揮問訊中心的功能。其次，各館互助合作，謀所藏資料得以整體發展，相互流通。爲達到這一目的，圖書館員必須建立一新觀念，即瞭解到各館所藏均屬國家文化資源，一切爲國家所有，亦應爲國民所用。最後，圖書館也可以利用大衆傳播媒介，向社會大衆傳播新知，館內亦可舉辦展覽、講演、討論等活動，激發民衆閱讀興趣，增進知識傳播的效能。

(四)倡導休閒活動：

享受健康的精神生活最重要的是健全國民心智與調適民衆生活，而鼓勵民衆從事正當的休閒活動，更爲調適民衆生活之一手段。

公共圖書館爲一社教機構，亦是提供民衆正當休閒生活之場所。館內備有文藝性著作、傳記、遊記及適合各種興趣嗜好的讀物，供備民衆閱覽；並可利用其環境設備，舉辦音樂與美術展覽活動。以上各種活動不僅有助於增進生活情趣，培養優美情操，且可藉此變化氣質，矯正社會不良風氣。

以上四點都是在文化建設階段，地方性公共圖書館所承擔的使命。但爲達成以上使命，必須在人員經費、圖書資料及建築設備等方面充分配合，始克有濟。而在各項條件中培育學有專精並具圖書館專業知識與技能的人員，尤爲重要。

肆、文化中心圖書館之規劃原則

文化中心圖書館之規劃不論其單獨設立，或與當地博物館及音樂廳合建，在規劃上均應考慮到：整體規劃，全面發展、重點建設及全民參與四項原則。

(一)整體規劃：

圖書館事業現已成爲國家推展文化、啓發民智之一重要設施，爲使文化資源和人力物力發揮其最大效用，各國多就其需要作全國性整體規劃。爲達到這一目的，文化中心圖書館除有行政上的隸屬關係外，更應建立其業務合作與聯繫關係，而將各館納入一組織體系之中分工合作，整體規劃首應考慮者如下：

1. 在全國圖書館組織體系中，中央、省市與地方圖書館之地位與職掌。
2. 在國家文化資源的整體發展上，地方圖書館所承擔之責任。

3.在文化建設階段，以及今後推展文化工作方面，地方圖書館對於當地文化資源及社教機構所具有之協調與輔導功能。

綜合分析，國家圖書館應具有統籌規劃與推動全國圖書館事業的責任，而其功能以保存文化，闡揚學術，配合研究及推行社教爲主，其典藏應博采兼收，舉凡古今中外研究性資料應無所不包，而其本身則爲全國圖書館之領導中心。省立圖書館具有輔導全省圖書館之責，作爲全省公共圖書館之核心，廣收圖書資料及本省文獻，支援地方圖書館之業務，積極謀全省圖書館事業之發展。區圖書館則爲地區性圖書館中心，具有輔導及支援協調該區各館之責，縣市圖書館負責推展當地圖書館業務，依各地社區性質及特性重點蒐集地方文獻資料，輔導各鄉鎮圖書館業務。鄉鎮圖書館則針對當地需要蒐集民衆所需圖書資料，展開服務，作爲全國圖書館網之一基層單位。以上各級圖書館之館藏及服務，應由中央會同省市統籌規劃，合作發展，建立一完整系統。

就世界各國圖書館事業的發展趨勢而言，由於近年來，出版品浩如烟海，學術發展日益迅速，以一館之所藏及人力是無法滿足讀者各方面的需要的，因此，最適當的方法莫如各館通力合作，相互支援。在全國性文化資源的發展上，畀予地方圖書館盡力蒐集當地文獻，及適合該地民衆所需要的某方面資料之責。在對社會民衆服務下，規定具有推動、連絡、輔導當地文化資源，支援各鄉鎮圖書館，以及配合其他縣市圖書館服務的任務。

(二)全面發展：

蔣總統經國先生曾指示，文化建設先行完成每一縣市的文化中心，隨後再推動長期性的綜合性的文化建設。由此可徵，各縣市建立文化中心不過是全面發展文化建設之初步階段，而非終極目標。文化建設人人有責，除圖書館之外，其他文教機構、出版事業單位等都有其應盡的責任。所以，爲使文化建設全面發展，早獲成效，計劃之初，應先考慮到今後長期性及全面性發展的可行性：

1. 在長期性和全面性發展方面，應以一鄉鎮一圖書館爲其目標，而文化中心圖書館則應賦予具有規劃、推動及輔導所在縣市中各鄉鎮圖書館之責任。
2. 爲使圖書館事業普遍發展，應達到每一國民學校有一圖書館的目標，使學生從小培養閱讀的習慣及利用圖書館的能力。在各校未普遍設置圖書館之前，地方圖書館應提供對國民學校之服務。
3. 爲配合文化建設之發展，應鼓勵出版界多出版有助於闡揚文化，增長新知的書籍，俾各館有可選購的資料，得以充實其收藏內容。

在全面發展過程中，從中央到地方，應齊力協力，動員一切可能利用的力量共同研究籌劃，配合實施。

(三)重點建設：

文化建設現雖各縣市正進行建築與設備方面的規劃，若干縣市並已有相當的進度，但這並不表示文化中心的完成。眞正文化中心圖書館的完成必須在其館藏充實完備，人員配置得當，而能順利展開服務，證明確實已發揮其功能時，始告一段落。

因此，配合建築與造的同時，理想規劃其應辦理的業務。照各國圖書館的發展趨勢來看，圖書館事業的規劃，一方面要符合當地情況；另一方面也要謀各館之間的相互輔助，集中人力及物力資源作重點建設。在全國圖書館中選擇若干重要地區作示範性圖書館之設計，遴聘專業人員，籌撥適當的經費，有計劃的蒐集其圖書，推展其業務。

此外在各館館藏的蒐集上，也應考慮當地情況，如高雄之工業、基隆之水產、花蓮之山地文化等，務使各地圖書館依地理環境及當地天然資源及社會背景作重點發展。

(四)全民參與：

圖書館事業之發展有賴全民參與，熱烈支持，始克有濟。近年來，我國經濟蓬勃發展、工商企業頗多出錢出力捐獻圖書館人士，實應予以鼓勵倡導，使之蔚成風氣，加速文化建設工作之進行。尤以全省現有寺廟六千二百餘所大多香火鼎盛，如能節省廟會、建醮開支，移充文化事業，當更具樂善好施，嘉惠地方之服務精神。

鼓勵全民參與文化建設之途，宜由政府擬訂捐款捐書建館獎勵辦法，並表揚贊助文化事業之各社會文教團體。將來在圖書館的組織確定後，亦可倣照美國圖書館方式，設置圖書館委員會，邀聘地方上熱心文教人士，以及工商界領導爲委員，從旁協助圖書館業務之發展，建立社會關係，爭取民間支援，共同爲地方文化事業努力。

伍、文化中心圖書館之基本措施

文化中心圖書館爲達到上節所述之功能，在業務實施時必需注意到人員經費、館藏、服務及評鑑制度等基本措施。玆分述如下：

(一)寬列人員經費：

有關圖書館人員編制方面，在教育部建立文化中心計劃中業已有所說明，指出目前社會教育機構之編制人數普遍偏少，加以經費偏低，多無法發揮應有功能。又受公務員任用資格限制，專業人才無法羅致，尤其缺乏現代化科學管理觀念及制度。故今後應建立合理編制、加強人員觀念及管理技術訓練，採聘用方式羅致技術管理人才，始能發揮文化中心效能。

臺灣省政府曾在民國五十七年八月頒佈「臺灣省各縣（市）立圖書館組織規程」，其中規定各館置館長一人，幹事及助理幹事各一人至三人，雇員一人。照此條文所能任用的人員不過四至八人，以此維持一館日夜開放服務，實不可能。再就人員資格及職等分析，省市立圖書館館長爲九、十職等，縣(市)立者爲七、八職等，其他主任職，省市立圖書館爲四、五職等，縣（市）立者三至五職等，一般職員大多二至五職等。公共圖書館屬公務機關，非經公務員考試不能任用。據六十七年統計，省市縣（市）圖書館僅有十人爲圖書館系科畢業者，佔全部人員百分之三，曾受短期專業人員訓練者爲七十五人，佔百分之二十四。就一般教育程度而言，大學程度以上者四十五人，佔百分之十四，專科畢業者四十六人，佔百分之十四，高中畢業者一一九人，佔百分之三十八。由以上資料可見，公共圖書館人員，在量與質兩方面均欠理想。

就經費方面分析，根據臺灣地區公共圖書館統計顯示，六十九年購書費，省立圖書館爲三百二十一萬元，臺北及高雄兩院轄市平均每館七百五十萬元，臺南及基隆兩省轄市每館平均六十八萬七千元。縣立圖書館平均僅二十六萬元。在各縣中，經費少者，每月購書費平均尚不及萬元，以此戔戔之數，欲求館藏之充實，實不可能。

爲謀今後文化中心圖書館之業務得以順利推展，在人員經費之籌劃方面實應考慮以下各點：

1. 文化中心圖書館應據「文化中心組織規程建立合理編制，無論是大型圖書館或小型圖書館在開館之初均應有其一定的基本工作人員，而各館並得依服務人口，藏書數量及業務發展情形，逐年調整其人員，以配合其業務需要。
2. 編制人數如依服務人口計，以每一萬人應有工作人員一人，較屬合理，而其中，受專門訓練之專業人員不得少於全部人員百分之三十。
3. 圖書館專業人員應具備以下資格：

(1) 圖書館研究所、系、組、科畢業者；

(2) 大學研究所或各學系科畢業，曾受圖書館專業訓練或曾選修圖書館學分在二十個以上者；

(3) 高普考試圖書館人員類科及格者；

(4) 高級中學畢業，曾受圖書館專業訓練，並曾任圖書館職務三年以上者。

4. 圖書館內應設：採編、閱覽、典藏、參考諮詢，及推廣服務等工作部門，推展各項業務活動。

5. 各縣市現有之地方圖書館可視實際需要，合併為文化中心圖書館或單獨設置。如分別設置，其業務應相互協調，並行不悖，共謀發展。

6. 公共圖書館在職人員應早日訂定訓練計劃，其訓練可循以下途徑辦理：

(1) 委託師大仿照教師訓練方式，每年集中辦理一次，每次以三個月為一期，分別程度，給予專門技能之訓練。

(2) 委託中國圖書館學會於每年暑期舉辦研習會時，專門對各縣市公共圖書館未經訓練人員給予短期研習，一切費用由政府支應之。

(3) 利用師大夜間部社教系圖書館組之師資及課程，提供給予學位之專業教育。

7. 文化中心圖書館之購書預算，應依當地人口至少每人新臺幣五元計，鄉鎮（市）立圖書館每年編列預算不得少於各該鄉鎮（市）教育經費預算百分之三。至圖書館開辦時之購書費則應另編專案預算辦理。

(二)充實各館館藏：

圖書館館藏充實與否，對於服務之是否完善有密切關係，目前各縣市立圖書館之館藏，除省立及直轄市等館尚具規模外，其他圖書館多者不過十二萬册，少者僅二、三萬册，與全省人口核計，平均每十一人始有書一册，與世界各國每人至少一册之標準相差懸殊。

依照教部建立文化中心計劃中，有關圖書館設計要領規定：圖書採集、收藏之多寡須與當地人口成合理比例，以每人一册為發展目標；藏書以能適合時代精神、社會需要、專門研究及地區性文獻等兼籌並顧，並採用館際互借及巡廻方式，力求擴大流通。

一館館藏之完備合用，非一蹴而成，往往需要多方蒐集，長期計劃。而蒐集到館的圖書資料更要妥加分類整理，排架庋存，並編製各種目錄卡片配合檢索，始便應用，這一工作較之建築新館工程尤為艱巨耗時。如一館建築工程以二年為期，則館藏之充實，在人力經費充分配合情形下，至少需四、五年時間始能粗具規模。因此藏書之發展應考慮以下各點：

1. 圖書資料之選購應符合圖書館設置之目的，並針對當地社區環境、特性及一般民衆的教育程度、職業狀況而擬訂採訪計劃，早日實施。
2. 文化中心圖書館應注意蒐集我國優良文化著述，其內容須有益於發揚民族精神，加強倫理思想，建立科學觀念及增長知識見聞。
3. 圖書館應盡力蒐集當地文獻資料，以分擔典藏國家文獻的責任，更應蒐集具有地方特色的專門性書藏。
4. 蒐集之資料應包括各種形式之文化記錄。如：圖書、期刊、小册子、輿圖、畫片、影片、幻燈片、唱片、錄音帶、樂譜、縮影資料、論文、手稿、檔案及地方文獻等。

5. 圖書館館藏之發展應以所服務地區之人口量為計算標準。在未來三年內，希各縣市達到五萬册的發展目標。
6. 各縣市文化中心圖書館圖書之添置不僅要購備當地民衆需要的書，更重要的是為讀者選擇好書。因此，在選擇時宜多徵詢專家意見，參考圖書選目，並組織選擇小組愼重其事。
7. 所有購入的圖書資料均應妥加整理，依照合用的分類法與編目規則編製各種目錄，以便利讀者查考。各館之間並應建立圖書資料交流制度，為讀者服務。
8. 圖書館應單獨準備一部可供巡廻流通的讀物，並在未設圖書館之鄉鎮增設圖書館（室），定期供應支援各鄉鎮民衆閱讀使用。

(三)確定服務重點：

文化中心圖書館之成敗在於館藏之是否充實合用，服務之是否適合當地需要。由於文化中心圖書館肩負宏揚文化的功能，因此在各項服務的規劃與推展方面，不能不妥為設計，以期發揮中心之作用。

論及圖書館服務可分為不同層次：提供閱讀環境，辦理圖書出納為最低限度之服務；實施參考諮詢，採行開架閱覽為適中的服務；而作為成人教育中心，輔導民衆學習，並組織圖書館網以傳佈資訊消息，始屬當前所需之理想服務方式。文化中心在地方上應協調連繫地方文化資源及社會團體共同推動各項文化活動，以達到復興中華文化的目標。其服務要點如下：

1. 圖書館應爲國民學習研究、吸取新知、調適精神生活之閱讀場所，其工作在開創國民讀書風氣，輔導國民使用圖書館之習慣，倡導學術研究，以及提高文化活動。
2. 文化中心圖書館服務對象，就個別讀者而言是以全體民衆爲主，包括了兒童、青少年、成年人及殘障、監禁者。就團體讀者而言包括了各行業、各宗教、各機關社團、各級學校等組織。
3. 在規劃服務之前，必先了解社區環境的特質、居民成份、讀者閱讀興趣及一般教育程度。圖書館服務之規劃尤應與民衆生活相結合，注意到一般民衆在家庭生活、職業生活及學校生活等方面之需要。
4. 圖書館應視社區需要，在適當地點設置分館，借書站，並利用圖書巡廻車或巡廻書箱辦理推廣服務。更應經常舉辦講演、展覽、電影及音樂活動，以提高民衆對文化活動及閱讀方面之興趣。
5. 對於未設立圖書館的中、小學校，文化中心圖書館應提供圖書館服務，其方式可定期運送圖書到各校供學生閱覽，派員講解圖書館的利用方法，介紹新書，答覆問題。
6. 文化中心應與地方文教機關團體密切連繫，共同發展地方文化資源。在人力物力許可情形下，編印地方性圖書聯合目錄。
7. 圖書館應作爲地方民衆的參考諮詢中心，並主動爭取社會服務機會，以誘導各階層民衆利用圖書館的圖書資料。

8. 圖書館對讀者的服務應鼓勵其利用館內圖書從事研究學習或一般閱讀爲要。對學生利用圖書館自習及準備考試情況應限制在一定場所，不使其影響到對其他人士的服務。

(四)訂定評鑑辦法：

業務評鑑爲國外圖書館經常實施之一定期工作。其目的在利用客觀標準就圖書館各項業務如館藏之質量、人員之素質、經費之分配、館舍之利用、以及服務之成效等加以評估，作爲今後研究改進之參考。

在評鑑技術上，分爲自我評鑑及專家評鑑兩種。前者指由本館工作人員就某項業務的成效，徵詢讀者反應之意見，或利用統計調查方法，求得一具體事實，用以測量其效果。而後者係指邀請本館以外的專家對本館業務及人員經費等客觀條件作一評估。

業務評鑑爲檢討過去，策劃未來之一方式，故評鑑標準應有所依據。圖書館評鑑的標準多以主管當局或圖書館專業組織訂定的服務標準或設備標準作爲評鑑之尺度。

文化中心圖書館之設置爲期其健全發展，理應建立評鑑辦法，此項評鑑宜仿照大專院校評鑑方式，由教育部邀請圖書館界有經驗的專家擔任之，每兩年舉行一次。而在正式實施之前，首應由教育部訂定「文化中心圖書館標準」作爲評鑑的依據。此項標準包括設置一理想圖書館所應具備之條件，另包括爲達到理想服務所應執行之業務重點。其作用有三：一爲作爲管理當局規劃圖書館業務之指針，其次爲圖書館工作人員推動業務的規範，最後也可作爲業務評鑑之尺度。圖書館標準有其適用範圍，也有時間及空間限制，同時在其內容上更應舉列出質與量之要求，供各館採擇施行。

世界各先進圖書館事業均訂有服務標準作爲圖書館業務規劃之參考，尤以美國所訂之標準較其他國家爲先。最早公佈者當推一九二〇年由美國教育協會與圖書館協會公佈的「中學標準圖書館之組織與設備」。目前，美國現行的標準數逾二十種，其中包括圖書館服務、人員養成及技術工作等項，至爲完備。我國圖書館學會在民國五十年曾先後研訂學校圖書館、公共圖書館及大專圖書館標準，供各館參考施行，教育部亦在民國五十四年訂定國民學校設備標準，五十九年訂有國民中學暫行設備標準，六十一年訂有高級中學設備標準等，其中包括圖書設備部份。但以上標準因爲時已久，加以各館人員經費未能適時配合，以致效用未彰。

爲謀文化中心圖書館業務之預爲規劃，順利發展，在研訂評鑑辦法方面應考慮以下各點：

1. 由有關單位邀約圖書館界人士組織一「文化中心圖書館標準研訂小組」，參酌世界公共圖書館的發展趨勢及目前現況先行研訂「文化中心圖書館標準」，其內容包括圖書館在組織、人員、藏書、經費、設備與服務等方面所應具備的條件與達成的目標。
2. 該標準公佈後，應責成各地方政府主管單位配合其規定逐步實施，希在一定時間內達到其要求，並組織評鑑小組定期評估其業務成果。

3. 評鑑結果應予公佈，使各縣市有所瞭解其得失，並能相互觀摩借鑑，以收激勵之效。

陸、我國圖書館事業之發展方向

蔣總統經國先生指示，文化建設之初期目標是在五年內先行完成每一縣市的文化中心，隨之推展長期及綜合性的文化建設；另以目前文化建設以圖書館爲主，其興建勢將影響到圖書館事業的全面發展。因之，圖書館自應研究長遠發展計劃以適應國家文化建設當前與未來之要求。基於以上瞭解，謹提出圖書館事業應行興革事項如後。

一、建立全國資訊系統

資訊爲國家建設、研究發展、行政措施與科技升級之依據，處於今日資訊爆發時代，亟需以資訊強化國力之際，資訊必須迅速正確，切實掌握。而要達到這一要求，唯有共同分享資訊及建立資訊網，一方面建立國內圖書資訊網，另一方面研究如何加入國際圖書資訊網，以謀互通有無，共享資源。

我國政府現正積極推動文化建設並發展中文資訊系統之研究。自民國六十九年起，中國圖書館學會及國立中央圖書館合作組織「圖書館自動化作業規劃委員會」訂定三年研究計劃，推展各項研究發展工作。其中第一階段爲研訂中文圖書機讀編目格式，編目規則及標題總目等工作。第二階段爲繼續上項研究，就非書資料部分加以研究，並同時建立中文出版圖書目錄檔及中文期刊聯合目錄檔等工作。至第三階段工作則將包括圖書館管理系統之引進與建立，資訊人員之訓練，引進國外資料庫及建立全國西文圖書聯合目錄檔案，其最後目的則在建立一完善之資訊網，將全國圖書館納入組織共同向自動化途徑邁進。

行政院目前擬就經建資訊系統架構，便利各機關相互支援，建立有關系統，並以由上而下的規劃方式進行。在目前資訊工業發展階段中，政府有關機構，圖書館界及資訊界亟應合作策劃建立全國性資訊網計劃，俾能在短期間爲各界提供良好的資訊服務。

二、加強中小學圖書館設施

現代圖書館之設置，旨在蒐集準備各項資料，用以充實教學資源；培養學生閱讀興趣與習慣，藉以達成中小學教育之目標。近年來，由於新式教學方法注重因材施教及個別差異，並鼓勵兒童自動學習，啓發其思考能力，學校圖書館乃將圖書與視聽資料同時並用，更名爲資料中心（Media Center）或教學資料中心（Instructional Materials Center），重新規劃其服務方式，以配合教學方法加強學習效果。

我國中小學校中仍有若干學校尚無圖書館（室）之成立，而設置圖書館者，其原因一方面由於缺乏組織編制，使各校難以著手。另一方面在已設置圖書館的學校中，缺乏曾受專門訓練人員負責其事，一切多責成一二事務人員管理，以致圖書館的業務無法展開。

數年前，國立中央圖書館曾舉辦座談會，研討如何發展中學圖書館業務問題，與會之國中校長建議亟應訂定圖書館正式編制，凡國中學生在三十班以上，應設圖書組長，由教員兼任，並設專任管理員一人協助其事。此項建議確屬必需，但如每一國中，不問其班級多寡，均有圖書組之設置，當更理想。

在人員方面，學校圖書館工作人員應具有教育觀念並曾受專業訓練，目前仍以參照美國及日本過去成例，由校聘請「敎師兼圖書館員」（Teacher-Librarian）爲宜。「敎師兼圖書館員」爲美國學校圖書館過渡時期之一職稱，該項人員必須具有敎師及圖書館員雙重的專業訓練與資格。在校以負責管理圖書館業務爲主，以教學爲輔。美國各州對於「敎師兼圖書館員」應修的敎育及圖書館學分有不同的規定，目的在提高人員素質，使能勝任校中圖書館的各項工作，並兼具教學與輔導責任。

我國目前有五所大專院校設有圖書館學系科，每年畢業學生三百餘人，在人員供應上並不缺乏。但培養兼具敎師資格的學校圖書館工作人員者，惟有師範大學一校。該校社敎系圖書館組學生除應修習敎育科目及圖書館專門科目外，尙須選修一輔系學科，以期適應中學的敎學工作。故敎育當局分發師大圖書館組學生至各中等學校以敎師身份專司圖書管理工作當爲最適當的人選。

三、普設鄉鎮圖書館

在文化建設階段、鄉鎮圖書館的發展可以說是較重要的一環，這也是與學校圖書館建設同樣重要的一項圖書館基層建設。據調查，在全省十三個縣轄市，二百三十一個鄉，六十九個鎮，共計三百一十三個地區中，設有鄉鎮立圖書館及縣分館者僅七十九所，約爲四分之一強。

鄉鎮圖書館之設置有其調節鄉民精神生活，增長農業常識以及提高鄉民知識水準的積極意義。根據農業調查資料顯示，全省農民受過教育者有 69.76 %，自其中曾受小學教育者占 47.11 %，其知識程度有待提高。此外，近年來，農村人口逐漸外移，尤以年齡在二十歲至四十歲者佔大多數。究其原因雖多，但鄉村生活缺乏精神調劑亦爲其中之一。從以上兩種情形看來，鄉鎮圖書館之設置對於增長民智，調劑生活，當可產生積極作用。

目前全省設有鄉鎮圖書館者有臺北、宜蘭、桃園、新竹、臺中、彰化、南投、雲林、嘉義、高雄、屏東、臺東及花蓮等縣。其中桃園縣開風氣之先，現已達到一鄉鎮一圖書館的目標。

鄉鎮圖書館館藏圖書多在五千册至一萬册之間，每館工作人員一至二人，平均每館每年經費爲二十餘萬元，用於購置圖書者約在十萬元左右。爲期普設鄉鎮圖書館，在法規、人員、經費等方面必須改善。在人員方面，鄉鎮圖書館員額應就當地人口及藏書兩項因素考慮，同時更須注意到業務發展需要，至少每館應有管理員二人始能辦理圖書館各項必須工作。

柒、結　論

我國圖書館事業之發展已有七十餘年的歷史，民國初創，新教育制度推行，圖書館事業深受重視，而圖書館的設置亦蔚成風氣。繼而抗戰軍興，烽火遍地，各地圖書館多燬於兵燹，圖書館事業的發展以致停滯不前。政府遷臺後，一切欣欣向榮，圖書館在安定中求進步。尤其民國六十八年起，政府大力推行文化建設，在各縣市普設圖書館，全國圖書館界合作推動自動化作業，圖書館事業顯已邁入一新里程。檢討過去，策勵來玆，今後圖書館事業的發展在觀念上，首應重視其存在價值；在做法上，則應建立合作經營制度。謹分述如下：

一、重視圖書館之存在價值：

從圖書館事業的發展軌跡來說，一國圖書館的存在乃基於：國家建設的需要，民族文化的延續、社會求知的權利，以及民衆生活的調適四大要求。就國家建設而言，無論是政治、國防、經濟、教育、文化，以及科技等決策之制定，技術方法之研究，無不有賴於資訊的供應，作爲了解事實、掌握現況、查證參考，以及分析研判的依據。以美國爲例，美國政府自一九五七年蘇俄第一顆人造衛星斯普尼克發射成功之後，曾檢討本身科技落後的原因，卽在科技消息有欠靈通，資料檢索系統未能發揮功能所致。自此之後，乃大力改善圖書館及資訊管理技術、發展圖書資訊科學，以適應國家需要。由此可見圖書資料之於國家建設之重要性。其次就民族文化的延續而言，文化是人類在羣體生活中所創造的典章制度生活方式，由於文化係由羣體所創造，因而具有民族性，失去民族性卽等於民族的滅亡。因之，保存與延續民族文化乃成爲一個國家所努力的目標。故我國自三代以降，歷代均有類似圖書館之設置，亦均設有圖書綜理的職官，賴以保存國家民族的文化紀錄及延續民族文化的生命。第三，就社會求知的權利而言，在民主國家中，民主制度的維護，在民衆具有充分的知識作理性的選擇與判斷，因之社會大衆應有權利閱讀各項圖書資料，以了解時事，增廣見聞，充實其知識。而圖書館的作用亦即在提供適當的環境，準備合宜的讀物，安排社會民衆自由閱覽的機會。最後論及民衆生活的調適，乃指圖書館的環境及收藏的圖書與非圖書類的資料，有助於發揮調適民衆精神生活的作用而言。從以上四點可知圖書館現已成爲國家社會的公器及在民衆生活中不可或缺的服務機構。

二、建立圖書館之合作制度：

圖書館合作經營乃爲世界之一趨勢。爲有效利用人力物力，推展文化中心的服務，亟應建立全國圖書館系統，作爲國家建設之一重點。如此，對內可促進資料之流通，使有限資料發揮最大效用，對外亦可增強國際合作與文化交流。

爲期合作制度之順利推展，則必先健全我國圖書館事業的領導中心，始能統一規劃，有效執行。以目前情形而論，各地方圖書館人員、經費，以及業務活動尙在規劃，似應委由一專責機構，畀予統籌策劃、管理、考核全國圖書館事業之權限，俾使圖書館事業的發展能漸次步入系統化及現代化的途徑。

總之，圖書館爲一國文化的表徵，其經營的良窳影響到教育文化及國家各方面的發展。在政府大力推展文化建設之際，實應作一全面檢討，統一規劃，以期百尺竿頭更進一步，發揮其應有之功能。

（原載於「社會教育與文化建設」，民國71年，臺北市，國立臺灣師範大學社會教育系編印。）

我國圖書館自動化作業之現況及展望

壹、前　言

我們今天所處的是一個資訊時代，即資訊生產、交換，和資訊消費的時代。派克（E. B. Parker）說我們正瀕臨一項新的社會革命——資訊革命。此項革命的重要性將不亞於工業革命。他表示我們的社會將由工業社會轉變到資訊社會，一個以資訊生產和資訊處理爲主要活動的社會。更早的時候，貝爾（D. Bell）也在他書中闡述相同的觀點，他用「工業文明後的社會」（Post-industrial Society）來表示轉變中的社會結構，其社會經濟制度將由物質生產爲主的經濟，衍化爲以服務爲主的經濟。他指出，從一九四七到一九六八年之間，從事服務性工作的人力，其增加率爲百分之六十；而其他生產事業的人力卻增加不到百分之十。另一位學者波拉特（M. U. Porat）則稱，從一九七〇年到一九八〇年間，資訊業人力佔了全部工作人力的最大部分，而此一趨勢，將不會改變❶。

資訊時代，不僅資訊的生產量龐大，消費量也浩大。更多的人享用資訊，更多的工作和決定都需要有完整的資訊才能進行，因此資訊的供應必須更迅速更準確。資訊已成爲現代社會最重要的資源之一，成爲現代國家國力的象徵，就像以前海權時代用海上船隻來表示國力一般❷。

面對資訊時代的挑戰，在西方工業先進國家，圖書館和資訊處理單位莫不緊急應變，引用高度科學技術來處理資料和圖書，即利用電算機來處理資料，將圖書館的作業自動化。以美國國會圖書館爲例，該館在一九五〇年即獲專款從事圖書館自動化可能性的調查，而在圖書館學專家和電算機專家們多年來的通力合作，他們所制定發展的圖書機讀編目格式（Machine Readable Catalog，簡稱 MARC）今天已被普遍接受。其影響不僅在於國會圖書館本身內部作業程序，且爲圖書館網和資訊網制度的建立，奠定了良好的基礎。圖書館的自動化，早期都是由圖書的編目作業開始，而漸次遍及圖書館其他部門的作業，諸如採訪、參考和館際合作。早期的自動化，僅限於規模大財力足的研究性和大學圖書館，但今天，許多中小型的圖書館都紛紛加入自動化的行列。早期的自動化，均由圖書館各自發展，而其系統常只適用於本館，而現在，市面上已有許多現成的全套系統供圖書館選擇採用。

貳、緣　起

我國圖書館的自動化起步稍遲。早期的自動化進行方式與西方早期相類似，即都是零星的計劃，由各圖書館或資訊單位各自執行，做局部作業的自動化。民國六十二年，行政院國家科學委員會科學技術資料中心利用電算機編排作業，將全國大專院校圖書館和公私立研究單位所藏西文科技期刊整理彙編，出版「科學期刊聯合目錄」。六十三年，國立中山科學研究院並利用美國國會圖書館的機讀編目磁帶，印製西文圖書的目錄卡片。而第一個中文資料庫的創設，則爲國立臺灣師範大學圖書館於六十七年開始建立的「敎育資料庫」，次年，該館卽利用電算機排印「敎育論文摘要」。國立中央圖書館也利用電算機，在民國六十八年試驗成功編製「中華民國中文期刊聯合目錄」，該項資料經修訂增補於次年出版。而國字整理小組，在各基金會及學術團體支持下，於民國六十八年草擬完成中文資訊交換碼，爲電算機處理中文資料提供了一項很有用的工具。

近年來由於社會經濟的進步繁榮以及工商業的發達，社會對資訊的要求日益迫切，圖書館和資料中心紛紛成立。在民國三十二年，臺灣地區僅有圖書館九十三所，而根據最近一次的調查，圖書館已增加到三千多所❸。圖書館及資訊中心爲進一步改進圖書資料管理作業，提高資訊服務品質，適應國內外對於中文圖書資料處理自動化之殷切要求，乃積極規劃圖書館資料自動化作業。尤以我國基於下列幾種特殊條件，使圖書館之自動化更迫不容緩：

(一)由於我國文字結構異於其他西方語言系統，歐美圖書館對於利用電算機來處理所蒐藏之中文圖書資料，頗感困難，故正積極研究，以求突破瓶頸。我國對此方面，應趁機加緊研究，以領先各國，藉以提高我國學術地位。

(二)欲求電算機處理中文資料之方便，日本推行其日本漢字，中共則發展其拼音及簡體漢字。若廣被利用，而歐美圖書館擬以競相仿效，則我國優美的文字和固有的文化將永墮於不復之地。

(三)為配合國家建設，促進工商業升級，我國政府正大力推動科技研究發展工作。而此項工作必須有充分圖書資料供應相配合支應。為求適時、適量、適質的提供研究參考資料，圖書館必須實施自動化作業，並進而建立資訊網，方期有成。

(四)我國電腦界所研訂之「中文資訊交換碼」業已逐步完成，深為國內外各界所重視。我國圖書館界運用「中文資訊交換碼」建立自動化作業系統，適可擴大與推展其效用。

國立中央圖書館有鑒於此，乃於民國六十九年四月會同中國圖書館學會擬訂「圖書館自動化作業計劃」，報請行政院核備並補助經費實施。該計劃的主要目標為：

(一)運用中文資訊交換碼發展中文機讀編目 (Chinese Machine Readable Cataloging，簡稱 Chinese MARC)，以收目錄控制之效，並作為國外圖書館編製中文目錄之規範。

(二)統一規劃圖書資料自動化作業系統，以改進圖書資料處理程序及圖書館服務型態，兼收合作統籌之效。

(三)建立中文資料庫並引進國外資料庫，以應各方資料查詢之需要。

(四)成立全國資訊服務中心，建立全國資訊網，以配合國家建設之需求，並促進學術之研究與發展。

叁、作業計劃

「圖書館自動化作業計劃」分三個階段循序進行，其主要項目如下：

——第一階段

(一)中文圖書資料自動化作業

1. 研訂中文圖書資料機讀編目格式

中文圖書資料機讀編目爲利用電算機處理中文圖書資料目錄。我國圖書館對於中文圖書編目方法，係以國立中央圖書館所訂定的編目規則爲規範。今後爲適應電算機處理中文圖書資料之需要，以及便於國際間圖書資料的交流，研訂統一化與國際標準化的中文編目規則及機讀編目格式，當爲中文圖書資料自動化作業之首要工作。其主要工作項目包括：

(1) 中文圖書資料著錄規則之研訂。

(2) 國際圖書標準號碼（ISBN）與國際期刊標準號碼（ISSN）之申請與採用。

(3) 中文資訊標題總目之研訂。

(4) 中文圖書資料機讀編目格式之編製。

——第二階段

2. 建立中文圖書資料庫

(1) 中文圖書資料機讀目錄之建立：第一階段工作完成後，

擬以國立中央圖書館採訪及交換資料爲基礎，以機讀編目格式先行建檔。另邀臺閩地區各學術性圖書館將新增加的圖書資料亦以機讀編目格式輸入儲存，然後再行追溯各館舊有館藏，分年分批輸入存檔，期能逐步建立以下各項完整檔：

①全國中文圖書聯合目錄檔。

②全國中文期刊聯合目錄檔。

③其他資料如官書、技術報告及學術論文等目錄檔。

④中文圖書資料檢索系統。

(2) 中文各專科資料庫之建立：配合各專門學科的研究及資訊利用上之需要，陸續建立各專科資料庫，此資料庫應包括圖書、期刊，以及其他類型的資料。其進行方式如下：

①索引典 (Thesaurus) 之編訂。

②各科索引、摘要之編輯。

③中文各專科資料檢索系統及資料庫之建立。

3. 資訊服務人員之訓練

資訊服務人員是資料與利用者之間的橋樑，他們對資料庫的利用和資訊功能之發揮，影響至大，因此資訊服務人員的培養與訓練，至爲重要。此項工作必須分年分批進行。

(二)西文圖書資料自動化作業

1. 建立西文圖書資料機讀目錄

美國國會圖書館之機讀編目，現已爲全世界圖書館普遍採用，其所發行的磁帶並可依約訂購。我國圖書館可訂購該項磁帶，利用該項磁帶建立我國西文圖書資料庫。如有資料在該項機讀編目中無法查得，則可比照中文圖書資料作業方式自行建檔。其進行方式如下：

(1) 引進美國國會圖書館機讀目錄，並利用國外資訊系統。

(2) 凡在上述目錄及資訊系統中無法查得之資料，自行編目建檔。

(3) 建立全國西文圖書聯合目錄檔。

(4) 採用國外資訊檢索系統。

2. 建立西文各專科圖書資料庫

配合各專門學科之研究及資訊利用上的需要，與有關資訊單位連繫合作建立各專科資料庫。其進行方式可依下列方式：

(1) 由國外引進各專科資料庫。

(2) 由各單位分科負責，自建專科資料庫。

(3) 建立西文專科資料檢索系統。

3. 資訊服務人員之訓練

參見「建立中文圖書資料庫」第三項，本項工作可與該項工作合併辦理。

——第三階段

(三)圖書館管理系統之引進與建立

圖書館業務因順應資訊時代的要求，日趨繁雜，圖書館的組織也日益細密。圖書館管理系統對人力物力之精簡，服務品質之提高，都能發揮極大效用。故除引進已著有成效的管理系統外，並應斟酌我國國情，建立適合我國情況的系統。其範圍包括：

1. 圖書資料採訪作業。

2. 圖書資料參考與流通作業。

3. 圖書館行政管理作業。

(四)全國資訊網之規劃

全國資訊網之建立爲自動化作業的最終目標，也是館際合作的具體化。擬議中的資訊網，將由全國學術及重要研究機構圖書館與資料單位聯合而成，構成一網狀的資訊服務系統。臺灣地區計劃區分爲數個地區性資訊中心而以國立中央圖書館爲全國資訊中心。各館或資訊中心將以電算機終端機進行下列作業系統及服務：

1. 線上作業系統之實施。

2. 專題選粹諮詢服務 (SDI 服務)。

肆、工作現況及組織

爲推行圖書館自動化作業計劃，中央圖書館與中國圖書館學會隨卽於六十九年四月合組「圖書館自動化作業規劃委員會」，其任務在於研究、制訂、推展、執行各規劃事項。委員二十餘人，由圖書館界及電腦專家組成。委員會下分三個工作小組：

(一)中文機讀編目格式工作小組。

(二)中國目錄規則工作小組。

(三)中文圖書標題總目工作小組。

各小組分別進行實際工作。每一小組設主持人一人，工作人員七至十一人，均分別聘請圖書館及資訊界人士擔任。

自六十九年七月，各工作小組實際開始工作，兩年來其工作情況及主要成效如下：

(一)中文機讀編目格式工作小組

該小組於七十年二月完成「中文圖書機讀編目格式」一書的研編工作，並出版中、英文兩種版本。此書之完成，為國內外電算機處理中文圖書資料提供了作業規範並劃一目錄格式標準，如各館採用，則可經由資訊網的連線，使各地的中文資料立即傳輸，互通有無，共享資訊。此項研究成果並於七十年二月在臺北市召開的「中文圖書資料自動化國際研討會」中公開發表，普獲與會各國資訊界與圖書館界人士的讚許。該小組據測試結果及各方意見，於七十年七月加以修訂，並編撰該書的使用手册。該小組並完成非書資料編目格式之研究，而與圖書編目格式綜合彙編成「中國機讀編目格式」一書，於七十一年九月出版中、英文兩種版本❹。該小組的部分研究成果，七十一年十月曾在美國資訊科學學會四十五屆年會中發表，深獲與會人士之重視。民國七十三年又出版修訂本，包括善本圖書編目格式。

(二)中國目錄規則工作小組

該小組完成的中國編目規則「著錄通則」及「圖書著錄」兩項規則草案業於七十年二月間的「中文圖書資料自動化國際研討會」中發表，頗獲好評。該規則係根據國立中央圖書館編目規則，並參照「英美編目規則第二版」(Anglo-American Cataloguing Rules, Second Edition, 簡稱 AACR 2）研編適合電算機作業之編目規則，草案經分送全國各圖書館徵求意見，經修正補充於七十一年八月出版「中國編目規則(總則、圖書、連續出版品)」❺，以便全國圖書館之取資,作爲編目的參考。善本書的編目規則,經該小組草擬完成,稿本並發表於七十一年在澳洲召開的「中文目錄自動化國際合作會議」(Conference on International Cooperation in Chinese Bibliographical Automation)。小組並於七十年七月開始研編非書資料部分的編目規則。除連續性出版品已於七十一年八月與「中國編目規則」一起出版外，目前又完成地圖、視聽資料、拓片、縮影資料等規則，全部規則已於七十二年九月出版印行。本規則與中文機讀編目格式之研訂，均爲中文圖書資料自動化作業的基礎工作。研訂完成後，可作爲國內外圖書館中文圖書資料編目的規範，且可將我國圖書館作業標準化與自動化，俾便建立全國資訊網，加強館際合作關係，進而促進學術研究之發展與進步。

(三)中文圖書標題總目工作小組

該小組自七十年元月成立後即積極蒐集各項資料，加以翻譯、整理、分析、研討，現已完成各類標題初稿及一般複分標題的標題款目。已完成部分均將初稿打印分送編目有關人員參閱並徵求意見。此項標題總目研訂完成後，可作爲國內外圖書館編製中文標準目錄的規範，並爲日後自動檢索制度不可或缺的工具。

(四)「中華民國出版圖書目錄檔」之建立

中央圖書館依據計劃並爲測試中文機讀編目格式，使之更臻完善，自七十年九月起陸續將七十年所出版的新書目錄，依機讀編目格式塡表並輸入電腦，至今已輸入新書資料三萬餘種。該目錄檔全部完成後，將可爲圖書館及資訊界提供廣泛的服務，諸如：

1. 電算機編印各年度各月份新書出版目錄，提供國內外圖書館及文敎機構作爲採購新書之參考。
2. 電算機印行目錄卡片，提供各館編目作業之需要。不僅可減輕各館編目之負擔，並可統一全國編目格式，便利檢索及館際互借。
3. 建立書目資料庫，提供線上查詢服務。
4. 便於統計全國每年出版之數量及其類別。

(五)「中華民國中文期刊聯合目錄檔」之建立

本檔係彙集國內一百八十多所圖書館於民國六十八年底所藏中文期刊資料，共七千多種，以機讀編目格式輸入電算機，目前已完成建檔工作，並於六十九年印製成書本式目錄兩巨册出版❻，爲求資料新穎實用，並進行各圖書館資料之更新增補，將各館於民國七十年底館藏資料加以輸入，估計共有八千餘種，現已完成，並印製成書本式目錄。此檔完成後將可提供下列各種服務：

1. 編製各館館藏期刊目錄。

2. 實施線上查詢作業。

3. 加強各館館際合作之服務功能。

伍、未來展望

圖書館自動化工作牽涉極廣，是一項千頭萬緒長期計劃的工作。「圖書館自動化作業規劃委員會」成立以來，由於工作人員的努力不懈，各圖書館及資訊單位之合作無間，以及政府有關方面的大力支持，期間雖短，成果卻極為豐碩。各工作小組的研究發展成果，屢次發表於國際性學術會議，均獲得中外人士的讚佩。規劃中的第一、二階段工作大部分均已如期進行。自七十二年起，圖書館自動化作業已邁入第三階段，各項工作仍繼續進行中。此外中央圖書館電算機業已裝置完竣，現已進行多種建檔工作。

圖書館自動化作業經緯萬千，惟在圖書館學家和電算機專家們的通力合作下，我們相信任何困難都可以克服。圖書館自動化作業完成之後，我們預期將有下列幾項顯著效果：

(一)我國圖書館自動化系統建立後，在中文圖書資料處理技術上可領先其他國家圖書館，並可提高我國圖書館的服務效能。

(二)我國圖書館自動化系統建立後，必可促使各國在用電算機處理中文圖書資料方面，採用我國的制度，此在維護我國固有文字、文化之工作，其效果深遠而重要。

(三)我國圖書館自動化系統建立後，可參加國際性資訊服務體系，分享國外資訊服務，具有長久經濟效益。

(四)由於圖書館自動化的統一作業，將使我國圖書館作業達到標準化，易於構成全國資訊網，加強館際合作關係，使資訊之流通與傳播更迅速確實，當有助於學術之研究。

(五)圖書館自動化系統成立之後，當可引進並建立各科資料庫，對於各專門學科之發展與進步當有裨益。各科資料庫並隨時供應各科專門人員有關的最新資料，可使我國各科人才學養不致落後。

現在圖書館自動化作業業已邁入第三階段。回溯兩年多來的績效，使我們對未來的工作深具信心。惟圖書館自動化作業只是一項手段，建立全國性圖書館資訊系統才是終極目標。審視目前情況，下列事項應即規劃：

(一)全國集中編目建檔

現中國機讀編目格式業已兩次修訂完成。但建檔所需的人力與物力，仍爲圖書館之一大負荷。爲使全國圖書館及資料單位能早日納入一可用的整體，需由各館合作提供館藏資料，由中央圖書館統一集中建檔。建檔工作項目可分二類：

1. 新書資料之建檔

自七十二年將各館採購之中文新資料即時輸入。

2. 回溯性圖書之建檔

七十二年以前之館藏亦需建檔，儘速逐年分批以機讀編目格式輸入建檔。

(二)與外國圖書館或資料單位合作建檔

國內圖書館建檔之後，爲使該檔便於國外的採用，應卽推展與國外圖書館間的合作計劃：

1. 合作編製善本圖書聯合目錄

在雙方互惠條件下，探討合作編製機讀式聯合目錄，此不僅可瞭解各國收藏我國善本書的情形，並可便利國內外漢學研究人士之參考利用。有助於提升我國圖書館和國外東亞圖書館的服務功能。

2. 合作印製中、日、韓文目錄卡

美國圖書館界曾洽商我國協助其解決中、日、韓文目錄卡印製問題。我國中文電算機在此方面成就甚豐，似可藉此合作關係，提高中文電算機的品質，並擴展其對海外之服務。

(三)建立全國圖書資訊網系統

以國立中央圖書館爲全國圖書資訊控制中心，建立全國性書目資料庫；全面規劃各地各級圖書館館際合作網路，分區或分類型圖書館，以區或類型圖書館組織成一有系統的網路，與中央圖書館聯成一全國性圖書資訊系統。

中央圖書館電算機業已裝置完竣，現已建立圖書目錄檔，期刊聯合目錄檔、中文期刊論文索引檔、中文圖書資料目錄等多項機讀式目錄檔。這僅是一個起步。我國圖書館自動化作業，自始卽蒙政府有關單位的全力支持，加上計劃的縝密與工作人員的努力，終能克服種種困難如期完成各項工作。相信今後，圖書館及電算機界人士本著以往合作的經驗和精神，必能將全國圖書資訊網早日建立，使我們的圖書館和資訊服務，邁入一個新的紀元。

附　註

❶ F.W. Lancaster, "Libraries and Information Age", *The ALA Yearbook,* 1980, pp. 9-19.

❷ Tefko Saracevic 講，楊美華譯，「資訊時代中的圖書館教育」，圖書館學與資訊科學，八卷二期，民七十一年八月，頁二二一～二二八。

❸ 全國圖書館現況調查研究（行政院七十年度研考經費補助專案。臺北市，國立中央圖書館，民七十一年），頁廿八。中華民國圖書館年鑑（臺北市，國立中央圖書館，民七十年），頁十一。

❹ 圖書館自動化作業規劃委員會中國機讀編目格式工作小組，中國機讀編目格式，臺北市，國立中央圖書館，民七十一年。

另英文版為：Library Automation Planning Committee. Chinese MARC Working Group, *Chinese MARC Format.* Taipei, National Central Library, 1982.

❺ 圖書館自動化作業規劃委員會中國編目規則研訂小組，中國編目規則（總則、圖書、連續性出版品），臺北市，國立中央圖書館，民七十一年。

❻ 中華民國中文期刊聯合目錄，第一版，上下册，臺北市，國立中央圖書館，民六十九年。

（原載於「當代教育理論與實際」，民國72年，臺北市，五南圖書出版公司印行。）

附　　錄

本書作者著作年表

(民國四十五年至民國七十三年)

民國45年 (1956)

8月 省立師範大學圖書館概況 中國圖書館學會會報 6期 頁12～14

民國48年 (1959)

12月 美國圖書館事業發展之近況 中國圖書館學會會報 10期 頁2～4

民國49年 (1960)

6月 美國的學校圖書館 中等敎育 11卷3、4期 頁2～4

7月 論杜威十進分類法第十六版 圖書館學報 2期 頁63～68

民國50年 (1961)

2月 圖書館工作人員暑期講習班簡介 中等敎育 12卷1期 頁20～22

6月 **學校圖書館** 臺中市 東海大學圖書館 95面

7月 大學圖書館的行政組織 圖書館學報 3期 頁15～23

民國51年 (1962)

12月 談索引 中國圖書館學會會報 14期 頁38～40

民國53年 (1964)

9月 **小學圖書館** 編譯 道格拉斯(Douglas, Mary Peacock) 著 臺北 正中書局 118面 (民69年10月四版)

民國54年 (1965)

7月 大學圖書館之館藏資料 圖書館學報 7期 頁87～101

本年 **西洋圖書分類之沿革**(The History of Classification of Western Books) 油印本 252面 國科會53學年度研究論文 (又題名：西洋圖書分類制度概說 載於：人文學報 民62年12月)

民國55年 (1966)

本年 **西洋圖書分類之理論與實際** (Classification of Western Books: Principles and Practice) 手稿本 94面 國科會54學年度研究論文

民國56年 (1967)

12月 暑期研習會之回顧與前瞻 中國圖書館學會會報 19期 頁23～28

本年 **各國圖書館員教育之比較研究**(The Comparative Study on Education for Librarianship in Different Countries) 油印本 154面 國科會55學年度研究論文 (摘要載於：各國圖書館教育制度 民63年3月)

民國57年 (1968)

10月 杜威十進分類法 國立中央圖書館館刊 新2卷2期 頁21～27

11月 西洋圖書分類之起源 慶祝蔣慰堂先生七十榮慶論文

集：國立中央圖書館館刊特刊　國立中央圖書館慶祝蔣慰堂先生七十榮慶論文集編輯委員會編　臺北　臺灣學生書局　頁283～296

本年　美國圖書館合作制度之研究　(Library Cooperation in the United States)　油印本　154面　國科會56學年度研究論文　(摘要載於：圖書選擇法　民61年10月)

民國58年　(1969)

6月　怎樣管理圖書　臺北　國立臺灣師範大學中等教育輔導委員會　133面

8月　兒童圖書館　臺北　臺灣書店　214面

本年　圖書選擇與採訪之研究 (The Theory and Practice of Book Selection and Acquisition)　油印本　110面　國科會57學年度研究論文　(又題名：圖書選擇法　民61年10月)

民國59年

4月　美國參考書的類型　譯　Shores, Louis 著　教育資料科學月刊　1卷2期　頁1～7

6月　中國大學生課外閱讀興趣之調查研究 (An Investigation of Extra-Curricular Reading Interests of College Students in the Republic of China)　與張春興合撰　教育學報 (國立臺灣師範大學)　創刊號　頁 882～858

美國圖書館之目錄合作制度 (上)　教育資料科學月刊　1卷4期　頁10～13轉24

9月　美國圖書館之目錄合作制度（下）　教育資料科學月刊　1卷5期　頁17～21

12月　圖書館週的意義及其活動　中國圖書館學會會報　22期　頁4～5　（又載於：書藝　12期　民70年3月　1版；　又題名：讀書最樂——圖書館週的意義及其活動　載於：臺灣新生報　民59年12月1日　9版）

本年　標題目錄之研究　（The Study on Subject Headings）　油印本　80面　國科會58學年度研究論文

民國60年　（1971）

4月　大學圖書館的功能　教育資料科學月刊　2卷3期　頁3～5

6月　美國圖書館學校的評價與認可制度　譯　Carnousky, Loon 著　圖書館學報　11期　頁179～190

12月　美國學校圖書館之經營標準　中等教育　22卷6期　頁12～15

本年　美國圖書館標準之研究　（The Study of Standards for Library Services in the United States）　油印本　117面　國科會59學年度研究論文　（又題名：美國的圖書館服務標準　載於：人文學報　民61年1月）

民國61年　（1972）

1月　美國的圖書館服務標準　人文學報　2期　頁537～586

5月　美國圖書館的服務標準　美國圖書館業務　李志鍾編　臺北　遠東圖書公司　頁11～23

美國杜威十進分類法　美國圖書館業務　李志鍾編　臺

北　遠東圖書公司　頁39～48

美國參考書的類型　美國圖書館業務　李志鍾編　臺北　遠東圖書公司　頁59～71

6月　我國的索引服務　圖書館學刊(輔大)　1期　頁11～12

7月　我國圖書館教育概況　第一次全國圖書館業務會議紀要　第一次全國圖書館業務會議編輯委員會編　臺北　國立中央圖書館　頁193～211

各圖書館概況——國立臺灣師範大學圖書館　第一次全國圖書館業務會議紀要　第一次全國圖書館業務會議編輯委員會編　臺北　國立中央圖書館　頁251～255

9月　序／全國雜誌指南　鄭恒雄編　臺北　編者　民61年9月

10月　**圖書選擇法**　臺北　國立臺灣師範大學圖書館　142面（民65年3月再版；民69年7月　臺北　臺灣學生書局　三版；民70年8月四版；民73年3月五版）

論全面發展圖書館事業之途徑　教育資料科學月刊　4卷4期　頁2～3

11月　文獻管理(Documentation)與圖書館學　耕書集　2期　頁3～4

12月　廿六年來的師大圖書館　中國圖書館學會會報　24期　頁16～17

我國圖書館教育現況　中國圖書館學會會報　24期　頁27～32

各國圖書館標準之研究（一）　教育資料科學月刊　4

卷5、6期　頁20～36轉51

本年　各國圖書館標準之比較研究（A Comparative Study of Library Standard in Different Countries）　油印本 160面　國科會60學年度研究論文　（又載於：教育資料科學月刊　民61年12月起）

民國62年　（1973）

1月　各國圖書館標準之研究（二）　教育資料科學月刊　5卷1期　頁9～21

2月　各國圖書館標準之研究（三）　教育資料科學月刊　5卷2期　頁3～11

3月　美國圖書館員之養成制度　國立中央圖書館館刊　新6卷1期　頁55～58

4月　序／中國近六十年來圖書館事業大事記　張錦郎、黃淵泉編　臺北　臺灣商務印書館　民63年8月

6月　美國的圖書館專業人員養成制度　社教系刊　創刊號　頁46～48

現代小學的圖書館　譯　Douglas, Mary Peacock 著　兒童教育　創刊號　頁146～148

9月　序／中文報紙文史哲論文索引　第一册　張錦郎編　臺北　正中書局　民62年11月

12月　西洋圖書分類制度概說　人文學報　3期　頁329～390

第廿九屆東方學者大會圖書館學組研討會紀要　中國圖書館學會會報　25期　頁15～16

本年　美國圖書館員養成制度之研究（The Study of Education

for Librarianship in the United States） 油印本 63面 國科會61學年度研究論文 （又題名：美國的圖書館教育制度 載於：教育資料科學月刊 民國64年6月起）

民國63年 （1974）

3月 圖書館與圖書館學 圖書館學 中國圖書館學會出版委員會編 臺北 臺灣學生書局 頁41～86

圖書資料的選擇 與趙來龍合撰 圖書館學 中國圖書館學會出版委員會編 臺北 臺灣學生書局 頁191～248

各國圖書館教育制度 圖書館學 中國圖書館學會出版委員會編 臺北 臺灣學生書局 頁447～486

本年 美國公共圖書館制度之研究 （A Study of the Public Library System in the United States） 油印本 122面 國科會62學年度研究論文 （又載於：教育資料科學月刊 民67年10月起）

民國64年 （1975）

1月 我國圖書館事業 教育資料科學月刊 7卷2、3期 頁6～9

6月 圖書館學與資訊科學 主講 李桂馥、梁奮平筆記 圖書館學刊 4期 頁9～11

美國的圖書館教育制度（上） 教育資料科學月刊 7卷5、6期 頁20～24

7月 美國的圖書館教育制度（下） 教育資料科學月刊 8

卷 1 期　頁 8 ～14

9 月　中華民國的圖書館教育　中美技術　20卷 3 期　頁1～5
Education of Library Science in the Republic of China　*SATCA Review*（中美技術）　Vol.20 No.3　pp. 1～7＋29

10月　**臺灣區大專院校圖書館現況調查報告**　臺北　教育部大專圖書館標準擬訂工作小組　油印本　48面　（又題名：臺灣大專圖書館現況之調查研究　載於：圖書館學與資訊科學　民65年 4 月）

三十年來的臺灣圖書館事業　圖書館學與資訊科學　1 卷 2 期　頁41～69

12月　教部新訂「大專圖書館標準」　中國圖書館學會會報　27 期　頁45～52

本年　**美國書目管制工作之研究**　（A Study of Bibliographic Control Services in the United States）　油印本　72面　國科會63學年度研究論文

民國65年　（1976）

2 月　大專院校圖書館問題　中國論壇　1 卷 9 期　頁30～33

4 月　三十年後的圖書館　中華日報　13日　9 版　（又載於：三十年後的世界　臺北　中華日報社　民65年 6 月　頁83～87）

臺灣大專圖書館現況之調查研究（A Survey of College and University Libraries in Taiwan）　圖書館學與

資訊科學　2卷1期　頁74～101

中華民國圖書館教育現況——國立臺灣師範大學社會教育系圖書館組　圖書館學與資訊科學　2卷1期　頁45～73

民國66年　(1977)

8月　序／中華民國圖書聯合目錄　國立中央圖書館編　臺北　編者　民66年8月

序／縮影技術學　沈曾圻、顧　敏編著　臺北　技術引介社　民66年10月

11月　現代圖書館的功能　幼獅月刊　46卷5期　頁38～40

12月　國際圖書館協會聯合會五十週年大會紀要　國立中央圖書館館刊　新10卷2期　頁57～63

民國67年　(1978)

3月　「出版品編目」計劃及「國際標準書號」制度——圖書館界與出版界合作進行的兩件事　出版之友　6期　頁16～17

6月　資料之蒐集與利用　體育學研究法　教育部體育司編　臺北　編者　頁53～59

7月　「圖書館電腦化」座談會發言紀錄　陳炳昭紀錄　中國圖書館學會會務通訊　14期　頁8～9

10月　序／中央月刊第一卷至第十卷目錄索引　中央月刊社編　臺北　編者　民67年10月

美國公共圖書館制度(上)　教育資料科學月刊　14卷2期　頁2～10

11月　美國公共圖書館制度(中)　教育資料科學月刊　14卷3期　頁2～10轉40

12月　美國公共圖書館制度(下)　教育資料科學月刊　14卷4期　頁2～9

文化中心圖書館之規劃　中國圖書館學會會報　30期　頁1～3

圖書館教育與文化建設　教育發展與文化建設　中國教育學會主編　臺北　幼獅文化事業公司　頁301～315

當前圖書館建設的使命　中央日報　13日　11版

序／中華民國期刊論文索引彙編（六十六年度）國立中央圖書館編　臺北　編者　民67年12月

民國68年　(1979)

1月　圖書館界應如何響應文化建設　中國圖書館學會會務通訊　16期　頁8～9

3月　序／中文參考用書指引　張錦郎編著　臺北　文史哲出版社　民68年4月

10月　光復後的臺灣圖書館事業　中國時報　25日　14、15版

12月　國際圖書館協會聯合會第四十五屆年會紀要　國立中央圖書館館刊　新12卷2期　頁55～61

序／中國圖書分類法(試用本)　國立中央圖書館編訂　臺北　編訂者　民68年12月

民國69年　(1980)

1月　圖書館與出版事業　出版界　1期　頁2～3

中國圖書館學會第廿七屆會員大會報告　中國圖書館學

會會務通訊　20期　頁1

「文化建設」討論發言記錄　中國圖書館學會會務通訊　20期　頁13

序／中華民國報紙論文索引　第一輯　英文中國郵報微縮資料中心編著　臺北　英文中國郵報社　民69年1月　(又載於：中華民國報紙論文索引　第二輯　英文中國郵報微縮資料中心編著　臺北　英文中國郵報社　民70年1月)

3月　序／圖書與圖書館論述集　王錫璋著　臺北　文史哲出版社　民69年4月

序／中文資料索引及索引法　鄭恒雄著　臺北　文史哲出版社　民69年3月

5月　教育資料之合作交流　教育資料研討會紀錄　國立臺灣師範大學、國立教育資料館編　臺北　編者　頁103～107

序／中華圖書館協會　宋建成著　臺北　臺灣育英社　民69年6月

8月　中央圖書館遷建計劃　圖書館規劃與媒體技術：圖書館實務研討會會議記錄　國立臺灣師範大學圖書館編　臺北　編者　頁88～89

12月　近年來的國立中央圖書館　國立中央圖書館館刊　新13卷2期　頁1～4

「確立文化中心的目標與功能」座談會紀實　徐慰虹記錄　中央月刊　13卷2期　頁53～69

我國圖書館事業之現況與展望　臺灣地區圖書館事業現況：中華民國圖書館年鑑調查錄　國立中央圖書館編　臺北　編者　頁1～7　（又載於：中華民國圖書館年鑑　國立中央圖書館編　臺北　編者　民70年12月　頁11～17）

序／臺灣地區圖書館事業現況：中華民國圖書館年鑑調查錄　國立中央圖書館編　臺北　編者　民國69年12月

民國70年　(1981)

1月　序／中文圖書機讀編目格式　圖書館自動化作業規劃委員會中文機讀編目格式工作小組編訂　臺北　中國圖書館學會、國立中央圖書館　民70年2月

Preface / *Chinese MARC format for books* Library Automation Planning Committee, Chinese MARC Working Group. Taipei : Library Association of China & National Central Library, 1981

4月　序／圖書館事業合作與發展研討會會議紀要　國立中央圖書館編　臺北　編者　民70年6月

6月　**當前文化建設中圖書館的規劃與設置之研究**　臺北　國家建設研究委員會　92面

我國圖書館事業之現況與展望　圖書館事業合作與發展研討會會議紀要　國立中央圖書館編　臺北　編者　頁53～60

我國的圖書館教育制度　圖書館事業合作與發展研討會

會議紀要 國立中央圖書館編 臺北 編者 頁243～298

序／中文圖書機讀編目格式 第二版 圖書館自動化作業規劃委員會中文機讀編目格式工作小組編訂 臺北 中國圖書館學會、國立中央圖書館 民70年6月

Preface to the Second Edition / *Chinese MARC format for books.* 2nd ed. Library Automation Planning Committee, Chinese MARC Working Group. Taipei : Library Association of China & National Central Library, 1981

8月 Libraries and Librarianship in Taiwan *The Republic of China* *National Central Library Newsletter* (國立中央圖書館通訊) Vol.13 No.1、2 pp. 167-174

9月 七十年來的中國圖書館事業 中華民國開國七十年之教育 郭爲藩編著 臺北 廣文書局 頁887～916

10月 本會七十年圖書館工作人員研習會開學典禮致詞 中國圖書館學會會務通訊 27期 頁5

序／西洋人文學文獻概論 曾素宜編著 臺北 中西留學出版社 民70年10月

11月 文化建設與圖書館事業之發展 社會教育論叢 李建興主編 臺北縣 私立潘氏圖書館社會教育推廣研究委員會 頁16～20

12月 圖書館教育 與郭麗玲合撰 中華民國圖書館年鑑 國立中央圖書館編 臺北 編者 頁249～261

我國圖書館自動化作業計劃及實施現況　國立臺灣大學圖書館學系成立廿週年紀念特刊　國立臺灣大學圖書館學系、國立臺灣大學圖書館學系系友會、國立臺灣大學圖書館學系系學會編　臺北　編者　頁39～40

民國71年　(1982)

1月　發刊詞／漢學研究通訊　漢學研究通訊　1卷1期　頁1

4月　舊書香與新文化——古籍蒐集與整理座談會　中央日報　18日　4版

5月　序／中文參考資料　鄭恒雄著　臺北　臺灣學生書局　民71年7月　(又載於：書目季刊　17卷4期　民73年3月　頁31～32)

序／國立中央圖書館善本題跋眞跡　國立中央圖書館特藏組編　臺北　國立中央圖書館　民71年5月

展覽說明／中國歷史與傳記工具書展覽目錄　國立中央圖書館編　臺北　編者　民71年5月

6月　文化建設與圖書館　社會敎育與文化建設　國立臺灣師範大學社會敎育系編　臺北　編者　頁50～64

序／國際重要圖書館的歷史和現況　黃端儀譯著　臺北　臺灣學生書局　民71年7月

序／縮影作業實務　吳相鏞著　臺北　南京出版公司　民71年8月

7月　本會七十一年度圖書館工作人員研習會開學典禮致詞　中國圖書館學會會務通訊　30期　頁7～8

8月　序／中國編目規則：總則、圖書、連續性出版品　圖書

館自動化作業規劃委員會中國編目規則研訂小組編訂　臺北　國立中央圖書館　民71年8月

9月　序／中國機讀編目格式　圖書館自動化作業規劃委員會中國機讀編目格式工作小組編　臺北　國立中央圖書館　民71年9月

Preface / *Chinese MARC format* Library Automation Planning Committee, Chinese MARC Working Group. Taipei : National Central Library, 1982

10月　怎樣利用圖書館　與宋建成合撰　怎樣突破讀書的困境　張春興編著　臺北　臺灣東華書局　頁81～171

本會七十一年圖書館工作人員研習會結業典禮報告　中國圖書館學會會務通訊　31期　頁6

自動化作業之現況與展望　講演　姜海燕摘錄　中國圖書館學會會務通訊　31期　頁10～11

Chinese Library Automation-An Overview and B.H. Seng, (沈寶環) *Symposium on Computer Processing of Chinese Library Materials and Computer-Assisted Chinese Language Instruction at ASIS-82 Proceedings.* Co-sponsored by the Institute for Information Industry, the Library Association of China (Taipei), the ROC Committee for Scientific and Scholarly Cooperation with U.S., Academia Sinica. Taipei : American Society for Information Science Taipei Chapter, 1982. pp. 1-1 ～1-4

Opening Remarks (Symposium on Computer Processing of Chinese Library Materials and Computer-Assisted Chinese Language Instruction at ASIS-82, Columbus, Ohio,1982) *Symposium on Computer Processing of Chinese Library Materials and Computer-Assisted Chinese Language Instruction at ASIS-82 Proceedings.* Co-sponsored by the Institute for Information Industry, the Library Association of China (Taipei), the ROC Committee for Scientific and Scholarly Cooperation with U.S., Academia Sinica. Taipei : American Society for Information Science Taipei Chapter, 1982.

序／海外漢學資源調查錄　汪雁秋編　臺北　漢學研究資料暨服務中心　民71年10月

11月　序／期刊管理及利用　戴國瑜著　臺北　臺灣學生書局　民72年1月

序／書僮書話　唐潤鈿著　臺北　文史哲出版社　民72年2月　(又載於：中央日報　民72年4月21日　12版)

12月　我國圖書館自動化作業之現況及展望　國立中央圖書館館刊　新15卷1、2期　頁1～5

The Development of Library Automation as a Foundation of the National Library Network in Taiwan. *Journal of Educational Media and Library Sciences* (教育資料與圖書館學) Vol.20 No.2 pp.101～108

序／臺閩地區圖書館現況調查研究　雷叔雲等著　臺北

國立中央圖書館　民72年12月

序／美國的今天　吳訹圃著　臺北　倫理文化資源開發有限公司　民72年12月

序／兒童讀物研究　司　琦著　臺北　臺灣商務印書館　民72年10月　（又載於：中央日報　72年1月22日　10版；　又題名：「兒童讀物研究」序——感念推展我國圖書館事業的費士卓博士　載於：傳記文學　43卷6期　頁112）

民國72年　(1983)

1月　談圖書的類性　書香　38期　1版

本會第三十屆會員大會致詞　林怜義、陳淑惠記　中國圖書館學會會務通訊　32期　頁1～2

序／中國圖書館發展史：自清末至抗戰勝利　嚴文郁著　臺北　中國圖書館學會出版　楓城出版社　民72年6月

序／西洋圖書館史　尹定國譯　臺北　臺灣學生書局　民72年5月

3月　我國圖書館自動化作業之現況及展望　當代教育理論與實際：孫邦正教授七秩大慶紀念論文集　郭爲藩等著　臺北　五南圖書出版公司　頁561～575

Welcoming Address (The First Asian-Pacific Conference on Library Science, 1983, Taipei) *Proceedings of The First Asian-Pacific Conference on Library Science, 13-19 March, 1983, Taipei,* by Cultural and Social Centre for the Asian and Pacific Region & National Central Library

Seoul, Korea : Cultural and Social Centre for the Asian and Pacific Region, 1983. p.26

Library and Information Services in Taiwan, ROC *Proceedings of The First Asian-Pacific Conference on Library Science, 13-19 March, 1983, Taipei,* by Cultural and Social Centre for the Asian and Pacific Region & National Central Library Seoul, Korea : Cultural and Social Centre for the Asian and Pacific Region, 1983. pp.59～65

4月 亞太地區第一屆圖書館學硏討會報告　國立中央圖書館館刊　新16卷1期　頁48～56

亞太地區第一屆圖書館學硏討會紀要　圖書館學與資訊科學　9卷1期　頁94～106

前言／五十週年館慶特刊　國立中央圖書館館刊　新16卷1期　頁1　72年4月

展出的話／工商參考資料展覽目錄　國立中央圖書館編　臺北　編著　民72年4月

5月 文化中心併發症　口述　林淑蘭筆錄　書櫃　革新版1期　20日　3版

發刊詞／漢學研究　漢學研究　1卷1期

序／光復以來臺灣地區出版人類學論著目錄　黃應貴主編　臺北　中國民族學會、漢學研究資料暨服務中心　民72年6月

6月 **建立全國圖書館管理制度之研究**　主持　220面　行政

院研究發展考核委員會專題研究報告

各國圖書館現況　臺北市立圖書館館訊　創刊號　頁3～8

8月　序／中國編目規則　圖書館自動化作業規劃委員會中國編目規則研訂小組編訂　臺北　國立中央圖書館　民72年8月

10月　在文化建設階段國立中央圖書館之發展　幼獅月刊　58卷　4期　頁33～37

本會七十二年暑期圖書館工作人員研習會結業典禮致詞　薛理桂記　中國圖書館學會會務通訊　35期　頁23

12月　三十年來的臺灣圖書館教育　中國圖書館學會會報　35期　頁9～19

書香社會開卷有益——出版業座談會　中央日報　21日10版

民國73年　(1984)

1月　我們需要明確的出版政策　自由青年　71卷1期（553期）頁39～40

本會第卅一屆會員大會暨成立卅週年慶祝大會致詞　中國圖書館學會會務通訊　36期　頁2

序／當代女作家文學作品書目　國立中央圖書館編　臺北　編者　民73年1月

2月　序／中文圖書標題總目初稿　圖書館自動化作業規劃委員會中文圖書標題總目研訂小組編訂　臺北　國立中央圖書館　民73年2月

3月　資訊功能與圖書管理　中警　408期　2版　（又載於：

縮影研究 2卷1期 頁8～9)

也談圖書館功能 中央日報 20日 12版

圖書館的經營與實務 文化中心行政人員研討(習)會實錄 國立臺灣師範大學社會教育學系編 臺北 編者 頁68～71

序／法國藝術圖書展覽目錄 國立中央圖書館編 臺北 編者 民73年3月

4月 序／中國國際圖書館中文舊籍目錄 國立中央圖書館編 臺北 編者 民73年6月

圖書資訊技術服務研討會閉幕致詞 圖書資訊技術服務研討會實錄 國立臺灣師範大學、中國圖書館學會編 臺北 編者 頁105～107

5月 序／中國機讀編目格式 第二版 圖書館自動化作業規劃委員會中國機讀編目格式工作小組編撰 臺北 國立中央圖書館 民73年7月

Preface / *Chinese MARC format* 2nd ed. Library Automation Planning Committee, Chinese MARC Working Group. Taipei : National Central Library, 1984

序／圖書與圖書館利用法 吳哲夫、鄭恒雄、雷叔雲合著 臺北 行政院文化建設委員會 民73年6月

6月 我國近代圖書館事業之發展 中華民國歷史與文化討論集 中華民國歷史與文化討論集編輯委員會編 臺北 編者 第三册 頁188～207;227～233

7月 序／近代東北區域研究資料目錄　趙中孚主編　臺北　漢學研究資料暨服務中心　中央研究院近代史研究所　民73年7月

8月 序／圖書分類與管理　洪兆鉞著　臺北　純文學出版社　民73年8月　（又載於：純文學季刊　12號　民73年7月；　中央日報　民73年10月14日　12版）

9月 圖書館的功能與方向　社會教育論叢　第二輯　李建興主編　臺北縣　私立潘氏圖書館社會教育推廣研究委員會　頁52～57

七十三年度暑期研習會開學典禮致詞　中國圖書館學會會務通訊　40期　頁11

序／資訊科學導論　張鼎鍾編譯　臺北　中國圖書館學會出版　臺灣學生書局　民73年11月

10月 展出的話／現代詩三十年展覽目錄　國立中央圖書館編　臺北　該館　民73年10月

序／中國圖書館事業論集　張錦郎著　臺北　臺灣學生書局　民73年11月

11月 序／中國歷代藝文總志(經部)　國立中央圖書館編　臺北　編者　民73年11月

12月 參考服務及其趨勢　國立中央圖書館館刊　新17卷2期　頁49-54

圖書館學論叢　臺北　臺灣學生書局　586面

（嚴鼎忠、程麟雅編訂）

後　記

我國圖書館事業在政府大力推展之下，現已步入一新的階段。尤自民國六十七年以後，教育部遷建國立中央圖書館，各縣市興建文化中心，而各級學校或擴編組織，或建立新館，圖書館事業呈現一片美麗遠景。値此期間，圖書館從業人員如何運用圖書館的知識與技能，在國家建設的整體目標下，謀求文化記錄與資訊媒體的有效利用，提昇圖書館資訊服務之效能，實爲當務之急。

但是，圖書館經營與服務之良窳，實與其外在環境和內在條件息息相關，其經營管理不僅要依據圖書館學的原理和圖書館作業規範；同時更重要的是要體察現況的需要，並能吸收其他先進國家的經驗，加以參酌運用，進而有所創新與發展。這也含有他山之石可以攻錯的意思。

本書包括圖書館學論著十四篇，內容爲：圖書館學通論，圖書館經營與標準，分類與目錄，圖書館教育與圖書館事業等五個主題。在收編的各篇文章中，有關通論方面闡述圖書館及圖書館學的意義、功能與發展；在經營與標準方面介紹各國圖書館服務標準與美國公共圖書館制度；在分類與目錄方面探討西洋圖書分類之起源，各家分類制度，以及美國目錄合作制度；在圖書館教育方面介紹中、美圖書館專業教育制度與現況；而在圖書館事業方面分述我國圖書館事業之發展。以上各篇文章，討論到圖書館學的理論與技術，並從現況介紹中瞭解到我國圖書館事業發展的軌跡，以及其他國家圖書館事業的經營方法。

這本文集的出版，實應感謝多年來共同在文教事業和圖書館工作的師友們。今年七月間，國立藝術學院圖書館館長凌公山先生邀我參加一次集會，會中張錦郎先生贈送給我六本複印的文稿作爲紀念。這六本文稿收集了我過去卅年間所發表的一百多篇文章，並附有一份完整的著作目錄，翻閱一過使我感到意外的驚喜。這些文章有的被輯入索引，有目可稽；有些則散登在各校刊物上或是屬於研究性報告，並無線索可尋。而今不論長篇短論均能巨細無遺的摭拾彙編，不僅一一查明出處，並且就原文複印輯存，在蒐編工作上所顯示的細心的整理功夫，令人感佩。

這些文章經過分類彙編之後，承師友們選出十四篇文章委由學生書局出版，並敦請圖書館界先進蔣慰堂、嚴紹誠兩位先生賜序，蒙劉兆祐教授和張錦郎先生審編及彙集文稿，胡歐蘭教授、薛吉雄先生校閱，嚴鼎忠先生和程麟雅小姐編訂著作年表，盛情可感，謹此一併致謝。

王振鵠 記於國立中央圖書館
民國七十三年十二月

國立中央圖書館出版品預行編目資料

圖書館學論叢 / 王振鵠著 -- 初版 -- 臺北市：臺灣學生，民 79 二刷

12,586 面；21 公分 --（圖書館學與資訊科學叢書）

ISBN 957-15-0057-7（精裝）-- ISBN 957-15-0058-5（平裝）

1.圖書館學 - 論文，講詞等

020.7

圖書館學論叢（全一册）

著作者：王振鵠

出版者：臺灣學生書局

本書局登記證字號：行政院新聞局局版臺業字第一一〇〇號

發行人：丁文治

發行所：臺灣學生書局

臺北市和平東路一段一九八號
郵政劃撥帳號0002466～8號
電話：3634156
FAX:(02)3636334

印刷所：淵明印刷廠

地址：永和市成功路一段43巷五號
電話：9287145

香港總經銷：藝文圖書公司

地址：九龍又一村達之路三十號地下後座　電話：3－805807

定價　精裝新台幣 410 元
　　　平裝新台幣 360 元

中華民國七十三年十二月初版
中華民國七十九年二月初版二刷

ISBN 957－15－0057－7（精裝）
ISBN 957－15－0058－0（平裝）